एक किशोरी की डायरी

एक किशोरी की डायरी

ऐनी फ्रैंक

प्रभात प्रकाशन

प्रकाशक
प्रभात प्रकाशन प्रा. लि.
4/19 आसफ अली रोड, नई दिल्ली–110002
फोन : 011–23289777 • हेल्पलाइन नं. : 7827007777
इ–मेल : prabhatbooks@gmail.com ❖ वेब ठिकाना : www.prabhatbooks.com

संस्करण
2025

अनुवाद
संध्या पेडनेकर

पेपरबैक मूल्य
पाँच सौ रुपए

मुद्रक
आर–टेक ऑफसेट प्रिंटर्स, दिल्ली

★

EK KISHORI KI DIARY
by Anne Frank
(Hindi translation of THE DIARY OF A YOUNG GIRL)

Published by **PRABHAT PRAKASHAN PVT. LTD.**
4/19 Asaf Ali Road, New Delhi-110002

ISBN 978-93-95386-31-9

₹ 500.00

प्राक्कथन

सन् 1942-1944 के दौरान ऐन ने डायरी लिखी थी। यूरोप में वह द्वितीय विश्व युद्ध का कठिन दौर था। द्वितीय विश्व युद्ध के बारे में जानने के लिए पहले हमें प्रथम विश्व युद्ध के परिणामों को और वर्साय संधि को समझना होगा।

बीसवीं सदी की शुरुआत में यूरोप में जर्मन राष्ट्र एक महाशक्ति के तौर पर उभरा था। प्रथम विश्व युद्ध के अंत में उसके पतन और सम्राट् के पदत्याग के बाद बर्लिन के राजनीतिज्ञों के एक गुट ने जर्मन प्रजातंत्र की स्थापना की घोषणा की।

वर्साय में हुई शांति वार्त्ता में उन्होंने जर्मन प्रजातंत्र का प्रतिनिधित्व किया, लेकिन उन्हें यह जानकर धक्का लगा कि उन्हें संधिक्रम के गठन में हिस्सा लेने की अनुमति नहीं है। इंग्लैंड, फ्रांस, इटली और संयुक्त राष्ट्र अमेरिका, इन विजयी मित्र राष्ट्रों द्वारा बनाया गया संधि की शर्तों का अंतिम मसौदा जर्मनी को देकर उन्हें सूचित किया गया कि मसौदे पर हस्ताक्षर नहीं करने की स्थिति में जर्मनी पर हमला किया जाएगा। संधि में युद्ध के लिए अकेले जर्मनी को जिम्मेदार ठहराते हुए हर्जाने के तौर पर जर्मन प्रजातंत्र के बड़े क्षेत्र और बड़ी रकम अदा करने की माँग की गई थी। जर्मनी में संधि की इन शर्तों की बड़े पैमाने पर निंदा हुई और संधि पर हस्ताक्षर करनेवाले राजनीतिज्ञों के प्रति कड़ा रोष प्रकट किया गया। सन् 1920 के दौरान जर्मनी जब हर्जाने की रकम जुटा रहा था, तब जर्मनी में भयंकर मुद्रास्फीति आई थी।

महत्त्वपूर्ण बात यह है कि द्वितीय विश्व युद्ध के दौरान बंदी शिविरों में मरनेवाले लाखों यहूदियों को ऐन फ्रैंक की डायरी ने चेहरा और व्यक्तित्व प्रदान किया। यह पुस्तक 'नाईट' जैसा कोई उपन्यास नहीं है, जिसमें बंदी शिविरों की त्रासदियों और विभीषिकाओं का वर्णन किया गया हो। ऐन फ्रैंक की यह बेहतरीन और बेहद निजी डायरी हमें इस त्रासदी में मारे गए यहूदियों को केवल सांख्यिकी और आँकड़ों के तौर पर याद किए जाने से बचाती है। हम-आप जैसे जिंदा लोगों के साथ घटी घटनाओं के तौर पर अनुभवों को जीवंतता प्रदान करती है। इस डायरी को पढ़कर अगर आप बेहद

भयभीत और बहुत दुःखी महसूस करते हैं तो ऐसा महसूस करनेवाले आप अकेले नहीं हैं। हो सकता है, आपको बड़ी तीव्रता से लगे कि काश! यह बुद्धिमान, मेधावी युवा लड़की लंबी उम्र पाती। यह चाहनेवाले भी आप अकेले नहीं होंगे। बावजूद इसके, उसकी मृत्यु हुई। वह धर्मद्वेष की बलि चढ़ गई। हमारे राजनीतिज्ञ धर्म-संहार के बारे में जब 'कदापि नहीं' कहते हैं, तब उसके सही मायने क्या होते हैं, इसकी असली तसवीर हमें इसमें दिखाई देती है।

12 जून, 1942

''उम्मीद है कि मैं तुम्हें सबकुछ बता पाऊँगी, क्योंकि अब तक किसी और को मैं अपने मन की बात नहीं बता पाई हूँ और आशा है कि तुम मुझे सुकून और सहारा दे पाओगी।''

28 सितंबर, 1942 को ऐन द्वारा जोड़ी गई टिप्पणी, ''अब तक तुम मेरे लिए एक बड़ा सहारा साबित हुई हो और किट्टी भी, जिसे अब मैं नियमित रूप से चिट्ठियाँ लिखने लगी हूँ। डायरी लिखना सचमुच अच्छी बात है। अब मुझे बेसब्री से उन पलों का इंतजार है, जब मैं तुममें लिख पाऊँगी। कितना अच्छा हुआ कि मैं तुम्हें अपने साथ ले आई।''

रविवार, 14 जून, 1942

''जिस पल मैंने तुम्हें पाया, बल्कि जिस पल मैंने तुम्हें अपने जन्म दिवस के अन्य उपहारों के साथ पड़ा पाया, उस पल से मैं शुरुआत करती हूँ। (तुम्हें खरीदते वक्त भी मैं साथ थी, लेकिन उसके कोई खास मायने नहीं।) शुक्रवार 12 जून को मैं सुबह 6 बजे जगी थी। हालाँकि यह कोई अचरज की बात नहीं, क्योंकि वह मेरा जन्मदिन था, लेकिन मुझे इतनी जल्दी जागने की इजाजत नहीं है। इसलिए पौने सात बजे तक मुझे अपनी उत्सुकता पर लगाम कसनी पड़ी थी और सब्र करना जब असंभव हो गया, तब मैं उठकर खाने के कमरे में चली गई। वहाँ मूजी यानी मेरे बिल्ले ने मेरे पैरों से सटकर मेरा स्वागत किया।

सात बजे के कुछ समय बाद मैं डैडी और ममा से मिलने गई और उसके बाद बैठक के कमरे में गई, जहाँ जन्मदिवस के उपलक्ष्य में मुझे मिले उपहार रखे थे। मुझे वे खोलकर देखने थे। वहाँ सबसे पहले मेरी नजर तुम पर गई, तुम मेरा सबसे बेहतरीन उपहार थी। तुम्हारे अलावा मुझे वहाँ गुलाब के फूलों के कुछ गुलदस्ते, कुछ गमलों में लगे लाल फूलों से लदे पौधे दिखाई दिए। डैडी और ममा से मुझे एक नीला ब्लाउज, एक खिलौना, अंगूर के रस की एक बोतल, जिसका स्वाद मुझे कुछ-कुछ वाइन जैसा

लगा (वैसे भी वाइन अंगूर के रस ही तो बनती है), एक पहेलीवाला खिलौना, कोल्ड क्रीम की एक बोतल, 2.50 गिल्डर्स कीमत के सोने के सिक्के और दो किताबें खरीदने के लिए गिफ्ट सर्टिफिकेट्स मिले। मुझे 'कैमरा ऑब्स्क्युरा' नाम की एक किताब भी मिली, लेकिन मार्गो के पास वह किताब पहले से थी, इसलिए मैंने उस किताब के बदले कुछ और लिया। मुझे एक थाल भर घर की बनी कुकीज (जो मैंने खुद बनाई थीं। अब मैं कुकीज बनाने में माहिर हो गई हूँ), बहुत सारे चॉकलेट्स और माँ से एक स्ट्रॉबेरी की मिठाई भी मिली है। दादी ने मुझे एक खत लिखा था, जो मुझे बिल्कुल समय पर मिला, हालाँकि यह बस संयोग की बात थी।

फिर हनेली मुझे लेने आई और हम स्कूल चली गईं। स्कूल में जब मध्यावकाश हुआ तो मैंने अपने अध्यापकों को मित्रों में कुकीज बाँटीं। उसके बाद फिर पढ़ाई में लग गए। स्कूल के बाद क्लास के अन्य सभी बच्चों के साथ मैं जिम चली गई, इसलिए घर लौटने में पाँच बज गए। (असल में मेरे कंधे और कूल्हों की हड्डियाँ सरक जाती हैं। इसलिए मुझे जिम में कसरत करने की मनाही है।) चूँकि वह मेरा जन्मदिवस था, इसलिए मेरी कक्षा के बच्चे कौन सा खेल खेलेंगे, यह मुझे तय करना था। मैंने वॉलीबॉल चुना। खेल के बाद वे सब घेरा बनाकर मेरे इर्द-गिर्द नाचे और उन्होंने 'हैप्पी बर्थ डे' गाकर मुझे शुभकामनाएँ दीं। मैं घर पहुँची, तब सैन लेडर मन वहाँ मौजूद थी। इल्सी वेगनर, हनेली गोसलर और जैकलीन वान मार्सेन भी जिम के बाद स्कूल से मेरे साथ ही घर लौटे, क्योंकि हम सब एक ही कक्षा में पढ़ते हैं। हनेली और सैन मेरी अच्छी दोस्त हुआ करती थीं। जो लोग हमें साथ देखते, वे कहते, "ये रहीं ऐन, हेन और सैनो।" मैं जब खास यहूदियों के बच्चों के लिए बनी संस्था में पढ़ने लगी, तब वहाँ मेरी जैकलीन वान मार्सेन से मुलाकात हुई। अब वह भी मेरी अच्छी दोस्त है। इल्सी हनेली की बेस्ट फ्रेंड है। सैन दूसरे स्कूल में पढ़ती है और वहाँ भी उसके दोस्त हैं।

उन्होंने मुझे एक सुंदर किताब 'डच सासाज एंड लिसेंड्स' दी, लेकिन गलती से उन्होंने मुझे उसका दूसरा भाग दिया। इसलिए मैंने अपनी दो किताबें देकर उसका पहला भाग भी ले लिया। हेलेन आंटी ने मेरे लिए पहेलियों की एक किताब दी, स्टीफनो आंटी ने एक बहुत खूबसूरत ब्रूच दिया और लेनो आंटी ने 'डेझी गोज टू द माउंटेन' नाम की एक बेहतरीन किताब दी।

आज सुबह बाथ टब में लेटे-लेटे मेरे मन में खयाल आया कि काश! मेरे पास भी रिन-टिन-टिन जैसा कोई कुत्ता होता। मैं भी उसे रिन-टिन-टिन ही बुलाती, उसे अपने साथ स्कूल ले जाती, जहाँ वह चौकीदार के कमरे में रुकता या मौसम अच्छा हो तो साइकिलों के स्टैंड के पास रुकता।

सोमवार, 15 जून, 1942

रविवार की दोपहर को मैंने अपनी बर्थ-डे पार्टी दी। मेरी कक्षा में पढ़नेवाले मित्रों को 'रिन-टिन-टिन' फिल्म बहुत अच्छी लगी। उपहार में मुझे दो ब्रूच, एक बुकमार्क और दो किताबें मिलीं। पहले मैं आपको अपने स्कूल और अपनी क्लॉस के बारे में कुछ बातें बताऊँ, पहले खासकर छात्रों के बारे में बताती हूँ।

बेट्टी ब्लूमेंडाल बहुत गरीब लगती है और मुझे लगता है, वह शायद है भी। एमस्टरडम के पश्चिमी हिस्से की किसी अज्ञात गली में वह रहती है। हममें से किसी को यह पता नहीं है कि वह गली कहाँ है। पढ़ाई में वह बहुत तेज है, लेकिन वह इसलिए कि वह मेहनत से पढ़ाई करती है, इसलिए नहीं कि वह मेधावी है। बहुत शांत है।

जैकलीन वान मारसन को सब मेरी खास सहेली मानते हैं, लेकिन मेरी कभी कोई खास सहेली नहीं रही। पहले मुझे लगा था कि जैक मेरी खास सहेली है, लेकिन मैं गलत थी।

डी.क्यू.* (*जो लोग अपना नाम प्रकट नहीं करना चाहते, उन्हें यों ही कोई आद्याक्षर से मैंने संबोधित किया है।) बेहद शर्मीली लड़की है। वह बार-बार बातें भूल जाती है। इसलिए टीचर्स सजा के तौर पर उसे अतिरिक्त गृह पाठ देती रहती हैं। वह बेहद दयालु है, खासकर जी.जे. के साथ।

ई.एस. बेहद बातूनी है और उसकी बातों में कोई मजा नहीं आता। उसे जब किसी से कुछ माँगना होता है, तब वह हमेशा उसके बालों को या कमीज के बटनों को छूती रहती है। सब बताते हैं कि वह मुझे बिल्कुल पसंद नहीं करती। यहाँ किसे परवाह है, मैं भी तो उसे पसंद नहीं करती।

हेनी मेट्स अच्छे स्वभाववाली बहुत अच्छी लड़की है। बस वह बेहद ऊँची आवाज में बोलती है और जब हम बाहर खेलते हैं, तब वह बच्चों जैसी हरकतें करती है। दुर्भाग्य से हेनी की बेप्पी नाम की एक सहेली, जो बेहद गंदी और अश्लील है, उसका असर हेनी पर पड़ता है।

जे.आर. के बारे में मैं एक पूरी किताब लिख सकती हूँ। जे एक घिनौनी, नीच, घमंडी, दोमुँही, अफवाहें फैलानेवाली लड़की है। उसे लगता है कि वह बहुत बड़ी है। एक बार जैक उसके झाँसे में आई थी, जो बेहद शर्मिंदगी की बात है। जे को बहुत जल्द गुस्सा आता है। छोटी-छोटी बातों पर उसके आँसू निकल आते हैं और सबसे बुरी बात यह कि वह दिखावा बहुत करती है। मिस जे कभी गलत नहीं होती। वह बेहद अमीर है और उसके पास अलमारी भर के एक से बढ़कर एक सुंदर कपड़े हैं; हालाँकि वे उसके सही नाप के नहीं हैं। काफी बड़े नाप के हैं। उसे लगता है कि वह खूबसूरत है,

लेकिन वह खूबसूरत नहीं है। जे मुझे और मैं जे को बिल्कुल बरदाश्त नहीं कर सकते।

एल्सी वेगनर बहुत अच्छी लड़की है। उसका स्वभाव भी अच्छा है, लेकिन वह बेहद तुनकमिजाज है। किसी चीज के बारे में शिकायतें करने में वह घंटों बिता सकती है। एल्सी मुझे बहुत पसंद करती है। वैसे वह बहुत बुद्धिमान है, लेकिन आलसी है।

हनेली गोसलर को स्कूल में सब झूठी कहते हैं। वह है भी थोड़ी अजीब, ज्यादातर वह शर्मीली है। घर में वह खूब बतियाती है, लेकिन बाहर बहुत कम बोलती है। आप उसे जो भी कहें, सब वह घर जाकर अपनी ममा को बता देती है, लेकिन हाँ, जो मन में हो, वही वह बोलती है, मुझे आजकल पसंद आने लगी है।

नैनी वान प्राग सिगार छोटे कद की, मजाकिया और अक्लमंद लड़की है। वह अच्छी लड़की है, ऐसा मुझे लगता है। वह चालाक भी है। इसके अलावा नैनी के बारे में कहने लायक और कुछ नहीं है।

एफी डी जोंग मुझे बहुत अच्छी लगती है। उसकी उम्र 12 वर्ष की है, लेकिन वह बड़ी औरतों की तरह बरतती है। मेरे साथ वह ऐसा बरताव करती है, मानो मैं कोई बच्ची हूँ। वह बहुत ही मददगार है, मुझे वह पसंद है।

जी.जे. हमारी क्लॉस की सबसे खूबसूरत लड़की है। उसका चेहरा बेहद खूबसूरत है, लेकिन दिमाग से वह थोड़ी कच्ची है। मुझे लगता है, स्कूल उसे एक साल फिर इसी कक्षा में रखनेवाला है, लेकिन जाहिर है, मैंने अभी उसे यह बात नहीं बताई है।

ऐन द्वारा आगे चलकर यहाँ एक टिप्पणी जोड़ी गई है : मुझे बड़ी खुशी है कि जी.जे. को उसी कक्षा में रखा नहीं गया।

और जी.जे. के पड़ोस में बैठनेवाली हम बारह लड़कियों में से एक लड़की मैं हूँ। लड़कों के बारे में बहुत कुछ कहा जा सकता है या फिर ऐसा भी कह सकते हैं कि उनके बारे में कहने लायक खास कुछ नहीं है। मोरिस कोस्टर अन्य कई लड़कों की तरह मुझे पसंद करता है, लेकिन वह चिपकू है। सैली स्प्रिंगर गंदी है, अफवाह है कि इन दोनों के बीच बहुत कुछ हो गुजरा है। फिर भी मोरिस मुझे बेहद पसंद है, क्योंकि वह बड़ा मजाकिया किस्म का लड़का है।

एमिल बोनविट जी.जे. को पसंद करता है, लेकिन जी.जे. को इससे कोई फर्क नहीं पड़ता। वह बड़ा ऊबाऊ किस्म का लड़का है। रोब कोहेन को कभी मुझसे इश्क हुआ करता था, लेकिन अब मैं उसे जरा भी बरदाश्त नहीं कर सकती। वह घिनौना, दोमुँहा, झूठा, रिरियानेवाला अहमक है, जो अपने आपको कुछ ज्यादा ही समझता है।

मैक्स वान डे वेल्डे मेडेमब्लिक का किसान बच्चा है, लेकिन मार्गो कहती है कि वह बिल्कुल सुयोग्य लड़का है।

हर्मन कूपमन भी गंदी सोचवाला लड़का है। बिल्कुल जोपी डी बियर की तरह,

छेड़-छाड़ करनेवाला, लड़कियों के पीछे पड़नेवाला। लियो ब्लॉम जोपी डी बियर का दोस्त है और जोपी की गंदी सोच ने उसे बिगाड़ रखा है।

अल्बर्ट डी मिस्किटा मोंटेसरी स्कूल से आया है और एक क्लॉस आगे लिया गया है। वह बहुत बुद्धिमान लड़का है।

लियो स्लेजर भी उसी स्कूल से आया है, लेकिन वह उतना अक्लमंद नहीं है। रू स्टॉपेलमोन नाटा और बेवकूफ है। वह अल्मेलो से है। साल के बीच में उसे पुराने स्कूल से इस सकूल में स्थानांतरित किया गया है। सी.ऐन. वह सब करता है, जो उसे करना नहीं चाहिए। जैक्स कोसरनूट हमारे पीछे सी के पड़ोस में बैठता है और हम यानी जी और मैं बिना वजह हँसते रहते हैं।

हैरी रचाप हमारी क्लॉस का सबसे संभ्रांत लड़का है। वह बहुत अच्छा है। वेर्नेर जोजफ भी अच्छा है, लेकिन बदलावों के कारण वह शांत हुआ है। इसीलिए वह बोरिंग, यानी ऊबा हुआ लगता है। सैम सोलोमन ट्रैक्स पर दिखनेवाले तगड़े इनसान की तरह दिखता है। बिगड़ैल बच्चा। (तारीफ में कह रही हूँ भाई!)

एप्पी रीम दकियानूस है, लेकिन वह भी बिगड़ैल बच्चा ही है।

शनिवार, 20 जून, 1942

मेरी जैसी लड़की के लिए डायरी लिखना सचमुच एक अजीब अनुभव है। केवल इसलिए नहीं कि मैंने इससे पहले कुछ लिखा नहीं है, बल्कि इसलिए भी, क्योंकि मुझे लगता है कि बाद में मुझे या किसी और को 13 वर्ष की एक स्कूल में पढ़नेवाली लड़की ने अपनी डायरी में क्या लिखा है; यह जानने में बिल्कुल दिलचस्पी नहीं होगी। वैसे इससे कोई पर्क भी नहीं पड़ता। लिखने का मेरा मन है और उससे अधिक जरूरत है, मन पर बोझ डालनेवाली बातों को मन से उतार देने की।

मैंने वह कहावत सुनी है, "कागज में लोगों की तुलना में अधिक संयम होता है।" मैं उस दिन थोड़ी उदासी महसूस कर रही थी। घर में बिल्कुल अनमनी, निरुत्साह बैठी थी और हथेलियों पर ठुड्डी टिकाए यही सोच रही थी कि घर में में ही रहूँ या बाहर जाऊँ। आखिर मैं जहाँ थी, वहीं बैठी रही, सोच में डूबी हुई। तब मुझे लगा था, होता होगा कागज में इनसानों से ज्यादा सब्र। वैसे भी जब मैं यह कड़ी रीढ़वाली नोटबुक, जिसे बड़े सम्मान के साथ 'डायरी' कहा जा रहा है, किसी को पढ़ने ही नहीं देने वाली हूँ। हाँ, अगर कोई अंतरंग मित्र मिले तो अगर बात है तो इस बात से कोई फर्क नहीं पड़नेवाला।

अब फिर से लीक पर आते हुए मैं आपको यह बता दूँ कि मैंने यह डायरी

लिखना क्यों शुरू किया। इसलिए, क्योंकि मेरे कोई मित्र नहीं हैं। थोड़ा और स्पष्ट कर दूँ, क्योंकि सहसा कोई विश्वास नहीं कर पाएँगे कि तेरह वर्ष की लड़की की कोई मित्र नहीं है और वह निपट अकेली है और वैसे मैं हूँ भी नहीं अकेली। मुझसे ढेर सारा प्यार करनेवाले मेरे माता-पिता हैं, सोलह साल की मेरी एक बहन है और करीब 30 लोग हैं, जिन्हें मैं अपने मित्र कह सकती हूँ। मेरी तारीफ करनेवालों का मुझसे अपनी नजरें हटा नहीं पा सकनेवालों का बड़ा जमघट मेरे आस-पास होता है। उनमें से कुछ तो आईने के छोटे टुकड़े में क्लास में बैठे-बैठे मेरी झलक क्षण काल के लिए पकड़ने की कोशिश में लगे रहते हैं। मेरा परिवार है, मुझे चाहनेवाली चाचियाँ, मामियाँ, भाभियाँ हैं और हमारा बढ़िया घर भी है। सरसरे तौर पर सोचें तो मेरे पास सबकुछ है, बस एक अच्छे मित्र की कमी है। दोस्तों के साथ जब होती हूँ तो बस मैं अच्छा समय बिताने के बारे में ही सोचती हूँ। रोजमर्रा की सामान्य बातों के अलावा उस समय मैं कुछ और नहीं सोचती। इसके बावजूद हमें कभी करीबी महसूस नहीं होती और यही मुसीबत की असली जड़ है। हम आपस में अंतरंग बातें नहीं कर सकते। इसमें हो सकता है, मेरी ही कोई कमी हो। जो हो, स्थितियाँ तो यही हैं और दुर्भाग्य से इनमें कोई बदलाव आनेवाला नहीं है। यही वजह है कि मैंने डायरी लिखना शुरू किया।

अपने काल्पनिक मित्र की तसवीर में रंग भरने के लिए, जैसा कि ज्यादातर लोग करते हैं, मैं इस डायरी में घटनाएँ दर्ज करने नहीं जा रही हूँ, बल्कि मैं यह चाहती हूँ कि यह डायरी मेरी अच्छी मित्र बने और मैंने अपनी इस मित्र का नाम रखा है—'किट्टी'।

मुझे भले पसंद न हो, लेकिन अगर मैं न बताऊँ तो मेरी कहानी का सिर-पैर भी पढ़नेवालों को समझ नहीं आएगा, अगर मैं सीधे अपनी कहानी बताना शुरू कर दूँ। इसलिए बेहतर होगा कि मैं अपनी जिंदगी का खाका संक्षेप में बता दूँ।

मेरे डैडी, जो दुनिया के सबसे प्यारे डैड हैं, ने छत्तीस वर्ष की उम्र में मेरी ममा से शादी की। उस वक्त मेरी माँ की उम्र पच्चीस वर्ष की थी। मेरी बहन मार्गो का जन्म जर्मनी के फ्रैंकफर्ट में 1926 में हुआ। मेरा भी जन्म वहीं वर्ष 1929 की 12 जून को हुआ। अपनी चार वर्ष की उम्र तक हम फ्रैंकफर्ट में ही रहे। हम यहूदी हैं, इसलिए सन् 1933 में मेरे पिताजी हॉलैंड आए। डच ओपेक्ता कंपनी के प्रबंध निदेशक के पद पर उनकी नियुक्ति हुई थी। यह कंपनी जैम बनाने में प्रयोग की जाने वाली चीजों का उत्पादन करती थी। सितंबर में मेरी माँ एडिथ होलेंडर फ्रैंक उनके साथ हॉलैंड गईं। मुझे और मार्गो को आचेन में हमारी नानी के यहाँ भेजा गया। मार्गो दिसंबर में हॉलेंड गई और मैं फरवरी में वहाँ पहुँची। मार्गो के जन्मदिवस पर उसके लिए उपहार के तौर पर मुझे उसके सामने टेबल पर उपस्थित किया गया था। मुझे जल्द ही वहाँ के मोंटेसरी स्कूल में दाखिल किया गया। छह वर्ष की उम्र तक मैं वहाँ पढ़ी। फिर मुझे पहली कक्षा में

दाखिला मिला। छठी क्लास में मैं जब थी, तब स्कूल की प्रधानाध्यापिका मिसेस कुपेरस हमारी क्लॉस टीचर थीं। उस वर्ष के आखिर में विदा लेते हुए हमने जब भाषण दिए, तब हम दोनों की आँखों में आँसू थे, क्योंकि उसके बाद मार्गो जिस यहूदी संस्था में पढ़ रही थी, वहाँ मेरा भी दाखिला हो गया था। हमारा जीवन चिंतामुक्त नहीं था, क्योंकि जर्मनी में रहनेवाले हमारे रिश्तेदार हिटलर द्वारा बनाए गए यहूदी विरोधी कानूनों से परेशान थे। सन् 1938 के यहूदी विरोधी दंगों के बाद मेरे दो मामाओं ने जर्मनी से पलायन किया और वे सुरक्षित उत्तरी अमेरिका में जा बसे। तब हमारी बूढ़ी नानी, जिनकी उम्र उस समय 73 वर्ष थी, हमारे साथ रहने आईं। मई, 1940 के बाद अच्छे दिन बहुत कम और कभी कभार ही नसीब होने लगे। पहले तो लड़ाई छिड़ी, फिर संधि-पत्र बना और उसके बाद जर्मन लोगों का आगमन। उनके आने के साथ-साथ यहूदियों के बुरे दिनों की शुरुआत हुई। एक के बाद एक जारी किए गए यहूदी विरोधी नियमों के तहत हमारी आजादी पर कड़े अंकुश लगे। इनके तहत यहूदियों को छाती पर पीले रंग का सितारा लगाना होता था, यहूदियों को अपनी साइकिलें सरकार को सुपुर्द करनी थीं, सार्वजनिक कारों का प्रयोग यहूदी नहीं कर सकते थे, यहूदी किसी कार में, भले वह उनकी अपनी क्यों न हो, सफर नहीं कर सकते थे, यहूदियों को 3 बजे से 5 बजे के दौरान ही शॉपिंग करना अनिवार्य था, केवल यहूदियों के सैलून या ब्यूटी पार्लर्स में ही यहूदी जा सकते थे, रात 8 बजे से सुबह 6 बजे के बीच यहूदियों का सड़क पर आना या रहना मना था। थियटर, फिल्में या मनोरंजन की किन्हीं भी सार्वजनिक जगहों पर यहूदियों का जाना मना था। यहूदियों द्वारा टेनिस कोर्ट, हॉकी मैदान या कोई भी अन्य खेल की जगहों के तरण-तालाबों के इस्तेमाल की मनाही थी। यहूदियों पर चप्पू चलानेवाली नौका के इस्तेमाल की मनाही थी। सार्वजनिक रूप से किसी भी खेलकूद में हिस्सा लेना मना था, रात आठ बजे के बाद यहूदियों का अपने निजी या अपने मित्रों के बगीचे में बैठना मना था, यहूदी ईसाइयों से उनके घरों में जाकर मिल नहीं सकते थे, यहूदियों का यहूदियों के लिए बने स्कूलों में अध्ययन करना अनिवार्य था आदि-आदि, यानी कि आप यह नहीं कर सकते, आप वह नहीं कर सकते, वगैरह-वगैरह। फिर भी जिंदगी चलती रही। जैक हमेशा मुझसे कहा करती थी, ''मैं अब कुछ भी करने की हिम्मत जुटा नहीं पाती। डर लगता है कि कहीं उसे करना भी मना न हो।''

सन् 1941 में नानी की सेहत गिरी और उनका ऑपरेशन करवाना पड़ा। इस कारण मेरा जन्म दिवस छोटे पैमाने पर मना। सन् 1940 में भी मेरा जन्मदिवस बेहद सादगी से मनाया गया था, क्योंकि हॉलैंड में तभी लड़ाई खत्म हुई थी। नानी का जनवरी, 1942 को देहांत हुआ। मुझे उनकी कितनी याद आती है, यह कोई नहीं जानता। अभी भी उनसे उतना ही प्रेम करती हूँ। सन् 1942 में मनाया गया मेरा जन्म दिवस उन सभी

जन्म दिवसी उत्सवों की भरपाई के लिए था। तब से अन्य सबके साथ नानी के नाम से भी मोमबत्तियाँ जलाई जाने लगीं।

हम चार लोग अब भी अच्छे से जी रहे हैं। सो आज यानी 20 जून, 1942 तक की हमारी यह जानकारी है, जो मैं अपनी डायरी को समर्पित करती हूँ।

शनिवार, 20 जून, 1942

मेरी सबसे प्यारी किट्टी!

लिखने की शुरुआत मैं तुरंत करना चाहती हूँ, क्योंकि अभी यहाँ अच्छा और शांत वातावरण है। डैडी और ममा बाहर गए हैं और अपनी दोस्त ट्री के यहाँ अन्य मित्रों के साथ मार्गो पिंग-पाँग खेलने गई है। आजकल मैं भी खूब पिंग-पाँग खेलती हूँ। हम पाँच लड़कियों ने मिलकर एक क्लब बनाया है। हमने उसका नाम 'सप्तर्षि घटा दो' रखा है। बड़ा अजीब नाम है, लेकिन वह हमारी एक गलती पर आधारित है। हम अपने क्लब को कोई खास नाम देना चाहती थीं। हम पाँच मित्र हैं, इसलिए हमने 'सप्तर्षि' नाम रखने की सोची। हमें लगा था कि यह पाँच सितारों के समूह का नाम है, लेकिन हमने गलत सोचा था। इस समूह में तो सात तारे होते हैं, इसलिए हमने आगे 'घटा दो' जोड़ा, जिससे कि पाँच का अर्थ स्पष्ट हो। इल्सी वेगनर के पास पिंग-पाँग सेट है और उसके माता-पिता हमें जब हम चाहें, तब उनके बड़े खाने के कमरे में खेलने देते हैं। हम पाँचों पिंग-पाँग खेलनेवालियों को आइसक्रीम बहुत पसंद है। पिंग-पाँग खेलने के बाद, खासकर गरमी के दिनों में, गरमी ज्यादा महसूस होती है, इसलिए खेलने के बाद अकसर हम पाँचों पास वाले 'ओयासिस' या 'डेल्फी' आइस्क्रीम पार्लर जाती हैं, क्योंकि इनमें यहूदियों को जाने की अनुमति है। वहाँ जाते समय अपना पर्स या पैसे ले जाना हम कब का भूल गई हैं। ओयासिस में इतनी चहल-पहल होती है कि हमें कुछ ऐसे उदार या प्रशंसक युवक मिल जाते हैं, जो हमें इतनी आइसक्रीम खरीदवा देते हैं, जो हफ्ते भर तक खाई जा सके।

इतनी छोटी उम्र में मुझे अपने प्रशंसकों के बारे में बातें करते सुनकर आपको हैरानी हो रही होगी। सौभाग्य से कहिए या दुर्भाग्य से हमारे स्कूल में यह दुर्गुण बड़ी आम बात है। जब कोई लड़का मुझसे मेरे साथ अपनी साइकिल चलाते हुए घर लौटने की इजाजत माँगता और जब हम दोनों में थोड़ी-बहुत बातचीत होती तो दस में से नौ बार यकीनन वह लड़का मुझसे प्रेम करने लगता और पल भर के लिए भी मुझे अपनी आँखों के सामने से ओझल न होने देने की कोशिश में लग जाता; हालाँकि धीरे-धीरे उसका उत्साह ठंडा पड़ जाता, क्योंकि मैं उसकी प्रेम भरी नजरों को नजरंदाज कर अपने रास्ते

आराम से पैडल चलाते हुए आगे बढ़ती रहती। कभी-कभी कोई लड़का जब, 'पिता की अनुमति लेते हैं', जैसी अनाप-शनाप बातें शुरू करता तो मैं झट साइकिल पर ऐसे मुड़ती कि पीछे टँगा मेरा स्कूल बैग गिर जाता। फिर लड़का खुशी-खुशी अपनी साइकिल से उतरकर अपना बैग मुझे थमाता और इस दौरान मैं बातचीत किसी दूसरे विषय पर मोड़ देती। इस तरह पेश आनेवाले लड़के बड़े मायूस हुआ करते। हाँ, कुछ लड़के ऐसे भी होते थे, जो मेरी तरफ चुम्मियाँ उछालते या मेरा हाथ पकड़ने की कोशिश करते, लेकिन यकीनन वे गलत दरवाजे की घंटी बजा रहे होते थे। ऐसे समय मैं अपनी साइकिल से उतरकर या तो उनके साथ आगे बढ़ने से इनकार कर देती या ऐसा जाहिर करती, मानो वह मेरी बेइज्जती कर रहा हो और साफ-साफ शब्दों में उन्हें अकेले अपने घर की ओर आगे बढ़ने के लिए कह देती। हाँ, नहीं तो। सो आज हमने अपनी दोस्ती की नींव रख दी, किट्टी। कल फिर मिलते हैं।

तुम्हारी, ऐन

रविवार, 21 जून, 1942

मेरी सबसे प्यारी किट्टी!

आजकल पूरे क्लॉस की सिट्टी-पिट्टी गुम है, क्योंकि कुछ ही दिनों बाद होनेवाली मीटिंग में अध्यापक हमें बतानेवाले हैं कि हममें से किसे अगली कक्षा में भेजा जाएगा और किसे इसी कक्षा में रखा जाएगा। आधी क्लास शर्त बाँधने में लगी है। जी.जे. और मैं हमारी पीछेवाली बेंच पर बैठनेवाले सी.ऐन. और जेक्स कोसरनूट पर इतना हँसते हैं कि पेट में बल पड़ जाते हैं। उन दो विचारों ने छुट्टियों में खर्च करने के लिए जोड़ी अपनी पूरी रकम शर्त में लगा दी है। सुबह से शाम तक उनमें बस 'तुम पास कर जाओगे, नहीं मैं पास नहीं कर पाऊँगा', 'करोगे, नहीं कर पाऊँगा' यही बातचीत चलती रहती है। जी.जे. चुप कराने के लिए उनकी तरफ आँखें तरेरती है, मैं गुस्से में कुछ बोल देती हूँ, लेकिन वे चुप ही नहीं होते। आप अगर मुझसे पूछें तो मैं तो यही कहूँगी कि हमारी क्लास में इतने बुद्धू बच्चे हैं कि चौथाई क्लास को इसी कक्षा में रखना चाहिए, लेकिन, टीचर्स के मन में क्या है, यह दुनिया भर में कोई नहीं बता सकता। बड़े अजीब होते हैं टीचर्स! इस बार बदलाव के तौर पर ही सही, केवल एक बार वे अपनी अप्रत्याशितता का परिचय सही निर्णय लेकर दें, ऐसा मुझे लगता है। इस परीक्षा में अपने और अपनी सहेलियों के नतीजों को लेकर मुझे कोई चिंता नहीं है। हम इस परीक्षा में उत्तीर्ण होंगी ही। केवल गणित के बारे में मैं थोड़ी आशंकित हूँ। जो हो, हम अब केवल इंतजार ही कर सकते हैं। नतीजे आने तक हम एक-दूसरे को धीरज बँधाते रह सकती हैं।

सभी टीचरों से मेरी अच्छी बनती है। हमारे स्कूल में कुल नौ टीचर्स हैं, जिनमें से सात पुरुष हैं और दो महिलाएँ हैं। दकियानूस मिस्टर किसींग, जो हमें गणित पढ़ाते हैं, लंबे अरसे तक मुझसे नाराज रहे, क्योंकि मैं बहुत बक-बक करती हूँ। पहले कई बार उन्होंने मुझे चेतावनियाँ दीं, उनसे कुछ हासिल नहीं हुआ तो उन्होंने मुझे अतिरिक्त गृह पाठ दिया। उन्होंने मुझे 'गप्पी' विषय पर निबंध लिखने के लिए कहा। गप्पी के बारे में लिखने लायक होता क्या है ? मैंने तय किया कि मैं इस बारे में बाद में सोचूँगी। कॉपी में विषय लिखकर कॉपी बैग में रखी और मैं चुप बैठने की कोशिश करने लगी।

उस शाम बाकी गृह पाठ पूरा करने के बाद मेरी नजर कॉपी में लिखे निबंध के विषय पर गई। अपने फाउंटेन पेन की नोक चबाते हुए मैं उस विषय पर सोचने लगी। विषय तो ऐसा था कि कोई भी उस पर कुछ भी लिख ले। दो शब्दों के बीच में बहुत दूरी रखते हुए लिखकर निबंध बड़ा है, यह भी जताए, लेकिन पते की बात तो तब होगी, जब कोई बतियाने की जरूरत के बारे में ठोस दलीलें दे। मैंने बहुत सोचा और अचानक मुझे एक तरकीब सूझी। मेरा निबंध तीन पन्नों का बना, तब जाकर मुझे संतोष हुआ। मैंने अपने निबंध में दलील दी थी कि बोलना महिलाओं की खासियत है, मैं उसे नियंत्रण में रखने की कोशिश करूँगी, लेकिन चूँकि यह महिलाओं की खासियत है, मैं उससे पूरी निजात नहीं पा सकूँगी। मेरी माँ ज्यादा नहीं, लेकिन मैं जितना बोलती हूँ, उतना तो बोलती ही हैं, इसलिए, विरासत में मिलनेवाले गुणों के बारे में आप ज्यादा कुछ कर नहीं सकते, उनसे निजात तो पा ही नहीं सकते। मेरा निबंध पढ़कर मि. किसिंग हँसे तो बहुत होंगे, लेकिन उनकी अगली क्लास में जब मैं अपनी सहेली के साथ बतियाने लगी तो उन्होंने मुझे एक और निबंध लिखने की सजा दी। इस बार उन्होंने गृहपाठ में लिखने के लिए निबंध का विषय दिया था 'सुधारातीत गप्पी', इस विषय पर मैंने निबंध लिखकर दिया और अगली दो क्लासों में उन्हें मुझसे कोई शिकायत नहीं थी; हालाँकि तीसरी क्लास में शायद उन्हें लगा कि बस बहुत हो गया। तीसरी क्लास में मुझे टोकते हुए वे बोले, ''ऐन फ्रैंक, क्लास में बातें करने की सजा के तौर पर तुम 'श्रीमती गप्पी बोलीं क्वैक क्वैक क्वैक' विषय पर निबंध लिखकर लाओ।''

पूरी क्लास में हँसी के फव्वारे छूटे। मैं खुद भी हँसी, हालाँकि गप्पी विषय को लेकर मेरी सारी सृजनात्मकता लगभग खत्म हो रही थी। इसलिए कुछ अलग, कुछ हटके सोचने की जरूरत थी। कविताएँ लिखनेवाली मेरी दोस्त सैन ने मुझे पूरा निबंध कविता में लिखने का सुझाव देते हुए कहा कि इस काम में वह मेरी मदद करेगी। मैं खुशी से उछल पड़ी। मि. किसिंग मेरा मजाक उड़ाने की कोशिश कर रहे थे, लेकिन मैं पूरी कोशिश करूँगी कि उनकी यह चाल उन पर ही पलटे। मैंने कविता लिखी, बहुत बढ़िया बन पड़ी थी वह। बतख माँ, बतख पिता और उनके तीन प्यारे चूजे बतखों की

कहानी मैंने लिखी। इस कहानी में, जो कि कविता में लिखी गई थी, मैंने बताया था कि किस तरह पिता बतख ने तीनों चूजों की हमेशा की क्वाक-क्वाक से तंग आकर उन्हें काटकर मार डाला था। सौभाग्य से मि. किसिंग ने मजाक को मजाक ही समझा। उन्होंने क्लास में मेरी लिखी कविता पढ़ कर सुनाई, अपनी ओर से टिप्पणियाँ भी सुनाईं। हमारी क्लास में ही नहीं, कई अन्य क्लासों में भी उन्होंने मेरी कविताएँ सुनाईं। उसके बाद मुझे बातें करने की अनुमति मिली और उसके लिए कोई अतिरिक्त गृहपाठ नहीं दिया गया। उल्टे मि. किसिंग भी आजकल हँसी-मजाक करने लगे हैं।

तुम्हारी, ऐन

बुधवार, 24 जून, 1942

मेरी प्रिय किट्टी,

कड़ी घाम है। सब गरमी से परेशान हैं और ऐसी गरमी में मुझे हर जगह घूमना पड़ रहा है। ऐसे में सार्वजनिक वाहन कितने आरामदेह होते हैं, इसका मुझे अब अहसास हो रहा है, लेकिन हम यहूदियों को इस आराम का प्रयोग करने की अनुमति नहीं है। हमें सार्वजनिक वाहनों में घूमने की अनुमति नहीं। हमारे दो पैर ही हमारे लिए ठीक हैं। कल लंच टाइम में जान ल्युकेनस्ट्राट के डेंटिस्ट से मेरी मुलाकात तय हुई थी। यह जगह स्टैडस्टिमरट्यूनैन स्थित हमारे स्कूल से बहुत दूर है। उस दिन दोपहर में थकान के मारे मैं बैठे ऊँघ गई। सौभाग्य से ऐसी स्थितियों में लोग आपकी मदद करते हैं, पानी-वानी पिलाते हैं। डेंटिस्ट की सहायिका बहुत दयालु है।

वाहन के तौर पर हमारे लिए बेड़ों का सहारा ही बाकी बचा है। जोजेफ इस्त्रायलकेड के नाविक से हमने कहा तो उसने हमें पार पहुँचा दिया। हम यहूदियों के बुरे दिन आए हैं, इसमें डच लोगों की कोई गलती नहीं। मुझे लगता कि मैं स्कूल ही न जाऊँ। ईस्टर की छुट्टियों में मेरी साइकिल चोरी चली गई थी। डैडी ने सुरक्षित रखने के लिए ममा की साइकिल उनके किसी ईसाई दोस्त को दी थी। जल्द ही गरमी की छुट्टियाँ शुरू होने वाली हैं। यह बहुत अच्छी बात है। एक हफ्ता और बस, फिर ये मुश्किल हल हो जाएगी।

कल सुबह कुछ अप्रत्याशित घटा। साइकिल स्टैंड के पास से मैं गुजर रही थी, तब किसी ने मेरा नाम पुकारा। मैंने मुड़कर देखा तो परसों शाम मेरी दोस्त विल्मा के यहाँ जिस अच्छे लड़के से पहचान हुई थी, वह मुझे पुकार रहा था। रिश्ते में विल्मा का भाई लगता है। विल्मा अच्छी है, ऐसा पहले मुझे लगता था, लेकिन पूरे समय वह केवल लड़कों की बातें करती है। इसलिए वह और उसकी बातें अब मुझे उबाऊ

लगने लगी हैं। वह थोड़ा सकुचाते हुए मेरे पास आया और परिचय देते हुए अपना नाम हैलो सिल्बरवर्ग बताया। मैं पसोपेश में थी, क्योंकि वह मुझसे क्या चाहता है, इसका अंदाजा नहीं लगा पा रही थी; हालाँकि जल्द ही मुझे इस बात का पता चल गया। उसने पूछा कि क्या वह मेरे साथ-साथ स्कूल जा सकता है ? मैंने उससे कहा, "अगर तुम उसी तरफ जा रहे हो तो मैं तुम्हारे साथ चलूँगी।" फिर हम साथ चले। हैलो सोलह साल का है और कई तरह की मजाकिया कहानियाँ सुनाने में उस्ताद है। आज सुबह फिर वह मेरे इंतजार में खड़ा मिला। लगता है, अब वह हमेशा मेरा इंतजार करता हुआ इसी तरह मिलेगा।

ऐन

बुधवार, 1 जुलाई, 1942

मेरी सबसे प्यारी किट्टी,

पिछले कुछ दिन सच में मुझे तुम्हें कुछ लिखने की फुरसत नहीं मिली। गुरुवार को पूरे दिन मैं अपने मित्रों के साथ थी। शुक्रवार को घर में मेहमान आए थे, जो आज तक रहे।

पिछले हफ्ते में हैलो और मैं एक-दूसरे को अच्छे से जान सके। उसने अपनी जिंदगी के बारे में मुझे कई सारी बातें बताईं। वह जेतसेन किर्च का है और यहाँ अपने दादा-दादी के साथ रहता है। उसके माता-पिता बेल्जियम में हैं, लेकिन उसे वहाँ रहने की अनुमति नहीं है। हैलो की 'उर्सुल' नाम की एक गर्लफ्रेंड थी। मैं भी उर्सुल को जानती हूँ। वह बहुत अच्छी और बड़ी ऊबाऊ लड़की है। मुझसे मिलने के बाद हैलो को पता चला है कि उर्सुला के साथ वह हमेशा ऊबा-ऊबा सा रहता था। सो उसके लिए शायद मैं जोश बढ़ानेवाली दवा हूँ। किसके लिए क्या बन सकते हैं, इसका खुद हमें पता नहीं होता।

जैक ने शनिवार की रात हमारे साथ बिताई। रविवार की दोपहर वह हनेली के घर थी और मैं बेहद ऊब रही थी। उस शाम हैलो को आना था, लेकिन छह बजे के आसपास उसने फोन किया। फोन मैंने ही उठाया। उसने कहा, "मैं हेलमठ सिल्बरबर्ग बोल रहा हूँ। क्या मैं ऐन से बात कर सकता हूँ ?"

"ओह, हैलो! मैं ऐन ही बोल रही हूँ।"

"ओह, हाय ऐन! कैसी हो तुम ?"

"मैं ठीक हूँ, धन्यवाद।"

"मैं बस कहना चाहता था कि मुझे तुमसे कुछ बात करनी है, लेकिन मुझे खेद

है कि मैं आज शाम नहीं आ पाऊँगा। अभी दस मिनट में अगर मैं तुम्हें लेने आऊँ तो क्या ठीक रहेगा?"

"हाँ, चलेगा! बाय-बाय!"

"ठीक है, मैं अभी पहुँचता हूँ। बाय-बाय!"

मैंने फोन रखा। फटाफट कपड़े बदले और बाल ठीक किए। मुझे इतनी बौखलाहट हो रही थी कि वह आ रहा है। क्या यह मैंने खिड़की से झाँककर देखा। आखिर वह दिखाई दिया। अहो आश्चर्यम्! मैंने दौड़कर सीढ़ियाँ उतरकर दरवाजा नहीं खोला, बल्कि शांति से उसके द्वारा घंटी बजाए जाने का इंतजार किया। उसके बाद मैं दरवाजा खोलने के लिए नीचे गई। वह भी बिना समय जाया किए सीधे मुद्दे पर आया।

"ऐन, मेरी दादी को लगता है कि नियमित रूप से मैं तुमसे मिलूँ, इतनी तुम अभी बड़ी नहीं हो। उन्हें लगता है कि मुझे लेवेनबाक जाना चाहिए, हालाँकि तुम्हें तो पता है कि मैं अब उर्सुल से मिलता नहीं हूँ।"

"अच्छा, मुझे पता नहीं था। क्या हुआ, तुम दोनों में झगड़ा हुआ है क्या?"

"नहीं, ऐसी कोई बात नहीं है। मैंने उर्सुल से कहा कि हम एक-दूसरे के लिए नहीं बने हैं। इसलिए बेहतर है कि हम दोनों न मिलें; हालाँकि हमारे घर में तुम्हारा हमेशा स्वागत रहेगा और उम्मीद है कि तुम्हारे घर में भी मेरा स्वागत होगा। असल में मुझे लगा था कि उर्सुल किसी दूसरे लड़के के साथ घूमती है, इसलिए मैंने भी उसके साथ वैसा ही व्यवहार किया, लेकिन यह सच नहीं था। इसलिए मेरे चाचा ने कहा कि मुझे उससे माफी माँगनी चाहिए, लेकिन मैं उससे माफी नहीं माँगना चाहता था, इसीलिए मैंने उससे अपनी दोस्ती तोड़ दी, हालाँकि यह केवल एक वजह हुई।

"अब मेरी दादी चाहती हैं कि मैं तुमसे नहीं, उर्सुल से मिलूँ। मैं उनसे सहमत नहीं हूँ। इस बारे में मैं कभी भी उनसे सहमत नहीं हो सकता। कभी-कभी बुजुर्गों के बड़े अजीब खयाल हो जाते हैं, पुरानी तरह के, लेकिन इसका मतलब यह नहीं होता कि मैं उनकी बात मान लूँ। मुझे अपने दादा-दादी की जरूरत अगर है तो उन्हें भी एक तरह से मेरी जरूरत है ही। आगे से हर बुधवार की शाम को मैं खाली हूँ। इसलिए दादा-दादी ने मेरा लकड़ी पर नक्काशी तराशने की क्लास में दाखिला करवाया, जबकि मैं जियोनिस्टों के एक क्लब में जाता हूँ। मेरे दादा-दादी नहीं चाहते कि मैं वहाँ जाऊँ, क्योंकि वे जियोनिस्टों के खिलाफ हैं। मैं कट्टर जियोनिस्ट नहीं हूँ, लेकिन मेरी उसमें दिलचस्पी है; हालाँकि आजकल उनमें इतनी अफरातफरी मची हुई है कि मैं अब यह क्लब छोड़ना चाहता हूँ। इसलिए अगले बुधवार की उनकी सभा में मेरी आखिरी उपस्थिति होगी। इसके मायने हुए कि आगे मैं हर बुधवार की शाम, शनिवार की दोपहर में और शाम में, रविवार की दोपहर में और हो सकता है कभी और भी तुम्हें मिल सकता हूँ।

"लेकिन अगर तुम्हारे दादा-दादी नहीं चाहते तो उनकी पीठ पीछे तुम्हें ऐसा नहीं करना चाहिए।"

"युद्ध और प्रेम में सब जायज है।"

तब हम ब्लैंकवूर्टस बुक स्टोर के सामने से गुजर रहे थे। वहाँ दो अन्य लड़कों के साथ पीटर शिफ खड़ा था। लंबे समय बाद उसने मुझे हैलो कहा और मुझे सचमुच बहुत अच्छा लगा।

सोमवार की शाम को हैलो डैडी और मंमा से मिलने हमारे घर आया। मैंने केक और कैंडी खरीद रखी थी, हमने चाय-बिस्कुट खाए, लेकिन मेरा या हैलो का कुरसी पर टिके रहने का मन नहीं था। इसलिए हम चहलकदमी के लिए बाहर चले आए। साढ़े आठ बजे से पहले उसने मुझे अपने घर लौटने ही नहीं दिया। डैडी बेहद गुस्सा थे। उन्होंने कहा कि समय पर घर नहीं लौटने की बड़ी भूल मैंने की थी। आगे से आठ बजने में दस मिनट बाकी हों, तब तक ही घर लौटने का वादा मुझे उनसे करना पड़ा। शनिवार के दिन हैलो के घर जाने का न्योता मुझे मिला था।

विल्मा ने मुझे बताया कि एक रात जब हैलो उनके घर गया था, तब उसने उससे पूछा था, "उर्सुल या ऐन में से तुम्हें कौन ज्यादा पसंद है?" तब वह बोला था, "तुम्हें इससे क्या लेना-देना?"

लेकिन वह जैसे ही वहाँ से निकला (उस पूरी शाम उनके बीच और कोई बातचीत नहीं हुई थी।) तो उसने कहा, "खैर, बता दूँ, ऐन मुझे ज्यादा अच्छी लगती है, लेकिन किसी और से मत कहना। बाय!" और वह यह गया, वह गया हो गया।

हैलो की हर बात से मुझे पता चलता है कि उसे मुझसे प्यार हुआ है। बदलाव के लिए यह कुछ अच्छा भी है। मार्गो शायद कहती कि वह मेरे लिए एकदम सही है। मुझे भी यही लगता है, लेकिन वह इससे भी अधिक कुछ है। ममा भी उसकी तारीफ करती है। कहती हैं, "बहुत सुंदर लड़का है, अच्छा और सुशील भी है।" हर किसी को वह पसंद आता है, यह मुझे बहुत अच्छा लगता है। मेरी सहेलियों को भी वह पसंद आता है, यह मुझे पसंद नहीं। हैलो को मेरी सहेलियाँ बचकानी लगती हैं। उसकी राय सही भी है। जैक अब भी मुझे उसके नाम से छेड़ती है, लेकिन मुझे पता है कि मैं हैलो से प्यार नहीं करती। सचमुच नहीं करती। लड़कों के साथ दोस्ती करने से मुझे कोई ऐतराज नहीं। कोई इसे बुरा नहीं मानता। बड़ी होने पर मैं किससे शादी करूँगी, यह ममा हमेशा मुझसे पूछती रहती हैं। मैं पीटर से शादी करना चाहती हूँ, यह वह सोच ही नहीं सकती, क्योंकि मैंने ही पहले इस बात से इनकार किया है। उनके पूछने पर बिना पलक झपकाए मैंने पीटर से शादी की बात से इनकार किया था, लेकिन पीटर से मैं जैसा प्यार करती हूँ, वैसा किसी और से नहीं करती। मैं अपने आपको बताती रहती

हूँ कि वह और लड़कियों के साथ इसलिए घूमता है, क्योंकि वह मेरे बारे में अपनी भावनाएँ छिपाना चाहता है। हो सकता है, उसे लगता हो कि मैं और हैलो एक-दूसरे से प्यार करते हैं, जोकि सच नहीं है। हैलो बस मेरा दोस्त है, या कि जैसे मम्मा कहती हैं, वह बस एक छैला है।

रविवार, 5 जुलाई, 1942

प्रिय किट्टी,

शुक्रवार के दिन 'ज्यूइश थिएटर' में आयोजित उपाधि वितरण समारोह जैसी उम्मीद थी, वैसे ही मना। मेरा रिपोर्ट कार्ड बुरा नहीं था। मुझे एक-डी, एक-सी अंकगणित में मिला था और अन्य सभी विषयों में बी मिला था, साथ ही मुझे दो विषयों में बी+ और दो विषयों में बी- भी मिले थे। मेरे डैड-ममा खुश थे। अन्य अभिभावकों की तरह वे अंकों को लेकर परेशान नहीं रहते थे। अच्छे या बुरे रिपोर्ट कार्डों को कभी उन्होंने महत्त्व नहीं दिया। मैं अगर स्वस्थ रहूँ, खुश रहूँ और ज्यादा पलटकर जवाब न दूँ तो वे संतुष्ट रहते हैं। उन्हें लगता है कि ये तीन बातें अगर ठीक हों तो बाकी सबकुछ ठीक रहता है।

लेकिन मुझे ऐसा नहीं लगता। मुझे बुद्धू छात्रा नहीं बनना है। यहूदी संस्था ने मुझे एक शर्त पर प्रवेश दिया था। मांटेसरी स्कूल में मुझे एक बार फिर सातवीं कक्षा में बैठना था, लेकिन जब यहूदी बच्चों को यहूदी स्कूल में भेजने की बात चली तो बड़ी मनुहार के बाद मिस्टर एल्टे ने आखिर मुझे और ली गोस्लर को प्रवेश की अनुमति दी। इस वर्ष ली भी उत्तीर्ण हो गई; हालाँकि उसे ज्यामिति का परचा फिर एक बार देना पड़ा। बेचारी ली, घर पर पढ़ाई करना उसके लिए आसान नहीं है। उसकी दो साल उम्र वाली छोटी और लाड़-प्यार से बिगड़ी बहन उसके कमरे में हमेशा खेलती रहती है। उसका नाम गाबी है। गाबी की मरजी के खिलाफ कोई बात होती है तो वह चीख-पुकार मचा देती है और ली अगर गाबी का खयाल नहीं रखती तो मिसेस गोस्लर चिल्लाने लगती हैं। इसलिए ली के लिए गृहपाठ पूरा करना बहुत मुश्किल हो जाता है। घर पर जब यह हाल है, तब ट्यूशन से उसे कोई खास फायदा नहीं मिलता। वैसे गोस्लर का घर देखने लायक है। मिसेस गोस्लर के माता-पिता पड़ोस में ही रहते हैं, लेकिन वे ली के घर पर ही खाना खाते हैं। एक नौकरानी, बच्ची, भुलक्कड़ और अनुपस्थित मिस्टर गोस्लर और घबराई हुई और चिड़चिड़ी मिसेस गोस्लर। वे पेट से हैं और इस अफरा-तफरी में खोई बेचारी ली। मेरी बहन मार्गो का रिपोर्ट कार्ड भी आया है।

हमेशा की तरह बेहतरीन परिणाम। अगर कोई 'श्रेष्ठतम उपाधि' होती तो वह

उसमें भी उच्चतम अंकों के साथ उसमें ससम्मान उत्तीर्ण होती। वह बहुत मेधावी है।

आजकल पिताजी घर पर ज्यादा रुकने लगे हैं। दफ्तर में उनके लिए ज्यादातर काम नहीं होता। आपकी जरूरत नहीं है, यह जानना बेहद भयानक होता होगा। मि. क्लीमन ने सन् 1941 में शुरू की गई मसाले और मसालों की तरह इस्तेमाल की जानेवाली चीजों की खरीद-बिक्री करनेवाली ओपेक्टा कंपनी और मि. कुग्लर ने जीज ऐंड कं. के अधिकार ग्रहण कर लिये थे।

कुछ दिन पहले जब हम पास के चौक में चहलकदमी कर रहे थे, तब डैड ने किसी गुप्त स्थान पर जाकर छिपने की बात कही थी। बाकी दुनिया से कटकर इस तरह छिपे रहकर जिंदगी काटना बहुत मुश्किल होगा, ऐसा वे कह रहे थे। मैंने उनसे पूछा कि अब आप इस विषय पर क्यों बोल रहे हैं?

उन्होंने कहा, ''ऐन, तुम जानती हो कि पिछले साल भर से हम लोगों के लिए कपड़े, अनाज और फर्नीचर इकट्ठा कर रहे हैं। हम नहीं चाहते कि हमारी संपत्ति पर जर्मन लोग कब्जा कर लें। न हम खुद पकड़े जाना चाहेंगे। इसलिए उनसे जबर्दस्ती पकड़कर ले जाने से पहले हम खुद निकल जाएँ।''

''लेकिन कब, डैड?'' वे इतनी गंभीरता से बोल रहे थे कि मैं डर गई थी।

''तुम चिंता न करो। हम हर बात का खयाल रखेंगे। जब तक संभव है, तब तक इस खुली जिंदगी के मजे लो।''

बस इतना ही। काश कि ये गंभीरता से कहे गए शब्द जहाँ तक हो सके, सच्चाई में न बदलें।

दरवाजे की घंटी बज रही है। हैलो आया है। लिखना यहीं रोकना पड़ेगा।

तुम्हारी, ऐन

बुधवार, 8 जुलाई, 1942

मेरी सबसे प्यारी किट्टी,

रविवार की सुबह के बाद सालों बीत गए, ऐसा लगता है। इतना कुछ घटा इस दौरान, मानो दुनिया उलट-पुलट गई हो; लेकिन किट्टी, मैं अभी भी जिंदा हूँ और यही बात अहम है। पिताजी कहते हैं कि तुम जिंदा तो हो, पर कहाँ और कैसे, यह कतई नहीं पूछना। आज मैं जो भी कह रही हूँ, उसका एक शब्द भी तुम समझ नहीं पा रही होगी। इसलिए रविवार की दोपहर में जो हुआ, वहाँ से सब मैं तुम्हें बताती हूँ।

तीन बजे थे। (हैलो जा चुका था, लेकिन वह बाद में फिर लौटनेवाला था।) दरवाजे की घंटी बजी। मैं बालकनी में थी, इसलिए मुझे घंटी की आवाज सुनाई नहीं

दी। मैं आराम से धूप में लेटकर किताब पढ़ रही थी। थोड़ी देर बाद रसोई के दरवाजे में मार्गो खड़ी दिखाई दी। वह बहुत झल्लाई हुई थी। पास आकर वह बुदबुदाई—"डैड को एसएस से फ़ोन पर एक नोटिस मिला है। मम्मा मि. वैनडैन से मिलने गई है।" (मिस्टर वैनडैन डैड के कारोबार के साझेदार और अच्छे दोस्त भी।)

मैं निस्तब्ध थी। बुलावा आया। हर कोई इसके मायने जानता है यहाँ। बंदी शिविरों और एकांत कोठरियों के दृश्य मेरी आँखों के सामने तैर गए। हम डैड को ऐसे संकट में कैसे जाने देंगे? ममा का इंतजार करते हुए हम बैठक के कमरे में बैठी थीं, तब मार्गो ने कहा, "जाहिर है, वे नहीं जाएँगे।" ममा मि. वैनडैन से पूछने गई हैं कि क्या हम अपनी गुप्त जगह पर कल ही चले जा सकते हैं? वैनडैन परिवार भी हमारे साथ वहाँ चलनेवाला है। हम कुल सात सदस्य वहाँ रहेंगे। फिर कुछ देर चुप्पी छाई रही। हम बोल नहीं पा रही थीं। डैड यहूदियों के लिए बने अस्पताल में किसी से मिलने गए थे। उन्हें इस बात की खबर नहीं थी। यह खयाल, लंबे समय तक ममा का इंतजार, गरमी, दुविधा—इन सब बातों से हमारे मुँह पर ताला लग गया था।

अचानक दरवाजे की घंटी फिर बजी। "हैलो है", मैंने कहा।

"दरवाजा मत खोलो!" मार्गो ने मुझे रोकते हुए कहा, हालाँकि डरने की बात नहीं थी, क्योंकि हमें ममा और मि. डैन की हैलो से हो रही बातें सुनाई दीं। फिर वे दोनों अंदर आए और उन्होंने दरवाजा बंद कर दिया। उसके बाद जितनी बार दरवाजे की घंटी बजी, मुझे या मार्गो को नीचे जाकर 'डैड आए हैं क्या', यह देखना पड़ता था। डैड के अलावा किसी और को हमने अंदर नहीं आने दिया। मि. वैनडैन को ममा से अकेले में बातें करनी थीं, इसलिए मुझे और मार्गो को अलग कमरे में भेज दिया था। वह और मैं जब हमारे बेडरूम में बैठे थे, तब मार्गो ने मुझे बताया कि बुलावा डैड के नाम नहीं था, बल्कि खुद उसके नाम था। मेरे लिए यह दूसरा असहनीय धक्का था। मैं रोने लगी। मार्गो की उम्र सोलह वर्ष है—शायद वे इस उम्र की लड़कियों को अपने बलबूते दूर भेजना चाहते हैं, लेकिन शुक्र है कि वह नहीं जा रही है, ममा को अपने आपसे बुदबुदाते हुए मैंने सुना। डैड ने गुप्त जगह जाकर रहने के बारे में मुझसे जो बातें कही थीं, वे शायद इसी सिलसिले में थीं। गुप्त जगह…हम कहाँ छिपेंगे, शहर में, गाँव में, घर में, किसी झोंपड़ी में, कब, कहाँ, कैसे?…यही सवाल मुझे नहीं पूछने थे, लेकिन वे मेरे मन में मँडरा रहे थे।

मैं और मार्गो हमारी बेहद जरूरी चीजें अपने स्कूल बैगों में भरने लगीं। मैंने सबसे पहले यह डायरी बैग में डाली। उसके बाद कर्लर्स, रूमाल, स्कूल की किताबें, कंघी और कुछ पुराने पत्र। छिपने की कल्पना से मैं इस कदर चिंताग्रस्त थी कि मैंने कई ऊटपटाँग चीजें बैग में ठूँसी। मुझे इस बात का खेद नहीं है, यादें मेरे लिए पोशाकों से अधिक महत्त्वपूर्ण हैं।

पाँच बजे के आसपास आखिर घर लौटे। हमने मि. क्लीमन को फोन कर पूछा कि उस शाम क्या वे आ सकते हैं ? मीप को ले आने के लिए मि. वैनडैन चले गए। मीप आईं और एक बैग भर जूते, कपड़े, जैकेट, अंतर्वस्त्र और स्टाकिंग्स लेकर देर रात लौटने का वादा कर वे लौट गईं। उसके बाद हमारे अपार्टमेंट में शांति छाई रही। हममें से किसी का खाना खाने का मन नहीं हुआ। हवा में अभी भी बेहद गरमी थी और सबकुछ बड़ा अजीब लग रहा था। हमने अपने मकान का ऊपरी हिस्सा मि. गोल्डास्मिट को किराए दे रखा था। वह 30–35 की उम्र वाला तलाकशुदा व्यक्ति था, जिसे उस दिन शाम कोई काम नहीं था। सो कई बार दिए गए हमारे अपरोक्ष सुझावों के बावजूद रात के दस बजे तक वह आसपास ही मँडराता रहा।

मीप और जान जीज ग्यारह बजे आए। मीप सन् 1933 से पिताजी की कंपनी में काम करती रही हैं, इसलिए वे और उनके पति जॉन हमारे परिवार के करीबी बने हुए हैं। आज भी एक बार फिर हमारे जूते, स्टॉकिंग्स, किताबें और अंतर्वस्त्र उनके और मि. जॉन की गहरी जेबों में थैले में समा गए। साढ़े ग्यारह बजे के करीब वे चले गए।

मैं थक गई थी। अपने घर में अपने बिस्तर पर मेरा वह आखिरी दिन है, इसका अहसास होने के बावजूद मैं तुरंत नींद के आगोश में खो गई। अगली सुबह साढ़े पाँच बजे ममा के पुकारने तक मैं बेखबर सोती रही। सौभाग्य से दिन रविवार की तरह उमस भरा, गरम नहीं था। पूरे दिन गुनगुनी बरसात होती रही। हम चारों ने एक के ऊपर एक कई परतें कपड़े पहन रखे थे। ऐसा लग रहा था मानो हम किसी रेफ्रिजरेटर में रात गुजारने जा रहे हों। हमने इतने कपड़े पहन रखे थे कि उनके ऊपर अब और कुछ भी चढ़ाया नहीं जा सकता था। समय ही ऐसा था कि कोई भी यहूदी अपने घर से कपड़ों से भरा बैग लेकर निकलने का साहस नहीं कर सकता था। मैंने दो शमीज, तीन चड्डियाँ, एक ड्रेस अंदर पहनी थी और उनके ऊपर एक स्कर्ट, एक जैकेट, एक रेनकोट, दो जोड़ी स्टॉकिंग्ज, भारी जूते, एक टोपी, एक स्कार्फ और भी बहुत सारे कपड़े पहन रखे थे। घर से निकलने से पहले ही मेरी साँस घुटने लगी थी; हालाँकि किसी ने मुझसे मुझे कैसा लग रहा है, यह पूछने का कष्ट नहीं किया।

मार्गो ने अपने स्कूल बैग में अपनी स्कूल की किताबें भर रखी थीं। वह अपनी साइकिल लेने गई और उसके बाद हम सब मीप के पीछे चल पड़े, अनजाने भविष्य के पथ पर। मुझे बस ऐसा ही लगा, क्योंकि उस वक्त भी मुझे हमारे छुपने की जगह के बारे में कुछ पता नहीं था।

साढ़े सात बजे हमने अपने घर का दरवाजा बंद किया। केवल मेरी बिल्ली मूर्जी ही पीछे रह गई थी, जिसे मैंने अलविदा कहा। मि. गोल्डस्मिट के नाम हमने जो चिट्ठी

छोड़ी थी, उसमें लिखा था कि वे उसे हमारे किसी ऐसे पड़ोसी को सौंप दें, जो उसका अच्छा खयाल रखेंगे। खुले बिस्तर, खाने की मेज पर पड़ी नाश्ते की चीजें, रसोई में बिल्ली के लिए खुला छोड़ा पौंड भर मांस यह सब देखकर यही लगता कि हमने बड़ी हड़बड़ी में घर छोड़ा है। हालाँकि किसे क्या लगता है, इस बात में हमें कोई दिलचस्पी नहीं थी। हमें बस वहाँ से निकल जाना था। वहाँ से निकलकर हमें सुरक्षित जगह पहुँचना था और कोई बात हमारे लिए मायने नहीं रखती थी।

बाकी सब कल लिखूँगी।

तुम्हारी, ऐन

गुरुवार 9 जुलाई, 1942

प्रिय किट्टी,

इस तरह आखिर हम, यानी मैं, डैड और ममा निकल पड़े भरी बरसात में। हरेक के पास एक स्कूल बैग था और एक शॉपिंग बैग। तरह-तरह की चीजों से हमारे बैग खचाखच भरे हुए थे। सुबह-सुबह काम पर निकले लोगों की नजरों में हमारे लिए हमदर्दी थी। उनके चेहरे पर साफ दिखाई दे रहा था कि हमें कोई वाहन मुहैया न करा पाने का उन्हें खेद है। इसकी वजह थी, हमारी छाती पर लगा मनहूस पीली चाँदनी का ठप्पा।

रास्ते पर चलते-चलते डैड और ममा ने धीरे-धीरे आगे की योजना के बारे में बताया। पिछले कई महीनों से हम थोड़ा-थोड़ा अपना फर्नीचर और कपड़ा अपने अपार्टमेंट से निकाल रहे थे। जुलाई 16 को हम अपने गुप्त स्थान पर जाकर छिपने वाले थे। मार्गो के नाम निकले नोटिस के कारण हमें अपने कार्यक्रम पर तय दिन से दस दिन पहले ही अमल करना पड़ा। इसलिए अब हमें थोड़े अस्तव्यस्त कमरों में ही गुजारा करना पड़ेगा।

हमारे छिपने की जगह डैड के दफ्तर की इमारत में ही थी। वह समझना थोड़ा कठिन है, इसलिए समझाती हूँ। डैड के दफ्तर में ज्यादा लोग काम नहीं करते थे। मि. कुग्लर, मि. क्लीमन, मीप और 23 वर्षीय टाइपिस्ट, जिसका नाम बेप वोस्कवीजिल था, केवल यही लोग उनके दफ्तर में काम करते थे। इन सबको हमारे वहाँ आने की बात पता थी। गोदाम में काम करने वाले बेप वोस्क्वीजिल के पिता और दो अन्य सहायकों को इस बारे में कोई जानकारी नहीं दी गई थी। अब थोड़ा उस इमारत के नक्शे के बारे में बता दूँ। जमीन पर बनी इमारत की मंजिल कई हिस्सों में बँटी थी, जैसे—गोदाम, काम की जगह, भंडारण की जगह, पिसाई का कमरा, जहाँ दालचीनी, लौंग, काली मिर्च आदि मसाले आदि पीसे जाते थे।

गोदाम के दरवाजों के आगे एक बाहरी दरवाजा भी था, जहाँ से सीधे दफ्तर में पहुँचा जा सकता था। इस दरवाजे से दफ्तर में प्रवेश करते ही एक और दरवाजा पड़ता था। उससे परे सीढ़ियाँ थीं। सीढ़ियों के ऊपरी छोर पर एक और दरवाजा था। इस पर आर-पार दिखाई न देने वाले काँच लगे हुए थे और काले अक्षरों में 'दफ्तर' लिखा हुआ था। यही बड़ा, मुख्य दफ्तर था। तेज रोशनी वाला यह कमरा बहुत बड़ा और भरा-भरा था। दिन में मीप, बेप और मि. क्लीमन वहाँ काम करते थे। वहाँ एक मेहराबदार दरवाजे के पीछे एक तिजोरी, एक बड़ी अलमारी और सामान की आपूर्ति वाली अलमारी से आगे निकलने के बाद ऑफिस का पिछला हिस्सा था, जो थोड़ा छोटा, धुँधला और चीजों से अटा हुआ था। पहले यहाँ मि. कुग्लर और मि. वैनडैन बैठा करते थे, लेकिन अब यहाँ केवल मि. कुग्लर ही बैठते हैं। मि. कुग्लर के कमरे में दूसरे दरवाजे से भी पहुँचा जा सकता था। उनके कमरे में पहुँचाने वाला यह दूसरा दरवाजा आगे दालान में खुलने वाला काँच का दरवाजा था, जो केवल अंदर से खुलता था। मि. कुग्लर के कमरे से निकलने के बाद पड़ने वाले लंबे सँकरे दालान में कोयले का भंडार था और उससे परे चार सीढ़ियाँ चढ़ने के बाद आप निजी दफ्तर वाले हिस्से में पहुँचते हैं। पूरी इमारत का केवल यही हिस्सा खूबसूरत ढंग से सजा हुआ था। वहाँ शानदार महोगनी फर्नीचर था, लिनोलियम के फर्श पर गलीचे बिछे थे, रेडियो था, एक सुंदर लैंप था। कुल मिलाकर इस कमरे में सबकुछ बेहतरीन था। उससे परे बड़ा सा रसोई का कमरा था। इसमें पानी गरम करने वाला बड़ा हीटर था तथा दो गैस चूल्हे थे और इस कमरे से परे था गुसलखाना। वही दूसरी मंजिल थी। पीछे दालान से लकड़ी की सीढ़ी ऊपर तीसरी मंजिल की तरफ जाती थी। सीढ़ियाँ जहाँ खत्म होती थी, वहाँ थोड़ी खुली जगह थी, जिसके दोनों तरफ दो दरवाजे थे। बाईं तरफ का दरवाजा ऊपर मसालों के भंडारण वाले हिस्से की ओर जाता था, आगे अटारी थी और उससे आगे छत थी, जो ठीक इमारत के अगले हिस्से के ऊपर पड़ती थी। वहीं एक ओर डच तरीके से बनी बेहद गहरी पैड़ियों वाली सीढ़िया थीं, जो इमारत के अगले हिस्से में उतरती थीं और वहाँ का दरवाजा ठीक सड़क पर खुलता था।

सीढ़ियों के बाद की खुली जगह में दाहिनी तरफ का दरवाजा 'गुप्त उपभवन' की ओर जाता था, जो इमारत के पिछले हिस्से में पड़ता था। उस सादे भूरे रंग के दरवाजे के पीछे इतने कमरे हो सकते हैं, इसका अंदाजा कोई नहीं लगा सकता था। इस दरवाजे से आगे एक पैड़ी उतरने के बाद आप अंदर पहुँचते हैं। यहाँ आपके ठीक सामने सीधी ढाल में सीढ़ियाँ थीं। दाईं ओर एक सँकरा गलियारा है, जो आगे फ्रैंक परिवार के बैठक के कमरे और शयनकक्ष के रूप में इस्तेमाल हो रहे हिस्से की ओर ले जाता है। उससे अगला कमरा थोड़ा छोटा है, जिसे परिवार की दो लड़कियाँ अपने शयनकक्ष और अध्ययन-कक्ष के तौर पर इस्तेमाल करती हैं। सीढ़ियों के दाहिनी तरफ

बिना खिड़की वाला हाथ-मुँह धोने का कमरा है। इसमें एक सिंक लगा है। कोने वाला दरवाजा शौचालय का है। यहाँ एक और दरवाजा है, जो सीधे मेरे और मार्गो के कमरे में खुलता है। कुछ और सीढ़ियाँ चढ़कर आप अगर ऊपर की ओर जाएँगे, ऊपर का दरवाज़ा खोलेंगे तो हैरान रह जाएँगे। किसी पुराने, नहर के किनारे वाले मकान में इतना बड़ा, रोशन और हवादार कमरा हो सकता है, यह कोई सोच नहीं सकता। इस कमरे में एक स्टोव है और एक सिंक लगा है। किसी समय यह मि. कुग्लर की प्रयोगशाला हुआ करती थी। यह अब मि. और मिसेज वैनडैन की रसोई और शयनकक्ष के साथ सबके लिए बैठक का, खाने का और अध्ययन का स्थान बनेगा, साथ ही बिल्कुल इमारत के अगले हिस्से की तरह यहाँ एक अटारी और छोटी छत भी है। इस प्रकार की रचना है यहाँ की। सो मैंने आपको हमारे गुप्त उपभवन की रचना से परिचित करा दिया।

तुम्हारी, ऐन

शुक्रवार, 10 जुलाई, 1942

मेरी सबसे प्यारी किट्टी,

मैंने हमारे घर का वर्णन विस्तार से बताकर शायद तुम्हें उबा दिया, लेकिन सचमुच मुझे लगता है कि मैं कहाँ रहती हूँ, इसका तुम्हें पता रहना ज़रूरी है। मैं यहाँ कैसे पहुँची, इस बात का पता तुम्हें मेरे अगले कुछ पत्रों से चल जाएगा।

लेकिन उससे पहले मुझे अपनी बात पूरी करनी है, क्योंकि तुम्हें पता है कि मेरी बात अभी पूरी नहीं हुई है। हम जब 263 प्रिंसेन्ग्राट पहुँचे, तब मीप ने हमें लंबे गलियारे से होते हुए, लकड़ी की सीढ़ियों को पार कर अगली मंजिल के पार हमारे गुप्त उपभवन तक पहुँचाया। हमें वहाँ छोड़कर उन्होंने दरवाजा बंद कर लिया। मार्गो अपनी साइकिल चलाती हुई बहुत पहले ही वहाँ पहुँच चुकी थी। वह हमारा ही इंतजार कर रही थी।

हमारा बैठक का कमरा और अन्य सभी कमरे सामानों से इस कदर अँटे पड़े थे कि वर्णन करने के लिए मेरे पास शब्द नहीं हैं। पिछले कुछेक महीनों में जितने भी गत्ते के बक्से सामानों से भर-भरकर भेजे गए थे, वे सब जमीन पर, बिस्तर पर फैले पड़े थे। छोटा कमरा तो जमीन से छत तक कपड़ों से अँटा पड़ा था। रात अगर हमें ढंग के बिस्तर में बितानी हो तो पहले हमें यह सारा सामान समेटना पड़ेगा। ममा और मार्गो में उँगली तक हिलाने की ताकत नहीं बची थी। थकी-हारी, बुरी हालत में, बिल्कुल पस्त होकर वे बेचारगी से भरी अपने-अपने बिस्तर में बिना बिस्तर ठीक किए ही लेट गईं, लेकिन दो सफाईगार—मैं और डैड तुरंत सफाई के काम में लग गए।

पूरे दिन हम बक्से खोल-खोलकर अलमारियाँ भरते रहे, कीलें ठोकते रहे, सारा

सामान समेटते रहे और आखिर थककर हम अपने साफ बिस्तरों में लेट गए। पूरे दिन हमने गरम खाना नहीं खाया था, लेकिन हममें से किसी को इसकी परवाह नहीं थी। मम्मा और मार्गो बेहद थकी थीं, इसलिए उन्हें खाने की फिकर नहीं थी, मैं और डैड बेहद व्यस्त थे, इसलिए हमें खाने की फिकर नहीं रही थी।

मंगलवार की सुबह हमने काम वहीं से शुरू किया, जहाँ सोमवार की रात हमने रोका था। बेप और मीप हमारे रेशन के कूपंस लेकर राशन खरीदने गई थीं। डैड ब्लैक आऊट वाले परदों के काम में लगे रहे। हमने रसोई की जमीन घिसकर साफ की। इस प्रकार सूरज के उगने से लेकर सूरज के डूबने तक हम सब व्यस्त रहे। बुधवार तक अपने जीवन में आए इस बड़े बदलाव के बारे में सोचने का मुझे कोई मौका ही नहीं मिला। बुधवार को जाकर गुप्त उपभवन में आने के बाद पहली बार मुझे इतनी फुरसत मिली कि मैं आपको सब बता पाऊँ। तभी मुझे अपने साथ घट रही इस अनहोनी का अहसास हुआ और आगे जो होने जा रहा है, उसका आभास भी हुआ।

तुम्हारी, ऐन

शनिवार, 11 जुलाई, 1942

मेरी सबसे प्यारी किट्टी,

हर पंद्रह मिनट बाद समय बतानेवाली वेस्टरटोरेन की घड़ी के घंटे के बजने की आवाज की अब तक ममा, डैड और मार्गो को आदत नहीं हुई है। मुझे पहले से ही उसकी आवाज अच्छी लगी थी। आश्वस्त करने वाली, खासकर रात के समय। इस तरह छुपकर रहना कैसा लगता है, यह आप मुझसे जानना चाहते हैं, इसका मुझे पता है। मैं बस इतना ही कहूँगी कि अभी मैं इस बारे में कुछ कह नहीं पाऊँगी, क्योंकि अभी खुद मुझे इसका पता नहीं चल पाया है। मुझे यह घर कभी अपना नहीं लगेगा, लेकिन इसका मतलब यह नहीं कि इस घर से मुझे नफरत है। छुट्टियों में किसी अजीब इमारत में जाकर रहने जैसा है यह। गुप्तता में बिताए जाने वाले जीवन की ओर देखने का यह नजरिया बड़ा अटपटा है यह मैं जानती हूँ, लेकिन मुझे सचमुच ऐसा ही लगता है। छिपे रहने के लिए यह गुप्त उपभवन आदर्श जगह है। थोड़ी सीलन भरी, टेढ़ी जगह है यह, लेकिन शायद पूरे एमस्टरडम में न पूरे हॉलैंड में छिपने की इससे बेहतर कोई जगह नहीं होगी।

अब तक हमारे शयनकक्ष की दीवारें बिल्कुल खाली निपट नंगी थीं। शुकर है डैड का, जिन्होंने पोस्टकार्डों का और फिल्मस्टारों की तसवीरों का संग्रह यहाँ पहले ही लाकर रखा था, साथ में वह गोंद का बड़ा डिब्बा और ब्रश भी ले आए थे। मैंने खाली

दीवारों पर ये तस्वीरें चिपका दीं। अब सारी दीवारें रंगीन दिखाई देने लगी हैं। वैनडैन परिवार जब आएगा, तब छत पर बालाखाने में पड़ी लकड़ियों से हम अलमारियाँ और अन्य फर्नीचर बनानेवाले हैं।

मम्मा और मार्गो की तबीयत अब कुछ हद तक ठीक हो गई थी। कल ममा की तबीयत इतनी ठीक हो गई थी कि यहाँ आने के बाद पहली बार उन्होंने सबके लिए दाल का सूप बनाया। फिर वह सूप को उबलता छोड़कर नीचे किसी से बातें करने गईं। बातों में वे ऐसे लगी रहीं कि सूप जलकर कोयले की तरह काला बन गया, दाल जलकर बरतन से ऐसे चिपक गई कि काफी घिसाई के बाद भी बरतन से अलग नहीं हुई।

कल रात हम सब निजी दफ्तर गए और हमने वहाँ रेडियो पर इंग्लैंड स्टेशन सुना। मैं बहुत डर गई कि रेडियो की आवाजें कोई सुन लेगा, इसलिए मैंने डैड से कहा कि वे मुझे ऊपर ले चलें। ममा ने मेरी घबराहट भाँप ली और वे मेरे साथ ऊपर चली आईं। कुछ भी करते वक्त हमें डर लगा रहता है कि कोई हमें देख न ले, हमारी बातें किसी के कान में न पड़ें। हमने पहले ही दिन से परदे सिलना शुरू कर दिया था। असल में उन्हें परदे भी नहीं कहा जा सकता, क्योंकि वे बस पुराने कपड़े के टुकड़े थे। अलग-अलग रंगों और बुनावट के, जिन्हें डैड और मेरे अनगढ़ हाथों ने बड़े ही अनगढ़ तरीके से जोड़ा था। यही नमूने खिड़कियों पर टाँग दिए गए थे। हमारा अज्ञातवास पूरा होने तक अब वे वहीं टँगे रहेंगे।

हमारी इमारत के दाहिनी तरफ केग कंपनी की शाखा है। केग यह झांडम की एक कंपनी है। हमारे बाईं तरफ फर्नीचर का कारखाना है। यहाँ काम करनेवाले लोग काम के घंटे पूरे होते ही निकल जाते हैं, रात के समय वहाँ कोई नहीं होता। फिर भी हम सावधान रहते हैं, क्योंकि जरा सी भी आवाज दीवारों के पार पहुँच सकती है। मार्गो को जुकाम और खाँसी है, लेकिन हमने उसे रात के समय खाँसने से मना किया है। उसे खाँसी न आए, इसलिए हम उसे कोडेन की बड़ी खुराक देते हैं। मुझे वैनडैन परिवार के आने का इंतजार है। वे मंगलवार को आएँगे। उनके आने से थोड़ी चहल-पहल हो जाएगी, इतनी शांति नहीं रहेगी, थोड़ा मजा आएगा। शाम और रात की नीरवता मुझ पर भारी पड़ती है, मैं उदासी महसूस करती हूँ। हमारी मदद करने वालों में से कोई यहाँ रात में रुके तो कितना अच्छा हो, ऐसा लगता है।

वैसे यहाँ रहना उतना बुरा भी नहीं है, क्योंकि हम अपने लिए खाना बना सकते हैं और डैड के दफ्तर में जाकर रेडियो भी सुन सकते हैं।

मि. क्लीमन और मीप और बेप वोस्कुइजिस ने भी हमारी बहुत मदद की। हमने ढेर सारे रूबर्ब, फिलहाल हमें ऊब नहीं हो रही। पढ़ने के लिए भी हमें चीजें मिलती रहती हैं और मैं बहुत सारे खिलौने खरीदने वाली हूँ। हम खिड़की से बाहर झाँक नहीं

सकते या बाहर निकल नहीं सकते, बसों और नीचे वाले लोगों को हमारी आहट न लगे, इसलिए हमें एहतियात भी बरतनी पड़ती है।

कल हमारे पास बहुत काम था। दो पेटियाँ भर चेरियों के हमें बीज निकालने थे। मि. कुग्लर उन्हें डिब्बाबंद करने वाले थे। उन खाली पेटियों से हम अपनी किताबें रखने के लिए टांड बनाने वाले हैं। कोई मुझे बुला रहा है।

तुम्हारी, ऐन

रविवार, 12 जुलाई, 1942

पिछले महीने मेरा जन्मदिवस था, इसलिए सब मेरे साथ अच्छे से पेश आए। फिर भी हर दिन मैं ममा और मार्गो से दूर जा रही हूँ, ऐसा मुझे लगता है। आज मैंने खूब मेहनत की, सबने मेरी प्रशंसा भी की, लेकिन पाँच मिनट बाद वे फिर मेरा मजाक भी उड़ाने लगे।

सब मेरे और मार्गो के साथ अलग-अलग पेश आते हैं। यह कोई भी देख सकता है। जैसा कि मार्गो ने वैक्यूम क्लीनर तोड़ा और उस कारण हम सबको पूरा दिन बिजली के बिना बिताना पड़ा। ममा ने तब कहा, "मार्गो, तुम्हें काम करने की आदत नहीं है यह देखना मुझे अच्छा नहीं लगता। काम की आदत होती तो तुम इस तरह झटके से वायर पकड़ कर प्लग को सॉकेट से झटक नहीं लेती।" उस पर मार्गो ने कोई बहाना बना लिया और बात आई-गई हो गई।

लेकिन आज दोपहर मैंने जब मामा की शॉपिंग लिस्ट पर कुछ लिखने की कोशिश की, ममा की लिखावट पढ़ी नहीं जा सकती, इसलिए मैं ही लिखकर देती हूँ, तब ममा ने मना कर दिया। वह मुझ पर चिल्लाईं और इस चिल्लाहट में पूरा परिवार शामिल हुआ, और सब दुखी हुए।

इनमें से किसी के साथ मेरी बनती नहीं और पिछले कुछ सप्ताहों से इसका मुझे स्पष्ट आभास हुआ है। वे सब मिलकर भावुक होते हैं और मैं अकेले, वे सब कहते हैं कि हम चारों की आपस में कितनी अच्छी बनती है, कितना अच्छा है कि हम सब साथ-साथ हैं। ऐसा कहते हुए मुझे क्या लगता है, यह जानने की कोशिश भी नहीं करते वे।

मुझे केवल डैडी ही समझ सकते हैं। हालाँकि बीच-बीच में ममा और मार्गो की तरफ भी हो जाते हैं। उनकी एक और बात मुझे बिल्कुल पसंद नहीं है, औरों से मेरे बारे में बातें करना। औरों को वे जब बताते हैं कि मैं कैसे रोई, मैं कितनी समझदारी से पेश आ रही हूँ वगैरहा तो मुझे अच्छा नहीं लगता। यह भयंकर है। कभी-कभी वे मूजी के बारे में बोलते हैं, जो में बिल्कुल सह नहीं पाती। मूजी मेरी दुखती रग है। हर पल मुझे

उसकी कमी खलती है। कोई नहीं जानता कि मुझे उसकी कितनी याद आती है और हर बार याद आते ही मेरी आँखें छलछला आती हैं। मूजी कितनी अच्छी है। मुझे उससे कितना प्रेम है। इसीलिए मैं हमेशा उसके हमें ढूँढ़ते हुए आने के सपने देखती हूँ। मुझे यकीन है, वह हमारे पास आएगी।

मेरे कई सपने हैं, लेकिन सच्चाई यह है कि युद्ध समाप्त होने तक हमें यहीं रुकना है। हम बाहर बिल्कुल नहीं जा सकते और मीप, उसके पति जॉन, बेप वोस्कुइसिज, मि. कुग्लर, मि. क्लीमन और श्रीमती क्लीमन के अलावा कोई हमसे मिलने नहीं आता।

हालाँकि मिसेज क्लीमन कभी हमसे मिलने नहीं आईं, क्योंकि उन्हें इसमें बड़ा जोखिम महसूस होता।

सितंबर, 1942 में ऐन द्वारा जोड़ी गई टिप्पणी—

डैडी हमेशा कितने अच्छे हैं। वह मुझे बेहतर समझते हैं। उनसे कभी दिल खोलकर बात करने का मन करता है, लेकिन लगता है कि मैं शुरू में ही फूट-फूटकर रोने लगूँगी। यह शायद मेरी उम्र के कारण ऐसा होता है। मैं अपना सारा समय लिखने में बिताना चाहूँ शायद, लेकिन इससे ऊब होने लगेगी।

अब तक मैंने अपने मन की बातें केवल अपनी डायरी को ही बताई हैं। आगे चलकर लोगों को पढ़कर सुनाए जा सकें, ऐसे मजेदार शब्द चित्र मैंने अभी लिखे नहीं हैं। समय ही नहीं मिला अब तक, लेकिन आगे मैं भावुकता पर कम समय खर्च करूँगी, वास्तविकता पर अधिक।

शुक्रवार, 14 अगस्त, 1942

प्रिय किट्टी,

पूरे एक महीने तक मैंने तुम्हें नजरअंदाज किए रखा; हालाँकि लिखने लायक इन दिनों में कुछ खास घटा भी नहीं। 13 जुलाई को वैनडैन परिवार आया। पहले हमें लगा था कि 14 को आएँगे, लेकिन 13 से 16 तारीख तक जर्मनों ने सबको नोटिस भेजना शुरू किया था, जिससे लोगों में बहुत ज्यादा बेचैनी फैली हुई थी। इसलिए उन्होंने सोचा कि एक दिन की देर से एक दिन पहले पहुँचना बेहतर होगा।

पीटर वैनडैन सुबह 9.30 बजे आया। हम तब नाश्ता कर रहे थे। पीटर अब सोलह साल का होनेवाला है। बड़ा शर्मीला और अनाड़ी सा लड़का है वह। उसका साथ दिलचस्प नहीं होगा। मि. और मिसेज वैनडैन आधे घंटे बाद आए।

मजेदार बात यह थी कि मिसेज वैनडैन के हाथ में एक बक्सा था, जिसमें पेशाब करने का बरतन था। आते ही वे बोलीं, "इसके बगैर मैं कहीं घर जैसा महसूस नहीं कर

सकती।" उनके दीवान के नीचे सबसे पहले वही बरतन रखा गया, जो हमेशा वहाँ रहा। मि. वैनडैन अपने साथ ऐसा कोई बरतन नहीं लाए थे, वे चाय की एक सिमटनेवाली टेबल बगल में दबाकर ले आए थे।

पहले दिन से ही हम सब इकट्ठा खाना खाने लगे। तीन दिनों बाद हमें लगा कि हम एक बड़े परिवार के सदस्य हैं। जाहिर है कि जिस हफ्ते भर से हम सभ्यता से दूर रहे थे, उसके बारे में बताने लायक कई बातें वैनडैन परिवार के पास थीं। हमारे अपार्टमेंट, खासकर मि. गोल्डस्मिट के साथ क्या हुआ, यह जानने की हमें बड़ी उत्सुकता थी।

मि. वैनडैन ने हमें वह जानकारी दी, "सोमवार की सुबह नौ बजे मि. गोल्डस्मिट का फोन आया। वे जानना चाहते थे कि क्या मैं कुछ देर के लिए उनके यहाँ जा सकता हूँ? मैं तुरंत चला गया। देखा कि मि. गोल्डस्मिट बड़े बदहवास से हो गए हैं। उन्होंने मुझे फ्रैंक परिवार द्वारा छोड़ा गया नोट पढ़वाया। चिट्ठी में बताए अनुसार वे बिल्ली को उनके पड़ोसियों को सौंपना चाहते थे। मैंने उन्हें बताया कि यह बेहतर रहेगा। उन्हें डर था कि फ्रैंक परिवार के घर की तलाशी ली जाएगी। इसलिए हम दोनों ने अंदर जाकर घर को थोड़ा ठीक-ठाक किया। नाश्ते की टेबल साफ की। अचानक मेरी नजर मिसेज फ्रैंक की स्टेबिल पर गई। वहाँ एक नोट पैड पड़ा था, जिस पर मिसेज फ्रैंक ने मास्ट्रिक्ट का एक पता लिख रखा था। मुझे पता था कि मिसेज फ्रैंक ने जानबूझकर उसे वहाँ छोड़ा था, लेकिन उसे देखकर मैंने आश्चर्यचकित होने और फिर डरने का नाटक किया और मि. गोल्डस्मिट् से उस कागज को जला देने की प्रार्थना की। आपके गायब होने के बारे में मुझे कुछ पता न होने की बात मैंने कसमें खाकर उन्हें बताईं, साथ ही यह भी कहा कि उस नोट पर लिखे पते से मुझे कुछ-कुछ अंदाजा हो रहा है। मि. गोल्डस्मिट! मैंने उनसे कहा, "हालाँकि, इस कागज पर लिखे पते के बारे में मैं जानता हूँ। करीब छह महीने पहले एक उच्चाधिकारी दफ्तर में आया था। वह मि. फ्रैंक को बचपन का साथी था। अगर कभी जरूरत पड़ी तो मि. फ्रैंक की मदद करने का उसने वचन दिया। अब मुझे याद आता है कि वह मास्ट्रिक्ट में रुका हुआ था। लगता है, उस अफसर ने अपनी बात रखी और वह पहले बेल्जियम और फिर स्विट्ज़रलैंड पहुँचने में उनकी मदद करने की सोच रहा हो। फ्रैंक परिवार के बारे में पूछनेवाले उनके मित्रों को यह बात बताने में कोई हर्ज नहीं है, हाँ, बस मास्ट्रिक्ट का जिक्र नहीं करना।" इतना बताकर मैं वहाँ से निकला। यही बात आपके कई मित्रों को बताई गई है, क्योंकि बाद में कई लोगों ने मुझे वह बताई।

हमें यह सब बड़ा मजेदार लग रहा था, लेकिन हम तब सचमुच हँस पड़े, जब मि. वैनडैन ने हमें कुछ लोगों की रंगीन काल्पनिकता के किस्से सुनाए। जैसे कि चौक में रहने वाले एक परिवार ने बताया कि उन्होंने खुद हम सबको सुबह अपनी साइकिलों

पर सवार होकर जाते हुए देखा है। एक महिला ने पूरे यकीन के साथ बताया कि बीच रात हम सबको मिलिट्री जैसे किसी वाहन में ठूँसकर ले जाया गया है।

तुम्हारी, ऐन

शुक्रवार, 21 अगस्त, 1942

प्रिय किट्टी,

अब हमारा गुप्त भवन सचमुच गुप्त हो गया है। कई घरों की छिपी साइकिलों को तलाशने के लिए जब तलाशी ली जाने लगी, तब मि. कुगलर ने सोचा कि हमारे गुप्त स्थान की ओर जाने वले दरवाजे पर किताबों का स्टैंड बनवा लें। वह दरवाजे की तरह ही कब्जे के सहारे खुलता-बंद होता है। मि. वोस्कुइजिल ने बढ़ई का सारा काम किया। मि. वोस्कुइजिल को बताया गया था कि हम सात लोग यहाँ अज्ञातवास में हैं और उन्होंने हर तरह से हमारी मदद की।

अब जब भी हमें नीचे जाना होता है, सिर झुकाना पड़ता है और फिर फलाँगना पड़ता है। पहले तीन दिन हम सबके माथे पर गूमड़ उभरे थे, दरवाजे के नीचे की चौखट से टकराने के कारण। फिर पीटर ने एक टॉवेल में लकड़ी की छीलन बाँधकर कील से उसे चौखट पर लगा दिया था। देखते हैं, इस उपाय से कोई फायदा मिलता है क्या?

मैं स्कूली पढ़ाई ज्यादा नहीं करती। मैंने सितंबर तक खुद को छुट्टी दे रखी है। तब से डैड मुझे पढ़ाना शुरू करेंगे; हालाँकि उससे पहले हमें सारी किताबें खरीदनी पड़ेंगी।

यहाँ आने के बाद हमारे जीवन में बहुत बदलाव नहीं आया है। आज पीटर के बाल धोए गए, लेकिन यह कोई खास बात तो नहीं। मेरी मिस्टर वैनडैन से बनती नहीं और हम हमेशा एक-दूसरे के खिलाफ बिफरे रहते हैं। ममा हमेशा मेरे साथ छोटे बच्चों सा व्यवहार करती हैं, जो मुझे बिल्कुल पसंद नहीं है। बाकी सभी मामलों में जिंदगी ठीक से चल रही है। पीटर अच्छा बच्चा बना है, ऐसा मुझे नहीं लगता। वह पूरा दिन अपने बिस्तर में लोट लगाता रहता है, जो अच्छा नहीं लगता। सुबह के नित्यकर्म निपटाने के बाद वह थोड़े समय तक बढ़ई का काम कर लेता है और फिर दोपहर की नींद में खो जाता है—पागल कहीं का।

आज सुबह ममा ने मुझे उनका एक और दमघोंटू भाषण सुनाया। किसी भी बात को देखने के हम दोनों के दो परस्पर विरोधी पहलू होते हैं। डैड बड़े प्यारे हैं। कभी-कभी वे भी मुझसे गुस्सा होते हैं, लेकिन उनका गुस्सा कभी भी पाँच मिनट से ज्यादा टिकता नहीं।

आज का दिन बड़ा सुंदर है। सुंदर और गरमाहट भरा और इन सभी बातों के बावजूद हम मौसम का ज्यादा से ज्यादा लुत्फ उठाते हैं। अटारी में सिमटवाँ बिस्तर फैलाकर हम धूप भी सेंकते हैं।

तुम्हारी, ऐन

बुधवार, 2 सितंबर, 1942

मेरी सबसे प्यारी किट्टी,

मिस्टर और मिसेज वैनडैन के बीच जबरदस्त झड़प हुई। इस तरह का झगड़ा मैंने पहले कभी देखा नहीं था, क्योंकि डैड और ममा कभी सपने में भी इस तरह एक-दूसरे पर चिल्लाते नहीं थे। झगड़ा इतनी मामूली बात को लेकर छिड़ा था कि वैसे विषय पर एक शब्द भी फिजूल जाया न किया जाए।

उन दोनों के झगड़े में फँसे पीटर का हाल बहुत बुरा होता है; हालाँकि पीटर अतिभावुक और आलसी है, इसलिए कोई उसे गंभीरता से नहीं लेता। कल वह और अधिक परेशान था, क्योंकि उसकी जीभ गुलाबी की जगह नीली बन गई थी। जितनी जल्दी उसकी जीभ का रंग बदला था, उतनी ही जल्दी वह ठीक भी हो गया। आज वह गले में स्कार्फ बाँधकर घूम रहा है, क्योंकि उसकी गरदन अकड़ गई है। महाराज को साथ में कमर-दर्द की भी शिकायत थी। दिल, गरदे और फेफड़ों में भी उसे कभी-कभार दर्द की शिकायत रहती है। उसे हमेशा किसी न किसी रोग का भ्रम रहता है। भ्रमरोगी है वह, उसके लिए यही शब्द ठीक होगा।

ममा और मिसेज वैनडैन में भी आपस में ज्यादा बनती नहीं है। उनके बीच पलनेवाले मनमुटाव के कुछ कारण भी हैं। एक छोटा सा उदाहरण लीजिए। मिसेज वैनडैन ने साझा चद्दरों वाली अलमारी से अपनी तीन चद्दरों को छोड़कर बाकी सभी चद्दरें निकाल ली थीं। वे शायद सोचती हैं कि ममा की चद्दरें भी दोनों परिवार इस्तेमाल कर सकते हैं। ममा ने भी उनके नक्शेकदम पर चलते हुए अपनी सारी चद्दरें निकाल ली हैं। इसका उन्हें पता चलेगा, तब शायद उन्हें बड़ा धक्का पहुँचेगा।

इसके अलावा हमने मिसेज वैनडेन को सताने का एक और तरीका अपनाया है। हम अपने चीनी मिट्टी के बरतन इस्तेमाल करने की जगह उनके बरतन इस्तेमाल कर रहे हैं। हमने अपने बरतनों के साथ क्या किया, इसका अभी वे पता लगा ही रही हैं; हालाँकि वे उन्हें कभी नहीं मिलेंगे, क्योंकि एक गत्ते के बक्से में बंद कर उन्हें अटारी में ओपेक्टा के विज्ञापन के सामान के बीच छिपाकर रखा दिया गया है। हम जब तक गुप्त तरीके से रह रहे हैं, वे बरतन उनकी पहुँच से बाहर ही रहेंगे। वैसे भी अच्छा ही

है, क्योंकि मेरे हाथों वे बार-बार टूटते रहते हैं। कल ही मेरे हाथ से मिसेज वैनडैन का एक सूप बाऊल गिरकर टूटा।

"अरे!" वे गुस्से में बोल पड़ीं, "तुम थोड़ा ध्यान से काम नहीं कर सकती? वह मेरा आखिरी सेट था।"

ध्यान में रखना किट्टी, कि ये दोनों महिलाएँ आपस में घटिया डच भाषा में बोलती हैं। (मैं पुरुषों के बारे में कोई टिप्पणी यहाँ दर्ज नहीं कर रही हूँ, क्योंकि अगर करूँ तो उनकी तौहीन होगी।) तुम अगर उनकी गोलमाल भाषा सुनोगी तो हँस-हँसकर लोटपोट हो जाओगी। उनकी गलतियाँ दिखाना हमने छोड़ दिया है, क्योंकि उनकी गलतियाँ दिखाने का कोई फायदा नहीं है। ममा या मिसेज वैनडैन की बातचीत का मैं जब भी जिक्र करूँगी, तब उनकी भाषा का अनुवाद करने की जगह मैं ठेठ डच भाषा का इस्तेमाल करूँगी।

ढर्रे पर चल रही हमारी जिंदगी में पिछले हफ्ते छोटा खलल पड़ा था। खलल पीटर की और औरतों के बारे में लिखी गई एक किताब के कारण। यहाँ मैं बता दूँ कि मिस्टर क्लीमन हमें जो किताबें लाकर देते हैं, वे सभी किताबें पढ़ने की इजाजत मार्गो और पीटर को मिली हुई है, हालाँकि यह एक किताब बड़े लोग केवल अपने तक सीमित रखना चाहते थे शायद, लेकिन इससे पीटर की उत्सुकता तुरंत जाग गई। उसे यह सवाल सताने लगा कि उस किताब में ऐसी कौन सी निषिद्ध बातें होंगी? उसकी ममा जब निचली मंजिल पर किसी से बातों में लगी थी, तब पीटर ने वह किताब हथिया ली। अपने इस खजाने के साथ वह छज्जे पर चला गया। दो दिनों तक सब ठीक-ठाक चला। मिसेज वैनडैन को पीटर की करतूत के बारे में पता था, लेकिन वे चुप रहीं। बात तब खुली, जब मिस्टर वैनडैन को इस बारे में पता चला। उन्होंने पीटर को खूब डाँटा, किताब वापस ली और मामला खत्म मान लिया; हालाँकि अपने बेटे की उत्सुकता के बारे में उन्होंने नहीं सोचा था। पीटर पर अपने डैड द्वारा उठाए गए कदम का कोई असर नहीं हुआ था। उसने इस बेहद दिलचस्प किताब को पढ़ने की तरकीबें ढूँढ़नी शुरू कीं। इसी दरमियान, मिसेज वैनडैन ने ममा से उसकी राय पूछी। यह किताब मार्गो के पढ़ने लायक नहीं है, ऐसा ममा को लगता था, लेकिन मार्गो अन्य किताबें अगर पढ़े तो उसमें कोई नुकसान है, ऐसा भी उन्हें नहीं लगता था।

ममा उनसे बोलीं, "देखिए मिसेज वैनडैन, मार्गो और पीटर में बहुत फर्क है। पहला फर्क यह कि मार्गो लड़की है और लड़कियाँ हमेशा लड़कों से ज्यादा समझदार होती हैं। दूसरी बात यह कि मार्गो कई गंभीर विषयों की किताबें पढ़ चुकी है और वह खास ढूँढ़कर पूर्व प्रतिबंधित किताबें ही नहीं पढ़ती। तीसरी बात, मार्गो बेहद अक्लमंद

और बौद्धिक रूप से उन्नत है, क्योंकि उसने बेहतरीन स्कूल में चार साल पढ़ाई की है।"

वैसे तो मिसेज वैनडैन ने माँ से सहमति जताई, लेकिन उन्हें यह गलत लगता रहा कि बड़ों के लिए लिखी गई किताबें कम उम्र के बच्चे पढ़ें।

इधर पीटर ने ऐसा समय ढूँढ़ निकाला, जब किसी को उसमें और उसकी किताब में कोई दिलचस्पी न हो। शाम के 7.30 बजे। जब पूरा परिवार निजी दफ्तरवाले कमरे में रेडियो सुनने में व्यस्त रहता है, उस समय वह किताब उठाकर वह छज्जे पर निकल गया। 8.30 बजे तक उसे लौट आना चाहिए था, लेकिन वह किताब पढ़ने में इस कदर मशगूल हो गया कि उसे समय का खयाल ही नहीं रहा। उसके पिता कमरे में प्रवेश कर रहे थे, तब वह नीचे उतरकर आ रहा था। उसके बाद जो कुछ घटा, वह अप्रत्याशित तो नहीं था। एक थप्पड़ जड़ने के बाद, एक घूँसा मारने के बाद उससे किताब छीन ली गई। किताब टेबल पर पड़ी थी और पीटर को वापस छज्जे पर भेज दिया गया था। परिवार के खाना खाने के समय भी स्थितियाँ ऐसी ही थीं। पीटर अभी भी छज्जे पर ही था। किसी ने भी उसके बारे में सोचा नहीं। खाना खाए बिना ही उसे सोना होगा। हम मजे में बतियाते हुए खाना खाते रहे। जब अचानक हमने कान को चीरती हुई सीटी की आवाज सुनी। हमने काँटे-चम्मचों को प्लेट में छोड़ा और एक-दूसरे को ताकते रहे। हमारे सफेद पड़ चुके चेहरों पर हमें लगा, धक्का साफ उजागर था। फिर हमें चिमनी से पीटर की आवाज सुनाई दी, "मैं नीचे नहीं आऊँगा।"

मिस्टर वैनडैन तैश में उठकर खड़े हो गए। उनकी गोद में रखा हुआ रूमाल जमीन पर गिरा। वे चिल्लाए, तब उनके बदन का सारा खून मानो उनके चेहरे की ओर दौड़ पड़ा था, बस अब बहुत हो गया। आगे पता नहीं क्या होगा, इस डर से मानो पिताजी ने उनकी बाँह पकड़कर उन्हें पीछे खींचा। उसके बाद वे दोनों छज्जे की तरफ बढ़े। बड़े संघर्ष के बाद हाथ-पैर पटकते हुए पीटर को उन्होंने उसके कमरे में बंद किया और कमरे का दरवाजा बाहर से बंद किया। उसके बाद हम सब फिर खाना खाने में व्यस्त हो गए। मिसेज वैनडैन अपने प्रिय सुपुत्र के लिए रोटी बचाना चाहती थीं, लेकिन मिस्टर वैनडैन अपनी बात पर अड़े रहे। वे बोले, "अगर वह इसी वक्त सबसे माफी नहीं माँगता तो उसे छज्जे पर ही सोना होगा।" सबने इसका विरोध करते हुए उन्हें समझाया कि खाली पेट सोने की सजा ही काफी है। छत पर पीटर को अगर सर्दी लग गई तो? हम तो डॉक्टर को भी बुला नहीं पाएँगे। पीटर ने माफी नहीं माँगी। वह वापस छत पर चला गया। मिस्टर वैनडैन ने सोचा कि उसे अकेले छोड़ने में ही समझदारी है; हालाँकि दूसरे दिन सुबह उन्होंने देखा कि पीटर के बिस्तर में सलवटें पड़ी हुई थीं। वह रात में आकर अपने बिस्तर पर सोया था। सात बजे पीटर फिर अटारी पर चला गया, लेकिन उसके पिताजी ने जब उससे दो-चार मीठी बातें

कीं, मनुहार किया, तब वह नीचे आया। तीन-चार दिनों तक वह हठी मौन लिये मुँह फुलाकर घूमता रहा, फिर सब ठीक हो गया।

तुम्हारी, ऐन

सोमवार, 21 सितंबर, 1942

मेरी सबसे प्यारी किट्टी,

आज यहाँ गुप्त भवन की सामान्य खबरें मैं तुम्हें बताऊँगी। मेरे दीवान के ऊपर एक लट्टू लगाया गया है। रात में मुझे कभी बंदूकें चलने की आवाजें सुनाई दें तो मैं लटकती डोरी को खींचकर यह लट्टू रौशन कर सकूँ। अभी मैं इसे जला नहीं सकती, क्योंकि हमने दिन-रात के लिए एक खिड़की को झिर्रीभर खुला छोड़ा है।

वैनडैन दल के पुरुष सदस्यों ने मिलकर खाने का सामान रखने के लिए एक लकड़ी के रंग की और असली दरवाजोंवाली अलमारी बनाई है। अब तक यह सुंदर अलमारी पीटर के कमरे में पड़ी थी, लेकिन खुली हवा पाने के इरादे से उसे वहाँ से हटाकर अटारी पर रखा गया था। पहले वह जहाँ थी, वहाँ ऊपर की ओर अब एक ताक बनाया गया है। इस ताक के नीचे अपना टेबल लगाने की सलाह मैंने पीटर को दी। एक बढ़िया गलीचा बिछाने की, जहाँ टेबल है, वहाँ अपनी अलमारी सजाने का सुझाव भी दिया। इस तरह उसका अपना कोना और अधिक आरामदेह बनेगा, हालाँकि मैं कभी ऐसी जगह सोना नहीं चाहूँगी।

मिसेज वैनडैन को सहना मुश्किल है। मैं जब ऊपर की मंजिल पर जाती हूँ, तब लगातार न बोलूँ, इसके लिए वे मुझे बार-बार टोकती रहती हैं। मैं अनसुनी कर देती हूँ और उनकी कही बातें मुझसे टकराकर लौट जाती हैं। अब मैडम ने नई तरकीब ढूँढ़ निकाली है। बरतनों में बचा हुआ खाना काँच के बाऊलों में निकालकर बरतन धोने के लिए देने की बजाय वह खाना बरतनों में ही छोड़कर उन्हें धोने के लिए रख देती हैं। फिर मार्गो जब बरतनों से भिड़ी रहती है, तब वहाँ जाकर झूठी सहानुभूति दिखाते हुए वे कहती हैं, "अरे! मार्गो तुम्हें कितना काम करना पड़ता है।"

हर दूसरे हफ्ते मि. क्लीमन मेरी उम्र की लड़कियों के लिए लिखी गई किताबें मेरे लिए ले आते हैं। 'लूप टेर ह्युएल' माला मुझे खासकर पसंद है। सिसी वैन मार्क्सवेल्ट की लिखी सारी किताबें मैंने पढ़ीं। मुझे वे सब बहुत पसंद आईं। 'झैनिएस्ट समर' मैंने चार बार पढ़ी। उसकी ऊटपटाँग घटनाओं की याद से आज भी मुझे हँसी आती है।

डैड और मैं आजकल हमारे वंशवृक्ष के काम में लगे हुए हैं। हम जैसे-जैसे आगे बढ़ते हैं, डैड मुझे हर व्यक्ति के बारे में बताते जाते हैं। मैंने अपने स्कूल की पढ़ाई भी अब शुरू कर दी है। फ्रेंच भाषा में खूब मेहनत से पढ़ रही हूँ। हर रोज मैं पाँच क्रियाएँ

अपने दिमाग में बैठा रही हूँ, हालाँकि स्कूल में मैंने जो पढ़ाई की थी, उसमें से ज्यादातर पढ़ाई अब मैं भूल चुकी हूँ।

पीटर ने अनमने भाव से ही सही, अंग्रेजी की पढ़ाई शुरू कर दी है। स्कूल की कुछेक किताबें अभी-अभी आई हैं। मैंने घर से नोट बुक्स, पेंसिलें, लिखा हुआ मिटानेवाले और लेबिल्स बहुत सारे ले आई हूँ। पिम (हमने डैड को यह नाम दे रखा है) चाहते हैं कि मैं डच भाषा सीखने में उनकी मदद करूँ। वे मुझे फ्रेंच भाषा और अन्य विषय सिखाते हैं, उसके बदले में मैं उन्हें डच भाषा सिखाने के लिए तत्पर हूँ, लेकिन वे हम सोच ही नहीं सकते, ऐसी-ऐसी गलतियाँ करते हैं।

मैं रेडियो पर कभी-कभी लंदन स्टेशन से डच भाषा में प्रसारित होने वाले कार्यक्रम सुनती हूँ। हाल ही में प्रिंस बर्नाड ने जाहिर किया कि जनवरी में प्रिंसेस ज्युलियाना के बच्चा होनेवाला है। मेरे खयाल से यह बड़ी अच्छी खबर है। यहाँ कोई नहीं समझता कि राज परिवार में मेरी इतनी दिलचस्पी क्यों है ?

अभी कुछ रातों पहले मेरे बारे में चर्चा हो रही थी और सबने माना कि मैं निपट अनाड़ी हूँ। परिणामवश, मैंने अपने आपको स्कूल की पढ़ाई में झोंक दिया। चौदह-पंद्रह साल की होने के बाद भी मैं ऐसी ही रहूँ, यह मैं नहीं चाहती। मुझे ज्यादातर कुछ भी पढ़ने की इजाजत नहीं होने के बारे में भी बातचीत हुई। आजकल ममा 'जेंटलमैन वाइव्ज ऐंड सर्वेंट्स' पढ़ रही हैं। जाहिर है कि यह किताब पढ़ने की मुझे अनुमति नहीं है; हालाँकि मार्गो को है। मुझे इजाजत तभी मिलेगी, जब मैं अपनी महान् बुद्धिमान बहन जैसे बौद्धिक स्तर पर विकसित होऊँ। उसके बाद दर्शन, मानसशास्त्र और शरीर विज्ञान के बारे में मेरी अज्ञानता के बारे में चर्चा हुई। (मैंने तुरंत इन शब्दों को शब्दकोश में ढूँढ़ा।) इन विषयों के बारे में मैं कुछ नहीं जानती, यह सच है, हो सकता है अगले साल तक कुछ सीख लूँ।

अचानक मुझे पता चला कि मेरे पास ठंड में पहनने लायक केवल एक लंबी बाँहों की पोशाक और तीन कार्डिगंस हैं। डैड ने मुझे एक सफेद स्वेटर बुनने की इजाजत दे दी है। ऊनी कोई खास अच्छी नहीं है, पर गरम रहेगी और वही तो चाहिए। हमारे कुछ कपड़े दोस्तों के यहाँ छूट गए हैं, दुर्भाग्य से युद्ध समाप्ति तक हम वापस नहीं जा सकते, बशर्ते कि वे वहाँ हों।

मिसेज वैनडैन के बारे में अभी-अभी मैंने कुछ लिखा और तभी उन्होंने कमरे में प्रवेश किया। मैंने धम्म से किताब बंद कर दी।

"ऐन, क्या मैं देख भी नहीं सकती ?" उन्होंने पूछा।

"नहीं, मिसेज वैनडैन।" मैं बोली।

"केवल आखिरी पन्ना भी नहीं ?"

"नहीं, आखिरी पृष्ठ भी नहीं, मिसेज वैनडैन।"

मेरी तो जान ही निकल जाती, अगर वे देख लेतीं, क्योंकि आखिरी पृष्ठ पर मैंने उनकी बुराई की थी।

हर रोज कुछ-न-कुछ होता ही रहता है, लेकिन मैं सब लिख नहीं पाती, थक जाती हूँ।

तुम्हारी, ऐन

शुक्रवार, 25 सितंबर, 1942

मेरी सबसे प्यारी किट्टी,

डैड के एक मित्र हैं, सत्तर साल के आस-पास उम्र होगी उनकी। उनका नाम है मि. ड्रेहर। वे गरीब हैं, बहरे हैं और बीमार हैं। उनके साथ बेकार उपांग की तरह उनकी पत्नी भी हैं, जो उनसे 27 वर्ष छोटी हैं और बेहद गरीब हैं वे। बीते हुए समृद्ध दिनों की निशानी के रूप में सोने की और नकली चूड़ियों और आभूषणों से उनकी कलाइयाँ और पैर सजे थे। मि. ड्रेहर डैड के लिए एक बड़ा सिरदर्द बने हुए थे। इस बूढ़े, दयनीय मि. ड्रेहर के साथ जैसा व्यवहार फोन-संवाद के समय डैड ने हमेशा किया, उससे उनकी संतों जैसी सहनशीलता प्रकट होती थी और मेरे मन में उनके बारे में आदर की भावना बढ़ाती थी। हम अपने घर में रहते थे, तब की बात है। जब भी मि. ड्रेहर का फोन आता, ममा डैड को सुझातीं कि आप रिसीवर के सामने ग्रामोफोन चलाकर छोड़ दीजिए, जिसमें हर तीन मिनट बाद, 'हाँ मि. ड्रेहर' या 'ना मि. ड्रेहर' बजता रहे, क्योंकि मि. ड्रेहर वैसे भी डैड के लंबे जवाबों में से कुछ भी समझ नहीं पाते थे।

आज मि. ड्रेहर ने दफ्तर में फोन कर मि. कुग्लर से कहा कि वह आकर उनसे मिलें। मि. कुग्लर जाना नहीं चाहते थे, इसलिए उन्होंने मीप को भेजने की बात कही, लेकिन मीप ने मुलाकात टाल दी। श्रीमती ड्रेहर ने तीन बार दफ्तर में फोन किया, लेकिन मीप पूरी दोपहर दफ्तर से बाहर ही थीं। इसलिए उसे बेप की आवाज में बात करनी पड़ी। नीचे दफ्तर में और ऊपर गुप्त भवन में भी इस बात को लेकर लोगों ने काफी हँसी-ठट्ठा किया। अब जब भी फोन बजता है, बेप कहती है, "मि. ड्रेहर का फोन।" मीप को बहुत हँसी आती है और फोन के दूसरे सिरे पर जो लोग होते हैं, उन्हें पहले मीप की हँसी ही सुनाई देती है। आप भी इसकी कल्पना कर सकते हैं न? पूरी दुनिया का यह बेहतरीन दफ्तर होगा, जहाँ मालिक और कर्मचारियों के बीच इस कदर हँसी-मजाक चलता हो।

किसी शाम को मैं बातें करने के लिए वैनडैन के यहाँ चली जाती हूँ। हम 'नेपथेलीन बिस्कुट' (गुड़ के पारों का डिब्बा नेपथेलीन डालकर कीटरहित बनाई गई

अलमारी में रखने के कारण गुड़पारों में नेपथेलीन की बू आती थी) खाते हुए समय बिताते थे। इधर हम पीटर के बारे में बातें कर रहे थे। मैंने उन्हें बताया कि वह अकसर मेरे गाल थपकता है, जो मुझे पसंद नहीं है। उन्होंने बड़ों की तरह मुझसे पूछा कि क्या मैं कभी पीटर को भाई की तरह मानकर उससे प्रेम कर सकती हूँ? क्योंकि वह मुझे बहन की तरह प्यार करता है। "कभी नहीं।" मैंने कहा, लेकिन मेरे मन में जवाब आया था, "छिह!" सोचिए तो! मैंने आगे उनसे कहा, "पीटर शर्मीला लड़का है, इसलिए बचकर रहना चाहता है। लड़कियों के आस-पास रहने की जिन लड़कों को आदत नहीं होती, वे ऐसे ही होते हैं।"

गुप्त भवन समिति (पुरुषों का विभाग) बहुत सर्जनशील है। उन्होंने एक स्कीम बनाई है। ओपेक्टा कंपनी के बिक्री प्रतिनिधि और हमारे मित्र, जिन्होंने हमारा बहुत सारा सामान छिपाने में हमारी मदद की, उन मि. ब्रुक्स तक संदेश पहुँचाने का जो तरीका उन्होंने बनाया है, उसे सुनकर आप भी यही कहेंगे। वे दक्षिण न्यूजीलैंड के एक दुकानदार के नाम एक पत्र टाइप कराएँगे। यह दुकानदार अप्रत्यक्ष रूप से ओपेक्टा का ग्राहक है। उसमें यह सूचना होगी कि दुकानदार अपनी लिखावट में फॉर्म भरकर उसके साथ भेजे गए पता लिखे लिफाफे में डालकर भेजे। डैड खुद उस लिफाफे पर नाम-पता लिखनेवाले थे। न्यूजीलैंड से जब खत आ पहुँचेगा, तब उसमें से फॉर्म हटाकर उसकी जगह हाथ का लिखा संदेश कि 'पिताजी जिंदा हैं।' डाल दिया जाएगा। इस प्रकार खत जब मि. ब्रोक्स तक पहुँचेगा, तब वे बिना किसी को शक हुए खत पढ़ पाएँगे। न्यूजीलैंड उन्होंने इसलिए चुना, क्योंकि वह बेल्जियम के पास पड़ता है (जहाँ से किसी खत को बड़ी आसानी से सीमा पार पहुँचाया जा सकता है) और कोई भी बिना विशेष इजाजत के वहाँ की यात्रा नहीं कर सकता। मि. ब्रोक्स जैसे सामान्य बिक्री प्रतिनिधि को यात्रा की इजाजत हरगिज नहीं मिलती।

कल डैड ने एक और खेल दिखाया। उनींदे डैड सोने गए। ठंड से उनके पैर ठंडे पर गए थे, इसलिए मैंने उन्हें अपने मोजे दिए। पाँच ही मिनट बाद उन्होंने मोजे जमीन पर फेंक दिए। रोशनी परेशान कर रही थी, इसलिए उन्होंने कंबल सिर पर डाल लिया। हमने लैंप को बंद कर दिया, तब उन्होंने हिचकिचाते हुए कंबल से सिर बाहर निकाल लिया। यह सब बड़ा मजेदार था। हमने फिर पीटर के द्वारा मार्गो को 'कूल्हाई' कहने को लेकर बात शुरू की, तब अचानक गहरी गुफा से जैसे डैड की आवाज आई, "वह कूल्हे टिकाकर बैठती है, यही कहना चाहती हो न?"

बीतते समय के साथ मोस्ची बिल्ली मेरे साथ अधिक मित्रतापूर्ण व्यवहार करने लगी है, हालाँकि मुझे अभी भी उससे थोड़ा डर तो लगता ही है।

तुम्हारी, ऐन

रविवार, 27 सितंबर, 1942

आज मेरे और ममा के बीच बातचीत हुई, हालाँकि दुर्भाग्य की बात यह थी कि मैं रोने लगी। मैं अपने आँसुओं पर काबू ही नहीं रख पाई। डैड हमेशा मेरे साथ अच्छा बरताव करते हैं। वे मुझे बेहतर समझ सकते हैं। ऐसे नाजुक लमहों में मैं माँ को बरदाश्त नहीं कर सकती। जाहिर है कि वे मुझे समझ नहीं सकतीं। बिल्कुल सामान्य बातें लेकर भी मैं क्या समझती हूँ, यह उन्हें पता नहीं है।

हम नौकरानियों के बारे में बातें कर रहे थे। आजकल उन्हें नौकरानी नहीं, बल्कि 'घरेलू कामगार' कहना पड़ता है। सो उन्होंने कहा कि लड़ाई जब खत्म हो जाएगी तो वे इसी प्रकार पहचाने जाना चाहेंगे; हालाँकि मुझे ऐसा नहीं लगा। फिर उन्होंने कहा कि मैं कई-कई बार 'बाद में' की बातें करती हूँ और अपने आपको संभ्रांत महिला की तरह बरतती हूँ, जबकि मैं वह नहीं हूँ, जैसाकि मैं दिखाना चाहती हूँ, यानी कि मैं हवाई महल खड़े करती हूँ, जोकि वैसे कोई बुरा काम तो नहीं है, बशर्ते कि आप उसी को सच न मानने लगें। ऐसे समय, चाहे जो हो, डैड मेरी रक्षा के लिए आ जाते हैं। उनके बगैर तो ऐसी जगह मैं टिक ही नहीं पाऊँ।

मार्गो के साथ भी मेरी ठीक-ठीक बनती नहीं है। हमारे घर में ऊपर रहनेवालों के घर में मचनेवाली धमाचौकड़ीवाली झड़पें नहीं होतीं, लेकिन जितना भी होता है, वह मुझे बिल्कुल अच्छा नहीं लगता। मार्गो और ममा के व्यक्तित्व मेरे लिए नितांत अपरिचित हैं। अपनी सहेलियों को मैं अपनी ममा से ज्यादा समझ पाती हूँ। क्या यह शर्मनाक नहीं है?

कई-कई बार मिसेज वैनडैन रूठ जाती हैं। वे बहुत मूडी हैं। वे अपनी ज्यादातर चीजें ले जाकर तालों में बंद कर चुकी हैं। यह बहुत बुरी बात है। अच्छा है कि वैनडैन की एक चीज गुम जाने का जवाब ममा फ्रैंक परिवार की एक चीज गुम जाने से नहीं देती है।

वैनडैन जैसे लोगों को न केवल अपने बच्चों को पालने में खुशी मिलती है, बल्कि दूसरों को उनके अपने बच्चे पालने में मदद करने से भी खुशी मिलती है। मार्गो को इस प्रकार पाले जाने की जरूरत नहीं है, क्योंकि वह शुरू से ही अच्छी है, दयालु, मेधावी, सर्वगुण-संपन्न, लेकिन मुझमें हम दोनों के हिस्से की बदमाशी कूट-कूट कर भरी गई है, ऐसा लगता है। दिन में कम-से-कम दो-तीन बार वैनडैन और मुझमें ठन जाती है। डैड और ममा हमेशा मेरी तरफ से डटकर खड़े हो जाते हैं। उनके बगैर मैं दोबारा सहजता से यहाँ जी ही नहीं पाती। वे मुझे बताते रहते हैं कि मुझे कम-से-कम बातें करनी चाहिए, अपने काम से काम रखना चाहिए और अधिक विनम्र होना

चाहिए, लेकिन मैं हमेशा मानो उनकी सलाह भूल जाती हूँ। डैड अगर इतने सहनशील न होते तो शायद ममा-डैड की इतनी सी उम्मीद भी शायद मैं कभी पूरी नहीं कर पाती।

मुझे सब्जी नापसंद हो और मैं थोड़ी सब्जी और ज्यादा आलू लूँ, तब भी वैनडैन, खासकर मिसेज वैनडैन तुरंत मेरी खान-पान की आदतें कैसे बिगड़ी हुई हैं, यह कहते नहीं थकतीं। "अरे ऐन, सब्जियाँ खानी चाहिए और लो।" वे कहती रहेंगी।

"नहीं चाहिए, धन्यवाद मैडम।" मैं जवाब देती। "आलू ही काफी हैं।"

फिर वे कहतीं, "सब्जियाँ तुम्हारी सेहत के लिए अच्छी हैं, तुम्हारी ममा भी यही कहती है, तो थोड़ी और सब्जी लो।"

और यह तब तक चलता रहता था, जब तक कि डैड बीच में पड़कर मेरी तरफदारी करते हुए कह न देते कि मुझे जो पसंद नहीं है, वह खाने से इनकार करने का अधिकार है।

यह सुनते ही मिसेज वैनडैन तो अपना आपा ही खो देतीं। कहतीं, "आप हमारे घर आकर देखते, बच्चों को जैसे पालना-पोसना चाहिए, वैसे उनका हमारे यहाँ पालन-पोषण होता है। आप अच्छी तरह पाल-पोस नहीं रहे हैं, ऐन की आदतें बिल्कुल बिगड़ गई हैं। मैं होती तो उसे ऐसा करने की इजाजत ही नहीं देती। ऐन अगर मेरी बेटी होती तो…"

इसी प्रकार हमेशा उनकी तोप चलती और इसी पर आकर रुकती, "ऐन अगर मेरी बेटी होती…" और मैं सोचती, शुक्र है कि मैं नहीं हूँ।

खैर, बच्चे पालने की बात के बारे में बता दूँ, कल मिसेज वैनडैन ने जैसे ही अपना भाषण पूरा किया, सन्नाटा छा गया। फिर डैड बोले, "मुझे लगता है कि ऐन का बढ़िया ढंग से पालन-पोषण हुआ है। कम-से-कम उसे इस बात का पता तो है कि उसे आपके कभी खत्म न होने वाले भाषणों का जवाब नहीं देना चाहिए और रही सब्जियों की बात, तो देखो, कौन किसकी ओर उँगली उठा रहा है।"

डैड की बात सुनकर मिसेज वैनडैन सकपका गईं। यह उनकी पूरी तरह से हार हुई थी। खुद मिसेज वैनडैन रात के खाने में किसी तरह की फलियाँ या किसी तरह की गोभी नहीं खाती थीं, क्योंकि उन्हें उनसे 'गैस' बनती थी। मैं भी तो कह सकती थी, कितनी कमअक्ल हैं वे, है न? जो हो, अब उम्मीद करते हैं कि वे मेरे बारे में बोलना बंद कर देंगी। मिसेज वैनडैन कितनी जल्दी लाल पड़ जाती हैं, देखना असल में बड़ा मजेदार है। मैं कभी लाल-पीली नहीं होती और यह भी एक वजह है, जिससे वह मुझ पर नाराज रहती हैं।

तुम्हारी, ऐन

सोमवार, 28 सितंबर, 1942

मेरी सबसे प्यारी किट्टी,

कल मुझे अचानक रुकना पड़ा था, हालाँकि मुझे और बहुत सी बातें लिखनी थीं। हमारे एक और संघर्ष के बारे में आपको बताने के लिए मैं कब से तड़प रही हूँ, लेकिन उससे पहले मैं यह कहना चाहूँगी—छोटी-छोटी बातों पर बड़ों का आपस में उलझना मुझे बड़ा अजीब लगता है। बार-बार और छोटी-छोटी बातों पर उन्हें झगड़ना नहीं चाहिए। अब तक मुझे लगता था कि झगड़ पड़ना केवल बच्चों की आदत में शुमार होता है और बड़े होने के साथ-साथ उनकी यह आदत छूट जाती है; हालाँकि कभी-कभी झगड़ने वाले असली कारण भी निकल ही आते हैं, लेकिन यहाँ जो गुस्सैल शब्दों का लेन-देन होता है, वह झगड़ा ही होता है। यहाँ ऐसे झगड़े हर रोज होते हैं, इसलिए मुझे उनकी आदत हो जानी चाहिए, लेकिन ऐसा नहीं हो पा रहा और तब तक नहीं होगा, जब तक इनमें से लगभग सभी झगड़ों का विषय मैं खुद होऊँ। वैसे वे इन झड़पों को झगड़े की जगह 'चर्चा' कहते हैं, लेकिन जर्मनों को इस बात का पता नहीं है न। वे हर बात पर टिप्पणी करते हैं, हरेक बात पर। मेरे बारे में, मेरे बरताव के बारे में, मेरे व्यक्तित्व के बारे में, मेरे तौर-तरीकों के बारे में, अरे हर इंच के बारे में, सिर से पैर तक और पैर से सिर तक, हर बात उनकी गप का विषय होती है, विवाद का कारण बनती है। कठोर शब्द और चिल्लाहटें हमेशा मेरे ऊपर उछाले जाते हैं। मुझे इसकी जरा भी आदत नहीं है। उनके अनुसार इन सबको मुझे हँसकर टाल देना चाहिए, लेकिन मैं ऐसा नहीं कर सकती और उनके द्वारा किया जानेवाला मेरा अपमान चुपचाप पी जाने का मेरा इरादा है भी नहीं। ऐन फ्रैंक कल पैदा नहीं हुई है, यह मैं उनको जता ही दूँगी। उन्हें मुझे भी गिनती में शामिल करना ही पड़ेगा। अपना मुँह बंद रखना होगा। मैं उन्हें बता दूँगी कि मेरे तौर-तरीकों की बजाय उन्हें खुद अपने तौर-तरीकों पर ध्यान देने की जरूरत है। इस तरह व्यवहार करने की हिमाकत वे क्योंकर करती हैं। ये तो बिल्कुल जंगली तरीके हैं। मैं कई बार आश्चर्यचकित रह जाती हूँ उनके ऐसे गँवारू तरीकों से और उनकी मूर्खता से (खासकर मिसेज वैनडैन की)। आज अपने इन विचारों से मैं असहज हूँ, लेकिन जब भी मैं सहजता से इस तरह सोच सकूँ और सब ऐसा ही चलता रहा तो वह वक्त भी दूर नहीं, तो उनकी इस दवा का मैं उन पर ही प्रयोग करूँगी। तब जाकर उनका लहजा बदलेगा। वैनडैन मेरे बारे में जो कहते हैं कि मैं बदतमीज, अड़ियल, दुराग्रही, जिद्दी, अपनी ही चलानेवाली, मूर्ख, आलसी आदि-आदि हूँ, तो क्या मैं सचमुच ऐसी हूँ? नहीं, बिल्कुल नहीं। मैं जानती हूँ कि मुझमें भी कमियाँ हैं, लेकिन वे उन छोटी-छोटी बातों का बिल्कुल पहाड़ खड़ा कर देते हैं। वे जब मुझे गुस्सा करते हैं, मेरी खिल्ली उड़ाते

हैं, तब मैं अंदर ही अंदर कैसे खौल जाती हूँ, यह तुम नहीं जानती, किट्टी। गुस्से को इसी तरह दबाती रहूँ तो जल्द ही उसमें विस्फोट हो जाएगा।

चलो बहुत हुआ, यह सब अब। अपने झगड़ों से मैंने तुम्हें काफी उबा दिया। फिर भी, एक बार डिनर के समय हुई बातचीत का जिक्र किए बिना मुझसे रहा नहीं जा रहा।

उस दिन हम पिम के बेहद संकोची स्वभाव के बारे में बातें करने लगे थे। उनकी विनय के बारे में सब जानते हैं। किसी मूर्ख शिरामणि को भी इस बारे में कोई दुविधा नहीं होगी। उस दिन अचानक अपने को हर चर्चा में शामिल पाने की इच्छुक मिसेज वैनडैन बीच में ही बोल पड़ीं, "मैं बेहद विनीत और पीछे रह जाने वाली हूँ। मेरे पति से भी ज्यादा।"

क्या आपने इससे अधिक विचित्र कोई बात सुनी है? उनके इसी वाक्य से पता चल जाता है कि अपने बारे में वे जो दावा कर रही हैं, वैसी वे नहीं हैं।

उनके अपने पति से अधिक विनीत होने की बात पर मि. वैनडैन का टिप्पणी करना बनता था। उन्होंने शांतिपूर्ण तरीके से कहा, "विनीत और संकोची रहने की मेरी कोई कामना नहीं है। मुझसे पूछो तो तुम इतनी दुराग्रही हो कि ये सारी बातें पीछे छूट जाती हैं।" फिर मेरी ओर मुड़कर वे बोले, "ऐन, तुम कभी विनीत और संकोची मत बनना। उससे कुछ हासिल नहीं।"

ममा ने तुरंत सहमति जताई। फिर भी मिसेज वैनडैन को तो अपना ढोल पीटना ही था। इस बार सीधे मेरा रुख करने की बजाय वह मेरे डैड-ममा की ओर मुड़कर बोलीं, "यह सब ऐन से आप कह रहे हो, सो जाहिर है कि जीवन के बारे में आपका कुछ अजीब नजरिया होगा। मेरे बचपन में बातें कुछ और तरीके से थीं, हालाँकि उनमें कोई बहुत ज्यादा बदलाव तो नहीं हुआ है, बजाय आपके इस आधुनिक घर के।"

यह ममा के बच्चों के पालन-पोषण के आधुनिक तरीकों पर सीधे-सीधे वार किया गया था। ममा ने इसका पहले कई बार प्रतिवाद भी किया है। मिसेज वैनडैन इतनी नाराज थीं कि उनका चेहरा लाल हो गया था। जिन लोगों को इस बात का पता होता है कि गुस्से में उनका चेहरा लाल हो जाता है, उन्हें विवाद के दौरान अपने चेहरे की बढ़ती लाली का अहसास होता रहता है। ऐसे लोग अपने विरोधियों के आगे ज्यादा देर तक टिक नहीं पाते।

संयत चेहरेवाली ममा अब मामले को जितनी जल्दी हो सके, हमेशा के लिए सुलझा देना चाहती थीं, जवाब देने से पहले दो पल के लिए रुकीं। फिर बोलीं, "ठीक है, मिसेज वैनडैन, मैं मानती हूँ कि व्यक्ति अगर अतिविनीत नहीं होता है तो अच्छा रहता है, हालाँकि आपके पति, ऐन और मैं ऐसे नहीं हैं, हम किसी को बिना वजह हमारे साथ ज्यादती करने भी नहीं देते हैं।"

मिसेज वैनडैन बोलीं, "ओह! लेकिन मिसेज फ्रैंक, आप क्या कहना चाहती हैं, वह मेरी समझ में नहीं आ रहा। कसम से कह रही हूँ, मैं बेहद विनम्र और संकोची स्वभाववाली हूँ। मैं जोर-जबर्दस्ती करनेवालों में से हूँ, यह आप कैसे कह सकती हैं?"

ममा बोलीं, "मैंने यह नहीं कहा कि आप जबर्दस्ती करती हैं, लेकिन कोई भी आपके बारे में यह नहीं कहेगा कि आप विनम्र और संकोची स्वभाववाली हैं।"

इस पर मिसेज वैनडैन बोलीं, "जरा मुझे भी तो पता चले कि मैं कहाँ जोर-जबर्दस्ती करती हूँ। यहाँ अगर मैं अपना खयाल न रखूँ तो कोई मेरा खयाल नहीं रखेगा। भूखी रह जाऊँगी मैं, लेकिन इसका यह मतलब तो नहीं निकलता कि मैं तुम्हारे पति की तरह विनयशील और संकोची नहीं हूँ।"

अपने बचाव में प्रस्तुत किए गए इस विचित्र तर्क पर ममा हँसने के अलावा और क्या कर सकती थीं। ममा की हँसी ने मिसेज वैनडैन को और ज्यादा परेशान किया। मिसेज वैनडैन पैदायशी वाक्पटु नहीं थीं, इसलिए उसी रौ में वे बोलती रहीं, तब तक जब तक कि वे खुद अपने शब्दों के जाल में उलझकर खो नहीं गईं। फिर झल्लाते हुए उठकर जाने को थीं, जब उनकी नजर मुझ पर पड़ी। तब आप उनका चेहरा देखते! किस्मत को भी शायद यही मंजूर था कि जैसे ही मिसेज वैनडैन वहाँ से निकलने के लिए मुड़ीं, उसी पल मैं उनके बारे में महसूस हो रही दया और व्यंग्य की मिली-जुली भावना को व्यक्त करने के अंदाज में सिर हिला रही थी। मैं यह जान-बूझकर नहीं कर रही थी, उनकी ऊलजलूल बातें मैं ध्यान से सुन रही थी, इसलिए मेरे अनजाने ही मेरी भावनाएँ शरीर की भाषा में व्यक्त हो रही थीं। मिसेज वैनडैन झम्म से पलटीं और उन्होंने किसी मोटी, लाल-लाल चेहरे वाली मछुआरन की तरह जर्मन भाषा में बड़ी घटिया, गंदी और कड़क गाली दी। यह सब देखने में बड़ा मजेदार था। अगर मैं चित्र बना पाती तो वे उस वक्त जैसे दिखाई दे रही थीं, वैसा उनका चित्र बनाती। उस वक्त वे मुझे बड़ी मजेदार और भोंड़ी लगीं। एक बात मैंने जानी है, झगड़े के तुरंत बाद ही आप किसी व्यक्ति का असली चेहरा देख सकते हैं। केवल तभी व्यक्ति के असली व्यक्तित्व का पता चलता है।

तुम्हारी, ऐन

मंगलवार, 29 सितंबर, 1942

मेरी सबसे प्यारी किट्टी,

आप जब छिपकर रह रहे होते हैं, तब आपके साथ बड़ी अजीब बातें होती हैं। अब आप इसकी कल्पना कीजिए—हमारे पास नहाने का टब नहीं है, इसलिए हम कपड़े धोने वाले टब में ही नहाते हैं और दफ्तर में, केवल दफ्तर में नहीं, तो समूची निचली

मंजिल पर केवल गरम पानी ही उपलब्ध है। इसलिए हम सातों लोग बारी-बारी इस अवसर का फायदा उठाते हैं। हालाँकि हम सब अलग-अलग तरह के लोग हैं और हमें विभिन्न मात्रा में शर्म आती है, इसलिए हर सदस्य ने अपनी सहूलियत के हिंसाब से नहाने के लिए अलग-अलग जगहें चुन रखी हैं। पीटर दफ्तर की रसोई वाले कमरे में नहाता है, जबकि उसमें काँच का दरवाजा लगा हुआ है। जब उसके नहाने का समय होता है, तब वह हममें से हरेक के पास आकर बाकायदा बताता है कि हममें से कोई भी अगले आधे घंटे तक दफ्तर की रसोई की ओर फटके नहीं, क्योंकि वह नहाने जा रहा है। उसके हिसाब से इतना बताना भर काफी होता है। मि. वैनडैन ऊपर ही नहाते हैं। अपने कमरे में नहाने में जो सुरक्षा उन्हें महसूस होती है, उसकी तुलना में नीचे से पानी उठाकर ले आने का संकट उन्हें अदना लगता है। मिसेज वैनडैन अब तक नहीं नहाई हैं, वह आजमा रही हैं कि कहाँ नहाना बेहतर रहेगा। डैड निजी दफ्तर में नहाते हैं, ममा रसोई में, जबकि मैं और मार्गो दफ्तर के अगले हिस्से में नहाती हैं। शनिवार की दोपहर में परदे बंद होते हैं, इसलिए हम अँधेरे में ही नहाते हैं। हम दोनों में से जो टब में नहीं होता, वह परदों की झिर्रियों से खिड़की के पार आश्चर्य भरी नजरों से आने-जानेवाले लोगों को ताकता है।

हफ्ते भर पहले मैंने तय किया कि मेरे नहाने के लिए यह जगह ठीक नहीं है, इसलिए मैं ऐसी जगह ढूँढ़ने लगी, जहाँ मैं आराम से नहा पाती। दफ्तर के बड़े गुसलखाने में अपना नहाने का टब रखना मुझे पीटर ने सुझाया। वहाँ मैं आराम से बैठ सकती थी, बत्ती जला सकती थी, दरवाजे की कुंडी चढ़ा सकती थी, बिना किसी की मदद लिये अपने लिए पानी उलीच सकती थी और यह सब कोई देख लेगा, इस डर के बिना। रविवार के दिन पहली बार मैं अपने इस सुंदर गुसलखाने में नहाई। अजीब बात यह कि मुझे वह जगह अन्य सभी जगहों से बहुत अच्छी लगी।

बुधवार के दिन कसेरा निचली मंजिल पर काम कर रहा था। ठंड के दिनों में नालियों में पानी जम न जाए, इसलिए वह नालियों को हॉल से गुजारने के काम में लगा था। कसेरे का आना किसी को अच्छा नहीं लगता था। हम दिन भर में पानी नहीं गिरा सकते थे और नीचे के सारे गुसलखाने हमारी पहुँच से बाहर हो जाते। यह समस्या हमने कैसे हल की, यह बता दूँ। हो सकता है, मेरा यह सब बताना आपको अनुचित लगे, लेकिन ऐसे मामलों के बारे में मैं अति संकोची नहीं हूँ। हम जब यहाँ रहने आए, तब मैंने और डैड ने टट्टी/पेशाब करने के लिए एक कामचलाऊ बरतन का प्रबंध कर दिया था। इसके लिए हमें सामान रखने का एक डिब्बा कुर्बान करना पड़ा था। कसेरे के काम के दौरान दिन में इन्हीं डिब्बों को इस्तेमाल में लाया गया; हालाँकि मेरे लिए इसकी तुलना में दिन भर बिना कुछ भी बोले एक जगह बैठे रहना ज्यादा मुश्किल था।

मिस क्वेक, क्वेक, क्वेक के लिए यह कितना मुश्किल होगा, इसकी तो आप कल्पना ही कर लीजिए। आम दिनों में हमें फुसफुसाकर बातें करनी पड़ती थीं, उसकी तुलना में दिन भर बिना बोले, डुले-हिले बैठना हजार गुना बुरा है।

तीन दिनों तक लगातार बैठे रहने से मेरे पिछवाड़े का हिस्सा एकदम अकड़ गया था और दर्द कर रहा था। रात में कसरत करने से थोड़ी राहत मिलती थी।

तुम्हारी, ऐन

गुरुवार, 1 अक्तूबर, 1942

प्रिय किट्टी,

कल मैं बेहद डर गई थी। आठ बजे अचानक दरवाजे की घंटी बजी। मैंने सोचा, कोई हमें पकड़ने आया है, कोई—यानी कौन, यह तुम जानती हो, लेकिन सबने जब भरोसा दिलाया कि यह कोई नटखट बच्चा होगा या फिर डाकिया होगा, तब मेरा डर थोड़ा कम हुआ।

यहाँ दिन बड़े खामोश होते हैं। मि. लेविंसन नाम के एक यहूदी फार्मासिस्ट और केमिस्ट आजकल मि. कुग्लर के लिए रसोई में काम करते रहते हैं। उन्हें इस पूरी इमारत की जानकारी है और हमें यह डर लगा रहता है कि किसी दिन उनके दिमाग में यह बात न आए कि चलकर प्रयोगशाला का आजकल क्या हाल है, वह देखता आऊँ। हम चूहे की तरह चुप रहते हैं। तीन महीने पहले किसी ने सोचा भी नहीं था कि चुलबुली ऐन को यों घंटों तक चुपचाप बैठे रहना पड़ेगा। उससे बुरी बात यह कि ऐन ने यह सब सीख भी लिया है।

29 तारीख को मिसेज वैनडैन का जन्मदिवस था। कोई बड़ा उत्सव तो आयोजित नहीं किया जा सकता था, हालाँकि सबने उन पर फूलों की वर्षा की, उपहार दिए, अच्छा खाना बना। उनके पति द्वारा लाल कार्नेशन के फूल दिए जाना उनके परिवार की परंपरा है।

थोड़ी देर तुम्हें मिसेज वैनडैन के बारे में बताती हूँ। उनका बार-बार डैड के सामने अपनी अदाएँ दिखाते हुए डोलना मुझे गुस्सा दिलाता है। उनके हाव-भाव देखकर मुझे खीझ होती है। वे डैड के गाल थपकती हैं, उनकी पीठ ठोंकती हैं, अपनी स्कर्ट थोड़ी उठाकर अपने हिसाब से तेज, विनोद पूर्ण टिप्पणियाँ कसती हैं। यह सब वे केवल पिम का ध्यान अपनी ओर खींचने के लिए करती हैं। सौभाग्य से डैड को वह न तो सुंदर लगती है, न लुभावनी। इसलिए उनकी कोशिशों पर वे ध्यान ही नहीं देते। तुम्हें तो पता है, मैं बड़ी जलनकट्टी हूँ। मुझे मिसेज वैनडैन का बरताव जरा भी पसंद नहीं आता और फिर मम्मा मि. वैनडैन के साथ ऐसे पेश नहीं आती हैं। यही बात मैंने मिसेज

वैनडैन को बिना लाग-लपेट के उनके मुँह पर कह दी।

बीच-बीच में पीटर बड़ा मजाकिया बन जाता है। उसमें और मुझमें एक बात समान है, हमें भेस बदलना अच्छा लगता है। इससे हर किसी को हँसी आती है। एक दिन शाम को पीटर ने अपनी माँ की तंग ड्रेस पहनी और मैंने पीटर का सूट पहना। उसने हैट पहन लिया और मैंने केप। हमें उस भेष में देखकर सभी बड़े लोग हँस-हँसकर लोट-पोट हो गए। मुझे और पीटर को भी बड़ा मजा आया।

बेप मेरे और मार्गो के लिए नए 'द बिजेनकोर्फ' से स्कर्ट्स ले आईं। उनका कपड़ा तो इतना भद्दा है, जिस बोरी में आलू भर कर आते हैं, बिल्कुल वैसा। पुराने जमाने में कोई भी बड़ी दुकान ऐसा माल बेचने की हिम्मत नहीं करती और आज वही मार्गो की स्कर्ट 24.000 गिल्डर्स में और मेरी 7.75 गिल्डर्स में मिलती हैं।

हमारे लिए बेप ने और भी कुछ किया है। बेप ने मार्गो, पीटर और मेरे लिए आशुलिपि का दूरस्थ पाठ्यक्रम मँगाया है। बस आप देखते रहिए। अगले साल तक हम तीनों बढ़िया आशुलिपिक बन जाएँगे। जो हो, गुप्त कूटों में लिखना सीखना दिलचस्प रहेगा।

मेरी बाएँ हाथ की तर्जनी में तीव्र दर्द है। इस वजह से मैं कपड़ों में इस्तरी नहीं लगा सकती। वाह रे भाग्य!

मि. वैनडैन चाहते हैं कि खाने की टेबल पर मैं उनकी बगल में बैठूँ, क्योंकि मार्गो बहुत कम खाती हैं, जो उन्हें पसंद नहीं। मुझे कोई दिक्कत नहीं है, बदलाव मुझे पसंद है। आँगन में हमेशा एक छोटी, काली बिल्ली घूमती रहती है। उसे देखकर मुझे अपनी प्यारी बिल्ली मूजी की याद आती है। यह बदलाव मुझे एक और वजह से अच्छा लगा था। मम्मा के पास खाना खाने बैठो तो वह हमेशा मेरी हर बात में मीन-मेख निकालती रहती है। अब मार्गो को यह सब सहना पड़ेगा या फिर हो सकता है, उसे सहना ही न पड़े, क्योंकि मम्मा उसे कभी कुछ नहीं कहतीं, मानो वह आदर्शों की खदान हो। आजकल मैं कई बार मार्गो को यही कहकर चिढ़ाती हूँ—'आदर्शों की खदान और उसे यह बिल्कुल पसंद नहीं है।' हो सकता है कभी उसे समझ आए कि इतना अच्छा बरताव भी ठीक नहीं। अब तो उसे यह बात समझनी ही होगी।

समाचारों की यह खिचड़ी एक चुटकुला बताकर मैं रोकती हूँ। मि. वैनडैन ने मुझे यह चुटकुला बताया था। कौन निन्यानबे बार क्लिक और एक बार क्लैक की आवाज करता है? मुग्दरपाद (लकड़ी का पैर) या कनखजूरा।

बाय-बाय ऐन

शनिवार, 3 अक्तूबर, 1942

प्रिय किट्टी,

कल हर किसी ने मुझे खूब चिढ़ाया, क्योंकि मैं मिस्टर वैनडैन की बगल में सोई थी। 'इतनी बड़ी होने के बावजूद! शर्मनाक!' इस तरह की कई टिप्पणियाँ मुझे सुननी पड़ीं, अर्थात् वे सारी मूढ़ टिप्पणियाँ थीं। वे जैसे सोच रहे हैं, वैसे तो मैं कभी भी मि. वैनडैन के साथ सोना नहीं चाहूँगी।

कल मम्मा और मुझमें एक बार फिर झड़प हुई। मम्मा ने तो हंगामा खड़ा किया। मम्मा ने डैड को मेरे सारे पाप बताए और रोने लगीं। फिर मुझे भी रोना आया, मुझे पहले से तेज सिरदर्द था। आखिर मैंने डैड को बता दिया कि मैं मम्मा से ज्यादा उन्हें प्यार करती हूँ। उन्होंने कहा, यह कुछ समय की बात है, लेकिन मुझे ऐसा नहीं लगता। मुझे मम्मा जरा भी पसंद नहीं, मैं उन्हें बरदाश्त नहीं कर पाती। उन्हें पलटकर जवाब न दूँ, इसका हर समय मुझे खयाल रखना पड़ता है, सन्नद्ध शांत रहने के लिए प्रयास करने पड़ते हैं। कभी-कभी उन्हें थप्पड़ लगाने का मन करता है। मैं उनसे इतनी नफरत क्यों करने लगी हूँ, इसका खुद मुझे पता नहीं। डैड कहते हैं कि मम्मा की तबीयत ठीक न हो या उन्हें सिरदर्द हो तो मुझे उनकी मदद की पेशकश करनी चाहिए, लेकिन मैं ऐसा कुछ भी नहीं करने जा रही हूँ। मुझे उनसे प्रेम नहीं है और उनकी सेवा करने में मुझे कोई खुशी नहीं मिलने वाली। मम्मा के किसी दिन गुजर जाने की मैं कल्पना कर सकती हूँ, लेकिन डैड की मौत के बारे में सोच भी नहीं सकती। यह मेरा कमीनापन है, लेकिन मुझे सच में कभी-कभी ऐसा लगता है। मम्मा यह या जो और कुछ मैंने लिखा है, वह कभी पढ़ नहीं पाएँगी, ऐसी मैं उम्मीद करती हूँ।

कुछ दिनों से मुझे बड़ों की किताबें पढ़ने की इजाजत दी गई है।

आजकल मैं निको वैन श्टैलेन की लिखी 'ईवाज यूथ' पढ़ रही हूँ। युवा लड़कियों के लिए लिखी गई इस किताब और अन्य किताबों में मुझे कोई फर्क महसूस नहीं होता। ईवा को लगता था, सेवों की तरह बच्चे भी पेड़ों पर उगते हैं। वे जब पक जाते हैं, तब स्टोर्क पंछी उन्हें तोड़कर ले आते हैं और माँ को थमा देते हैं, लेकिन अपनी एक सहेली की बिल्ली को बिल्ले जनते हुए देखती है। तब उसे लगता है कि मुरगियों की तरह बिल्लियाँ भी अंडे देती हैं और उनमें से बच्चे पैदा होते हैं। इसी तरह जिन माँओं को बच्चे पाने होते हैं, वे कुछ समय के लिए ऊपरी मंजिल के कमरे में जाती हैं और अंडे देती हैं तथा उनमें से पिल्लों की तरह बच्चे बनते हैं। इसीलिए लंबे समय तक अंडों पर बैठने के कारण बच्चे जब जन्म लेते हैं, तब माँएँ बेहद कमजोर हो जाती हैं। ईवा को भी कभी बच्चे पैदा करने की इच्छा थी। उसने ऊन का एक स्कार्फ जमीन पर फैलाया, ताकि अंडा उसमें गिरे। फिर वह उस पर बैठ गई। इंतजार के दौरान वह बीच-बीच

में क्लक-क्लक की आवाजें भी निकाल रही थी, लेकिन लंबे इंतजार के बाद भी जब अंडा नहीं निकला तो ईवा खिसिया गई। उसे लगा कि वह बीमार है। है न अजीब बात! 'ईवाज यूथ' में महिलाओं के सड़क पर बड़ी-बड़ी रकमों के लिए अपना शरीर बेचने का जिक्र भी है। किसी पुरुष के सामने ऐसी बातें करते हुए मुझे तो बेहद अपमानित महसूस होता। उसमें ईवा के मासिक धर्म की बात भी कही गई है। मुझे भी अपने मासिक धर्म के आने का बेहद इंतजार है। तब मैं सचमुच बड़ी हो जाऊँगी। डैड फिर शिकायत करने लगे हैं, वह मेरी डायरी छीनने का डर भी दिखा रहे हैं। अरे बाप रे! अब मैं क्या करूँ? अबसे आगे मैं अपनी डायरी छुपाकर रखूँगी।

ऐन फ्रैंक

बुधवार, 7 अक्तूबर, 1942

मैं कल्पना करती हूँ कि···

मैं स्विट्जरलैंड पहुँची हूँ। मैं और डैड एक ही कमरे में सोए हैं। लड़कों का अध्ययन-कक्ष मेहमानों से मुलाकात करने योग्य बैठक में बदल गया है। मेरे लिए फर्नीचर खरीदकर उन्होंने मुझे चौंका दिया है। उसमें एक चाय की टेबल, एक पढ़ाई की डेस्क, एक आरामकुरसी और एक दीवान है। बेहद खूबसूरत फर्नीचर है। कुछ ही दिनों बाद डैड मुझे 150 गिल्डर्स—स्विस मुद्रा में बदलकर ही मुझे यह रकम मिली है, लेकिन मैं उसे गिल्डर्स ही कहने वाली हूँ। उन्होंने मुझसे अपनी जरूरत की सारी चीजें खरीदने के लिए कहा। (बाद में मुझे हर हफ्ते एक गिल्डर मिलने लगा, जो मैं अपनी जरूरत की चीजें खरीदने पर खर्च कर सकती थी।) मैं बर्न्ड के साथ खरीदारी करने गई और ये चीजें खरीद लाई—

3 सूती बनियान/0.50 की दर से = 1.50
3 सूती कच्छे/0.50 की दर से = 1.50
3 ऊनी बनियान/0.75 की दर से = 2.25
3 ऊनी कच्छे/0.75 की दर से = 2.25
2 पेटी कोट्स/0.50 की दर से = 1.00
2 ब्रा (सबसे छोटे साइज की)/0.50 की दर से = 1.00
5 पाजामे/1.00 की दर से = 5.00
1 गरमी वाला पहनावा/2.50 की दर से = 2.50
1 सर्दी वाला गाऊन/3.00 = 3.00
2 रात में पहनने वाले जैकेट्स/0.75 की दर से = 1.50

1 छोटा तकिया/1.00 की दर से = 1.00

1 हल्के स्लीपर्स/1.00 की दर से = 1.00

1 गरम स्लीपर्स/1.50 की दर से = 1.50

1 जोड़ी गरमी वाले जूते (स्कूल वाले)/1.50 की दर से = 1.50

1 जोड़ी ठंड के जूते (स्कूल वाले)/2.50 की दर से = 2.50

1 जोड़ी ठंड वाले जूते (फैंसी)/3 की दर से = 3.00

2 एप्रंस/0.50 की दर से = 1.00

25 रूमाल/0.05 की दर से = 1.25

4 जोड़ी सिल्क स्टॉकिंग्ज/0.75 की दर से = 3.00

4 जोड़ी घुटनों तक के सॉक्स/0.50 की दर से = 2.00

4 जोड़ी सॉक्स/0.25 की दर से = 1.00

2 जोड़ी मोटे स्टॉकिंग्स/1.00 की दर से = 2.00

3 सफेद ऊन के गोले (अंडर वियर, टोपी के लिए) = 1.50

3 नीली ऊन के गोले (स्वीटर, स्कर्ट के लिए) = 1.50

स्कार्वज, बेल्ट्स, कॉलर्स, बटंस = 1.25

साथ ही स्कूल के दो ड्रेसेस (गरमी वाले), दो स्कूल के 2 ड्रेसेज (ठंड वाले), 2 अच्छी ड्रेसें (गरमियों वाली), 2 अच्छी ड्रेसेज (ठंड वाली), 1 गरमी वाली स्कर्ट, 1 ठंड वाली स्कर्ट, 1 ठंड वाली स्कर्ट स्कूल वाली, 1 रेन कोट, 1 गरमी वाला कोट, 1 ठंड वाला कोट, 2 हैट, 2 टोपियाँ। कुल 100.00 गिल्डर्स में।

2 पर्सेस, 1 आईस स्केटिंग वाली ड्रेस, 1 जोड़ी स्केट्स, 1 मैकअप डिब्बा (जिसमें पाउडर, त्वचा के लिए जरूरी क्रीम, फाउंडेशन क्रीम, क्लीनिंग (सफाई वाली क्रीम), सन टैन लोशन, रुई, प्रथमोपचार का किट, रोग (रंग), लिपस्टिक, आइ-ब्रो पेंसिल, नहाने के लिए जरूरी नमक (बाथ साल्ट), पाउडर का डिब्बा, यू डी कोलोन, साबुन, पाउडर पफ आदि।

साथ ही 1.50 की दर से 4 स्वीटर्स, 1 की दर से 4 ब्लाउज, 10 की अन्य छोटी-मोटी चीजें और 4.50 की किताबें, उपहार आदि।

9 अक्तूबर, 1942

प्रिय किट्टी,

आज मेरे पास तुम्हें देने के लिए केवल निराशाजनक खबरें ही हैं। हमारे कई यहूदी मित्रों और परिचितों को बड़ी संख्या में पकड़कर ले गए हैं। जेस्टापो उनके साथ

बड़ी क्रूरता से पेश आते हैं। उन्हें जानवरों को ढोने वाले वाहनों में भर-भकर वेंस्टरबोर्क भेजा जा रहा है, जो ड्रेंथे में स्थित एक बड़ी छावनी है। सभी यहूदियों को वहीं भेजा जा रहा है। एक व्यक्ति वहाँ से निकल भाग पाया था, जिसके बारे में मीप ने मुझे बताया। वेस्टरबोर्क के हालात बेहद खतरनाक हैं शायद। वहाँ लोगों को खाने को कुछ नहीं मिलता, पीने को उससे भी कम मिलता है। पानी वहाँ दिन में केवल एक घंटे ही आता है और कई हजार लोगों के लिए वहाँ केवल एक सिंक और एक गुसलखाना है। एक ही कमरे में पुरुष और महिलाएँ सोती हैं। महिलाओं और बच्चों के सिर मुँडवा देते हैं। वहाँ से निकल भागना लगभग असंभव है। कई लोग यहूदियों की तरह दिखते हैं, इसलिए उनके सिर मुँडाए जाते हैं।

हॉलैंड में अगर यह हाल है तो जर्मन लोग यहूदियों को सुदूर स्थित जिन असभ्य स्थानों पर भेज रहे हैं, वहाँ के हाल क्या होंगे? हमें तो लगता है कि उनमें से ज्यादातर लोगों की हत्या कर दी जाती है। अंग्रेजी रेडियो बताता है कि उन्हें गैस चैंबर्स में मारा जा रहा है। शायद तुरंत मृत्यु का यह तरीका हो।

मुझे बहुत बुरा लगता है। ऐसी घटनाओं के बारे में मीप से मिलनेवाली जानकारी दिल दहलानेवाली है। मीप को भी इन घटनाओं के बारे में सुन-सोचकर बड़ी परेशानी होती है। जैसे एक दिन, जेस्टापो ने एक बूढ़ी, विकलांग महिला को उसके दरवाजे पर लाकर छोड़ा और वे कार लाने के लिए चले गए। सर्च लाइटों की तेज रोशनी से और आकाश में उड़ रहे अंग्रेजों के हवाई जहाजों पर चलने वाली गोलीबारी से वह बूढ़ी औरत आतंकित थी। फिर भी उसे अंदर आने देने का साहस मीप जुटा नहीं पाई। मीप ही नहीं और कोई भी यह साहस नहीं कर पाएगा। सजा देने के मामले में जर्मन लोग बड़े उदार हैं।

बेप के भी हौसले पस्त हैं। उसके बॉयफ्रेंड को जर्मनी भेजा जा रहा है। सिर के ऊपर से जब भी कोई हवाई जहाज गुजरता है तो उसे लगता है कि वे बर्टस के सिर पर बम बरसाएँगे। ऐसी स्थितियों में 'ओह, डरो मत, सबके सब बम उसी के सिर पर नहीं गिर सकते' या मार देने के लिए केवल एक ही बम काफी है। जैसे चुटकुलों का मजा ऐसी स्थितियों में बिल्कुल नहीं लिया जा सकता। जर्मनी में जबरदस्ती काम करने के लिए भेजे जानेवालों में केवल बर्टस ही अकेला नहीं है। हर रोज रेलगाड़ियाँ भरकर युवाओं को भेजा जाता है। रेलगाड़ी जब किसी छोटे स्टेशन पर रुकती है, तब उनमें से कुछ लोग भागने की कोशिश करते हैं, लेकिन उनमें से केवल कुछेक लोगों को ही सफलता मिल पाती है। वे नजर बचाकर भागने और कहीं पनाह पाने में सफल हो पाते हैं।

हालाँकि मेरे दुःख का केवल यही एक कारण नहीं है। क्या आपने कभी 'बंधक' या 'बँधुआ व्यक्ति' के बारे में सुना है? देशद्रोहियों को दी जाने वाली सजाओं में यह

नवीनतम सजा है। यह ऐसी भयानक बात है, जिसकी कल्पना भी नहीं की जा सकती। बड़े मासूम लोगों को वे बंदी बना लेते हैं। मौत के घाट उतारने का उनसे इंतजार करवाते हैं। गेस्टापो को अगर कोई देशद्रोही नहीं मिले तो वे किन्हीं भी पाँच व्यक्तियों को पकड़ लेते हैं। उन्हें कतार में किसी दीवार के साथ खड़ा करते हैं। उनकी मौत की खबर जब अखबारों में छपती है, तब इसका जिक्र 'जानलेवा दुर्घटना' के तौर पर किया जाता है।

ये जर्मन लोग मानव के अजीब नमूने हैं और मैं भी उन्हीं में से एक हूँ, लेकिन नहीं, यह सच नहीं है, हिटलर ने हमसे बहुत पहले ही हमारी राष्ट्रीयता छीन ली है और वैसे भी जर्मन तथा यहूदियों जैसे आपसी दुश्मन इस दुनिया में और कहीं नहीं हो सकते।

तुम्हारी, ऐन

बुधवार, 14 अक्तूबर, 1942

प्रिय किट्टी,

मैं बहुत व्यस्त हो चली हूँ। कल से मैंने 'ला बेल निवेमैसे' का एक अध्याय अनुवादित कर काम की शुरुआत कर दी है। साथ में नए शब्दों को मैं अलग से लिखती जा रही हूँ। उसके बाद मैंने एक बेहद कठिन गणित का सवाल हल किया। इसके अलावा फ्रेंच भाषा के व्याकरण की किताब से तीन पृष्ठों का अनुवाद किया। आज मैं फिर फ्रेंच व्याकरण और इतिहास की पढ़ाई करने जा रही हूँ। हर रोज गणित के कठिन सवाल हल करना मुझे पसंद नहीं है। डैड को भी गणित पसंद नहीं है।

मैं उनसे थोड़ी बेहतर हूँ गणित हल करने में, लेकिन सच्चाई यह है कि हम दोनों को गणित ठीक से हल करना नहीं आता। इसमें हमेशा हमें मार्गो की मदद लेनी पड़ती है। मैं शॉर्ट हैंड की पढ़ाई भी कर रही हूँ, जो मुझे बहुत पसंद है। इस विषय में हम तीनों में से मैंने सबसे ज्यादा सफलता पाई है।

मैंने 'द स्टोर्म फैमिली' किताब पढ़ी है। बहुत अच्छी किताब है, लेकिन 'जूप टेर होल' जितनी अच्छी नहीं। दोनों किताबों में कुछ समान शब्द मिल जाते हैं, जो स्वाभाविक भी है, क्योंकि दोनों किताबें एक ही लेखक द्वारा लिखी गई हैं। सिसी वैन मार्क्स वेल्ड्ट बहुत अच्छे लेखक हैं। मेरे बच्चे होंगे तो उन्हें भी मैं ये किताबें पढ़वाऊँगी।

इनके अलावा कोर्नर के लिखे कई नाटक भी मैंने पढ़े हैं। उनका लिखने का ढंग मुझे पसंद है। उदाहरण के लिए 'हेडविग', 'द काजन फ्रॉम ब्रेमेन', 'द गवर्नेस', 'दी ग्रीन डॉमिनो' आदि हैं।

ममा, मार्गो और मैं अब फिर अच्छी दोस्त बन गई हैं। यही सबसे अच्छा है। कल रात मैं और मार्गो मेरे बिस्तर में अगल-बगल लेटी थीं। बिस्तर छोटा था और उसमें

दो लोगों के लिए बिल्कुल जगह नहीं थी, लेकिन यही तो मजा था। तब उसने मुझसे पूछा कि क्या वह कभी-कभार मेरी डायरी पढ़ सकती है ?

'कुछ हिस्सा पढ़ सकती हो', मैंने कहा और मैंने उसकी डायरी के बारे में पूछा। अपनी डायरी पढ़ने की उसने मुझे इजाजत दी।

फिर हम भविष्य के बारे में बातचीत करने लगीं। मैंने उससे पूछा कि बड़ी होकर वह क्या बनना चाहती है ? लेकिन वह कुछ बताने के लिए राजी ही नहीं थी। वह इस बात को रहस्य ही बनाकर रखना चाहती थी। मुझे उसकी बातचीत से लगा कि बड़ी होकर वह पढ़ाना चाहती है; हालाँकि यह यकीनन नहीं कहा जा सकता, लेकिन इसी क्षेत्र से संबंधित कुछ होगा, ऐसा मुझे लगता हैं। असल में मुझे इतना दखल नहीं देना चाहिए।

आज सुबह पीटर को उसके बिस्तर से भगाकर मैं वहाँ लेटी थी। वह बेहद गुस्साया था, लेकिन मुझे क्या ? हो सकता है बीच-बीच में कभी मुझसे दोस्ताना व्यवहार करने के बारे में सोच ही ले और फिर कल रात मैंने उसे अपने हिस्से का सेब भी तो दिया था।

एक बार मैंने मार्गो से पूछा था कि क्या मैं उसे बदसूरत लगती हूँ ? उसने तब कहा था कि मैं सुंदर हूँ और मेरी आँखें बड़ी खूबसूरत हैं। उसका यह जवाब बहुत स्पष्ट तो नहीं था, है न, तुम्हारा क्या खयाल है ? ठीक है, अगली मुलाकात तक विदा लेते हैं।

ऐन फ्रैंक

पुनश्चः आज सुबह हम सबने बारी-बारी से अपना वजन देखा। अब मार्गो का वजन 132 पौंड था। मम्मा का 136 पौंड, डैड का 155 पौंड, ऐन का 96 पौंड, पीटर का 14 ग्रैम, मिसेज वैनडैन 117 पौंड, मिस्टर वैनडैन का 165 पौंड था। यहाँ आने के बाद तीन महीनों में ही मेरा वजन 19 पौंड बढ़ गया था। बहुत ज्यादा है न!

मंगलवार, 20 अक्तूबर, 1942

मेरी सबसे प्यारी किट्टी,

उस घटना के बाद दो घंटे गुजर गए हैं, लेकिन अभी तक मेरे हाथ काँप रहे हैं। पहले मैं बता दूँ कि इस इमारत में आग बुझाने वाले पाँच साधन लगे हुए हैं। दफ्तर के लोग हमें यह बताना भूल गए कि बढ़ई या उसे, जिस नाम से भी बुलाते हों, इन साधनों में ईंधन डालने के लिए आने वाला है। परिणामतः किताबों की अलमारी वाले दरवाजे के परे जब तक हथौड़ा चलने की आवाज मुझे सुनाई नहीं दी थी, तब तक हमने शांति बनाए रखने की एहतियात नहीं बरती थी। आवाज सुनते ही मैं समझ गई कि बढ़ई

आया हुआ है, इसलिए मैं तुरंत बेप को आगाह करने चली कि अब वह नीचे जा नहीं पाएगी। उस वक्त बेप खाना खा रही थी। उस आदमी के जाने का पता चले, इसलिए मैं और डैड दरवाजे के पास ही रुके थे। करीब पंद्रह मिनट तक काम करने के बाद उसने हथौड़ा आदि अपने औजार उस दरवाजेनुमा किताबों की अलमारी में रखे (या हमें ऐसा लगा) और उसने दरवाजे पर दस्तक दी। डर के मारे हमारा खून जम गया, उसने शायद इस ओर से कुछ आवाजें सुन ली थीं और अब वह इस अजीब सी दिखती किताबों की अलमारी का रहस्य जानना चाहता था। ऐसा ही लगा, क्योंकि वह लगातार उस दरवाजे को झटके दे-देकर खींच और धकेल रहा था।

मैं डर गई थी। इस अजनबी को हमारी छिपने की जगह के बारे में पता चलेगा, इस डर के मारे मेरे होश उड़ गए थे। अब हमारे दिन फिर जाएँगे, हम खत्म हो जाएँगे, यह खयाल मेरे मन में आया ही था कि तभी हमें मि. क्लीमन की आवाज सुनाई दी, 'दरवाजा खोलो, मैं हूँ।' हमने तुरंत दरवाजा खोला, हम जानना चाहते थे कि आखिर हुआ क्या था?

किताब की अलमारी की साँकल फँस गई थी। इसी कारण बढ़ई के आने की खबर कोई भी हम तक पहुँचा नहीं पाया था। उसके चले जाने के बाद मि. क्लीमन बेप को ले जाने के लिए आए थे, लेकिन वह भी फँसी हुई साँकल खोल नहीं पाए थे। मैंने जो राहत महसूस की, उसे शब्दों में बयाँ नहीं कर पाऊँगी। मेरी कल्पना के अनुसार दरवाजा पीटने वाला शख्स सीक्रेट एनेक्सी में घुसने की कोशिश कर रहा था। धीरे-धीरे मेरे डर ने उस मेरी कल्पना में बड़े राक्षस की शक्ल ली और वह मुझे दुनिया का क्रूरतम फैसिस्ट लगने लगा। हुश्श! सौभाग्य से इस बार सबकुछ ठीक हो गया।

सोमवार के दिन हमने बड़े मजे किए। मीप और जान ने हमारे साथ रात बिताई। मैं और मार्गो मम्मा-डैड के कमरे में सोई, ताकि गीजेस को हमारे बिस्तर मिलें। खाना भी उनके सम्मान में बना था और बहुत लजीज बना था। डैड वाले लैंप में शॉर्ट-सर्किट होने के कारण बीच में अचानक अँधेरा फैल जाने से कुछ देर व्यवधान आया था, लेकिन हम इस बारे में क्या कर सकते थे? हमारे पास फ्यूज थे, लेकिन वे इमारत के पीछे वाले गोदाम में एक बक्से में रखे हुए थे। अँधेरे में वहाँ तक जाना सचमुच मुश्किल काम था, फिर भी पुरुषों ने आगे बढ़कर जिम्मेदारी पूरी की और दस मिनट के बाद ही हमने मोमबत्तियाँ बुझा दीं।

आज सुबह मेरी आँख जल्दी खुली। जान बिल्कुल तैयार होकर खड़े थे। उन्हें 8.30 बजे निकलना था। आठ बजे वे ऊपर नाश्ता कर रहे थे। मीप तैयार हो रही थीं। मैं अंदर गई, तब वह अपने छोटे कपड़ों में थी। साइकिल चलाते समय वह मेरे जैसा ही लंबा कच्छा पहनती है। मैंने और मार्गो ने भी कपड़े पहने और हर रोज की तुलना में

थोड़ा जल्दी नाश्ते के लिए हम पहुँचे। बढ़िया नाश्ते के बाद मीप नीचे चली गई। बाहर तेज वर्षा हो रही थी। साइकिल चलाकर उसे काम पर नहीं पहुँचना पड़ेगा, इस बात से वह खुश थी। मैं और डैड ने बिस्तर ठीक किए। उसके बाद मैंने पाँच अनियमित फ्रैंच क्रियाएँ जानीं। कितनी मेहनती हूँ मैं, आपको क्या लगता है!

हमारे कमरे में मार्गो और पीटर पढ़ रहे थे। मार्गो के पड़ोस में दीवान पर मोशी बदन को समेटकर लेटी थी। अनियमित फ्रैंच क्रियाएँ सीखने के बाद मैं भी उनके साथ बैठकर 'द वुड्स आर सिंगिंग फॉर ऑल एटरनिटी' पढ़ने लगी। बेहद अच्छी किताब है और एकदम अलग। लगभग पूरी होने को आई है। अगले हफ्ते हमारे साथ रात बिताने की बीप की बारी है।

तुम्हारी, ऐन

गुरुवार, 29 अक्तूबर, 1942

मेरी सबसे प्यारी किट्टी,

मुझे बेहद चिंता हो रही है। डैड बीमार हैं। उनके बदन पर चित्तियाँ उग आई हैं और तेज बुखार भी है। लगता है, उन्हें चेचक हो गई है। हमारी हालात के बारे में जरा सोचिए, हम डॉक्टर को बुला नहीं सकते। उन्हें पसीना आए और उनका बुखार उतर जाए, इस कोशिश में मम्मा लगी हुई हैं।

आज ही सुबह मीप ने हमें बताया कि झुहडर-एम्स्टेलान स्थित वैनडैन के अपार्टमेंट से फर्नीचर हटाया गया है। हमने अभी मिसेज वैनडैन को यह खबर नहीं बताई है। आजकल वह बहुत उदास रहती हैं। कितने सुंदर चीनी मिट्टी के बरतन और सुंदर फर्नीचर छोड़कर उन्हें आना पड़ा, इस बात को लेकर हम फिर उनका रोना-कराहना सुनना नहीं चाहते। हमें भी तो अपना लगभग सबकुछ पीछे छोड़ आना पड़ा था। उसके बारे में हमेशा नाराजगी और असंतोष व्यक्त करते रहने से क्या हासिल होगा?

डैड चाहते हैं कि मैं हेब्बेल जैसे मशहूर जर्मन लेखकों की किताबें पढ़ूँ। अब मैं जर्मन भाषा की किताबें अच्छी तरह पढ़ पाती हूँ। बस एक बात है कि मन ही मन पढ़ने के बजाय मैं बुदबुदाते हुए पढ़ती हूँ। पढ़ना सीखने का यह एक पायदान है, जिसे मैं जल्द ही पार कर लूँगी। डैड ने किताबों की बड़ी अलमारी से गोएथ और शिलर की किताबें निकाल ली हैं। हर रोज शाम के समय वे मुझे ये किताबें पढ़कर सुनाना चाहते हैं। 'डॉन कार्लोस' से हमने शुरुआत भी कर दी है। डैड के सराहनीय नक्शेकदमों पर चलते हुए मम्मा ने उनकी प्रार्थना की पुस्तक भी मुझे थमा दी है। अच्छी बच्ची बनकर उसमें जर्मन भाषा में लिखी कुछ प्रार्थनाएँ मैं पढ़ लेती हूँ। प्रार्थनाएँ बेहद अच्छी लगती

हैं, इसमें दो राय नहीं, लेकिन मुझे उनमें कोई मतलब दिखाई नहीं देता। मम्मा मुझे इस प्रकार धार्मिक और समर्पित क्यों बनाना चाहती हैं?

कल हम पहली बार स्टोव जलानेवाले हैं। लंबे समय से चिमनी की सफाई नहीं हुई है। सो जाहिर है कि घर भर में धुआँ फैलनेवाला है। उम्मीद करते हैं कि सब ठीक-ठाक हो जाए।

तुम्हारी, ऐन

सोमवार, 2 नवंबर, 1942

प्रिय किट्टी,

शुक्रवार की शाम बेप ने हमारे साथ बिताई। मजा आया, हालाँकि उसे ठीक से नींद नहीं आई। शायद इसलिए कि उसने थोड़ी वाइन पी ली थी और कोई बताने लायक खास बात है भी नहीं। कल मेरा सिर जोरों से दर्द कर रहा था। इसलिए मैं जल्दी सो गई थी। मार्गो फिर से अपना धीरज खो रही है। दफ्तर में अनुक्रम से रखे कार्डों वाली फाइल गिर गई थी और सारे कार्ड गड्डमड्ड हो गए थे। आज सुबह मैं उन्हें ठीक से जमाकर रख रही थी, लेकिन थोड़ी ही देर में मैं पूरी तरह चकरा गई। मैंने पीटर और मार्गो से मदद माँगी, लेकिन दोनों बेहद आलस महसूस कर रहे थे, इसलिए मैंने उस काम को रोक दिया।

मैं इतनी पागल तो नहीं कि सारा काम खुद करूँ।

ऐन फ्रैंक

22 जनवरी, 1944 के दिन यहाँ ऐन ने कुछ पंक्तियाँ और जोड़ीं : वैसी बात मैं फिर कभी लिख नहीं पाऊँगी। आज करीब डेढ़ साल बाद मैं एक बार फिर अपनी डायरी पढ़ रही हूँ और मुझे अपनी बच्चों सी मासूमियत पर अचरज महसूस हो रहा है। मन में गहरे कहीं मुझे यकीन के साथ मालूम है कि मैं फिर कभी इतनी मासूस नहीं बन पाऊँगी। मन की स्थितियाँ बदलती हैं, यह मैं जानती हूँ, मुझे मम्मा, डैड और मार्गो के बारे में लिखा यह सब पढ़कर लग रहा है, जैसे सब कल-परसों की बातें हैं, लेकिन अन्य बातों के बारे में इतने खुलेपन से मैं शायद फिर कभी लिख नहीं पाऊँगी। जो बातें उस समय लिखते हुए मुझे अच्छी लगी थीं, लेकिन वे उतनी अच्छी भी नहीं थीं, इसका आज पता चल रहा है और कुछ झेंप सी महसूस हो रही है। मैंने जो वर्णन किया है, वह कई जगह अशिष्ट भी हुआ है। छोड़ो, जाने दो।

मुझे घर की याद क्यों आती है, मूजी क्यों याद आता है। यह मैं समझ सकती

हूँ। जब से यहाँ आई हूँ, मन-ही-मन मुझे घर और मूजी हमेशा याद आते रहे हैं। मुझे हमेशा जाने-अनजाने विश्वास, प्रेम और शरीरिक ममत्व की तलाश रही है। कभी बड़ी शिद्दत से तो कभी कम तीव्रता से मेरी तलाश जारी रही है।

गुरुवार, 5 नवंबर, 1942

प्रिय किट्टी,

आखिर अंग्रेजों को अफ्रीका में थोड़ी सफलता मिल पाई है। स्टैलिनग्राड की अभी हार नहीं हुई है, इसलिए यहाँ सब लोग खुश हैं। इसी खुशी में आज सुबह हमने चाय और कॉफी पी और कोई लिखने लायक खास बात नहीं हुई।

इस हफ्ते मैं काफी पढ़ती रही। बहुत कम काम किया। असल में हमेशा इसी तरह होना चाहिए। सफलता पाने का यही रास्ता है। आजकल मम्मा और मुझमें अच्छी पट रही है, लेकिन हम एक-दूसरे के करीब नहीं हैं। डैड कभी खुलकर अपनी भावनाएँ व्यक्त नहीं करते, लेकिन वे हमेशा की तरह अच्छे ही हैं। कुछ दिन पहले हमने स्टोव जलाया था, लेकिन कमरा अभी तक धुएँ से भरा है। इसीलिए मुझे केंद्रीकृत गरमी पैदा करनेवाली तकनीक पसंद है और शायद इस व्यवस्था को पसंद करनेवाली मैं अकेली नहीं हूँ। मार्गो बदमाश है, इसे व्यक्त करने के लिए कोई अन्य शब्द इस्तेमाल नहीं किया जा सकता। सुबह हो, दोपहर या रात, हमेशा परेशान करती रहती है।

ऐन फ्रैंक

शनिवार, 7 नवंबर, 1942

मेरी सबसे प्यारी किट्टी,

आजकल मम्मा की सहनशक्ति जवाब दे चुकी है। मुझे यह अच्छा नहीं लगता। मम्मा और डैड मार्गो को कभी भी गुस्सा नहीं करते और हमेशा हर बात के लिए मुझे ही जिम्मेदार क्यों ठहराते हैं? उदाहरण के लिए, कल रात मार्गो एक किताब पढ़ रही थी। उसमें बहुत सुंदर चित्र थे। थोड़ी ही देर में उसने पढ़ने के इरादे से किताब बंद कर परे रख दी। मैं खाली बैठी थी, सो किताब उठाकर उलट-पुलटकर उसमें छपी तस्वीरें देखने लगी। मार्गो जब लौटी तो उसने मेरे हाथ में अपनी किताब देखी। भौंहों को सिकोड़कर गुस्से से अपनी किताब उसने वापस माँगी। मैं तसवीरें देखने के लिए थोड़ी देर और किताब को अपने पास रखना चाहती थी। हर गुजरते मिनट के साथ मार्गो का गुस्सा बढ़ता जा रहा था। तभी मम्मा ने बीच में पड़कर कहा, "वह किताब मार्गो

पढ़ रही थी, उसे लौटा दो।''

तभी डैड आए। क्या चल रहा है, इसका पता किए बगैर मार्गो के साथ गलत हो रहा है, यह सोचकर वे मुझ पर बरस पड़े, ''मार्गो, अगर तुम्हारी किताब लेती तो तुम क्या करती, यह मैं देखना चाहता हूँ।''

मैंने अपना इरादा बदला और हारकर किताब टेबल पर रखकर वहाँ से चली आई। उन्होंने कहा, ''गुस्से में रूठकर चली गई।'' मैं न तो गुस्सा थी और न ही नाराज थी, मैं बस दुःखी थी।

मामला क्या है, यह जाने बिना अपना निर्णय सुनाकर डैड ने ठीक नहीं किया। अगर डैड और मम्मा मार्गो के साथ बड़ा अन्याय हुआ, सोचकर तुरंत उसकी मदद के लिए बीच में नहीं पड़ते, उसकी तरफदारी नहीं करते तो मैं खुद बहुत ही जल्द मार्गो को उसकी किताब लौटा देती।

मम्मा ने मार्गो की तरफदारी की। वे दोनों हमेशा एक-दूसरे की तरफदारी करती रहती हैं। मुझे अब इसकी इतनी आदत हो गई है कि मम्मा की डाँट या झिड़की हो या मार्गो की मनमानी हो, मुझ पर कोई असर नहीं होता। मैं उनसे प्यार तो करती हूँ, इसलिए क्योंकि वह मम्मा और मार्गो हैं। व्यक्ति के तौर पर मैं उन्हें बिल्कुल तूल नहीं देती। वे तालाब में कूद जाएँ, मुझे कोई फर्क नहीं पड़ेगा, लेकिन डैड के साथ ऐसा नहीं है। डैड जब मार्गो की तरफदारी करते हैं, उसकी हर बात का समर्थन करते हैं, उसकी प्रशंसा करते हैं, उसे गले लगाते हैं, तब मुझे अंदर ही अंदर पीड़ा कचोटती है। डैड मुझे बहुत पसंद हैं, इसलिए। मुझे बड़े होकर डैड की तरह बनना है। दुनिया में किसी और से मैं उतना प्यार नहीं करती, जितना मैं डैड से करती हूँ। उन्हें पता नहीं है कि वह मेरे और मार्गो के साथ अलग-अलग बरताव करते हैं, क्योंकि मार्गो स्मार्ट है, सहृदय है, सुंदर है और सर्वोत्तम जो है, लेकिन मेरा हक है कि वे मेरे साथ भी वैसा ही व्यवहार करें। मुझे हमेशा परिवार का विदूषक माना जाता है, शैतानियाँ करनेवाली माना जाता है। अपने किए पर मुझे हमेशा दुगनी सजा भुगतनी पड़ती है। उनसे डाँट-फटकार सुनने की और अपनी अंदरूनी हताशा से लड़ने की। बेमतलब के प्रेम से या गंभीरता से की जानेवाली बातचीत से मैं संतुष्ट नहीं होती। डैड से मुझे ऐसा कुछ चाहिए, जो देने में वे असमर्थ हैं। मुझे मार्गो से जलन नहीं है। मैंने कभी उससे जलन महसूस नहीं की। उसकी बुद्धि से या उसकी सुंदरता से मुझे जलन नहीं है। मैं बस इस बात का इत्मीनान चाहती हूँ कि डैड मुझसे भी बहुत प्यार करते हैं। इसलिए नहीं कि मैं उनकी बेटी हूँ, बल्कि इसलिए कि मैं मैं हूँ, मैं ऐन हूँ।

मम्मा के बारे में मेरे मन में जो तिरस्कार का भाव है, वह दिनोदिन बढ़ता जा रहा है। केवल डैड हैं, जिनके कारण मुझे यहाँ परिवार की भावना महसूस होती है। वे नहीं जानते कि मम्मा के लिए मेरे मन में जो तिरस्कार की भावना है, उसे कभी-कभी

व्यक्त करने की जरूरत मुझे है, लेकिन डैड कभी इस विषय पर बोलना नहीं चाहते। मम्मा की कमियों के बारे में चर्चा करना वे टाल जाते हैं और सारी खामियों के बावजूद मम्मा के सामने मैं कहीं नहीं ठहरती। मैं उनका सामना नहीं कर सकती। उनके सामने कैसे पेश आना चाहिए, यह मैं तय नहीं कर पाती। उनकी लापरवाही, ताने देने की आदत और उनकी कठोरता के कारण मैं उनका सामना नहीं कर सकती और हर गलत बात के लिए मुझे जिम्मेदार ठहराया जाना भी मुझे मंजूर नहीं है।

मैं मम्मा से ठीक विपरीत हूँ। हमारे टकराव की यह भी एक वजह है। मैं उनकी आलोचना नहीं करना चाहती, मुझे यह अधिकार नहीं है। मैं उन्हें अपनी मम्मा के नजरिए से ही देखती हूँ, लेकिन वे मेरी मम्मा नहीं हैं, खुद मुझे अपनी मम्मा बनना पड़ता है। मैंने अपने आपको उन सबसे अलग कर लिया है। मैं खुद अपनी पढ़ाई की रूपरेखा बना रही हूँ। देखते हैं, कहाँ तक पहुँच पाती हूँ। मेरे आगे कोई पर्याय ही नहीं है। पत्नी और माँ कैसी हों, इसका चित्र मैं बना सकती हूँ, हालाँकि जिस महिला को मुझे 'माँ' कहना पड़ रहा है, उनमें ऐसे गुण नहीं हैं।

बार-बार मैं अपने आपको यह बताती रहती हूँ कि मम्मा के व्यक्तित्व की ऐसी बातें भुलाकर उनके केवल अच्छे गुणों को ही याद रखूँ। अपने मन में झाँककर इस बात का भी पता करूँ कि उनमें क्या खामियाँ हैं, लेकिन ऐसा हो नहीं पाता। सबसे बुरी बात तो यह है कि डैड और मम्मा अपने व्यक्तित्व की कमियों के बारे में जानते ही नहीं। वे बिल्कुल नहीं जानते कि कितनी बार वे मेरी उम्मीदों पर खरे नहीं उतर पाए हैं। अपने बच्चों को पूरी तरह संतुष्ट कर पानेवाले माता-पिता भी हैं!

कभी-कभी लगता है कि भगवान् मुझे आजमा रहे हैं। आज भी और भविष्य में भी वह मुझे आजमाते रहेंगे। मुझे खुद कोशिश कर अच्छा व्यक्ति बनना होगा। कोई मेरे लिए आदर्श बनकर आएगा और न ही कोई मुझे सलाह ही देगा, आखिरकार इस प्रकार चलकर मेरा व्यक्तित्व मजबूत बनेगा।

वैसे मेरे अलावा ये मेरे खत और कौन पढ़ेगा, अपने अलावा मैं किससे सहानुभूति पा सकती हूँ? मुझे बार-बार सांत्वना की जरूरत होती है, मुझे बार-बार कमजोरी सी महसूस होती है और कई बार मैं उम्मीदों पर खरी नहीं उतर पाती। यह सब मैं जानती हूँ, इसीलिए हर रोज मैं बेहतर बनने की कोशिश करती हूँ।

मेरे साथ उनका हमेशा एक-सा बरताव नहीं होता। एक दिन वे कहेंगे कि ऐन बड़ी समझदार लड़की है। हर बात जानने की वह हकदार है। तो कभी कहते हैं, ऐना बड़ी बचकानी लड़की है, कुछ समझती ही नहीं। फिर भी समझती है कि जानने-समझने लायक सभी बातें उसने किताबें पढ़-पढ़कर जान ली हैं, लेकिन मैं अब कोई बच्ची नहीं रही। मैं यह भी जानती हूँ, इसीलिए हर रोज कुछ बेहतर करना चाहती हूँ।

अब मैं कोई बच्ची नहीं रही और न ही मैं कोई फालतू लाड़-प्यार से बिगड़ी औलाद हूँ, जिसकी करतूतों पर लोग जी खोलकर हँसते रहें। मेरी अपनी सोच है, कल्पनाएँ हैं, योजनाएँ हैं, मेरे आदर्श हैं; हालाँकि अभी उन्हें दुहना मुझे नहीं आता।

रात के समय जब मैं अकेली होती हूँ, तब मेरे दिमाग में कितनी सारी बातें आती हैं या दिन के समय भी, जब मैं ऐसे लोगों के साथ होती हूँ, जिनसे जुड़ नहीं पाती या जब ऐसे लोगों के साथ होती हूँ, जो हमेशा मेरे इरादों को गलत आँकते हैं। इसीलिए मैं हमेशा अपनी डायरी के पास लौट आती हूँ। मेरे दिन की शुरुआत उसी के साथ होती है और मेरा दिन ढलता भी उसी के साथ है, क्योंकि किट्टी संयत है, सहनशील है, धीरजवाली है। मैं हमेशा अपने आँसुओं पर रोक लगाकर उसे बताती रहती हूँ कि चाहे जो हो, मैं कभी हार नहीं मानूँगी, अपना रास्ता ढूँढ़ ही लूँगी। बस कुछ हासिल कर सकूँ, यही मेरी इच्छा है या फिर एक बार, जो मुझे चाहते हैं, उनसे प्रोत्साहन पाऊँ।

मुझे दोषी नहीं ठहराना, बस समझना कि मैं एक व्यक्ति हूँ, जो कभी-कभी फट पड़ने की सीमा तक पहुँच जाती हूँ।

तुम्हारी, ऐन

सोमवार, 9 नवंबर, 1942

प्रिय किट्टी,

कल पीटर का जन्मदिन था। सोलहवाँ जन्मदिन। आठ बजे के आसपास मैं ऊपर पहुँची थी। पीटर और मैंने मिलकर उसे मिले तोहफे देखे। उसे एक मोनोपोली का खेल मिला था, एक रेझर और एक गिरेट लाइटर। ऐसा नहीं कि वह सिगरेट पीता है, लेकिन लाइटर रखना कितना अलग दिखता है।

सबसे बड़ा धक्का तो मि. वैनडैन ने दिया। उन्होंने एक बजे बताया कि अंग्रेज ट्यूनिस, अल्जीरिया कैसाब्लैंका और ओरान में पहुँच चुके हैं। सब कह रहे थे—यह विनाश की शुरुआत है, लेकिन अंग्रेज प्रधानमंत्री चर्चिल ने इंग्लैंड में यह खबर सुनने के बाद शायद घोषणा की कि "यह कोई अंत नहीं है और यह किसी विनाश की शुरुआत भी नहीं है, लेकिन शायद यह शुरुआत का अंत है।" तुम्हें फर्क का पता चला? हालाँकि यहाँ उम्मीद के लिए थोड़ी जगह है। रूसी शहर पर पिछले तीन महीनों से लगातार हमले हो रहे हैं, फिर भी आज तक जर्मन लोग उस शहर को जीत नहीं पाए हैं।

एनेक्स के मिजाज को अपनाते हुए मुझे आपसे खाने के बारे में बातचीत करनी चाहिए। (ऊपर वाली मंजिल पर रहनेवाले लोग बड़े भुक्खड़ हैं, यह मैं पहले ही आपको बता दूँ।)

मि. क्लीमन के एक अच्छे मित्र, जो बेकरी के मालिक हैं, वे हमें हर रोज ब्रेड लाकर देते हैं। घर में जितना होता था, उतना तो नहीं मिलता, लेकिन हाँ, वह काफी ब्रेड लाकर देते हैं। हम राशन के कार्ड के बाद भी सामान कालाबाजारी में खरीदते हैं। कीमतें बढ़ती रहती हैं। अभी एक कार्ड की कीमत 27 से 33 गिल्डरों तक बढ़ी है। वह भी केवल छपे हुए कागजों के लिए।

पोषण की फिराक में हमने 300 पौंड बींस खरीदे हैं। थोड़ा-थोड़ा करके हमने खाद्यान्न के कई सौ डिब्बे यहाँ पहले से इकट्ठा करके रखे हैं, सो अलग। बींस हमने केवल अपने लिए नहीं खरीदे थे, दफ्तर के कर्मचारियों के लिए भी वे काम आने वाले थे। गुप्त द्वार के सामने वाले कमरे में अंदर की तरफ बींस की थैलियाँ हमने कीलों से लटकाकर रखी थीं, हालाँकि कुछ थैलियों की सिलाई वजन के कारण उधड़ गई। इसलिए हमने उन्हें बालाखाने में रखने की सोची। थैलियाँ काफी वजनी थीं, इसलिए उन्हें उठाकर रखने का काम पीटर को सौंपा गया। वह छह में से पाँच बोरे सलीके से बालाखाने में रख पाया। छठा बोरा लेकर वह सीढ़ियाँ चढ़ रहा था, मैं आखिरी पायदान के पास खड़ी थी। अचानक 50 पौंड के वजनवाला वह बोरा फटा और सारी फलियाँ हवा में उछलकर धाड़-धाड़ सीढ़ियों पर गिरीं। फलियों की मानो बाढ़, नहीं-नहीं, तूफान सा आया। आवाज इतनी जोरदार हुई कि मुर्दा भी उठ बैठे। मुझे यकीन है कि नीचे वाली मंजिल पर तो लोगों को लगा होगा, मानो इमारत उनके कानों के पास ढह रही हो। पहले तो पीटर भौंचक खड़ा देखता रहा, लेकिन जब उसकी नजर सीढ़ियों के पास खड़ी मुझ पर गई तो वह ठहाका मारकर हँसने लगा। नजारा ही ऐसा था। मैं मानो फलियों के समंदर में खड़ी थी और लहरों में फूट-फूटकर भूरे रंग की फलियाँ मेरे पैरों से टकरा रही थीं। हम दोनों ने तुरंत फलियाँ बटोरना शुरू कर दिया, लेकिन बींस बेहद छोटी फिसलनेवाली दोनों होती हैं। सो हमारे हाथों से फिसल-फिसल कर वे कमरे में चारों तरफ, यहाँ तक कि कोनों आदि में लुढकती चली गईं। अब हम जब भी ऊपर जाते हैं, तब झुक कर चारों ओर बींस की फलियाँ ढूँढ़ने लगते हैं, ताकि हम मिसेज वैनडैन को मुट्ठी भर फलियाँ दे सकें।

डैड बीमारी से उठकर चंगे-भले हुए, यह बताना तो मैं भूल ही गई।

तुम्हारी, ऐन

और अभी-अभी रेडियो पर उद्घोषणा हुई है कि अल्जीयर जर्मनी ने जीता। मोरोक्को, कासाब्लांका और ओरान कई दिनों तक अंग्रेजों के हाथों में रहे। हमें ट्यूनिशिया की खबर का इंतजार है।

मंगलवार, 10 नवंबर, 1942

मेरी सबसे प्यारी किट्टी,

बढ़िया खबर है। हमारे साथ यहाँ गुप्त रूप से रहने के लिए आठवें व्यक्ति आ रहे हैं।

हाँ, सच! हमेशा हम यही सोचा करते थे कि यहाँ एक और व्यक्ति के छिपने लायक जगह तथा खाना है। बस हमें संकोच था कि मि. कुग्लर और मि. क्लीमन पर थोड़ा बोझ और बढ़ेगा, लेकिन ज्यू लोगों के साथ पाश्विक अत्याचार किए जाने की खबरें दिनोदिन बढ़ती जा रही थीं। इसलिए डैड ने इस उपलब्ध सुविधा के बारे में दोनों सज्जनों को बताने की सोची। उन्हें भी यह योजना अच्छी लगी। उन्होंने कहा, "सात की जगह आठ भी हो जाएँ, खतरा तो उतना ही होना है।" जो कि बिल्कुल सच था। इस बारे में निर्णय होने के बाद हम सबने बैठकर अपने सभी परिचितों को याद करते हुए ऐसे एक व्यक्ति की खोज शुरू की, जो हमारे इस संयुक्त परिवार में घुल-मिलकर रह सके। वैसे यह बहुत कठिन काम तो नहीं था। वैनडैन परिवार के सभी रिश्तेदारों के लिए डैड द्वारा इनकार किए जाने के बाद हम सबने अल्फ्रेड उस्सेत नामक व्यक्ति को चुना। वह पेशे से डेंटिस्ट था। वे उनसे उम्र में काफी छोटी एक ईसाई महिला के साथ रहते थे। उनकी शायद शादी नहीं हुई थी, हालाँकि यह कोई महत्त्वपूर्ण बात नहीं थी। बेहद शांत स्वभाव के और सुसंस्कृत हैं, ऐसा सबका कहना था। हमारे और उनके रिश्ते सरसरे तौर पर ही थे और उतने परिचय के आधार से हम कह सकते थे कि वे भले व्यक्ति हैं। मीप भी उन्हें पहचानती थी। इसलिए वह सभी जरूरी तैयारियाँ पूरी कर सकती थी। अगर वह आते तो मार्गो के बजाय उन्हें मेरे कमरे में सोना पड़ता। मार्गो को तहाकर रखे जानेवाली चारपाई से काम चलाना पड़ेगा। (उसेल के आने के बाद मार्गो, डैड और मम्मा के कमरे में सोने लगी।) दाँतों के गड्ढे भरने के लिए कुछ ले आने के लिए हम उनसे कहनेवाले हैं।

तुम्हारी, ऐन

गुरुवार, 12 नवंबर, 1942

प्रिय किट्टी,

मीप हमसे यह बताने आईं कि वह डॉ. डुस्सेल से मिलने गई थी। मीप जैसे ही उनके घर पहुँची, उन्होंने पूछा कि छिपने योग्य जगह के बारे में क्या वह कुछ जानती हैं? मीप ने जब उन्हें बताया कि इसी सिलसिले में कुछ सोचकर वह आई है तो वे बेहद

खुश हुए। मीप ने बताया, 'उन्होंने कहा कि जल्द से जल्द हो सके तो शनिवार से पहले ही उन्हें कहीं छुप जाना चाहिए'; हालाँकि यह बात उन्हें नामुमकिन सी लग रही थी, क्योंकि उन्हें पहले मरीजों से तय मुलाकातों को या तो रद्द करना होगा या किसी और तरीके से उन्हें निरस्त करना होगा। अपना हिसाब भी वे ठीक करना चाहते थे। मीप ने हमें आज ही सुबह यह बात बताई। शनिवार तक इंतजार करना हमें ठीक नहीं लग रहा था। इस प्रकार की तैयारी करनी हो तो कई ऐसे लोगों को कारण बताने पड़ते, जिन्हें हम इस बात की भनक भी नहीं पड़ने देना चाहते थे। मीप ने एक बार फिर जाकर डॉ. डुस्सेल से पता किया कि क्या वे शनिवार तक बिल्कुल आ नहीं पाएँगे? डॉ. डुस्सेल ने मजबूरी जताई और इस प्रकार शनिवार का उनका आना सोमवार तक टल गया।

हमारे प्रस्ताव को वह ले नहीं रहे हैं, इस बात का मुझे आश्चर्य हो रहा था। सड़क पर कहीं उन्हें कब्जे में लिया गया तो उनके सही दस्तावेज या उनके मरीज उनके लिए कुछ भी कर नहीं पाएँगे। इसलिए ऐसी बातों में वक्त जाया नहीं करना चाहिए। मुझसे पूछें तो उनका इस प्रकार मजाक उड़ाने की मूर्खता डैड को नहीं करनी चाहिए थी।

इसके अलावा फिलहाल और कोई खबर नहीं।

तुम्हारी, ऐन

मंगलवार, 17 नवंबर, 1942

मेरी सबसे प्यारी किट्टी,

मि. डुस्सेल आ गए। सबकुछ ठीक ढंग से हुआ। मीप ने उनसे कहा कि सुबह 11 बजे वह पोस्ट ऑफिस के करीब नियत स्थान पर उपस्थित रहें। तब कोई आदमी आकर उनसे मिलेगा। वह आएगा, तब मि. डुस्सेल तय समय और स्थान पर उपस्थित रहें। तदनुसार मि. क्लीमन उनके पास गए और उन्होंने मि. डुस्सेल से कहा कि जिस व्यक्ति से मिलने के लिए वह खड़े हैं, वह किन्हीं कारणवश आ नहीं पाएगा, इसलिए वह दफ्तर में आकर मीप से मिल लें। मि. क्लीमन कार से दफ्तर लौटे, जबकि मि. डुस्सेल पैदल चलकर आए।

ठीक 11.20 को मि. डुस्सेल ने दफ्तर के दरवाजे पर दस्तक दी। मीप ने उनसे कोट उतारने के लिए कहा, ताकि पीले सितारे का निशान छिप जाए। उसके बाद वह उन्हें निजी दफ्तर में ले आई। वहाँ मि. क्लीमन ने उन्हें तब तक काम में व्यस्त रखा, जब तक कि सफाई करनेवाली महिला अपना काम निपटाकर चली नहीं गई। निजी दफ्तर किसी और काम के लिए जरूरी होने का बहाना बनाकर मीप मि. डुस्सेल को ऊपरी मंजिल पर ले गईं। किताबों की अलमारी खोलकर वह अंदर आई। मि. डुस्सेल आश्चर्य

से देखते ही रह गए। इसी दरमियान हमारे परिवार के साथ जुड़ने के लिए आ रहे नए सदस्य के स्वागत के लिए हम खाने की मेज पर कॉफी और कोग्नैक के साथ तैयार बैठे थे। मीप उन्हें लेकर पहले फ्रैंक परिवार के कमरे में आई। उन्होंने तुरंत हमारा फर्नीचर पहचाना, लेकिन उन्हें इस बात का बिल्कुल अंदाजा नहीं था कि हम ठीक उनके सिर के ऊपर, ऊपरी मंजिल में थे। मीप ने जब यह बात उन्हें बताई तो वे ऐसे भौंचक रहे, मानो होश ही गँवा दिए हों। शुक्र है कि मीप उन्हें ज्यादा देर तक रहस्य से उलझने से बचाकर ऊपर ले आई। मि. डुस्सेल एक कुरसी में धस से गए। हमारी तरफ टकटकी लगाकर ऐसे देखते रहे, मानो उनकी बोलती बंद हो गई हो, मानो वे हमारे चेहरे के जरिए सत्य पढ़ना चाहते हों। फिर हकलाते हुए वे बोले, ''अरे!...लेकिन आप तो बेल्जियम चले गए थे न, तो क्या किसी अधिकारी से मिलना, उसके लिए रिक्शे का आना सब झूठ था, आपको निकल जाने में कैसे सफलता नहीं मिली?''

हमने उन्हें पूरी बात बताई। हमने किस प्रकार जानबूझकर अफसर के आने की और कार की अफवाह फैलाई, ताकि हमें ढूँढ़ने आए जर्मन या और लोग गुमराह हो जाएँ और हम तक पहुँच न पाएँ। (आमय्या एकूण योजनेबद्दल आणि किती कौशल्यानं ती आखली होती है त्क्षात येऊन।) मि. डुस्सेल अवाक् रह गए। आश्चर्य से बस उन्होंने आस-पास हमारे सुंदर और हर व्यावहारिक जरूरतों से परिपूर्ण एनेक्स पर नजर दौड़ाई। हम सबने साथ खाना खाया। खाने के बाद उन्होंने हल्की झपकी ली और हमारे साथ चाय पी। मीप उनकी जरूरत की जो चीजें पहले ही ले आई थी, वे उन्होंने जमाकर सही जगहों पर सजा दीं। फिर उन्हें वहाँ अपने घर सा महसूस होने लगा, खासकर हमने जब उन्हें टाइप की गई नियमावली थमाई, जिसमें गुप्त एनेक्सी में रहने के नियम लिखे हुए थे (वैनडैन परिवार ने इसे बनाया था) जो इस प्रकार थे—

गुप्त एनेक्सी में रहने के बारे में बीजक और कुंजी—यहूदी और अन्य बेदखल व्यक्तियों के लिए अस्थायी निवास की अनुपम सुविधा पूरे साल खुली रहेगी। एमस्टरडैम सुंदर, शांत, हरे-भरे वातावरण में स्थित आस-पास कोई निजी आवास नहीं। 13 या 17 नंबरवाली किसी भी स्ट्रीट कार में चढ़कर और कार या साइकिल से भी पहुँचा जा सकता है। जर्मन सरकार की ओर से जिनके वाहनों की सवारी करने पर पाबंदी लगा दी गई है, वे इस स्थान तक पैदल चलकर भी पहुँच सकते हैं। फर्नीश्ड और बिना फर्नीश्ड के कमरे तथा अपार्टमेंट्स हमेशा उपलब्ध रहेंगे। भोजन की सुविधा ऐच्छिक है।

कीमत : मुफ्त

भोजन : कम मेदयुक्त

गुसलखाने में तथा दीवारों के अंदर बाहर की तरफ चौबीस घंटे पानी की सुविधा (माफ कीजिए, गुसलखाना नहीं है) गरमाहट पाने के लिए लक्कड़वाले चूल्हे हैं।

तरह-तरह का सामान रखने के लिए बहुत जगह है। दो बड़ी और आधुनिक अलमारियाँ हैं। निजी रेडियो की सुविधा, जिसके तार सीधे लंदन, न्यूयॉर्क, तेल अवीव और अन्य कई स्टेशनों से जुड़े हैं। सभी निवासियों को शाम 6.00 बजे के बाद यह सुविधा उपलब्ध है। मनाही किए गए स्टेशनों से प्रसारित होने वाले कार्यक्रम सुनने पर कड़ी पाबंदी है। कुछ स्टेशन अपवाद होंगे, जिनके कार्यक्रम सुने जा सकते हैं। जैसे कि जर्मन स्टेशन। इस स्टेशन से केवल शास्त्रीय संगीत सुना जा सकता है। जर्मन खबरें सुनने पर सख्त पाबंदी है। (भले वह किसी भी स्थान से क्यों न प्रसारित की गई हों।) इन खबरों के प्रचार-प्रसार पर भी पाबंदी है।

आराम का समय : रात 10 बजे से सुबह 7.30 बजे तक और रविवार के दिन सुबह 10.15 बजे तक। परिस्थिति के अनुसार प्रबंधन की ओर से दी गई सूचना का पालन करते हुए निवासियों को दिन के समय भी आराम करना होगा। सबकी सुरक्षा को ध्यान में रखते हुए आराम की सूचनाओं का कड़ाई से पालन करना होगा।

खाली समय की गतिविधियाँ—अगली सूचना मिलने तक घर के बाहर की सभी गतिविधियों पर पाबंदी लगा दी गई है।

भाषा का प्रयोग : हर वक्त नरमाई से बातचीत करना अनिवार्य है। सभ्य लोगों की भाषा का ही प्रयोग करने की इजाजत है, इसीलिए जर्मन भाषा के प्रयोग पर पाबंदी है।

पठन और आराम : सर्वश्रेष्ठ और विद्वत्तापूर्ण पुस्तकों के अलावा जर्मन भाषा की कोई भी पुस्तक न पढ़ी जाए। अन्य कोई भी पुस्तक पढ़ सकते हैं।

कसरत : हर रोज करनी होगी।

गायन : शाम 6 बजे के बाद, बहुत धीमे स्वर में गा सकते हैं।

फिल्में : पहले से योजना बनाकर देखी जा सकती हैं।

कक्षाएँ : हफ्ते में एक दिन शॉर्टहैंड की क्लास लगेगी। दिन या रात के किसी भी समय अंग्रेजी, फ्रैंच, गणित और इतिहास की कक्षाएँ ली जा सकती हैं। निजी कक्षाओं की तरह इनकी फीस भी अदा की जा सकती है।

घरेलू, छोटे पालतू प्राणियों की देखभाल का विभाग अलग से है। (अपवाद हैं हिंसक प्राणी। उनके लिए अलग से अनुज्ञा-पत्र लेना होगा।)

खाने का समय : नाश्ता : हर रोज सुबह नौ बजे, रविवार और अन्य छुट्टियों के दिन 11.30 बजे के आस-पास।

दोपहर का खाना : हल्का भोजन, समय 1.15 बजे से 1.45 तक।

रात का खाना : गरम खाना हो सकता है या नहीं भी हो सकता।

खाने का समय खबरों के समयानुसार बदलता रहेगा।

आपूर्ति के अनुसार मिलनेवाली सहूलियतें : निवासियों को दफ्तर का काम करने

के लिए हमेशा तत्पर रहना पड़ेगा।

नहाना : सुबह 9 बजे के बाद टब सबके लिए उपलब्ध रहेगा। रविवार के दिन निवासी गुसलखाने में, रसोई में, दफ्तर में या स्वागत कक्ष में अपनी मर्जी के अनुसार नहा सकते हैं।

शराब : सिर्फ दवा के रूप में

संपूर्ण

तुम्हारी, ऐन

गुरुवार, 19 नवंबर, 1942

प्रिय किट्टी,

हमें जैसे लगा था, वैसे ही मि. डुस्सेल बहुत अच्छे व्यक्ति हैं। मेरे साथ एक कमरे में रहने में उन्हें कोई आपत्ति नहीं थी। हालाँकि कोई अपरिचित व्यक्ति मेरी चीजें इस्तेमाल करे, यह बात मुझे अभी जँच नहीं रही, लेकिन अच्छे कारणों के लिए आपको त्याग करना पड़ता है। मैं भी यह छोटा सा त्याग कर रही हूँ, इस बात की मुझे खुशी है। डैड ने कहा, ''हम अपने एक मित्र को भी अगर बचा सकते हैं, तो अन्य कोई चीज मायने नहीं रखती।'' उनका कहना बिल्कुल सही है।

मि. डुस्सेल यहाँ आए तो पहले ही दिन उन्होंने मुझसे तरह-तरह के कई प्रश्न पूछे, जैसे कि सफाई करने वाली महिला दफ्तर में कितने बजे आती है, गुसलखाने का हम कब इस्तेमाल कर सकते हैं, हम पाखाने का इस्तेमाल कब कर सकते हैं? हो सकता है, पढ़कर आपको हँसी आए, लेकिन गुप्त रूप से रहते समय ये बातें आसान नहीं रहतीं। दिन के समय हम नीचे की मंजिल पर सुनाई दे, ऐसी कोई आवाज बिल्कुल नहीं कर सकते और सफाईवाली महिला कर्मचारी जैसा कोई उपस्थित हो, तब हमें और एहतियात बरतनी पड़ती है। मैंने ये सारी बातें विस्तार से धीरज के साथ मि. डुस्सेल को समझाईं, हालाँकि समझने में वह कितने धीमे हैं, इस बात का मुझे बार-बार अचरज लगता रहा। हर बात वे दो बार पूछते हैं और फिर भी, आप जो बताते हो, उन्हें बिल्कुल ध्यान नहीं रहता।

हो सकता है, अचानक आए बदलावों से वह बौखला गए हैं। हो सकता, है, जल्द ही वह सँभल जाएँगे। मि. डुस्सेल ने हमें बाहरी दुनिया के बारे में काफी जानकारी दी। लंबे समय से हम ऐसी जानकारी पाने के लिए तरस गए थे। कई बुरी खबरें उन्होंने सुनाईं। हमारे कई मित्रों और परिचितों को भयानक भविष्य की ओर ठेलने के लिए गिरफ्तार कर लिया गया था। रात में सेना के वाहन सड़कों पर चलते रहते थे। वे हर दरवाजे पर

दस्तक देकर पता करते कि वहाँ यहूदी तो नहीं रहते? अगर कोई यहूदी मिल जाए तो तुरंत उन्हें परिवार समेत गिरफ्तार कर लिया जाता। हर घर का दरवाजा ठोंककर वे पता करते। उनके चंगुल से बिना गायब हुए बचा नहीं जा सकता था। इसीलिए हमें गुप्त रूप से रहना पड़ रहा था। अकसर वे साथ में फेहरिस्त लेकर घूमते रहते और जहाँ यहूदियों के होने की खबर होती, उन दरवाजों को खटकाते। कई बार वे हर यहूदी व्यक्ति को पकड़वाने के लिए पुरस्कार की घोषणा करते। पुराने जमाने में जिस प्रकार गुलामों की खोज की जाती, उसी प्रकार यह सब हो रहा था। इस गिरफ्तारियों की भयानकता को मैं किसी तरह कम नहीं करना चाहती, क्योंकि यह सब बेहद त्रासद है।

रात के समय, अँधेरा होने के बाद मैं अकसर देखती कि सड़क पर अच्छे, मासूम लोग चुपचाप कतार बाँधे चले जा रहे हैं। उनके बच्चे रो-चिल्ला रहे हैं और वे बस आगे-आगे चले जा रहे हैं। कुछेक लोग उन्हें आदेश दे रहे हैं, उन पर चीख-चिल्ला रहे हैं, बुरी तरह उन्हें पीट रहे हैं, इतनी बुरी तरह पीट रहे हैं कि आखिर वे जमीन पर गिरते जा रहे हैं। किसी को वे बख्शते नहीं। बीमार, बूढ़े, बच्चे, शिशु और गर्भवती महिलाओं को भी वे हाँककर मौत की ओर ले जा रहे हैं।

इस पूरे दंगल से बचकर हम यहाँ कितने सुरक्षित हैं! हमारे प्रिय लोग इस दंगल में अगर पिस नहीं रहे होते तो इस दंगल से हमें कुछ भी लेना-देना नहीं होता। हम उसकी रत्ती भर भी चिंता नहीं करते। इसमें फँसे लोगों की हम किसी प्रकार सहायता नहीं कर सकते। बाहर मेरे प्रिय मित्र थकान से गिरकर मर रहे हों या कोई थप्पड़ मारकर उन्हें जमींदोज कर रहा हो, तब खुद गरम बिस्तर में सोए रहना मुझे बड़ा क्रूर लगता है।

मुझे अपने नजदीकी दोस्तों के बारे में यह सोचकर बेहद डर लगता है कि वे अब इस धरती के क्रूरतम राक्षसों की दया पर निर्भर हैं। केवल इसलिए कि वे यहूदी हैं।

तुम्हारी, ऐन

शुक्रवार, 20 नवंबर, 1942

मेरी सबसे प्यारी किट्टी,

हमें किस तरह का बरताव करना चाहिए, यह सचमुच हमारी समझ में नहीं आ रहा। यहूदियों के बारे में हमें अब तक यहाँ बहुत कम खबरें मिली हैं। हमेशा खुश रहना ही बेहतर है, यह सोचकर हम हमेशा खुश रहने की कोशिश करते हैं। मीप जब भी हमारे किसी दोस्त के साथ 'क्या हुआ' यह बताती है, मम्मा और मिसेज वैनडैन रोने लगतीं, इसलिए मीप ने खबरें देना बंद किया, लेकिन हमने मि. डुस्सेल पर सवालों की बरसात की, तब उन्होंने हमें जो घटनाएँ बताईं, वे इतनी बीभत्स और डरावनी थीं कि बाद में भी

उनका खौफ लंबे समय तक हमारे मन पर छाया रहा। अब यह खौफ तब जाएगा, जब शायद हम अपनी रोजमर्रा की जिंदगी की ओर लौटेंगे, हँसी-ठट्ठा कर पाएँगे। हमारे इसी तरह दुःखी और खौफजदा रहने से न बाहरवालों का और न हमारा कोई फायदा होगा। फिर गुप्त एनेक्स को बेकार ही दुःखी बनाने में क्या रखा है ?

मैं चाहे कुछ भी क्यों न करूँ, जो लोग उनके चंगुल में फँसकर जा चुके हैं, उनका खयाल मेरे दिमाग से जाता नहीं। हँसते-हँसते अचानक उन लोगों का खयाल आता है और लगता है कि इस प्रकार खुश रहना मुझे शोभा नहीं देता, लेकिन क्या मुझे सारा दिन रोते हुए बिताना चाहिए ? नहीं, मैं ऐसा नहीं कर सकती। यह उदासी छँट जाएगी।

इस दुःख के साथ एक और दुःख भी आया है; हालाँकि वह थोड़ा निजी है। जिस दुःख के बारे में मैं अभी आपको बता चुकी हूँ, उसके सामने इस दूसरे दुःख की तीव्रता भी कम है। फिर भी मैं तुम्हें बताए बगैर नहीं रह पा रही हूँ कि मुझे अकेलापन महसूस होने लगा है। मुझे बहुत बड़े खालीपन ने घेर रखा है। अब तक इस खयाल को मैंने ज्यादा अहमियत नहीं दी थी, क्योंकि मेरा मन अपने मित्रों के खयालों से भरा रहता था। मुझे उन्हें याद करके अच्छा लगता था, लेकिन अब मैं या तो दुःखदायी बातों के बारे में सोचने लगी हूँ या फिर अपने बारे में सोचती रहती हूँ। थोड़ा समय लगा, लेकिन अब मैं यह बात समझ चुकी हूँ कि डैड भले कितने भी दयालु क्यों न हों, वह कभी मेरी पुरानी दुनिया की कमी को पूरा नहीं कर सकते और इस मामले में माँ और मार्गो की गिनती तो लंबे समय पहले ही रुक गई है।

लेकिन ये सारी बातें मैं तुम्हें क्यों सुना रही हूँ ? किट्टी, मैं बेहद अकृतज्ञ हूँ, ऐसा मुझे लगने लगा है। मैं यह बात जानती हूँ, लेकिन मेरे दिमाग में पहले ही इतनी सारी बातें जब उमड़-घुमड़ रही होती हैं और बार-बार मुझे डाँटा-फटकारा जाता है, तब मेरी सहनशक्ति जवाब देने लगती है।

तुम्हारी ऐन

शनिवार, 28 नवंबर, 1942

मेरी सबसे प्यारी किट्टी,

हम बिजली का अंधाधुंध इस्तेमाल करने लगे हैं और हमारा राशन भी अब खत्म हो चुका है। परिणामस्वरूप अब हमें ज्यादा किफायत बरतनी पड़ रही है। हमारा बिजली का कनेक्शन गुल किए जाने के कगार तक पहुँच चुका है। चौदह दिनों तक बिजली नहीं रहेगी, खुश कर देने वाली खबर है न, लेकिन किसे पता है ? हो सकता है, इतने दिनों तक नहीं कटेगी शायद। अब शाम के चार-साढ़े चार बजे के बाद पढ़

पाना असंभव हो गया है। इसलिए अजीब बातों में हम अपना खाली समय गुजारने लगे हैं। हम पहेलियाँ बूझते हैं, अँधेरे में कसरत करते हैं, अंग्रेजी में या फ्रेंच भाषा में बातें करते हैं, किताबों की समीक्षाएँ पढ़ते हैं, लेकिन थोड़े समय बाद ये सभी बातें बेहद उबाऊ लगने लगती हैं। कल मैंने समय गुजारने का एक नया तरीका ढूँढ़ निकाला। अच्छी क्षमता वाली दूरबीन से पड़ोसियों के रोशन घरों में झाँकना। दिन के समय हमारी खिड़कियों पर लगे परदे हटाए नहीं जा सकते, एक इंच भी नहीं, लेकिन अँधेरा होने पर खतरा थोड़ा कम हो जाता है।

पड़ोसी भी इतने दिलचस्प हो सकते हैं, यह मैंने पहले कभी सोचा नहीं था। बाकी पड़ोसी होते हैं या नहीं, पता नहीं, लेकिन हमारे पड़ोसी बड़े दिलचस्प हैं। मैंने कुछ परिवारों को रात को सोने के समय देखा है। एक परिवार को पारिवारिक फिल्म बनाते हुए देखा है और एक दाँत के डॉक्टर को घबराई हुई बुढ़िया का इलाज करते भी देख चुकी हूँ।

मि. डुस्सेल के बारे में हमने पहले सुन रखा था कि उन्हें बच्चे बेहद प्रिय हैं और बच्चों के साथ उनकी खूब बनती है, लेकिन अब पता चला है कि वे बेहद पुराने खयालोंवाले अति अनुशासनप्रिय और तौर-तरीकों के बारे में बहुत लंबे भाषण झाड़नेवाले खब्ती व्यक्ति हैं। चूँकि मुझे इस बात का पूरा जिम्मा सौंपा कि मैं अपना सँकरा कमरा उनके साथ साझा करूँ और यहाँ रहनेवाले तीन छोटे बच्चों में से मेरा ही बरताव सबसे ज्यादा बुरा होने के कारण बार-बार उनसे डाँट-फटकार और उपदेश सुनने से बचने या सुनकर अनसुनी करने का सौभाग्य मुझे ही मिला था। मि. डुस्सेल अगर इतने झूठे और चुगलखोर नहीं होते और अपनी हर रिपोर्ट जाकर मम्मा को सुनाते नहीं तो शायद ऐसा नहीं होता। अगर मि. डुस्सेल मुझे दंगे के बारे में कानून सुनाकर जाते तो मम्मा आकर फिर से वही बातों का उपदेश मुझे सुना देतीं और कानून की पूरी किताब मेरे सिर पर मारकर जातीं; अगर मेरा भाग्य उस दिन खूब चमक रहा होता तो उसके तुरंत पाँच मिनट बाद मुझे मिसेज वैनडैन बुला लेतीं और अपना सारा हिसाब लिखा देतीं तथा अपने नियम-कानून मुझ पर लागू करतीं।

सच में छिद्रान्वेषी परिवार में लाड़ले बच्चे के रूप में बचपन बीतना आसान नहीं होता।

रात में जब मैं सोने के लिए बिस्तर पर जाती हूँ, तब मैं अपने दिन भर में गिनाए गए पापों और बढ़ा-चढ़ाकर वर्णन की गई बुरी आदतों के बारे में सोचती हूँ, तब उन सब बातों की प्रचंडता को लेकर संभ्रमित हो जाती हूँ और तब उस वक्त के अपने मूड के अनुसार रो लेती हूँ या हँस पड़ती हूँ। फिर मैं कुछ अलग बनने की चाहत लेकर सो जाती हूँ। कभी सोचती हूँ कि मुझे अपना बरताव बदलना चाहिए या मुझे भविष्य के बारे

में अपने सपने बदलने चाहिए। अरे, लगता है किट्टी, अब मैं तुम्हें भी उलझन में डाल रही हूँ। मुझे माफ करना। मैं लिखा हुआ काटना पसंद नहीं करती, खासकर तब, जब चीजों की इतनी कमी है, ऐसे समय कागज का एक टुकड़ा उछाल देना पाप होगा। सो मेरी सलाह है कि ऊपरी परिच्छेद तुम दुबारा नहीं पढ़ना, अगर पढ़ो तो सच्चाई की तह तक जाने की कोशिश मत करना, क्योंकि अगर तुमने ऐसा किया तो ऐसे उलझ जाओगी कि फिर कभी ठीक नहीं हो पाओगी।

तुम्हारी ऐन

सोमवार, 7 दिसंबर, 1942

मेरी सबसे प्यारी किट्टी,

इस वर्ष हनुका और सेंट निकोलस दिन लगभग एक ही समय आए। दोनों के बीच केवल एक दिन का अंतर था। हनुका हमने सादे ढंग से मनाया। बस छोटे-छोटे उपहार लिये-दिए, मोमबत्तियाँ जलाईं बस। मोमबत्तियों की किल्लत थी, इसलिए हमने वे केवल दस मिनट के लिए जलाईं, लेकिन हमने गीत गाए, इसलिए यह बात अखरी नहीं। मि. डानवैन ने मोमबत्तियाँ जलाने के लिए पारंपरिक तरीके का लकड़ी का मेनोरा बनाया था, सो उसकी कमी नहीं रही।

इस बार सेंट निकोलस दिन शनिवार को आया और हमने उस दिन बहुत मजे किए। रात के खाने के समय बेप और मीप पापा से इस प्रकार फुसफुसाकर बातें कर रही थीं कि हमारी उत्सुकता जागी। हमें लगा कि हो न हो, वे जरूर कोई योजना बना रहे हैं और हमारी सोच सही साबित हुई। आठ बजे घुप्प अँधेरे में हम सब सीढ़ियाँ उतरकर नीचे हॉल में आले के पास आए। नीचे उतरते समय डर के मारे मेरे रोंगटे खड़े हो गए थे, ऐसा लग रहा था कि जल्द-से-जल्द हम वापस अपने कमरे में पहुँचें। इस कमरे में कोई खिड़की नहीं थी। इसलिए हम यहाँ बत्ती जला सकते थे। बत्ती जलाई गई और डैड ने बड़ी अलमारी खोली। "अरे वाह! कितना सुंदर है!" हम सब इकट्ठा चिल्लाए।

कोने में रंगीन कागज और ब्लैक पीटर के मुखौटे से सजी एक बास्केट रखी हुई थी। बड़ी फुर्ती से हम वह बास्केट ऊपर लेकर आए। उस बास्केट में हरेक के लिए कोई न कोई तोहफा था और साथ में एक कविता भी। सेंट निकोलस दिवस पर लोग एक-दूसरे के लिए किस प्रकार की कविताएँ लिखते हैं, यह तुम जानती हो, इसलिए मैं वे कविताएँ यहाँ नहीं लिख रही हूँ।

मुझे एक किवपी गुड़िया मिली, डैड को किताबें खड़ी रखनेवाला बुकएंड

मिला। हरेक को कुछ न कुछ मिला। यह कल्पना बहुत बढ़िया थी। हम आठ लोगों ने मिलकर इससे पहले कभी सेंट निकोलस दिवस नहीं मनाया था, इसलिए मुझे यह सब अच्छा लगा।

तुम्हारी, ऐन

और हाँ, नीचे काम करनेवालों के लिए भी हमने उपहार चुने थे। हमारे पुराने अच्छे दिनों की बची हुई कुछ अच्छी चीजें। वैसे मीप और बेप को उपहार में पैसे देने से भी वे कृतज्ञ रहती हैं।

आज सुना कि मि. वैनडैन को दिया एश ट्रे, मि. डुस्सेल को दिया पिक्चर-फ्रेम और डैड को मिले बुक-एंड सब मि. वोस्कुइजिल ने अपने हाथों से बनाए थे। किसी के हाथों में ऐसा हुनर भी हो सकता है, यह सोचकर ही मैं हैरान हूँ।

गुरुवार, 10 दिसंबर, 1942

मेरी सबसे प्यारी किट्टी,

किसी जमाने में मि. वैनडैन मांस, सॉसेजेस और मसालों का व्यवसाय करते थे। मसालों के बारे में उनके ज्ञान के कारण ही उन्हें नौकरी पर रखा गया था, लेकिन अब हम सब उनके सॉसेज बनाने की कुशलता से प्रभावित हैं। इन दिनों उनका यही हुनर बड़ा काम आ रहा है।

हमने बहुत बड़े पैमाने पर मांस मँगाया (चोरी-छिपे ही)। आगे चलकर बुरे दिन आ सकते हैं, यह सोचकर हमने मांस सुरक्षित करने की सोची थी। इसलिए खरीदे हुए मांस से मि. वैनडैन ब्रैटवर्स्ट (सुअर आदि के मांस, मसाले और जड़ी-बूटियों से बने सॉसेजेस) सादे सॉसेजेस और (सुअर के महीन पिसे मांस को धुआँ देकर बननेवाले) मेरवर्स्ट बनाने का निर्णय लिया। मांस को एक, दो, तीन बार वह ग्राइंटर में पीस लेते, तब उन्हें देखना मुझे अच्छा लगता था। उसके बाद वे पिसे हुए मांस में अन्य चीजें मिलाते और उन्हें सॉसेजेस का आकार देने तथा आवरण चढ़ाने के लिए एक लंबे पाइप से गुजारते। हम सोरक्रॉट (पत्तागोभी से बना खट्टा व्यंजन) के साथ ब्रैटवर्स्ट दोपहर के खाने में खाते थे; हालाँकि डिब्बाबंद किए जानेवाले सॉसेजेस को पहले सुखाना पड़ता। इसलिए एक डंडी पर लटकाकर हमने उन्हें छत से लटका दिया था। जो भी कमरे में आता, लटकते सॉसेजेस को देखकर हँसने लगता। वह दृश्य ही इतना मजेदार हुआ करता था।

हमारा रसोईघर खँडहर जैसा था। अपनी पत्नी का एप्रन पहनकर मि. वैनडैन काम में लगे हुए थे। एप्रन में वे बहुत मोटे दिखाई दे रहे थे। वह मांस को ठीक कर रहे

थे। इसलिए उनके हाथों में खून लगा हुआ था। चेहरा लाल हो रहा था। उन्होंने जो एप्रन पहना था, उस पर बुंदके थे और वह असल कसाई की तरह दिख रहे थे। मिसेज डैन एक साथ कई कामों में लगी हुई थीं। वे एक ही ममय किताब से डच भाषा सीख रही थीं, सूप में कलछी चला रही थीं, मांस पर नजर रख रही थीं, उसाँसें ले रही थीं और अपनी टूटी हुई पसली के कारण कराह भी रही थीं। बूढ़ी औरतें अपने मोटे कूल्हों पर चढ़े मांस को हटाने के लिए ऊटपटाँग कसरतें करती हैं तो ऐसा ही होता है। डुस्सेत की आँखों में विषाणुसंसर्ग हुआ था, इसलिए वह स्टोव के पास बैठे थे और बार-बार कैमोभाइल की चाय में कपड़ा डुबोकर आँख पर लगा रहे थे। खिड़की से आती इकलौती सूरज की किरण में पिम बैठी हुई थी। उन्हें बार-बार अपनी कुरसी को यहाँ-वहाँ हिलाकर लोगों को राह देनी पड़ रही थी। गठिया से शायद उन्हें तकलीफ हो रही थी, क्योंकि वे थोड़े झुक से गए थे। फिर भी मि. वैनडैन पर उनकी दुःखी नजर टिकी हुई थी। गरीब घरों में दिखाई देनेवाले बूढ़े, अशक्त व्यक्तियों की तरह वे दिखाई दे रहे थे। पीटर मोशीबिल्ली के साथ कमरे में यहाँ-वहाँ घूम रहा था, जबकि मैं मम्मा और मार्गो उबले हुए आलू छील रही थीं, लेकिन अगर सही मायने में देखा जाए तो हममें से कोई भी अपना काम ढंग से नहीं कर रहा था, क्योंकि हम सब मि. वैनडैन की ओर ही देख रहे थे।

डुस्सेल ने यहाँ आने के बाद अपना दाँतों का दवाखाना खोल लिया था। मजे के लिए मैं यहाँ उनके पहले मरीज का किस्सा सुना रही हूँ।

मम्मा कपड़ों पर इस्त्री चला रही थीं और मिसेज वैनडैन उनका पहला शिकार, कमरे के बीचोबीच एक कुरसी पर बैठी हुई थीं। सबकी नजरें अपने पर टिकी होने का अहसास लिये डुस्सेल अपना बैग खोल रहे थे। उन्होंने जंतुनाशक की तरह इस्तेमाल करने के लिए यू डी कोलोन और वैक्स की जगह इस्तेमाल के लिए वैसलीन माँगा। उन्होंने मिसेज वैनडैन के मुँह की जाँच के बाद पाया कि उनके छूते ही मिसेज वैनडैन के दो दाँत उन्हें बेहद तकलीफ दे रहे हैं। वेदना से बिलबिला जातीं और चीखतीं। आखिर लंबी जाँच के बाद (मिसेज वैनडैन के हिसाब से लंबी जाँच, वैसे केवल दो मिनटों तक ही चली थी।) डुस्सेल उनके दाँत का कीड़ा कुरेदने लगे, लेकिन मिसेज वैनडैन उन्हें अपना काम करने ही नहीं दे रही थीं। उन्होंने हवा में अपने हाथ-पैर पटके और आखिर डुस्सेल को उन्हें छोड़ देना पड़ा। सब इतना अचानक हुआ कि डुस्सेल का औजार मिसेज वैनडैन के मुँह में ही पड़ा रहा। मुँह में औजार लिये मिसेज वैनडैन यहाँ-वहाँ बेहतहाशा दौड़ती रहीं। औजार हटाने की कोशिश की, लेकिन वह और अंदर चला गया। कूल्हों पर हाथ रखकर खड़े डुस्सेल शांति से सब देखते रहे और बाकी सब ठठाकर हँसते रहे। बहुत क्रूर थे हम, मैं जानती हूँ। मैं अगर मिसेज वैनडैन की जगह होती तो सबको अपने ऊपर हँसता देख और जोर से चिल्लाती। काफी हंगामा मचाने,

चीखने, चिल्लाने, हाथ-पैर झटकने के बाद मुँह में फँसा औजार मिसेज वैनडैन खींचकर निकाल पाईं। उसके बाद मानो कुछ हुआ ही न हो, इस प्रकार डुस्सेल अपने बाकी बचे काम में लग गए। इस बार मिसेज़ वानडैन के हल्ला मचाने से पहले ही बेहद फुर्ती से तुरंत डुस्सेल ने अपना काम निपटाया, हालाँकि पहले कभी न मिली हो, ऐसी मदद भी उन्हें मिली थी। मि. वैनडैन और मैंने सहायकों की जिम्मेदारी बखूबी निभाई थी। कुल मिलाकर वह दृश्य मध्ययुगीन 'कठवैध का काम जारी है' तख्ती के पीछे चल रहे दृश्य जैसा लग रहा था। थोड़े-थोड़े समय बाद मरीज बेचैन भी हो रहा था, क्योंकि उन्हें वह जो बना रही थीं, उस 'सूप' और अन्य व्यंजनों पर भी नजर रखनी पड़ रही थी। एक बात तय है, अब लंबे समय तक मिसेज वानडैन दाँतों की चिकित्सा से दूर ही रहेंगी।

रविवार, 13 दिसंबर, 1942

मेरी सबसे प्यारी किट्टी,

ऑफिस के अगले हिस्से में मैं बड़े आराम के साथ बैठी हूँ। मोटे परदों के बीच की हल्की दरार से बाहर झाँक रही हूँ। बाहर धुँधलका है, लेकिन लिखने लायक रोशनी है।

बाहर लोगों को यहाँ से वहाँ गुजरता देखना सचमुच बड़ा अजीब लगता है। सब लोग इतनी हड़बड़ी में लग रहे हैं कि कभी-कभार चलते-चलते ठोकर खाकर लड़खड़ा रहे हैं। साइकिल सवार इतनी तेजी से गुजर रहे हैं कि साइकिल पर कौन सवार है, यह मैं देख भी नहीं पा रही हूँ। आस-पड़ोस के लोग इतने सुंदर नहीं हैं कि उनकी ओर देखते रहें, खासकर बच्चे इतने गंदे हैं कि छड़ी की नोक से भी आप उन्हें छूना न चाहो। झोंपड़पट्टी के बहती नाकवाले बच्चों की तरह ही वे दिखते हैं। वे जो कहते-बोलते हैं, मैं उसे समझ ही नहीं पाती।

कल दोपहर मार्गो और मैं जब नहा रही थीं, तब मैंने कहा, "क्या होगा अगर वे हमारे सामने से गुजरें, तब हम लंबी डंडी से एक-एक कर उन बच्चों को उठाकर उन्हें नहलाएँ, उनके कपड़े धोकर, फटे हों तो सिलकर दे दें, तब भी दूसरे दिन वे हमें पहले की तरह ही गंदे, चीथड़े लपेटे मिलेंगे।" मार्गो बोली।

फिर भी मैं आगे बोलती ही रही। बच्चों के अलावा देखने के लिए और चीजें भी थीं। जैसे कि कारें, पानी के जहाज, नावें और बारिश। मैं सड़क से गुजरती कारों की आवाज सुन सकती थी, बच्चों की आवाजें सुन सकती थी। मुझे अब इन बातों में मजा आता था।

हममें जितने बदलाव आते हैं, उसी के अनुपात में ही हमारे विचार भी बदलते

हैं। हमारे विचार मेरी-गो-राउंड, यानी बच्चों के गोल घूमने वाले झूले की तरह होते हैं। हम कभी यहूदियों के बारे में सोचते हैं, कभी व्यंजनों के बारे में और कभी···वैसे यहूदियों के बारे में बोल रही हूँ तो याद आया कि कल हमने खिड़की से बाहर झाँकते समय दो यहूदियों को देखा। मुझे लगा, मैं दुनिया के सात अजूबों में से एक देख रही हूँ। उन्हें देखकर मेरे मन में बड़े अजीब खयाल आए, मानो मैंने ही अधिकारियों को उनके बारे में खबर दी और अब मैं ही उनके दुर्भाग्य की जासूसी कर रही थी।

हमारे सामने की ओर दूर एक हाउसबोट है। उसमें कप्तान अपने बीवी-बच्चों के साथ रहता है। उसके पास एक छोटा कुत्ता है, जो हमेशा तीखी आवाज में भौंकता रहता है। हम उसे केवल उसके भौंकने की आवाज से जानते हैं और उसकी पूँछ से भी, जो उसके डेक पर इधर-उधर दौड़ते समय हमें दिखाई देती है। अरे रे! यह क्या हुआ! बारिश होने लगी। तुरंत सब लोग अपने छातों के नीचे छुप गए। अब मुझे केवल रेनकोट ही दिखाई दे रहे हैं। कभी-कभार स्टॉकिंग्स की टोपी पहने सिर भी दिखाई देते हैं। असल में मुझे देखना ही नहीं पड़ता, अब मुझे देखते ही पता चलने लगा है कि पूरी तरह ढँके हुए लोगों में से औरतें कौन हैं। उनके आलू खा-खा के मुटाए शरीर, लाल या हरे रंग का कोट पहनकर, जीर्ण चप्पलें पहने, हाथों में कोई थैला लटकाए गंभीर या हँसमुख चेहरेवाली महिलाएँ, जिनके मूड अपने पति के मूड के अनुसार बदलते रहते हैं।

तुम्हारी ऐन

मंगलवार, 22 दिसंबर, 1942

मेरी सबसे प्यारी किट्टी,

एनेक्स में खुशी का माहौल था, क्योंकि हममें से हरेक को क्रिसमस के उपलक्ष्य में अतिरिक्त मक्खन मिलने वाला था। अखबारों में दी गई सूचना के मुताबिक हरेक को आधा पौंड मक्खन मिलना था, लेकिन यह उन भाग्यशाली लोगों को मिलना था, जिन्हें सरकार से राशन कार्ड मिले हुए थे। हम जैसे छिपकर जिंदगी गुजारनेवाले अभागे यहूदी तो कालाबाजारी में आठ की जगह केवल चार ही कार्ड खरीद सकते थे। हम सब अपने हिस्सेवाले मक्खन में कुछ न कुछ बेक करनेवाले थे। आज सुबह मैंने दो केक और कुछ कुकीज बनाईं। ऊपर सब बेहद व्यस्त हैं। मम्मा ने मुझसे पढ़ाई नहीं करने के लिए कहा है। घर के सभी काम निपटने तक मुझे किताब पढ़ने के लिए भी मना किया गया है।

जख्मी पसली के कारण मिसेज वैनडैन बिस्तर में लेटी हुई हैं। दिन भर उनकी शिकायतें जारी रहती हैं। बार-बार बैंडेजेस बदलने की माँग करती रहती हैं और हर चीज से नाराज रहती हैं। वे जब खुद अपना खयाल रखने लायक ठीक हो जाएँगी, तब

मुझे सचमुच खुशी होगी, क्योंकि मुझे मानना ही पड़ेगा कि वे खूब मेहनती हैं, सफाई से काम करती हैं और जब तक वह शारीरिक रूप से स्वस्थ और मन से खुश होती हैं, तब तक हमेशा हँसमुख रहकर सारे काम फुरती से निपटाती हैं।

चूँकि मैं बहुत शोर मचाती हूँ, दिन भर मुझे हर कोई 'शू¨शू' का इशारा कर चुप रहने या आवाज नीची रखने की हिदायतें देता रहता है। यह कम था, इसीलिए शायद मेरे प्रिय रूम मेट ने मुझसे रात भर यह कहने की ठान ली है। उनके मुताबिक मुझे करवट भी नहीं बदलनी चाहिए। मैं ध्यान ही नहीं देती और मैंने तय किया है, अगली बार जब वे मुझे 'शू¨शू…' कहकर चुप रहने की हिदायत देंगे तो मैं भी उन्हें 'शू¨ शू…' कहकर चुप करा दूँगी।

जैसे-जैसे दिन बीतते जा रहे हैं, वे और भी अहंकारी तथा अधिक तंग करनेवाले बनते जा रहे हैं। पहला हफ्ता अगर छोड़ दें तो आगे कभी भी उन्होंने मुझे कुकीज नहीं दीं, जो देने की उन्होंने बड़ी उदारता से घोषणा की थी, खासकर रविवार के दिन वे बेहद परेशान कर देते हैं। बिल्कुल तड़के ही वे बत्ती जला देते हैं, ताकि दस मिनट तक कसरत कर सकें।

लेकिन मेरे लिए यह कई घंटों की सजा साबित होती है, क्योंकि जिन कुरसियों को जोड़कर मैं अपने पलंग की लंबाई बढ़ा लेती हूँ, वह मेरे निंदियाए सिर के नीचे बार-बार हिलता रहता है। बदन को लचीला बनाने वाली कसरत पूरी होने के बाद वे अपने बाजुओं को जोर-जोर से बारी-बारी घुमाते हैं। उसके बाद महाराज तैयार होने में लग जाते हैं। खूँटी पर उनके कच्छा-बनियान लटकते रहते थे, इसलिए पहले तो वे खुद को तानकर मेरे पलंग के ऊपर लगे खूँटी से कपड़े उतारते हैं और फिर अपने को ढीला छोड़कर सीधे खड़े हो जाते हैं। उसके बाद एक बार फिर कुरसियों से टकराते, इन्हें धकियाते हुए अपनी जगह पहुँच जाते हैं।

जाने दो, चिढ़ पैदा करनेवाले बूढ़े के बारे में और बताकर मुझे तुम्हारा समय जाया नहीं करना चाहिए। इससे हालात तो नहीं सुधरनेवाले। हालाँकि दुर्भाग्य से शांति बनाए रखने के एवज में मुझे बिजली के लट्टू को ढीला करने, दरवाजा बाहर से बंद करने और उनके कपड़े छुपाने जैसी बदला लेने की योजनाएँ त्यागनी पड़ीं।

देखा, मैं कितनी सयानी होती जा रही हूँ। हम यहाँ जो भी करते हैं, जैसे कि पढ़ाई, सुनना, अपनी जबान को काबू में रखना, औरों की मदद करना, सबके प्रति सहानुभूति रखना, और भी बहुत कुछ के बारे में हमें सयाना रुख अपनाना चाहिए। डर मुझे इस बात का है कि इस पूरे चक्कर में मेरी अक्ल, जो वैसे भी बहुत कम है, बहुत जल्द खत्म हो जाएगी और युद्ध के खत्म होने तक मेरे पास कुछ भी नहीं बचेगा।

तुम्हारी ऐन

बुधवार, 13 जनवरी, 1943

मेरी बहुत प्यारी किट्टी,

आज सुबह हर काम में व्यवधान आया और परिणामस्वरूप मैं एक भी काम पूरा नहीं कर पाई।

समय बिताने के लिए हमने एक नया तरीका अपनाया है। हम थैलियों में ग्रेवी पाउडर भरते हैं। जीज एवं कंपनी का एक उत्पाद है ग्रेवी। मि. कुग्लर को पैकेजिंग के लिए कोई मिला नहीं और हम अगर यह काम करते हैं तो सस्ता भी पड़ता है। उत्पाद की लागत थोड़ी कम हो जाती है। कारागारों में कैदियों से इसी तरह के काम करवाए जाते हैं। बेहद नीरस और उबाऊ काम है यह, जिसके कारण हमें ऊँघ आती है और हम दाँत निपोरते रहते हैं।

बाहर बेहद भयानक घटनाएँ घट रही हैं। दिन में और रात में भी गरीब, लाचार लोगों को उनके घरों से घसीटकर निकाला जा रहा है। अपने साथ वे कोई छोटा सा थैला भर सामान और थोड़े पैसे ही लेकर निकल सकते हैं। बावजूद इसके रास्ते में उनसे उनकी चीजें लूट ली जाती हैं। परिवार के सदस्यों को अलग कर दिया जाता है। पुरुष, महिला और बच्चों को अलग किया जाता है। बच्चे स्कूल से घर लौटकर पाते हैं कि उनके माता-पिता गायब हैं। सौदा लेकर लौटी महिलाएँ देखती हैं कि उनके घरों पर सील लगाई गई है और उनका परिवार निकल गया है। हॉलैंड के ईसाई लोग भी दहशत में जी रहे हैं, क्योंकि उनके लड़कों को सेना में भर्ती करके जर्मनी भेजा जा रहा है। हर ओर दहशत का माहौल है, हर कोई आतंकित है। हर रात हॉलैंड के आकाश में हजारों हवाई जहाज उड़ते रहते हैं। वे जर्मनी के शहरों की ओर रवाना होते हैं। जर्मनी की भूमि में बम बोने के लिए। रूस और अफ्रीका में हर घंटे सैकड़ों या हो सकता है हजारों लोग मारे जा रहे हैं। संघर्ष से कोई बचा नहीं है। सारी दुनिया युद्ध में कूद चुकी है। मित्रपक्ष का प्रदर्शन बेहतर होने के बावजूद संघर्ष का अंत दूर-दूर तक नजर नहीं आ रहा।

हम बेहद भाग्यशाली हैं। संकटों से संघर्ष कर रहे करोड़ों लोगों की तुलना में हम भाग्यशाली हैं। यहाँ जहाँ हम छिपकर रह रहे हैं, वहाँ शांति और सुरक्षा है। अनाज और अन्य चीजें खरीदने के लिए हम अपना पैसा खर्च कर रहे हैं। हम इतने स्वकेंद्रित और स्वार्थी हैं कि हमेशा युद्ध के बाद की ही बातें करते हैं। हम नए कपड़े, नए जूते खरीदने के बारे में सोचते हैं, जबकि हमें युद्ध समाप्ति के बाद दूसरों की मदद करने के लिए पैसे-पैसे की बचत करनी चाहिए। जो भी हम बचा सकते हैं, हमें बचा लेना चाहिए।

यहाँ आस-पास के बच्चे पतले कपड़ों से बने कुरते और लकड़ी के जूते पहनकर घूमते हैं। उनके पास कोट, कैप, स्टॉकिंग्ज नहीं हैं और न ही कोई मदद करने वाला

उनके साथ है। अपनी भूख को कच्ची गाजरों के रूप में चबाते हुए वे अपने ठंडे घरों से निकलकर ठंडी सड़कों पर चलते हुए ठंडे स्कूलों में पहुँचते हैं। यहाँ हॉलैंड में हालात इतने बिगड़ चुके हैं कि बच्चों के झुंड राहगीरों के आगे हाथ फैला-फैलाकर ब्रेड के टुकड़ों की भीख माँग रहे हैं।

युद्ध के कारण लोगों का जो बुरा हाल हो रहा है, उसके बारे में मैं घंटों तक आपको बता सकती हूँ, लेकिन उससे खुद मुझे ही बहुत बुरा लगता है। हम केवल इंतजार कर सकते हैं। शांति के साथ युद्ध समाप्त होने की राह देख सकते हैं। यहूदी और ईसाई लोग इंतजार कर रहे हैं। सारी दुनिया इंतजार कर रही है। कई लोग मौत का इंतजार कर रहे हैं।

तुम्हारी ऐन

शनिवार, 30 जनवरी, 1943

मेरी सबसे प्यारी किट्टी,

मेरे अंदर गुस्सा खौल रहा है, लेकिन बाहर मैं उसे व्यक्त नहीं कर सकती। मुझे चीखना है, पैर पटकने हैं, मम्मा को जोर-जोर से हिलाना है, रोना है और पता नहीं और क्या-क्या करना है, क्योंकि मम्मा आजकल मेरी तरफ चुभने वाली नजरों से देखती हैं, हर रोज नए से नए आरोप मुझ पर उछालती रहती हैं, ऐसे आरोप, जो पूरे तने धनुष से छोड़े गए बाणों की तरह मुझे बींधते हैं। जो अपने शरीर से खींच कर निकाल फेंकना मेरे लिए असंभव है। मम्मा, मार्गो, वैनडैन परिवार, डुस्सेल और पिताजी पर भी मैं चिल्लाना चाहती हूँ। "मुझे अकेला छोड़ दो। मुझे एकाध रात ही सही, बिना रोए, बिना जलती आँखें लिये, बिना तेज सिर दर्द लिये अपने बिस्तर में लेटकर सोने दीजिए। मुझे निकल जाने दीजिए यहाँ से, यहाँ की हर चीज से दूर। इस दुनिया से दूर।" लेकिन मैं ऐसा नहीं कर सकती। उन्हें मैं अपने मन में उभरते संदेहों के पहाड़ दिखा नहीं सकती। उनके द्वारा दिए गए जख्म मैं उन्हें दिखा नहीं सकती। उनकी सहानुभूति मैं नहीं सह सकती, उनके द्वारा हल्के अंदाज में की गई ठिठोली भी मैं नहीं सह सकती। उनकी ठिठोली मुझमें और जोर से चीखने की इच्छा पैदा करती है।

अगर मैं बोलती हूँ तो हर किसी को लगता है, मैं अपना बड़प्पन दिखा रही हूँ, चुप रहती हूँ तो लगता है कि मैं बड़ी अजीब हूँ। पलटकर जवाब देती हूँ तो वे मुझे उद्यत कहते हैं, जब कोई अच्छा तरीका बताती हूँ तो मुझे वे चालाक कहते हैं, मैं थक जाती हूँ तो मुझे आलसी कहते हैं। मुझे जितना खाना चाहिए, उससे एक कौर भी ज्यादा खाया तो मैं स्वार्थी हो जाती हूँ। वे मुझे मूर्ख, डरपोक, मतलबी और भी बहुत कुछ

कहते रहते हैं। पूरे दिन मैं उनसे यही सुनती रहती हूँ कि मैं हमेशा गुस्से में रहती हूँ। मैं हँसकर टाल देती हूँ और जताती हूँ कि मुझे बुरा नहीं लग रहा, लेकिन असल में मुझे बुरा लगता है। मुझे कई बार लगता है कि मैं भगवान् से कहूँ कि मुझे एक और व्यक्तित्व दे, ऐसा—जो हर किसी की दुश्मनी नहीं मोल लेता हो। लेकिन यह असंभव है। जिस चरित्र के साथ पैदा हुई हूँ, वह मुझ पर हमेशा के लिए चस्पाँ है। इसके बावजूद मुझे पूरा यकीन है कि मैं एक व्यक्ति के तौर पर बुरी नहीं हूँ। हर किसी को खुश रखने की कोशिश करती हूँ। इतना खुश रखना चाहती हूँ, जितना अगले सहस्रों साल तक उनकी कल्पना में भी न आए। जब मैं ऊपरी मंजिल पर जाती हूँ, तब इन बातों को भुलाने की हँस-हँसकर कोशिश करती रहती हूँ, ताकि उन्हें मेरी तकलीफों का अहसास न हो।

कई बार लगातार अनर्गल आरोप सहने के बाद एक बार मैंने मम्मा को पलटकर जवाब देते हुए कहा, "आप जो कहती हैं, उसकी मुझे रत्ती भर परवाह नहीं है। मैं तो गई-गुजरी हूँ ही, तुम मुझसे अपना पल्ला झाड़ क्यों नहीं लेतीं?" वे मुझसे पलटकर जवाब नहीं देने के लिए कहती रहती हैं। एक-दो दिनों तक वे मुझे नजरंदाज करती रहती हैं। फिर अचानक मानो कुछ हुआ ही नहीं हो, वे मेरे साथ औरों की तरह बरताव करने लगती हैं। उनका एक दिन हँसकर गुजारना और दूसरे दिन जहरीले ताने मारना, मैं सह नहीं सकती। मुझे मध्यम मार्ग पसंद है कि मैं अपने खयाल अपने ही तक सीमित रखूँ, जो असल में उतना भला मार्ग नहीं है। हो सकता है, कभी मैं भी उन सबके साथ उतने ही असंतोष से पेश आऊँ। काश कि मैं ऐसा कर पाऊँ।

तुम्हारी ऐन

शुक्रवार, 5 फरवरी, 1943

मेरी सबसे प्रिय किट्टी,

हमारे लड़ाई-झगड़ों के बारे में बहुत पहले मैंने तुम्हें बताया था, अभी भी यहाँ का माहौल वैसा ही है। शुरू-शुरू में हमारे तुरंत भुला दिए जाने वाले झगड़ों को मि. डुस्सेल गंभीरता से लेते थे। अब उन्हें भी इनकी आदत हो गई है, इसलिए अब वे बीच-बचाव करने की कोशिश नहीं करते।

मार्गो और पीटर 'युवा' कहलाने लायक उम्र के तो नहीं हैं, लेकिन वे दोनों हमेशा चुप रहते हैं, इसलिए मुझे वे बोर लगते हैं। उनके साथ रहती हूँ, तब मैं उनसे बिल्कुल अलग दिखाई देती हूँ। मुझे हमेशा बताया जाता है, 'मार्गो और पीटर ऐसा नहीं करते। तुम अपनी बहन की तरह क्यों नहीं बरताव करती?' मुझे इससे सख्त नफरत है।

यहाँ मैं बता दूँ कि मैं मार्गो की तरह कभी नहीं बनना चाहती। वह बेहद कमजोर

इच्छाशक्तिवाली और दब्बू है। मैं ऐसी नहीं बनना चाहती। दूसरों के कहे में वह आसानी से आ जाती है और तनाव में धैर्य खो देती है। मुझे हिम्मती लोग पसंद हैं। मैं उत्साह से भरा जीवन जीना चाहती हूँ, लेकिन ऐसी सारी कल्पनाएँ मैं अपने पास रखना चाहती हूँ। मैं ये सारी बातें उनसे कहूँगी तो वे मुझ पर हँसेंगे।

दोपहर के खाने के वक्त वातावरण में तनाव भरा था। सौभाग्य से सूप पीने आनेवालों की वजह से हरेक के गुस्से पर नियंत्रण बना रहता है। दफ्तर से लंच में सूप पीनेवाले ऊपर आते रहते हैं। आज दोपहर वैनडैन फिर चिंता के साथ बताने लगे कि मार्गो बहुत कम खाती है। ताना देते हुए वे मार्गो से बोले, ''तुम अपना फिगर मेंटेन करने के लिए कम खाती हो?''

मम्मा हमेशा मार्गो के बचाव के लिए आती हैं। इस बार भी वे बोलीं ऊँचे स्वर में, ''आपकी ये मूर्खतापूर्ण बातें मैं बिल्कुल नहीं सह सकती।''

मम्मा की बात सुनकर मिसेज वैनडैन बीट रूट की तरह लालमलाल हुईं। मि. वैनडैन चेहरा सपाट रखते हुए आगे ताकते रहे। उन्होंने कुछ नहीं कहा।

इसके बावजूद हममें कई बार खूब हँसी-मजाक होता है। अभी कुछ समय पहले मिसेज वैनडैन कुछ मजेदार ऊटपटाँग कहानियाँ-किस्से सुना रही थीं। वे बीते वक्त की बातें बता रही थीं। अपने पिता के साथ अपने अच्छे रिश्ते कैसे थे और कैसे वह हर दर्जे की फ्लर्ट थीं, आदि बातें वे बता रही थीं, और पता है, वे बोलीं, ''मेरे पिताजी ने मुझे एक बात बताई कि जब भी कोई आदमी फारिग हो आता, मैं उससे कहती, 'याद रहे सर, मैं सभ्य महिला हूँ।' और उसे मेरा मतलब समझ आ जाता।'' सुनकर हम पेट पकड़कर खूब हँसे थे, मानो जो कुछ भी उन्होंने सुनाया था, वह बेहतरीन चुटकुला हो।

पीटर वैसे तो शांत और चुप रहता है, लेकिन कभी-कभी खूब हँसा देता है। दुर्भाग्य से उसे विदेशी भाषा के शब्द खूब अच्छे लगते हैं और वह गाहे-ब-गाहे अपनी बोलचाल में उन्हें शामिल करने की कोशिश में लगा रहता है। उन शब्दों के सही मायने उसे पता नहीं रहते। एक बार दोपहर के समय दफ्तर में किन्हीं आगंतुकों की उपस्थिति के कारण हम पाखाने का इस्तेमाल नहीं कर पाए थे। पीटर रुक नहीं पा रहा था, सो उसने ऊपरवाले गुसलखाने का इस्तेमाल किया, लेकिन वह फ्लश नहीं कर पाया। बदबू से हमें आगाह कराने के लिए उसने गुसलखाने के दरवाजे पर यह लिखकर कागज चिपका दिया—"RSVP-Gas!" असल में वह कहना चाहता था—"Danger-Gas!" लेकिन उसने सोचा कि 'RSVP' ज्यादा सुंदर लगता है। उसे बिल्कुल पता नहीं था कि 'RSVP' का मतलब होता है 'कृपया जवाब दें'।

तुम्हारी ऐन

शनिवार, 27 फरवरी, 1943

मेरी सबसे प्यारी किट्टी,

अब किसी भी समय हमला हो सकता है, ऐसा पिम का अनुमान है। चर्चिल को न्यूमोनिया हुआ था, लेकिन अब उनकी सेहत धीरे-धीरे ठीक हो रही है। भारतीय स्वतंत्रता संग्राम के अग्रणी गांधी भी आमरण अनशन पर बैठे हैं।

मिसेस वैन डी का कहना है कि वह भाग्यवादी हैं, लेकिन जब बंदूकें चलने की आवाजें आती हैं, तब पता है, सबसे पहले किसकी घिग्घी बँध जाती है? पेट्रेनेला वैनडैन की।

जान बिशप का खत लेकर आईं, जिसमें बिशप ने अपने पल्ली के निवासियों को संबोधित किया था। उन्होंने जो कहा था, वह सचमुच सुंदर और प्रेरक था। उन्होंने कहा था, "नीदरलैंड के निवासियो, उठो और विरोध में तनकर खड़े हो जाओ। कुछ करो। अपने देश, अपने लोग और अपने धर्म की रक्षा के लिए हममें से हर किसी को शस्त्र धारण करना होगा। आपकी मदद और आपके सहारे की हमें जरूरत है। उठो और तैयार हो जाओ।" धर्मपीठ से वे यही सीख दे रहे हैं। क्या इससे कुछ अच्छा हासिल होगा, अपने यहूदी बंधुओं की मदद करने में क्या हमने बहुत देर नहीं कर दी है?

देखो, अब हमारे साथ क्या-क्या हो रहा है? इमारत के मालिक ने मि. कुग्लर और मि. क्लीमन को सूचित किए बिना इमारत बेच दी। एक दिन इमारत का नया मालिक अपने आर्किटेक्ट को साथ लेकर इमारत का मुआयना करने आया। भगवान् की कृपा है कि मि. क्लीमन दफ्तर में उपस्थित थे। उन्होंने उन लोगों को, जो भी देखने लायक था, सब दिखा दिया, सिवाय गुप्त एनेक्स के। उन्होंने चाभी घर पर छूट जाने का बहाना किया और नए मालिक ने कोई सवाल नहीं किया। काश कि वे गुप्त भवन देखने लौटकर आएँ ही नहीं। अगर आएँगे तो हम भारी मुश्किल में पड़ जाएँगे।

डैड ने कार्ड्स की फाइल मार्गो और मेरे सामने पलट दी। फिर उसमें एक तरफ से खाली क्रम के कार्ड लगा दिए। अब इसमें हम हम जो पढ़ेंगे, उन किताबों की जानकारी दर्ज कर उन कार्ड्स को क्रम से रखना होगा। इनमें लेखक के नाम और तारीख का भी जिक्र करना है। मैंने दो नए शब्द सीखे हैं—'ब्रॉथेल' और 'कॉकेट'। नए शब्द लिखने के लिए मैं एक नई नोटबुक ले आई हूँ।

मक्खन और मार्गाटिनवाला एक नया वर्ग बनाया गया है। हर व्यक्ति को उनकी थाली में यह मिलेगा। इसका बँटवारा अयोग्य ढंग से किया जाता है। वैनडैन परिवार हमेशा सबके लिए नाश्ता बनाता है। वे हमें जितना देते हैं, उससे डेढ़ गुना नाश्ता अपने लिए रखते हैं। डैड और मॉम झगड़े के डर से कुछ भी कहने से कतराते हैं, असल में

यह गलत है। मेरी राय में इस प्रकार बरताव करनेवालों को उन्हीं की भाषा में जवाब दिया जाना चाहिए।

तुम्हारी ऐन

गुरुवार, 4 मार्च, 1943

मेरी सबसे प्यारी किट्टी,

मिसेज वैनडैन को हम लोगों ने एक नाम दिया है—मिसेज बीवरब्रुक। जाहिर है कि आप इसका मतलब नहीं जानते। मैं बताती हूँ। अंग्रेजी रेडियो पर अकसर एक उद्घोषक, जिनका नाम बीवरब्रुक है, जर्मनी की बमबारी के बारे में अपनी राय व्यक्त करते रहते हैं। मिसेज वैनडैन हमेशा सबके, यहाँ तक कि चर्चित और प्रसारित होने वाली खबरों के खिलाफ बोलती रहती हैं, लेकिन वे मि. बीवरब्रुक की राय से इत्तेफाक रखती हैं। इसीलिए हमने सोचा कि अगर वे मि. बीवरब्रुक की पत्नी का रोल निभाएँ तो ठीक रहेगा। उनके सामने मजाक के तौर पर जब यह बात कही गई तो वे इस कल्पना से सहमत हुईं, बल्कि उन्हें यह अपनी तारीफ लगी। तबसे हमने उन्हें मिसेज बीवरब्रुक बुलाना तय किया।

पुराने कर्मचारी को जर्मनी भेजे जाने के कारण हमें गोदाम में एक नया कर्मचारी रखना पड़ा। यह उसके लिए बुरी खबर होगी, लेकिन हमारे लिए अच्छी खबर है, क्योंकि नए कर्मचारी को इस इमारत के हर हिस्से की जानकारी नहीं दी जाएगी। गोदाम में काम करनेवाले कर्मचारियों से हम अभी भी खौफजदा हैं। वहाँ गांधी ने अपना अनशन फिर से तोड़ा है।

कालाबाजारी बड़े जोरों पर है। अंट-शंट कीमतें अगर हम अदा कर सकते हैं तो हम कुछ भी, चाहे जितनी मात्रा में खरीद सकते हैं। हमारा सब्जीवाला 'बेहूमाख्ट' से आलू खरीद लाता है। गोणियों में भर-भरकर वह उन्हें निजी दफ्तर तक ले आता है। हम यहाँ छिपकर रह रहे हैं, इस बारे में उसे शक हो गया है। इसलिए वह जब बाकी कर्मचारी बाहर जाते हैं, तब लंच के समय यहाँ आता है।

आजकल काली मिर्च कूटने का काम चल रहा है, इसलिए हम सब हर साँस के साथ छींकते-खाँसते रहते हैं। जो भी ऊपर आते हैं, छींक के साथ ही हमारा अभिवादन करते हैं। मिसेज वैनडैन नीचे नहीं जाने की कसम खा चुकी हैं, क्योंकि वे कहती हैं कि अगर वह एक बार काली मिर्च की बुकनी सूँघ लें तो बीमार हो जाएँगी।

डैड का व्यवसाय अच्छा है, ऐसा अब मुझे नहीं लगता है। उनके व्यवसाय में बस पेक्टिन और काली मिर्च ही सबकुछ हैं। अगर आपको खानेवाली चीजों का ही व्यवसाय करना है तो फिर कैंडी क्यों नहीं बनाते?

आज सुबह एक बार फिर मुझ पर तूफानी शब्दों की बरसात हुई। हवा में जख्मी कर देने वाले शब्दों की ऐसी चमकीली अभिव्यक्ति हुई कि बाद में देर तक मेरे कानों में 'ऐन ने यह बुरा किया' और 'वैनडैन ने यह अच्छा किया' की बिजलियाँ कौंधती रहीं।

तुम्हारी ऐन

बुधवार, 10 मार्च, 1943

मेरी सबसे प्यारी किट्टी,

कल रात एक बार शॉर्टसर्किट हुआ। उसके अलावा तड़के तक बंदूकें चलती रहीं। मैं अब तक हवाई जहाजों की और बंदूकें चलने की आवाज के डर से उबरी नहीं हूँ। हर रात डर के मारे मैं डैड के बिस्तर में दुबक जाती हूँ। यह बच्चों वाली हरकत है, यह मैं जानती हूँ, लेकिन आपको यह सब सहना पड़े तो शायद आप भी मेरी तरह ही डर जाएँ। एक-एक बंदूक इतनी जोर की आवाज निकालती है कि आप खुद की आवाज भी सुन नहीं पाते। भाग्यवादी मिसेज बीवरब्रुक तो रोने लगीं और अपनी सहमी आवाज में बार-बार कहने लगीं, "कितना भयंकर है यह। बंदूकों की आवाजें कितनी कर्कश हैं।" यानी थोड़े अलग ढंग से वे कह रही थीं, "मैं बेहद डर गई हूँ।"

जब चाँदनी छाई, तब सब उतना भयानक नहीं रहा, जितना घुप्प अँधेरे में लग रहा था। मैं थर-थर काँप रही थी, मानो तेज बुखार हो। मोमबत्ती फिर से जलाने की मैंने डैड से भीख माँगी, लेकिन वे मेरी बात नहीं मानने पर उतारू थे। वहाँ रोशनी दिखाई देना वांछित नहीं था। अचानक हमें मशीनगन चलने की आवाज सुनाई दी। हवाई जहाजों पर दागी जाने वाली बंदूकों की तुलना में ये दस गुना अधिक भयंकर होती हैं। मॉम बिस्तर से कूद पड़ीं और पिम को नाराज कर उन्होंने मोमबत्ती जलाई। डैड गुस्से से बड़बड़ाने लगे तो उन्होंने कहा, "जो हो, ऐन किसी जमाने में सेना में रही तो नहीं है।" बस उसके बाद मोमबत्ती जलाने को लेकर और बहस नहीं हुई। मिसेज वैनडैन और किन बातों से डरती हैं, क्या मैंने यह आपको बताया है ? शायद नहीं। गुप्त भवन के ताजा हालातों की खबर आपको अगर मैं दे रही हूँ तो यह बात भी बतानी पड़ेगी। एक रात मिसेज वैनडैन को लगा कि उन्होंने ऊपर वाले माले पर किसी के कदमों की आहट सुनी है। उन्हें चोरों से बहुत डर लगता था। उन्होंने अपने पति को जगाया। उसी समय चोर भाग गए। मि. वैनडैन को बस अपनी डरी हुई पत्नी के दिल की धड़कने की आवाज ही सुनाई दी। 'ओह पुट्टी!' (मिसेज वैनडैन प्यार से मिस्टर वैनडैन को 'पुट्टी' पुकारती हैं।) मिसेज वैनडैन रोते हुए बोलीं। वे शायद हमारे सारे सॉसेजेस और सुखाए हुए बींस ले गए होंगे और पीटर कहाँ है, क्या पीटर अपने बिस्तर पर सुरक्षित लेटा है ?

"वे हमारे पीटर को तो बिल्कुल उठाकर नहीं ले गए होंगे। इतना छोटा दिल मत रखो, जो इतनी सी बातों से डर जाए। खुद सोओ और मुझे भी सो जाने दो।"

यह तो असंभव था। मिसेज वैन डी इतना डरी हुई थीं, अतः सो कैसे पातीं? कुछ रातों के बाद की ही बात है। वैनडैन परिवार की नींद भयंकर आवाजों से टूटी। फ्लैशलाइट लेकर पीटर बालाखाने में गया और सर्र सर्र… क्या आप कल्पना कर सकते हैं, उसने किसे दौड़कर छिपते हुए देखा? चूहों की एक बड़ी टोली को।

चोर कौन हैं, इसका पता चलने के बाद हमने मोशी को बालाखाने में सोने दिया। तब से इन बिनबुलाए मेहमानों से हमें छुटकारा मिला या कम-से-कम वे फिर कभी रात के समय नहीं लौटे।

कुछ दिन पहले की एक शाम की बात है। साढ़े सात बजे थे और चारों ओर धुँधलका था। कुछ पुराने अखबार लाने के लिए पीटर बालाखाने में गया था। सीढ़ियों के ऊपर वाले दरवाजे को उसने कसकर पकड़ रखा था। बेखबरी में उसने दरवाजा छोड़ दिया और धड़ाम से जमीन पर आकर गिरा। अनजाने ही एक बड़े चूहे पर उसका हाथ गया। चूहे ने पीटर की बाँह में अपने दाँत गड़ाए। जब वह हमारे पास लौटा, तब तक डर के मारे उसकी सिट्टी-पिट्टी गुम थी और उसके पैर काँप रहे थे। उसका पाजामा, कुरते की बाँह खून से सनी थी। डर के मारे उसका बुरा हाल था। चूहा पालना कोई मजेदार बात नहीं है। खासकर अगर वह काटकर तुम्हारी बाँह से मांस खा जानेवाला चूहा हो तो।

तुम्हारी ऐन

शुक्रवार, 12 मई, 1943

मेरी सबसे प्यारी किट्टी,

'ममा फ्रैंक बच्चों की वकील!' से मैं तुम्हारी पहचान कराऊँ। वे छोटे बच्चों को ज्यादा मक्खन देती हैं। आज के युवाओं की समस्याएँ, आप कोई भी समस्या लीजिए, माँ हमेशा नई पीढ़ी के साथ खड़ी रहेंगी। एकाध-दो बार झड़प के बाद ही सही, उनकी हमेशा जीत होती है। एक बोतल अचार खराब होने पर वह कभी नाउम्मीद या नाराज नहीं होतीं। तुरंत कह देती हैं, "मोशी और बोश की दावत का प्रबंध हो गया।"

आपकी अभी बोश से मुलाकात नहीं हुई है। हम छुपने के लिए यहाँ आए, उससे पहले से वह यहाँ है। वह गोदाम और दफारवाली बिल्ली है। चूहों को स्टोर रूम से दूर रखना उसका काम है।

उसका नाम थोड़ा अजीब सा राजनीति से जुड़ा हुआ लगे तो उसे आसानी से समझाया जा सकता है। जीज ऐंड कंपनी में पहले दो बिल्लियाँ थीं। एक गोदाम के लिए

और एक बालाखाने के लिए। कभी-कभी दोनों का जब सामना होता तो जाहिर है कि उनमें भिड़ंत भी होती। गोदामवाली बिल्ली हमेशा पहले आक्रमण करती थी, लेकिन जीत हमेशा बालाखाने वाली बिल्ली की ही होती थी। यह बिलकुल राजनीतिक अखाड़े की तरह ही था। इसीलिए गोदामवाली बिल्ली का नाम 'जर्मन' यानी 'बोश' रखा गया था और बालाखाने वाली बिल्ली का नाम अंग्रेजी नामों की तर्ज पर 'टॉमी' रखा गया था। कुछ समय बाद उन्होंने टॉमी से छुट्टी कर ली, लेकिन बोश रहा और हम सब भी नीचे जाते, वह हमारे मनोरंजन के लिए उपस्थित मिलता।

हमने उस दौरान इतनी बार राजमा और चौलाई खाई कि अब मैं उनकी ओर देखना भी पसंद नहीं करती। उनके बारे में सोचकर ही मेरा जी मिचलाने लगता है। शाम के वक्त हमें परोसी जाने वाली ब्रेड बंद हो गई। डैड ने कहा कि वे बहुत अच्छे मूड में नहीं हैं। बेचारे आजकल फिर उनकी आँखें उदास दिखाई देने लगी हैं। इना बकर बोडियर की लिखी 'अ नॉक ॲट द डोअर' किताब से मैं अपनी नजरें हटा नहीं पा रही हूँ। यह एक परिवार की कहानी है और बेहद अच्छे ढंग से लिखी गई है, हालाँकि इसमें से युद्ध, लेखक और महिलाओं की मुक्ति से संबंधित हिस्से ठीक से नहीं बन पड़े हैं। सच कहूँ तो इन विषयों में मेरी दिलचस्पी नहीं है।

जर्मनी पर भयंकर बमबारी की जा रही है। मि. वैनडैन चिड़चिड़े हो गए हैं। कारण है—सिगरेट की कमी।

'डिब्बाबंद खाना खाया जाए या नहीं खाया जाए' इस विवाद में हमारा पक्ष जीता।

स्की बूटस के अलावा मैं अपना कोई जूता पहन नहीं पा रही हूँ और ये जूते घर में पहनने के लिए ठीक नहीं हैं। घास के बने जो जूते मैंने 6.50 गिल्डर्स देकर खरीदे थे, उनके तले हफ्ते भर में ही पूरी तरह घिस गए हैं। ऐसे समय मीप ही ब्लैक मार्केट से खरीदवाकर मेरी सहायता कर सकती है।

डैड के बाल काटने का समय हुआ। पिम कसम खाकर बताते कि युद्ध के बाद भी वे कभी नाई से बाल कटवाने नहीं जाएँगे, खासकर मैं अगर उनके कानों को कैंची से बख्श दूँ तब।

तुम्हारी ऐन

गुरुवार, 18 मार्च, 1943

मेरी सबसे प्यारी किट्टी,

अब टर्की भी युद्ध में उतर गया है। यह बेहद उत्सुकताजनक है। मैं आजकल बड़ी उत्कंठा से रेडियो की खबरों का इंतजार करती हूँ।

शुक्रवार, 19 मार्च, 1943

प्यारी किट्टी,

घंटे भर में ही खुशी की जगह नाउम्मीदी ने ली। टर्की अभी युद्ध में उतरा नहीं है। बस टर्की के एक कैबिनेट मंत्री ने कहा था कि जल्द ही टर्की अपनी तटस्थता त्यागने वाला है। डैम स्क्रेयर में अखबार बेचनेवाला चिल्ला रहा था, 'टर्की इंग्लैंड की तरफ से युद्ध में शामिल'। लोग उसके हाथ से अखबार छीन रहे थे। इस तरह हमें युद्ध के बारे में उड़ी इस उत्साहजनक अफवाह के बारे में पता चला।

हजार गिल्डर के नोटों को रद्द करने की घोषणा की गई है। कालाबाजारी करनेवाले और उनकी तरह के काम करनेवालों के लिए यह तगड़ा झटका होगा, लेकिन उनसे तगड़ा झटका छुपकर जिंदगी बितानेवालों को लगेगा, जिनके पास बेनामी संपत्ति हो, उन्हें भी तगड़ा झटका लगनेवाला है। हजार गिल्डर्स का नोट भुनाने के लिए पहले 'आपके पास वह कहाँ से आया', यह बताना होगा और सबूत देना होगा। करों के भुगतान के लिए उन्हें इस्तेमाल किया जा सकता है, लेकिन सिर्फ अगले हफ्ते तक। पाँच सौ गिल्डर्स के नोट भी उन्हीं के साथ रद्द होंगे। जीज एंड कंपनी के पास अभी भी कुछ हजार गिल्डर्स के बेनामी नोट थे। आगामी वर्षों के कर का भुगतान करने के लिए उन्होंने उनका इस्तेमाल किया। सो अब सबकुछ उजला हो गया लगता है।

डुस्सेल को पुराने जमाने की पैर से चलाई जाने वाली एक डेंटिस्टों की मशीन मिली है, यानी जल्दी ही मेरे दाँतों की गहराई से जाँच होगी। घर के नियमों का पालन करने में डुस्सेल सबसे ज्यादा सुस्त है। वह चारलोट को ही खत नहीं लिखता, साथ-साथ कुछ अन्य लोगों के साथ भी उसका गपशप वाले खतों का लेन-देन जारी है। एनेक्स की डच भाषा की टीचर उसके खतों की गलतियाँ सुधारकर उसकी मदद करती है। डैड ने उससे यह आदत छोड़ देने के लिए कहा है। सो अब मार्गो ने उन खतों की भाषा दुरुस्त करना छोड़ दिया है, लेकिन लगता है कि वह ज्यादा समय तक बिना लिखे रह नहीं पाएगा।

द फेरो अब घायल सिपाहियों से बातें कर लेता है। हमने इसके बारे में रेडियो पर सुना। बेहद दयनीय लगा। सवाल-जवाब कुछ इस प्रकार हुए—

"मेरा नाम हेनरिक स्केपेल है।"

"तुम कहाँ जख्मी हुए?"

"स्टालिनगार्ड के पास।"

"किस तरह का जख्म है?"

"ठंड से मेरे दोनों पैरों के तलुवे गल गए हैं और बाएँ हाथ में फ्रैक्चर है।"

रेडियो पर प्रसारित हुए उस वीभत्स पपेट शो की यह ज्यों की त्यों रिपोर्ट है। जो जख्मी थे, उन्हें अपने जख्मों पर मानो गर्व महसूस हो रहा था, जितने अधिक जख्म हों, उतना अच्छा। उनमें से एक तो फिरर से हाथ मिलाने लगता है (शायद उसका हाथ था) के खयाल में इतना खो गया था कि उसके मुँह से बोल नहीं फूट रहे थे।

मुझसे डुस्सेल का साबुन गुसलखाने की जमीन पर गिर गया और मेरा पैर उस पर पड़ा। उसमें से एक बड़ा टुकड़ा खो गया। उसके नुकसान की भरपाई करने के लिए मैंने डैड से कह दिया है, खासकर इसलिए कि डुस्सेल को महीने भर में केवल एक घटिया किस्म की टिकिया मिलती है।

तुम्हारी ऐन

गुरुवार, 25 मार्च, 1943

मेरी सबसे प्यारी किट्टी,

कल रात मॉम, डैड, मार्गो और मैं खुशी-खुशी साथ में बैठे हुए थे, तब अचानक आकर पीटर ने डैड के कान में कुछ कहा। मैं कुछ शब्द ही सुन पाई। ''गोदाम में एक बैरल गिरा, कोई दरवाजे से छेड़छाड़ कर रहा है।''

मार्गो ने भी उनकी बातें सुनीं, लेकिन वह मुझे शांत करने में जुट गई। डर के मारे मेरी हालत ऐसी हो गई थी कि काटो तो खून नहीं। मैं बेहद नर्वस हो गई थी। हम तीनों इंतजार करती रहीं। डैड और पीटर नीचे चले गए। कुछेक मिनटों में ही रेडियो सुन रही मिसेज वैनडैन ऊपर आईं और कहने लगीं कि डैड ने उन्हें रेडियो बंद करने के लिए कहा है और बिना आवाज किए ऊपर जाने के लिए भी कहा, लेकिन तुम जानती हो कि हम जब शांति बनाए रखने की कोशिश करते हैं, तब कोई न कोई आवाज होती ही है। इस बार पुराना जीना दो बार बड़ी जोर से चरमराया। पाँच मिनट के बाद डैड और पीटर ने जो देखा, वह बताने पहुँचे। डर के मारे दोनों के चेहरे का रंग उड़ा हुआ था।

उन्होंने सीढ़ियों के नीचे छिपकर देखा। वहीं छिपकर वे इंतजार करते रहे। थोड़ी देर कुछ नहीं हुआ। फिर अचानक मानो किसी ने जोर से पीटा हो, दरवाजे पर आवाजें हुईं, मानो घर के अंदर के दो दरवाजे धड़ाम से बंद किए गए हों। डैड दौड़ते हुए ऊपर पहुँचे और पीटर डुस्सेल को सावधान करने गया; हालाँकि उससे पहले ही डुस्सेल ऊपर पहुँच चुके थे। पहुँचने से पहले हालाँकि उन्होंने काफी तमाशा किया था और शोर भी मचाया था। फिर हम सब स्टॉकिंग्ज पहने अपने पैरों से बेआवाज चलकर ऊपरी मंजिल पर रुके मि. और मिसेज वैनडैन के यहाँ चले। मिस्टर वैन डी को जुकाम हुआ था, इसलिए वे सो गए थे। हम उनके बिस्तर के चारों तरफ खड़े हुए और अपने-अपने

शकों के बारे में चर्चा करने लगे। मिस्टर वैनडैन जितनी बार जोर से खाँसते, उतनी बार मेरी और मिसेज वैनडैन की जान हलक में आ जाती। वे खाँसते रहे, तब तक, जब तक हममें से किसी के दिमाग में यह खयाल नहीं आया कि मि. वैनडैन को कोडिन दिया जाए। कोडिन निगलते ही तुरंत उनकी खाँसी रुकी।

हम फिर इंतजार करते रहे। लंबे समय तक हमने इंतजार किया, लेकिन कुछ नहीं हुआ। आखिर हमने सोचा कि वैसी शांत इमारत में चोरों ने जब पदचाप सुनी तो वे भाग गए। वे चोर ही थे। एक और समस्या थी। रेडियो इंग्लैंड पर ट्यून किया गया था और निजी दफ्तर की सारी कुरसियाँ रेडियो के चारों तरफ लगाई गई थीं। चोरों ने अगर दरवाजा तोड़ा और गश्ती सैनिकों की नजर रेडियो पर पड़ी तो उन्होंने अगर पुलिस को इत्तिला की, तब बुरे नतीजे निकलने की पूरी-पूरी संभावना थी। इसलिए मि. वैनडैन उठकर खड़े हुए। उन्होंने कोट और पैंट पहने, हैट पहना और सावधानी से वह पीटर के साथ डैड के पीछे-पीछे सीढ़ियों से नीचे उतरने लगे। पीटर ने सुरक्षा के तौर पर एक भारी-भरकम हथौड़ा भी हथियार के रूप में साथ लिया था। मेरे और मार्गो के साथ अन्य महिलाएँ रहस्य के खुलने के इंतजार में बैठी रहीं। पाँच मिनट के बाद ही पुरुष लौट आए। उन्होंने बताया कि इमारत में कहीं भी किसी तरह की आहट नहीं है। पानी नहीं गिराने या टॉयलेट फ्लश नहीं करने की बात पर सभी सहमत हुए। इतने तनाव के बाद हालाँकि हम सबके पेट में काफी हलचल हुई थी और सबको बारी-बारी टॉयलेट का इस्तेमाल करना पड़ा था, सो वहाँ कितनी बदबू फैली होगी, इसका अंदाजा आप लगा सकते हैं।

इस तरह की घटनाओं के साथ हमेशा अन्य संकट भी आते रहते हैं। इस बार भी वही हुआ। वेस्टरटोटेन की घंटियाँ बजनी बंद हो गईं। उनके बजने की आवाज हमेशा मुझे दिलासा देती रही है। दूसरी बात, मि. वोस्कुइजी कल रात चले गए थे। उन्होंने बेप को चाभी दी थी या नहीं, बेप ने दरवाजा बंद किया है या नहीं, हमें पता नहीं।

हालाँकि अब यह बात उतनी महत्त्वपूर्ण नहीं थी। अभी-अभी रात की शुरुआत हुई थी और आगे क्या होने वाला है, इसका हममें से किसी को कोई अंदाजा नहीं था। हालाँकि रात साढ़े आठ बजे के करीब जब चोरों ने पहली बार इमारत में प्रवेश किया था और हमारी जिंदगी के लिए खतरा पैदा किया था, तब से लेकर रात साढ़े दस बजे तक कोई आवाज नहीं आई थी। इस बारे में हमने जितना सोचा, उतना हमें यकीन होता गया कि रात साढ़े आठ बजे चोरों द्वारा दरवाजा तोड़कर अंदर घुसने की कोशिश करना लगभग नामुमकिन है, क्योंकि उस वक्त सड़कों पर लोगों का आना-जाना लगा रहता है। इसके अलावा बाद में हमें इस बात का भी खयाल आया कि पड़ोस में रहनेवाला केग कंपनी का गोदाम प्रबंधक भी हो सकता है। वह उस वक्त तक काम करता रहा

होगा। घबराहट, उत्तेजना और पतली दीवारों के कारण आवाज को लेकर गलतफहमी पैदा होना स्वाभाविक है, साथ ही संकट के समय हमारी कल्पना भी हमारे साथ धोखा करती रहती है।

इसलिए हम सब सोने की तैयारी में लगे। डैड, मॉम और मि. डुस्सेल लगभग पूरी रात जागते रहे और मैं भी, बढ़ा-चढ़ाकर नहीं, बल्कि सच कह रही हूँ कि रात भर मुझे भी नींद नहीं आई। आज सुबह पुरुष नीचे देखकर आए, तब पता चला कि बाहरी दरवाजे पर ताला लगा हुआ है, यानी सब कुछ ठीक-ठाक था।

तुम्हारी ऐन

एक बार फिर आज सुबह टॉयलेट की नाली रुक गई थी। तब डैड को एक लंबी लकड़ी से फँसा हुआ मल और स्ट्राबेरी रेसिपीज के कागज खींचकर बाहर निकालने पड़े। (रेसिपी के कागज ही हम इन दिनों टॉयलेट पेपर के तौर पर इस्तेमाल करते हैं।) बाद में हमने वह लकड़ी जला दी।

शनिवार, 27 मार्च, 1943

मेरी सबसे प्यारी किट्टी,

हमने अपना शॉर्टहैंड कोर्स पूरा किया है। हम अब अपनी लिखने की गति सुधारने में लगे हैं। हम सचमुच स्मार्ट हैं। हमारे इन समय काटने के तरीकों के बारे में बताऊँ। (मैं जो कोर्स कर रही हूँ, उन्हें मैंने यही नाम दे रखा है, क्योंकि यहाँ हम जो भी करते हैं, वह सब जल्दी-से-जल्दी दिन गुजारने की ख्वाहिश में करते हैं। हम चाहते हैं कि इस प्रकार दिन जल्द-से-जल्द बीतें और यहाँ रहने के दिन जितनी जल्दी हो सके, पूरे हो जाएँ।) मुझे पुराण कथाएँ पसंद हैं, खासकर ग्रीक और रोमन देवी-देवताओं से जुड़ी। यहाँ हर किसी को लगता है कि मेरा यह शौक थोड़े समय में खत्म हो जाएगा, क्योंकि किसी युवा को उन्होंने कभी पुराण कथाओं में दिलचस्पी लेते हुए नहीं देखा है। वे अगर सही हैं तो हो सकता है, फिर मैं ऐसी पहली लड़की हूँ।

मि. वैनडैन को जुकाम हुआ है। उनका गला सूख गया है। वे उसके लिए कई दवाइयाँ कर रहे हैं। कैमोभीत चाय के साथ वे गरारे करते हैं, गले में अंदरूनी तालू की तरफ मिर के टिंचर का लेप लगाते हैं, छाती-नाक-मसूढ़े और जीभ पर मेयो बाम मलते हैं और शायद इतना कम था, इसलिए उनका मूड भी खराब चल रहा है।

जर्मन के किसी बड़े आदमी राउतेर ने भाषण दिया, पहली जुलाई से पहले सभी यहूदियों को जर्मनी के कब्जे वाले प्रदेश से निकल जाना होगा। 1 अप्रैल से 1 मई के

बीच उत्रेक्ट प्रदेश को यहूदियों से मुक्त कर स्वच्छ किया जाएगा। (मानो वे इनसान न होकर झींगुर हों।)

इसी प्रकार 1 मई से 1 जून के बीच उत्तरी और दक्षिणी हॉलैंड प्रांत की सफाई होगी। यहाँ के मासूम लोगों को बीमार, कुपोषित जानवरों की तरह गंदे कत्लखानों में भेजा जाएगा। मैं इस विषय में और कुछ नहीं कहूँगी। खुद मेरे विचारों के कारण मुझे दु:स्वप्न आते हैं।

एक अच्छी खबर यह है कि लोगों ने तोड़-फोड़ करते हुए श्रमिक रोजगार कार्यालय में आग लगा दी। कुछ दिनों बाद मेयर का दफ्तर भी आग के हवाले किया गया। जर्मन पुलिस के भेष में आए कुछ लोगों ने सुरक्षा कर्मचारियों को बाँधकर उनके मुँह बंद कर कुछ महत्त्वपूर्ण कागजात नष्ट कर दिए।

तुम्हारी ऐन

गुरुवार, 1 अप्रैल, 1943

मेरी सबसे प्यारी किट्टी,

मैं मजाक के मूड में बिल्कुल नहीं हूँ (तारीख देखना)। उल्टे आज मैं एक कहावत कहना चाहती हूँ, 'मुसीबतें अकेले नहीं आतीं', पहला संकट मि. क्लीमन की बीमारी के रूप में आया। हमारी आशाओं की किरण मि. क्लीमन को कल एक बार फिर गैस्ट्रोइंटोस्टिनल हेमरेज हुआ। अब कम-से-कम अगले तीन हफ्तों तक उन्हें बिस्तर पर रहना होगा। तुम्हें बताऊँ कि पिछले कई दिनों से पेट की वजह से उन्हें बेहद तकलीफ है और इस बीमारी की कोई दवा नहीं। दूसरी मुसीबत बेप की बीमारी के रूप में आई। उसे फ्लू हुआ है। तीसरी मुसीबत मि. वोस्कुइजिल को अगले हफ्ते अस्पताल जाना होगा। उन्हें शायद अल्सर है और सर्जरी करवानी पड़ेगी। चौथी मुसीबत के रूप में पोमोसिन इंडस्ट्रीज के फ्रैंकफर्ट से आए मैनेजर थे, जो ओपेक्टा की नई किश्तों की डिलीवरी के बारे में बात करना चाहते थे। मि. क्लीमन के साथ मिलकर डैड ने कुछ महत्त्वपूर्ण बातों पर गौर किया था और मि. कुग्लर को विस्तार से समझने का समय नहीं बचा था।

फ्रैंकफर्ट से वे सज्जन आ पहुँचे थे। बातें क्या रुख लेंगी, यह सोच-सोचकर डैड काँप रहे थे। 'काश कि मैं नीचे होता, काश कि मैं उनके साथ बातचीत कर रहा होता', वे बुदबुदाए।

"जमीन से कान लगाकर लेटे रहो। उन्हें निजी दफ्तर में बैठाया जाएगा। आप सबकुछ सुन पाएँगे।"

डैड के चेहरे से चिंता के बादल छँटे। फिर कल सुबह साढ़े दस बजे मार्गो और डैड (एक से दो कान भले) ने अपनी-अपनी जगह ली। दोपहर तक भी बातचीत पूरी नहीं हुई, लेकिन इस प्रकार सुनने के अपने मिशन पर डैड कायम नहीं रह पाए। घंटों तक इस प्रकार अजीब और असुविधाजनक स्थिति में लेटे रहना उनसे नहीं हो पा रहा था। ढाई बजे के करीब हमें हॉल में आवाजें सुनाई दीं। तब मैंने उनकी जगह ली। मार्गो भी मेरे साथ लेटी रही। उनकी बातचीत बेहद लंबी, विस्तृत तथा उबाऊ भी थीं। मुझे तो ठंडे और कड़े लिनोलियम के फर्श पर ही नींद आ गई। मुझे छूने से मार्गो हिचकी। उसे डर था, हमारी बातचीत शायद उन तक पहुँचेगी और वह चिल्ला भी नहीं सकती थी मुझे जगाने के लिए। मैं करीब आधे घंटे तक सोई रही। फिर अचानक मैं जाग गई और उस महत्त्वपूर्ण चर्चा का जो थोड़ा-बहुत याद हुआ था, वह भी भूल गई। सौभाग्य से मार्गो ने बड़े ध्यान से उनकी बातचीत सुनी थी।

तुम्हारी ऐन

शुक्रवार, 2 अप्रैल, 1943

मेरी सबसे प्यारी किट्टी,

बाप रे! मेरे पापों की फेहरिस्त में एक और नाम जुड़ गया। कल रात मैं बिस्तर पर लेटी थी। डैड का इंतजार कर रही थी कि वह आकर मेरी प्रार्थना सुनेंगे, मेरे साथ प्रार्थना कहेंगे और बाद में मुझे बिस्तर ठीक करके सुलाएँगे, तभी मम्मा आईं। मेरे बिस्तर पर बैठकर उन्होंने मधुर स्वर में पूछा, ''ऐन, डैडी अभी काम में लगे हैं, आज के दिन अगर मैं तुम्हारी प्रार्थना सुनूँ तो क्या चलेगा?''

''नहीं मम्मी।'' मैं बोल पड़ी।

मम्मा उठकर मेरे बिस्तर के करीब पलभर खड़ी रहीं। फिर धीरे-धीरे वे दरवाजे की ओर जाने लगीं। अचानक वे मुड़ीं। उनका चेहरा वेदना से विदीर्ण था। उन्होंने कहा, ''मुझे तुम पर गुस्सा नहीं है। मुझसे प्रेम करने के लिए मैं तुम्हें बाध्य नहीं कर सकती।'' उनकी आँखों से बहकर कुछ आँसू उनके गालों पर आ गए। फिर वे चली गईं।

मैं हक्की-बक्की लेटी रही। मुझे लगा, कितनी क्रूरता से मैंने उन्हें नकार दिया। हालाँकि मुझे पता था कि उन्हें मैं कोई और जवाब दे भी नहीं पाती। मन में इच्छा न होते हुए भी उनके साथ मिलकर प्रार्थना करने जितनी ढोंगी और कपटी भी मैं नहीं थी। उस तरह से बात बन ही नहीं पाती। मुझे मम्मा के लिए बहुत-बहुत बुरा लगा। जिंदगी में पहली बार मुझे अहसास हुआ कि मेरी बेरुखी से वे निर्लिप्त नहीं थीं। उनका दुःख उनके चेहरे पर झलक रहा था। जब उन्होंने कहा कि प्रेम करने के लिए वह मुझे बाध्य

नहीं कर सकतीं। सच कहना बहुत कठिन होता है और सच यह है कि मैंने नहीं, खुद उन्होंने मुझे नकारा था। बिना सोचे-समझे की गई उनकी टिप्पणियों ने, जिन बातों को मैं बिल्कुल मजाकिया नहीं समझती थी, उन्हें लेकर किए गए उनके मजाक के कारण उनके मन का जो प्यार झलकता, उसके प्रति मैं बिल्कुल असंवेदनशील हुई थी। हर बार उनके क्रूर शब्द सुनकर मेरा दिल डूब जाता है। उसी प्रकार जब उन्हें अहसास हुआ कि हममें कोई प्यार नहीं बचा है तो उनका दिल भी डूब गया।

उस रात मम्मा आधी रात तक रोती रहीं। रात भर उन्हें नींद नहीं आई। डैडी मेरी ओर देखना टालते रहे और अगर उनकी आँखें मेरी आँखों से मिलतीं तो मुझे पता है, वे यही पूछते, 'तुम इतनी क्रूर कैसे बन सकती हो? अपनी माँ को इतना दुःखी करने का दुःसाहस तुममें आया कहाँ से?'

हर किसी को लगता है कि मैं मम्मा से माफी माँगूँ, लेकिन इस बात के लिए मैं उनसे माफी नहीं माँग सकती, क्योंकि मैंने सच कहा है। देर-सवेर माँ को इस बात का पता चल ही जाना था। मुझे मम्मा के आँसुओं की और डैड के इशारों की तरफ से बिल्कुल उदासीनता महसूस होती है। मैं उदासीन हूँ, क्योंकि उन दोनों को आज यह महसूस हो रहा है, जो मैं हमेशा से महसूस करती आई हूँ। अब मुझे मम्मा के बारे में बस बुरा लगता है। उन्हें खुद पता करना होगा कि उनका बरताव कैसा होना चाहिए। मेरी कहो तो मैं हमेशा शांत ही रहूँगी, अछूती रहूँगी। अब मैं सच्चाई से मुँह नहीं मोड़ूँगी, क्योंकि जितनी देर लगेगी, उन्हें यह स्वीकारने में उतनी ही देर लगेगी।

तुम्हारी ऐन

मंगलवार, 27 अप्रैल, 1943

मेरी सबसे प्रिय किट्टी,

झगड़े की आवाज और असर से घर अभी तक हिल रहा है। हर कोई दूसरे से गुस्सा है। मम्मा और मैं, मिस्टर वैनडैन और डैड, मम्मा और मिसेस वैनडैन। बड़ा गंभीर वातावरण है, तुम्हें ऐसा नहीं लगता? एक बार फिर ऐन की हर बार की दूसरों की कमियों वाली फेहरिस्त का दूर-दूर तक प्रसारण हुआ है।

पिछले शनिवार को हमारे जर्मन अतिथि फिर लौट आए हैं। शाम छह बजे तक वे रुके। हम सब ऊपर की मंजिल पर जाकर बैठे। एकाध इंच भी हिलने तक की हमारी हिम्मत नहीं थी। इमारत या पास-पड़ोस में अगर किसी के यहाँ काम नहीं हो रहा हो तो निजी दफ्तर में किसी की भी पदचाप दूर तक सुनी जा सकती है। इतनी देर तक बिना हिले-डुले बैठने के कारण आज फिर मेरे पैर पर चींटियाँ चढ़ गईं।

मि. वोस्कुइजिल को अस्पताल में भर्ती करा दिया गया है। क्लीमन दफ्तर लौट आए हैं। आमतौर पर जितनी देर में उनके पेट में खून रिसना बंद होता है, उससे जल्दी इस बार वे ठीक हुए हैं। उन्होंने बताया कि काउंटी क्लर्क के दफ्तर के साथ एक और बुरी बात हुई। आग बुझाने के लिए आए दमकल के लोगों ने वहाँ की न सिर्फ आग बुझाई, बल्कि पूरे दफ्तर में बाढ़ ला दी थी। सुनकर मुझे थोड़ा अच्छा लगा था।

कार्लटन होटल ध्वस्त कर दिया गया है। बमों से लदे दो अंग्रेजी विमान ठीक जर्मन अफसरों के क्लब के ऊपर गिरे थे। विजेलस्ट्राट और सिंगेल का पूरा हिस्सा जलकर खाक हुआ। दिनोदिन जर्मन शहरों पर होनेवाले हमलों में बढ़ोतरी होती जा रही है। युगों से हमें पूरी रात की नींद नसीब नहीं हुई, ऐसा लगता है। नींद की कमी के कारण मेरी आँखों के नीचे की चमड़ी फूल गई है।

हमारा खाना रूखा है। नाश्ते में बिना मक्खन की ब्रेड और कॉफी। पिछले दो हफ्तों से खाने में उबला हुआ पालक या लेंसूस के साथ बड़े-बड़े आलू मिलते हैं, जिनका स्वाद सड़े-मीठे आलू सा होता है। अगर आप डायट रखना चाहते हैं तो यह गुप्त भवन आपके लिए एकदम सही जगह है। ऊपरी मंजिल पर वे जोरदार शिकायतें करते रहते हैं, हालाँकि स्थितियाँ इतनी दु:खद भी नहीं हैं।

सभी डच लोग, जिन्होंने लड़ाइयाँ लड़ीं या सन् 1940 में जिन्हें युद्ध कैदियों की छावनियों में काम करने के लिए बुलाया गया था, उन्हें फिर से काम पर बुला लिया गया है। मुझे यकीन है कि हाल ही में हुए हमलों के चलते वे यह कदम उठा रहे हैं।

तुम्हारी ऐन

शनिवार, 1 मई, 1943

मेरी सबसे प्यारी किट्टी,

कल डुस्सेल का जन्मदिन था। पहले तो उसने ऐसे दिखाया, जैसे वह जन्मदिन मनाना नहीं चाहता हो, लेकिन जब मीप उपहारों से लदा एक बड़ा शॉपिंग बैग लेकर आई, तब वह बच्चों की तरह खिल उठा। इसकी प्रिय 'लोट्जे' ने उसके लिए अंडे भेजे थे। मक्खन, बिस्कुट, शरबत, ब्रेड, कॉगनैक, मसालों वाला केक, फूल, संतरे, चॉकलेट्स, किताबें और लिखने वाले कागज भी भेजे थे। पागल ने करीब तीन दिनों तक एक टेबल पर सजाकर सब उपहारों की प्रदर्शनी लगा रखी थी।

तुम यह न सोचो कि वह भूखा रहता है। हमें उसकी अलमारी में ब्रेड, चीज, जैम और अंडे मिले थे। जिस डुस्सेल को हमने शरण दी थी, जिसे विनाश से बचाया था और जिसके साथ हम सब बड़ी दयालुता से पेश आते थे, उसका इस तरह हमसे नजर

बचाकर हमारी पीठ पीछे खाते रहना, हमें कुछ नहीं देना, बिल्कुल अशोभनीय था। हमें तो उनकी जो बात सबसे बुरी लगती है, वह यह है कि वे मि. क्लीमन, मि. वोस्कुइजिल और बेप के साथ भी इसी तरह पेश आते हैं। उन्हें कुछ भी नहीं देते। डुस्सेल को लगता है कि क्लीमन के पेट के इलाज के लिए जिन संतरों की जरूरत है, उनसे अपने पेट का बेहतर इलाज हो सकता है।

आज इतनी बंदूकें चल रही हैं कि खुद मुझे चार बार अपनी चीजें समेटनी पड़ीं। आज मैंने अपना सूटकेस जरूरी चीजों से पैक किया, ताकि समय पड़े तो तुरंत उठाकर भागा जा सके; हालाँकि मम्मा ने एकदम पते का सवाल पूछा, "हम जाएँगे कहाँ?"

समूचे हॉलैंड के कर्मचारियों को या तो सजा दी जा रही है या कर्मचारी हड़ताल पुकार रहे हैं। मार्शल लॉ लागू किया गया है और नटखट बच्चो, इस बार सबको मक्खन का एक कूपन कम मिलेगा।

आज शाम मैंने मम्मा के बाल धोए। आजकल यह कोई आसान काम नहीं रह गया है। बाल धोने के लिए आजकल शैंपू नहीं मिलता, एक तरह का चीकट गीला साबुन मिलता है। इसके अलावा मम्मा को बाल बनाने में भी काफी मेहनत करनी पड़ती है। हमारी कंघी में अब बस दस दाँत बचे हैं।

तुम्हारी ऐन

रविवार, 2 मई, 1943

हमारी यहाँ की जिंदगी के बारे में जब मैं सोचती हूँ, तब ज्यादातर मैं इस निष्कर्ष तक पहुँचती हूँ कि छुपकर न रहनेवाले यहूदियों की तुलना में हम यहाँ स्वर्ग जैसे माहौल में रह रहे हैं। इसी प्रकार बाद में जब स्थितियाँ सामान्य हो जाएँगी, तब मेरे मन में ये खयाल आएँगे कि "हमेशा आरामदेह जिंदगी बितानेवाले हम कैसे इतने निचले स्तर तक गिरे।" मेरा मतलब हमारे कुल बरताव से है, जैसे कि खाने की मेज पर वही पुराना प्लास्टिक बिछा है, जो हम जिस दिन यहाँ रहने आए थे, तब बिछाया था। इतने लंबे अरसे से इस्तेमाल में होने के कारण हम उसे बिल्कुल साफ-सुथरा तो नहीं कह सकेंगे। उसे साफ रखने की मैं बहुत कोशिश करती हूँ; हालाँकि उसे साफ करने लिए उपयोग में लाया जाने वाला पोंछे का कपड़ा भी हमारे यहाँ रहने आने से पहले खरीदा गया था और चूँकि अब वह कपड़ा कम, छेद ज्यादा बन गया है, इसलिए उससे सफाई की ज्यादा उम्मीद नहीं की जा सकती और इस काम का कोई मोल नहीं है।

वैनडैन परिवार ने पूरी सर्दियाँ एक ही फ्लानेल की बैडशीट पर सोकर गुजारी हैं। यह चद्दर इसलिए नहीं धोया जा सकता, क्योंकि हमें बहुत कम साबुन मिलता है और

जितना भी मिलता है, वह लगभग बेकार का ही होता है। इसलिए कपड़ों की धुलाई के लिहाज से वह बेअसर साबित होता है। डैड बुरी तरह घिसी पैंट पहनकर घूमते हैं। उनकी टाई भी बेहद पुरानी दिख रही है। ममा के अंतर्वस्त्र फट गए हैं और अब उन्हें दुरुस्त नहीं किया जा सकता। मार्गो दो साइज छोटी ब्रा पहन रही है। मम्मा और मार्गो पूरी सर्दियों में अदल-बदलकर वही तीन चड्डियाँ पहनती रही हैं। मेरी चड्डियाँ अब इतनी छोटी पड़ गई हैं कि वे मेरा पेट ढक नहीं पातीं। खैर, इन सब चीजों को बदला जा सकता है, लेकिन कभी-कभी मेरे मन में खयाल आता है कि मेरी चड्डियों से लेकर डैड के शेविंग ब्रश तक, जिनकी हर चीज पुरानी और अनुपयुक्त हो गई है, वे युद्ध के बाद फिर अपनी पुरानी स्थितियों में लौटने की उम्मीद कैसे कर सकते हैं!

रविवार, 2 मई, 1943

युद्ध के बारे में गुप्त भवन के निवासियों का नजरिया

मिस्टर वैनडैन के बारे में हम सबकी यही राय है कि इन आदरणीय महाशय को राजनीति की खासी समझ है। उनकी भविष्यवाणी है कि हमें इस तरह सन् 1943 तक छुपकर रहना पड़ेगा। यह अवधि बहुत लंबी है, फिर भी 43 तक इस प्रकार रहा जा सकता है, लेकिन लोगों को केवल दुःख और वेदना देने वाला यह युद्ध तब तक खत्म होगा, इसका भरोसा हमें कौन दिला सकता है और तब तक हमें या हमारी मदद करनेवालों को कुछ नहीं होगा, इसका यकीन कौन दिलाएगा? कोई नहीं।

इसी कारण हर दिन तनाव से भरा होता है। उम्मीद और अपेक्षाओं के कारण तनाव पैदा होता है, डर पैदा होता है। उदाहरण के तौर पर जब घर के अंदर या बाहर हमें कोई आवाज सुनाई देती है, जैसी कि बंदूकों के चलने की आवाज है या जब हम अखबारों में कोई नई उद्घोषणा सुनते हैं, हमें इस बात का डर लगता है कि कहीं हमारी मदद करनेवालों को भी छुपना न पड़े। आजकल हर कोई छुपने की जरूरत बता रहा है। कितने लोग छुपकर जी रहे हैं, इसका भी हमें कोई अंदाजा नहीं है। आम लोगों की तुलना में छुपकर जीनेवाले लोगों की संख्या कम ही है। हॉलैंड में यहूदी और ईसाई लोगों को, फिर वे पैसेवाले हों या गरीब, कितने लोग अपने घरों में रखने को तैयार थे, यह सोचकर बाद में हमें आश्चर्य तो होना ही है। कई सारे लोग झूठे या गलत पहचान-पत्रों के साथ यहाँ बसर कर रहे हैं।

मिसेज वैनडैन ने, यानी इस छबीली नार ने (वह खुद को यही कहलवाती हैं) जब सुना कि आजकल आसानी से झूठे पहचान-पत्र बनाए जा सकते हैं, तब झट से प्रस्ताव रखा कि हम सब भी झूठे पहचान-पत्र बनवा लें, मानो कि वे जैसे मुफ्त में बँट

रहे हों या डैड और मिसेज वैनडैन के पास ढेर सारे पैसे हों।

मिसेज वैनडैन हमेशा बड़ी अजीब बातें करती रहती हैं। इससे मि. वैनडैन हमेशा उकताए रहते हैं। इस पर ज्यादा अचरज नहीं होता, क्योंकि एक दिन अगर केर्ली कहती हैं, ''यह सब जब खत्म हो जाएगा तो मैं बप्तिस्मा लेनेवाली हूँ।'' लेकिन दूसरे ही दिन वह कहेंगी, ''जरूसलेम जाने की मेरी बहुत पुरानी ख्वाहिश है। मेरा मेलजोल यहूदी लोगों के साथ ही सहज होता है।''

डैड बड़े आशावादी हैं। उनकी हर बात के पीछे कोई-न-कोई ठोस तर्क होता ही है, लेकिन डुस्सेल की बात अलग है। समयानुसार उनके तर्क बदलते रहते हैं और महाराज के खिलाफ जानेवाले दोबारा सोचें। अल्फ्रेड डुस्सेल के घर में उनका कहा शब्द ही कानून होता है, हालाँकि ऐन फ्रैंक को यह बहुत अखरता है।

एनेक्सी में रहनेवाले बाकी सदस्य युद्ध के बारे में क्या सोचते हैं, इस बात से कोई फर्क नहीं पड़ता। राजनीति की बात चलती है तो केवल इन चार लोगों की बातें ही मायने रखती हैं। असल में सिर्फ दो की चलती है और मिसेज वैनडैन तथा डुस्सेल अपने को उनके साथ गिनते हैं।

तुम्हारी ऐन

मंगलवार, 18 मई, 1943

मेरी सबसे प्यारी किट्टी,

हाल ही में मैंने जर्मन और अंग्रेज पायलटों को आपस में कुत्तों की तरह लड़ते देखा। दुर्भाग्य से मित्रराष्ट्रों के कुछ हवाई जहाज पायलटों को जलते हुए हवाई जहाज से कूदना पड़ा। हाफवेग में रहनेवाले हमारे दूधवाले ने चार कनाडावासियों को सड़क के किनारे बैठा हुआ देखा। उनमें से एक डच भाषा बहुत अच्छी तरह बोल लेता था। उसने हमारे दूधवाले से पूछा कि सिगरेट जलाने के लिए क्या उसके पास आग है? फिर उसने बताया कि हवाई जहाज में कुल छह कर्मचारी थे। पायलट जलकर खाक हो गया और पाँचवाँ कर्मचारी कहीं छिप गया है। जर्मन सुरक्षा पुलिस इन चार कर्मचारियों को, जो बिल्कुल घायल नहीं थे, लेने आई। जलते हुए हवाई जहाज से पैराशूट लगाकर कूदनेवालों के दिमाग इतने ठीक-ठाक कैसे काम करते होंगे भला?

भयंकर गरमी होने के बावजूद हर दूसरे दिन हमें कूड़ा जलाने के लिए आग जलानी पड़ती है। गोदाम में काम करनेवाले देख लेंगे, इस डर के कारण कोई भी चीज हम कूडेदान में फेंक नहीं सकते। कोई छोटी सी लापरवाही हुई नहीं कि हम गए बारह के भाव में।

कॉलेज के सभी छात्रों से आधिकारिक बयान पर हस्ताक्षर करवाए गए, जिसमें कहा गया था कि "वे जर्मन लोगों के प्रति सहानुभूति रखते हैं और नए आदेश को मानते हैं। अस्सी प्रतिशत लोगों ने तय किया है कि वे अपनी विवेकबुद्धि की मानकर चलेंगे, हालाँकि इस बात की बड़ी भयंकर सजा मिलना तय है। जो छात्र हस्ताक्षर करने से इनकार करेंगे, उन्हें जर्मन लेबर कैंप भेजा जाएगा। अगर उन्हें जर्मन मजदूर छावनियों में खटना पड़े तो इस देश के युवाओं का भविष्य क्या होगा?

कल रात गोलियाँ चलने की इतनी तेज आवाजें आ रही थीं कि मम्मा ने खिड़कियाँ बंद कर दीं। मैं पिम के बिस्तर में थी। अचानक मिसेज वैनडैन के कूदने की आवाज हमें ठीक हमारे सिर के ऊपर सुनाई दी, मानो मौशी ने उन्हें काट खाया हो। उससे ठीक बाद धमाके की ऐसी आवाज सुनाई दी, मानो मेरे बिस्तर के पास बम फटा हो, "बिजली जलाओ!" मैं चिल्लाई।

पिम ने बत्ती जलाई। मुझे लगा था कि कमरा किसी भी पल आग की लपटों से घिर जाएगा, लेकिन कुछ नहीं हुआ। हम सब दौड़कर क्या चल रहा है, देखने के लिए ऊपर पहुँचे। मि. और मिसेज वैनडैन ने खिड़की से बाहर लाल लपटें उठती हुई देखी थीं। मि. वैन को लगा था कि आस-पास कहीं आग लग गई होगी, जबकि मिसेज वैनडैन को यकीन था कि हमारा घर ही जल रहा है। मिसेज वैनडैन काँपती हुई अपने बिस्तर के पास खड़ी थीं, जब यह धमाके की आवाज हुई। डुस्सेल सिगरेट पीने के लिए ऊपर ही रहा। हम रेंगते हुए लौटते हुए, अपने बिस्तरों पर लेट गए। पंद्रह मिनट भी नहीं बीते होंगे कि फिर गोलियाँ चलने लगीं। मिसेज वैन डी बिस्तर से कूदकर निचली मंजिल पर डुस्सेल के कमरे में आश्वस्त होने पहुँचीं। उन्हें अपने पति के पास सुरक्षा महसूस नहीं हो रही थी। डुस्सेल ने उनका स्वागत यह कहकर किया, "मेरे बिस्तर में आओ, मेरे बच्चे!" बंदूकों की आवाजें भी हम पर रोक नहीं लगा पाई और हम सब ठठाकर हँस पड़े। हम सबका डर छूमंतर हो चुका था।

तुम्हारी ऐन

रविवार, 13 जून, 1943

मेरी सबसे प्यारी किट्टी,

डैड ने मेरे जन्मदिवस पर जो कविता लिखी है, वह इतनी अच्छी है कि मैं उसे सबको सुनाना चाहती हूँ।

पिम केवल जर्मन भाषा में ही लिखते हैं, इसलिए मार्गो ने उसे डच भाषा में अनुवादित करने का जिम्मा लिया। उसने बहुत अच्छा अनुवाद किया है। यह तुम खुद

पढ़कर देख लो। साल भर की सामान्य घटनाओं के वर्णन के साथ यह शुरू होती है। आगे वे कहते हैं—

हम सबमें वह अल्पायु है, लेकिन छोटी बिल्कुल नहीं,
जीवन तुम्हारी परीक्षा ले सकता है, क्योंकि हम पर एक जिम्मेदारी है,
गुरु बनने की, जो कि बेहद उबाऊ है।
हमारे पास अनुभव है, हमसे पूछा न।
हमने पहले यह सब किया है, देखो न।
हमें सब पता है, यह सब हम जानते हैं।
युगों-युगों से ऐसा ही चलता आया है।
अपनी कमियाँ रुई के रोएँ जैसी होती हैं।
औरों की कमियाँ भारी-भरकम होती हैं।
औरों के कामों की मीनमेख निकालना आसान होता है,
लेकिन माँ-पिता के लिए बेहद कठिन होता है, भले वे कोशिश करें,
वे हमेशा तुम्हारे साथ न्याय और दयालुता से पेश आते हैं।
ऐसी आदत, जिससे बमुश्किल छुटकारा मिलता है।
तुम जिनके साथ रहती हो, वे सब बूढ़े लोग हैं, तुम्हें उनके साथ मिलजुलकर रहना है।
टोकाटाकी सहकर, कठिन है, लेकिन यही सच है।
कड़वी गोली होगी, लेकिन निगलनी तो पड़ेगी।
क्योंकि, तभी शांति रहेगी, जान लो।
यहाँ रहते कई महीने बीते, वे सब बेकार नहीं गए हैं।
समय जाया करना अपने दिमाग का नुकसान करना है।
तुम लगभग दिन भर पढ़ती हो, पढ़ाई करती रहती हो।
इसी तरह ऊब को भगाने की तुमने ठानी है।
लेकिन इससे कठिन और असहनीय सवाल यह है कि
''आज मैं कौन से कपड़े पहनूँ?''
मेरे पास चड्डियाँ नहीं हैं, मेरे सारे कपड़े तंग हो चुके हैं।
मेरी कमीज लँगोट जैसी हुई है, मैं सचमुच¨¨हूँ।
जूते पहनने के लिए मुझे उँगलियाँ कटवानी पड़ेंगी।
प्रिय, मेरे पीछे इतने दुःख पड़े हुए हैं।''

'सोने' के साथ अनुप्रास जुड़ने वाला शब्द ढूँढ़ने में मार्गो को दिक्कत हो रही थी। इसलिए उसे मैंने यहाँ जोड़ा नहीं है, लेकिन यह बात अगर छोड़ दें तो क्या आपको यह कविता अच्छी नहीं लगी?

और क्या बताऊँ? उस दिन मेरे बहुत लाड़ हुए। मुझे कई सारे प्यारे उपहार मिले। 'यूनानी और रोमन पुराण' इस विषय की एक किताब भी मुझे मिली। कैंडीज के बारे में भी मैं शिकायत करूँ ऐसी बात नहीं थी। बहुत कैंडियाँ मिली थीं। हर किसी ने अपनी बची-खुची कैंडियाँ उपहार में दे डाली थीं। एनेक्स के बेंजामिन के तौर पर मुझे अपनी योग्यता से अधिक मिला।

तुम्हारी ऐन

मंगलवार, 15 जून, 1943

मेरी सबसे प्रिय किट्टी,

बहुत सारी बातें घटी हैं। कई बार मुझे लगता है कि मैं अपनी उबाऊ बातों से तुम्हें उबा देती हूँ और तुम कम चिट्ठियों के लिए कहोगी। सो मैं अपनी खबरों को संक्षिप्त रखूँगी।

आखिर मि. वोस्कुइजिल के अलसर का ऑपरेशन नहीं किया गया। एक बार डॉक्टर उसे ऑपरेशन टेबल तक ले गए। उन्होंने उनको खोला भी, लेकिन देखा कि उन्हें अल्सर नहीं, कैंसर है। कैंसर इतनी अगड़ी हालत तक पहुँचा था कि शल्यक्रिया करने का कोई फायदा नहीं था। इसलिए डॉक्टरों ने उन्हें वापस सिल दिया और वापस घर भेज दिया, लेकिन डॉक्टरों से एक अक्षम्य गलती हुई। उन्होंने बेचारे वोस्कुइजिल को सब सच बता दिया। वे अब काम नहीं कर सकते। वे अब अपने आठ बच्चों से घिरे घर में बैठे रहते हैं। सब उनकी मौत के बारे में सोचते रहते हैं। मुझे उनके लिए बहुत गुस्सा आता है, वरना जितनी बार संभव हो पाता, मैं उनसे मिलने जाती, अपनी मौत के खयाल से उनका मन डिगाने की कोशिश करती। अब हमें गोदाम में क्या काम हो रहा है, क्या बातचीत चल रही है, यह बतानेवाला उनके जैसा अच्छा व्यक्ति कोई नहीं, यह हमारा सबसे बड़ा नुकसान था। मि. वोस्कुइजिल हमारी मदद करनेवाला सबसे बड़ा स्रोत थे। वे हमारा सहारा थे, सुरक्षा के मामले में। हमें उनकी बहुत कमी खलेगी।

अगले महीने में हमारा रेडियो अधिकारियों को लौटाने की हमारी बारी थी। हमारा सुंदर कैबिनेट रेडियो हमें लौटाना पड़ेगा। उसकी जगह अब मि. क्लीमन हमें जो छोटा रेडिया सेट देनेवाले थे, जो उन्होंने अपने घर में छिपाकर रखा था, उसी से हमें काम चलाना पड़ेगा। हमारा फिलिप्स का बड़ा रेडियो हमें उन्हें सौंपना पड़ेगा, यह बहुत बुरी बात थी, लेकिन हम जब छिपकर जी रहे होते हैं, तब अधिकारियों को अपने पीछे आने का न्योता नहीं दिया जा सकता। छोटा रेडियो हम ऊपर की मंजिल पर ही लगवानेवाले थे। गुप्त भवन के साथ गुप्त रूप से रहनेवालो यहूदियों का गुप्त रेडियो।

समूचे देश में लोग एकाध छोटे पुराने रेडियो की खोज में हैं, जिससे वे अपना साहस बचाने वाले रेडियो के बदले अधिकारियों को सौंप सकें और यह सही भी था। बाहर से आने वाली खबरें बद से बदतर बनती जा रही थीं। अपनी अद्भुत आवाज में रेडियो हमें साहस बँधाता, आशा का दामन नहीं छोड़ने की बात बताता। वह हमें अपने आपको बताने के लिए कहता, ''धीरज रखो, मन को उम्मीद का दामन छोड़ने न दो, सबकुछ बेहतर ही होनेवाला है।''

तुम्हारी ऐन

रविवार, 11 जुलाई, 1943

मेरी प्यारी किट्टी,

हजारवीं बार एक बार फिर बच्चों की परवरिश के बारे में बात करते हुए मैं आपको बताना चाहूँगी कि यह काम आसान करने के लिए मैं अपनी ओर से भरसक कोशिश कर रही हूँ। मैं मदद करती हूँ, सबके साथ दोस्ताना व्यवहार रखती हूँ, दयाभाव रखती हूँ और झिड़कियों की बारिश बूँदाबाँदी तक सीमित रखने के लिए जो भी संभव है, वह सब करती हूँ।

जो लोग तुम्हें कतई पसंद न हों, खासकर उनके साथ आदर्श बच्चे की तरह हमेशा पेश आना आसान नहीं होता, खासकर आप आदर्श व्यवहार के एकाध शब्द से भी आप सहमत नहीं रहते; हालाँकि बाद में मेरी समझ में आया कि मैं अपने जो मन में आए, वह कह देने वाले अपने पुराने तरीके को छोड़कर थोड़ा ढोंग या बनावटीपन अपनाऊँ तो काफी आगे बढ़ सकती हूँ। मैं अपनी तरफ से सलाह देती रहती हूँ, लेकिन कोई उसे मानता नहीं। कई बार मैं अपनी भूमिका भूल जाती हूँ और गुस्सा करने लगती हूँ, खासकर तब, जब वे मेरे साथ सही तरह से पेश नहीं आते। फिर अगला पूरा महीना वे मुझे दुनिया की बेहद मुँहजोर लड़की कहते रहते हैं। क्या आपको ऐसा नहीं लगता कि कभी-कभार मुझ पर भी दया की जानी चाहिए? यह तो अच्छी बात है कि मैं चिड़चिड़ी लड़की नहीं हूँ, अगर होती तो मैं रूठ जाती और मुझे गुस्सा आता। ज्यादातर वे जब मुझ पर गुस्सा करते है, तब मेरा ध्यान उनकी हास्यास्पद बातों पर ही जाता है, हालाँकि ऐसा करना तब आसान होता है, जब भट्ठी में किसी और को तपाया जा रहा होता है।

और कि बहुत सोचने के बाद मैंने तय किया है कि मैं अपनी शॉर्टहैंड की पढ़ाई छोड़ दूँगी। इससे जो फायदे होंगे, उनमें सबसे पहला फायदा यह होगा कि मुझे अपने विषयों की पढ़ाई के लिए काफी समय मिलेगा। यह मेरी आँखों के लिए भी ठीक

रहेगा। यह दुःखद बात है। मैं बहुत कम बीबिनाई हो गई हूँ। मुझे काफी समय पहले ही चश्मा पहनना शुरू कर देना चाहिए था। (चश्मा पहनकर मैं पागल जैसी लगूँगी, है न?) लेकिन, जैसा कि आप जानते हैं, जो लोग छुपकर जीते हैं, वे...

कल यहाँ हर कोई ऐन की आँखों के बारे में ही बात कर रहा था, क्योंकि मम्मा ने मुझे मिसेज क्लीमन के साथ ऑपथॉल्मॉलॉजिस्ट के यहाँ जाने के लिए कहा था। बस यह सनकर ही मेरे घुटने कमजोर पड़ गए, क्योंकि यह कोई छोटी बात तो थी नहीं। बाहर जाना। जरा सोचिए, रास्ते पर खुली सड़क पर चलना। मैं सोच भी नहीं सकती। शुरू-शुरू में मैं बेहद डर गई थी। फिर मुझे खुशी भी हुई थी, लेकिन यह इतना आसान भी नहीं था। जिन विभिन्न अधिकारियों से इजाजत लेनी थी, उन सबकी राय एक नहीं हो पा रही थी। पहले उन्हें इस काम में आनेवाली कठिनाइयाँ और जोखिमों को आँकना होगा। मीप तुरंत निकलने के लिए भी तैयार थी, मुझे बस उनके पीछे-पीछे जाना था। दरमियान के समय में मैंने अपना सलेटी रंग का कोट अलमारी से निकाल भी लिया था, लेकिन वह इतना छोटा था और मेरी छोटी बहन का हो, ऐसा लग रहा था। हमने उसकी तुरपाई खोल दी, लेकिन मैं उसके बटन बंद नहीं कर पा रही थी। वे क्या तय करते हैं, यह जानने की मुझे उत्सुकता है। बस वे कोई योजना बनाने से रहे, क्योंकि अंग्रेज सिसिली में आ चुके थे और डैड का कहना था कि अब तुरंत निर्णय होगा, युद्ध समाप्त होगा।

बेप मुझे और मार्गो को दफ्तर का बहुत सारा काम दे रही हैं। इस काम के कारण हम दोनों को अपने महत्त्वपूर्ण व्यक्ति होने का अहसास हो रहा है। हमारे काम करने से उसे भी बड़ी मदद मिल रही है। खतों को फाइलों में लगाना, हिसाब वाली किताब में प्रविष्टियाँ दर्ज करना आदि काम तो कोई भी कर सकता है, लेकिन हम उसे बड़ी अचूकता से करती थीं।

मीप को इतनी चीजें उठाकर लानी-ले जानी पड़ती हैं, काम के समय वह बोझ से लदे खच्चर की तरह दिखाई देती है। वह लगभग हर रोज सब्जियाँ खरीदने जाती है और सब्जियों से भरी बड़ी-बड़ी थैलियाँ लादकर साइकिल चलाती हुई लौट आती है। हर शनिवार के दिन लाइब्रेरी से पाँच किताबें भी वही हमें ला देती। हम सब शनिवार का बड़े उत्साह के साथ इंतजार करते, क्योंकि शनिवार, यानी किताबें। हम सब छोटे बच्चों जैसे बनकर मिलनेवाले पुरस्कार का ही मानो इंतजार कर रहे होते थे। जिन्हें छुपकर रहना पड़ता है, उनके लिए किताबें क्या होती हैं, तुम नहीं जानती हमारा एक ही मन-बहलाव है, पढ़ना और रेडियो सुनना।

तुम्हारी ऐन

मंगलवार, 13 जुलाई, 1943

बेहतरीन छोटी मेज

डैड ने कल दोपहर मुझे मि. डुस्सेल से छोटी मेज के बारे में पूछने की इजाजत दी। मुझे उनसे पूछना था कि मि. डुस्सेल, क्या आप मुझे अपने कमरे की टेबल अपराह्न चार बजे से चार बजे से साढ़े पाँच बजे तक हफ्ते में दो दिन इस्तेमाल करने की इजाजत देंगे ?

(देखा, मैं कितनी विनीत हूँ।) दोपहर में ढाई-बजे से चार बजे तक जब डुस्सेल आराम करते हैं, तब मैं टेबल का इस्तेमाल करती हूँ, लेकिन इसके अलावा पूरे समय उस कमरे से और टेबल से मुझे दूर रहना पड़ता है। दोपहर के समय पड़ोसवाले कमरे में पढ़ाई करना मुश्किल होता है, क्योंकि वहाँ बहुत कुछ चलता रहता है। इसके अलावा डैड दोपहर के समय कभी-कभी उस टेबल पर काम करना पसंद करते हैं।

इसलिए मेरी विनती जायज ही थी और मैंने बेहद विनीत होकर डुस्सेल से प्रार्थना की थी। उस पढ़े-लिखे महोदय का जवाब क्या था, ऐसा आपको लगता है ? नहीं! बस केवल एक शब्द 'नहीं।'

मैं चिढ़ गई और सोचा कि चुप नहीं रहूँगी। इस 'नहीं' का कारण मैंने उनसे पूछा, लेकिन इसका मुझे कुछ लाभ नहीं हुआ, क्योंकि उन्होंने जो जवाब दिया, उसका सार था, "मुझे भी पढ़ाई करनी होती है। दोपहर के समय अगर मैं पढ़-लिख नहीं पाया तो मेरा काम पूरा नहीं होगा। मैंने अपने लिए जो काम तय कर रखे हैं, उन्हें मुझे पूरा करना ही होगा वरना ऐसे काम शुरू करने का कोई मतलब ही नहीं। इसके अलावा मुझे नहीं लगता कि तुम अपनी पढ़ाई गंभीरता के साथ करती हो। पुराणशास्त्र, यह भी कोई काम है ? पढ़ना और साथ-साथ स्वेटर बुनना भी कोई पढ़ाई होती है। मैं वह टेबल इस्तेमाल करता हूँ और मैं उसे छोड़ूँगा नहीं।"

मैंने कहा, "मि. डुस्सेल, मैं अपने काम को लेकर बहुत गंभीर हूँ। दोपहर के समय मैं पड़ोस वाले कमरे में पढ़ नहीं सकती। आप अगर मेरी विनती पर एक बार और गौर कर लें तो मुझे बहुत अच्छा लगेगा।"

ये शब्द कहने के बाद खुद को अपमानित समझती ऐन ने उनकी ओर पीठ फेर ली और ऐसे बरतने लगी, मानो मि. डुस्सेल, वह ज्ञानी डॉक्टर वहाँ हो ही नहीं। गुस्से से मैं उबल रही थी। मुझे लग रहा था कि डुस्सेल मेरे साथ बहुत अपमानजनक तरीके से पेश आ रहे हैं (जो कि सच भी है।) और कि मैं उनके साथ बेहद सभ्य ढंग से पेश आ रही हूँ।

उसी दिन शाम को जब पिम से बात संभव हो पाई, मैंने उन्हें जो हुआ था, सब

बताया। मुझे आगे क्या करना होगा, पहला कदम कौन सा उठाना होगा, इस बारे में हमने बातचीत की। हार मानने की मेरी इच्छा नहीं थी और मैं चाहती थी कि मामले को मैं ही निपटूँ। पिम ने मोटे तौर पर डुस्सेल के साथ कैसे पेश आना चाहिए, यह बताया; हालाँकि उन्होंने आगाह भी किया कि अभी मैं बेहद गुस्से में हूँ। इसलिए डुस्सेल से निपटने के लिए कल तक इंतजार करूँ। मैंने उनकी आखिरी सलाह नजरंदाज कर दी। किचन के बरतन साफ करने के बाद मैं उनकी राह देखने लगी। पिम अगले कमरे में बैठे थे। उनसे मुझे थोड़ा साहस बँधा रहा।

मैंने कहा, मि. डुस्सेल, इस मसले पर आगे बातचीत करने का कोई मतलब नहीं, ऐसा आपको लगता होगा, लेकिन मेरी प्रार्थना है कि आप मेरे सुझाव पर एक बार और गौर करें।

मेरी ओर देखकर मि. डुस्सेल बड़े प्यारे अंदाज में मुसकराए और उन्होंने कहा, ''मैं बातचीत के लिए हमेशा तैयार रहता हूँ। भले मसला पहले ही हल क्यों न किया गया हो।''

इसके बाद मैं बोलती चली गई। मि. डुस्सेल बार-बार मुझे रोकने की कोशिश करते रहे, लेकिन मैं रुकी नहीं। आप जब यहाँ पहली बार आए, मैंने उनसे कहा, ''तब यह बात तय हुई थी कि कमरा हम दोनों में साझा होगा। अगर सही ढंग से उसे बाँट लेना हो तो आप पूरी सुबह उसे इस्तेमाल कर सकते हैं और मैं पूरी दोपहर, लेकिन मैं इतना समय नहीं माँग रही हूँ। हफ्ते भर में केवल दो दुपहरियाँ मैं माँग रही हूँ, जो मुझे बिल्कुल सही लगता है।''

पिन पर बैठे हों, जैसे अचानक डुस्सेल अपनी कुरसी से उछलकर खड़े हो गए। बोले, ''इस कमरे पर अपने हक की बात तुम नहीं कर सकती। मैं कहाँ जाऊँगा ? शायद मुझे मि. वैनडैन से मेरे लिए बालाखाने में एक आरामदेह कमरा बनवाने के लिए कहना होगा, क्यों ? काम करने के लिए शांत जगह की तलाश करनेवाली तुम अकेली नहीं हो। तुम हमेशा झगड़ने के मौके ढूँढ़ती रहती हो। तुम्हारी बहन मार्गो अगर यही प्रार्थना लेकर आती तो, चूँकि उसे पढ़ाई के लिए जगह की ज्यादा जरूरत है, इसलिए मैं कभी मना करने के बारे में सोचता तक नहीं, लेकिन तुम्हें…''

एक बार फिर वह पुराणशास्त्र और बुनाई के विषयों को खींचकर ले आए। ऐन फिर से अपमानित हुई; हालाँकि मैंने ऊपर से कुछ नहीं व्यक्त किया। डुस्सेल को मैंने उनकी बात पूरी करने दी, ''लेकिन नहीं, तुमसे तो बात करना मुश्किल है। हर दर्जे की स्वयं केंद्रित और स्वार्थी लड़की हो तुम। अपनी मर्जी करनी है बस, किसी और का जरा भी खयाल नहीं। ऐसा बच्चा मैंने पहले कभी नहीं देखा। खैर, इतनी सब कहा-सुनी के बाद भी मैं तुम्हारी ही चलने दूँगा, क्योंकि मैं नहीं चाहता कि आगे चलकर लोग

यह कहें कि ऐन फ्रैंक परीक्षा में इसलिए असफल रही, क्योंकि डुस्सेल ने अपनी टेबल छोड़ने से इनकार किया।''

वे और भी बोलते रहे, बहुत कुछ, इतना कि आखिर शब्दों की उस बाढ़ में मैं बह गई। मैं समझ ही नहीं पा रही थी कि आखिर वे चाहते क्या हैं। पल भर के लिए एक बार मुझे लगा, 'वह और और उसके झूठ।' मैं उसके मुँह पर एक ऐसा मुक्का मारूँ कि वह सामने वाली दीवार के उस पार जाकर गिरें, लेकिन अगले पल मुझे लगा, 'दिमाग को ठंडा रखो ऐन। उसके लिए अपने आपको इतना परेशान करने की जरूरत नहीं है।'

मि. डुस्सेल का गुस्सा बड़े लंबे समय बाद ठंडा हुआ। फिर बोलना रोककर, चेहरे पर एक साथ जीत और क्रोध के लक्षण प्रकट कर और कोट की जेबों में ढेर सारी खाने की चीजें लेकर वे कमरे से बाहर चले गए।

मैं दौड़ते हुए डैड के पास गई और जो कुछ हुआ था, सब उन्हें बताया या सब न सही, वे हिस्से, जहाँ जो कह रहे थे, वे खुद नहीं जान पा रहे थे। पिम ने उसी दिन शाम को डुस्सेल से बात करना तय किया। वे बोले भी, आधे घंटे से अधिक समय तक उनमें बातचीत हुई। ऐन को टेबल का इस्तेमाल करना चाहिए या नहीं, हाँ या न, इस विषय में सबसे पहले उनमें बातचीत हुई। डैड ने बताया कि इससे पहले भी एक बार इस विषय में मि. डुस्सेल के साथ उनकी बातचीत हुई थी, जिसमें डैड ने डुस्सेल की बात सिर्फ इसलिए स्वीकारी थी, क्योंकि कम उम्र लोगों के सामने किसी बुजुर्ग की बात टालना उन्हें ठीक नहीं लगा था, वरना उस समय भी डैड को मिस्टर डुस्सेल की बात अखरी थी। डुस्सेल की माँग सही नहीं थी और डुस्सेल को लगता था कि इस बारे में बोलने का मुझे कोई अधिकार नहीं है, मानो वह कोई हमलावर विदेशी शासक हो और नजर पड़नेवाली हर चीज पर कब्जा करना चाहता हो। लेकिन डैड ने अडिग रहकर उसकी हर बात का विरोध किया, उन्होंने मुझे कभी इस तरह की बात करते हुए नहीं सुना था। इसलिए संभाषण बार-बार उसी मुद्दे पर आता रहा। डैड बार-बार डुस्सेल की राय में मेरा जो 'स्वार्थ' और 'काम की व्यस्तता' थी, के पक्ष में बोलते रहे और मि. डुस्सेल पूरे समय शिकायतें करते रहे।

आखिर डुस्सेल को घुटने टेकने ही पड़े। मुझे हफ्ते में दो दिन, दो घंटों तक बिना रुकावट के काम करने का मौका दिया गया। डुस्सेल रूठे हुए और मुँह फुलाए रहे, मुझसे उन्होंने दो दिन तक बात नहीं की और ठीक पाँच बजे से साढ़े पाँच बजे के बीच टेबल मुझसे लेने की कोशिश में लगे रहे। मेरी राय में यह उनका बचपना था। जो चौवन वर्ष की उम्र में भी इतना अड़ियल और क्षुद्र हो, वह इन गुणों के साथ ही पैदा हुआ रहता है। वह कभी बदल नहीं सकता।

शुक्रवार, 16 जुलाई, 1943

मेरी सबसे प्यारी किट्टी,

एक और बार गुप्त भवन में चोर घुसे, इस बार सचमुच के चोर घुसे। हर रोज की तरह आज सुबह सात बजे के करीब पीटर गोदाम में गया और तुरंत उसके ध्यान में अया कि गोदाम का दरवाजा और सड़क का दरवाजा खुला है। उसने तुरंत यह बात पिम को बताई। वह तुरंत निजी दफ्तर गए, जर्मनी का रेडियो स्टेशन चलाया और दरवाजे पर ताला लगाया। फिर वे दोनों ऊपर आए। ऐसी स्थितियों में हमारे लिए यही सूचना होती थी कि नहाना-मुँह धोना नहीं, पानी गिराना नहीं, बिल्कुल शांत रहना, आठ बजे तक कपड़े पहनकर तैयार रहना और गुसलखाने का इस्तेमाल बिल्कुल नहीं करना। हमेशा की तरह इन सूचनाओं का हमने पालन किया। हम सबको इस बात की खुशी थी कि हम सब रात भर गहरी नींद सोए थे और हममें से किसी को भी किसी तरह की आवाज सुनाई नहीं दी थी। कुछ देर हम सब नाराज थे, क्योंकि सुबह नीचे से कोई ऊपर नहीं आया था। मि. क्लीमन ने साढ़े ग्यारह बजे तक हमें इसी अनिश्चय की स्थिति में रखा। बाद में जब वे आए, तब बताया कि चोरों ने बाहरी और गोदाम के दरवाजे तोड़ दिए थे। इस काम के लिए उन्होंने सरिए का इस्तेमाल किया था, लेकिन उन्हें जब चोरी करने लायक कुछ नहीं मिला तो उन्होंने अगली मंजिल पर किस्मत आजमाई। वहाँ से उन्होंने दो बक्से नगदी चुराई, जिनमें हरेक में 40 गिल्डर्स, खाली चेक बुक्स और सबसे बुरी खबर कि 330 पौंड्स के चीनी के कूपन्स चुराए, जो हमें मिलने वाली कुल चीनी के कूपन्स थे। फिर से नए कूपन्स जुटाना संभव नहीं था। मि. कुग्लर की राय में जिसने यह चोरी की, वह छह माह पूर्व हुई चोरी और तीनों दरवाजों को खोलने की कोशिश में शामिल गैंग का सदस्य था। उस गैंग ने गोदाम का और बाहर के दो दरवाजे तोड़ने की कोशिश की थी।

इस चोरी के कारण एक बार और सब लोग हिल गए, लेकिन लगता है कि गुप्त भवन अब उत्तेजना के सहारे ही साँस लेता है। जाहिर है कि हम सब खुश थे कि कैश रजिस्टर और टाइपराइटर हमने पहले से अपने कपड़ों की अलमारी में रखे थे।

तुम्हारी ऐन

ध्यान रहे : सिसिली में लैंड कर गए।…से एक और कदम करीब।

सोमवार, 19 जुलाई, 1943

मेरी सबसे प्यारी किट्टी,

रविवार को उत्तर एमस्टरडम पर भारी बमबारी हुई। बमबारी में वहाँ बड़े पैमाने पर तबाही हुई। सभी सड़कें अवशेष मात्र रह गई हैं। गड़े हुए मुरदे उखाड़कर निकालने में उन्हें लंबा समय लगेगा। अब तक वहाँ 200 की जानें गई हैं, अनगिनत लोग जख्मी हुए हैं, अस्पतालों में मरीजों का हुजूम इकट्ठा है। धधकते हुए मलबे में अपने माता-पिता को खोई हुई नजरों से खोजते हुए बच्चों की कहानियाँ हमें बताई जा रही हैं। बरबादी की खबर देने वाली धीमी, दूर से आने वाली ड्रोन की आवाज के बारे में मेरा पूरा बदन अभी भी काँपता है।

शुक्रवार, 23 जुलाई, 1943

बेप को अब नोटबुक्स मिली हैं, खासकर जर्नल्स, लेजर्स आदि ज़ो हिसाब लिखनेवाली मेरी बहन के काम आएँगे। अन्य तरह की नोटबुक्स भी बिक्री के लिए रखी गई हैं, हालाँकि वे कैसी हैं या कितने दिनों तक चल पाएँगी, यह मुझसे न पूछना। फिलहाल उन पर 'कूपन्स की जरूरत नहीं' की चिप्पी लगी है। अन्य उन सभी चीजों की तरह, जो बिना कूपन्स के खरीदी जाती हैं, ये भी खरीदी जा सकती हैं; हालाँकि वे बेकार हैं। उनमें 12 पृष्ठ होते हैं, जो 'ग्रे' रंग के होते हैं। उन पर रेखाएँ बहुत करीब होती हैं और कुछ में किनारे की और झुकी हुई तिरछी होती हैं। मार्गो कैलिग्राफी में कोर्स करने की सोच रही है। मैंने उससे यह कोर्स जरूर करने की सलाह दी है। मेरी आँखों की कमजोरी की वजह से मम्मा मुझे यह कोर्स करने की अनुमति नहीं दे रही; हालाँकि मुझे उनकी चिंता बेवजह लगती है। मैं अगर वह करूँ या कुछ और, सबमें होना वही है। किट्टी, तुमने कभी युद्ध नहीं देखा है और मेरे खतों के बाद भी तुम्हें गुप्त रूप से रहने के बारे में भी बहुत कम जानकारी है, इसलिए बस मजाक के तौर पर मैं तुम्हें बताती हूँ कि गुप्त भवन में छिपकर रहनेवाले हर इनसान की यहाँ से छूटते ही कौन सी बात पहले करने की इच्छा है।

मार्गो और मि. वैनडैन को अन्य बातों के अलावा गरमागरम पानी से लबालब भरे पानी में कम-से-कम आधे घंटे से ज्यादा देर तक डूबे रहकर नहाना है। मिसेस वैनडैन को एक बढ़िया केक खाना है। डुस्सेल को और कुछ नहीं, अपनी चारलोटे से मिलना है, मम्मा को बस एक कम असली कॉफी की प्यास है। डैड मि. वोस्कुइजिल से मिलना चाहते हैं, पीटर को शहर में घूमना है और मुझे¨ मैं इतनी खुश हो जाऊँगी

कि क्या करना है, यही मुझे समझ नहीं आएगा।

सबसे ज्यादा तो मुझे अपना घर चाहिए, जिसमें मैं आजादी से घूम सकूँ और जहाँ मुझे अपना होमवर्क पूरा करने में कोई मदद करे। दूसरे शब्दों में कहूँ, जहाँ रहकर मैं स्कूल में पढ़ सकूँ।

बेप ने हमारे लिए फल लाने की बात कही है। कहा है कि फलों पर कुछ छूट मिल रही है। अंगूर 2.50 गिल्डर्स में एक पौंड, आँवले एक पौंड के लिए 70 सेंट्स, एक पीच 50 सेंट्स, खरबूजा 75 सेंट्स में एक पौंड। तभी शाम को अखबारों की सुर्खियाँ कहती हैं, 'कीमतें कम रखो।'

सोमवार, 26 जुलाई, 1943

प्रिय किट्टी,

कल का दिन बड़ा संघर्ष पूर्ण रहा। हम सब अभी तक थके हुए हैं। सच कहूँ तो, हो सकता है, तुम भी कहो कि यहाँ का कोई दिन उत्तेजना पैदा किए बगैर ढलता ही नहीं।

हम नाश्ते की टेबल पर थे, तब सुबह ही सुबह पहली खतरे की घंटी बजी। हमने कोई ध्यान नहीं दिया, क्योंकि उसका मतलब होता था कि हवाई जहाज किनारा पार कर रहे हैं। मेरा सिर दर्द से फटा जा रहा था, इसलिए नाश्ते के बाद मैं घंटे भर के लिए लेटी रही। उसके बाद करीब दो बजे मैं दफ्तर पहुँची।

ढाई बजे के करीब मार्गो के दफ्तर का काम पूरा हुआ था। वह अपनी चीजें समेट ही रही थी कि फिर खतरे की घंटियाँ बजने लगीं। इसलिए मैं और वह दोनों ऊपर लौटीं। शायद हम जल्दी नहीं लौटी थीं, क्योंकि उसके बाद पाँच मिनट भी नहीं गुजरे होंगे कि धाँय-धाँय बंदूकें चलने लगीं। उनकी आवाज बड़ी तेज थी। हम सब हॉल में इकट्ठा हुए। घर हिलने लगा, बम गिरने लगे। मैंने अपनी 'बचाओ पोटली' कसकर पकड़ रखी थी। क्योंकि मैं कुछ सहारा चाहती थी, इसलिए कि मैं भागना चाहती थी। हम यहाँ से निकल नहीं सकते, यह मैं जानती थी, लेकिन अगर भागने पर मजबूर हुए तो हमारा सड़क पर दिखना भी बेहद खतरनाक था, उतना ही, जितना हवाई गोलाबारी के बीच फँसना। आधे घंटे बाद हवाई जहाजों की मशीनों की आवाज मद्धिम हुई। घर में फिर हलचल होने लगी। अगले बालाखाने पर लगी चौकसी की ड्यूटी से पीटर लौटा। डुस्सेल सामने वाले दफ्तर में ही डटे रहे। मिसेज वैन डी अटारी से पहरेदारी कर रहे थे। जो जमीन पर थे, वे सब बंदरगाह से उठती धुएँ की मीनारें देखने के लिए तितर-बितर हुए। कुछ ही देर में दूर धुएँ की वह गंध फैल गई। लग रहा था कि शहर घने कोहरे में लिपट गया है।

इतनी बड़ी आग देखना सुखद नहीं होता। सौभाग्य से वह सब खत्म हुआ और हम सब अपने-अपने कामों में जुट गए।

हम रात का खाना खाने बैठे ही थे कि दूसरे हवाई हमले के बारे में सूचना देनेवाली घंटी बजी। खाना अच्छा बना था, लेकिन खतरे की घंटी सुनने के बाद मेरी खाने की इच्छा ही मर गई। हालाँकि बाद में कुछ नहीं हुआ। पैंतालीस मिनट बाद सब ठीक होने की सूचना देने वाली घंटी बजी। बरतन साफ किए और एक बार फिर हवाई-हमले की सूचना देनेवाली घंटी बजी। पीछे-पीछे बंदूक की गोलियों की बौछार और हवाई जहाजों का झुंड मँडराया। 'हे भगवान्, एक दिन में दो बार हमला' हमने सोचा, 'यह तो बहुत ज्यादा ही हुआ।' एक बार फिर बम बरसे। इस बार शहर के दूसरे हिस्से में गिरे। ब्रिटिश रिपोर्टों के अनुसार शिफोल हवाई अड्डे पर हमला हुआ था। हवाई जहाज नीचे आए, उनमें से बम गिरे और फिर वे ऊपर उड़ गए। उनके इंजनों की आवाज से वातावरण गूँज उठा। बहुत भयानक था सब। पूरे समय मैं यही सोचती रही कि बम अब बरसे कि अब बरसे।

यकीन मानिए, जब रात नौ बजे मैं सोने गई, तब भी मेरे पैर थर-थर काँप रहे थे। ठीक बारह बजे अचानक मेरी नींद खुली तो वही हवाई जहाजों की आवाज। डुस्सेल कपड़े बदल रहे थे, लेकिन मैंने ध्यान नहीं दिया। मैं बिस्तर से लपककर उतर गई। पहली गोली की आवाज के साथ ही मेरी नींद खुल गई थी। मैं जाकर डैड के बिस्तर में दुबक गई। एक बजे तक मैं वहीं रही। फिर अपने बिस्तर पर आई, लेकिन केवल डेढ़ बजे तक ही लेट पाई। फिर दो बजे मैं डैड के बिस्तर पर गई, लेकिन हवाई जहाज बार-बार आते-जाते रहे। आखिर गोलीबारी रुकी और करीब ढाई बजे मैं अपने बिस्तर में आकर सो पाई।

सुबह के सात बजे थे। मेरी नींद अचानक टूटी। मैं उठकर बिस्तर पर ही बैठी रही। मि. वैनडैन मेरे डैड से बात कर रहे थे। मेरे दिमाग में पहला खयाल आया 'चोर'। मि. वैनडैन कह रहे थे, 'सब कुछ', मुझे लगा सबकुछ चोरी हो गया है, लेकिन नहीं, इस बार बड़ी अच्छी खबर आई थी। पिछले कई महीनों से ऐसी अच्छी खबर सुनने में नहीं आई थी। शायद लड़ाई के शुरू होने वाले दिन से। मुसोलिनी ने अपने पद से इस्तीफा दिया था और इटली के राजा ने राजकाज अपने हाथ में लिया था।

हम खुशी से उछल पड़े। कल के भयानक वाकयों के बाद कुछ तो अच्छा घट रहा था और हमारे मन में आस जगा रहा था। युद्ध-समाप्ति की आस, शांति बहाली की आस।

मि. कुग्लर आए। उन्होंने बताया कि फोक्कर की हवाई जहाज बनाने वाली कंपनी का बेहद नुकसान हुआ है। दरमियान, आज सुबह एक बार फिर हवाई हमले की सूचना देने वाली घंटी बजी, आकाश में हवाई जहाज मँडराए। दिन में एक बार और भी यह सूचना

की घंटी बजी। सूचना देने के लिए बजनेवाली इन घंटियों से तो मैंने खौफ खाया था। बमुश्किल कुछ देर में सो पाई। किसी काम में मन नहीं लग रहा था, बल्कि काम करने के खयाल से भी उकताहट हो रही थी। अब आखिर युद्ध समाप्त होगा क्या और कब? और इटली का क्या होगा? इन बातों की उत्सुकता लगी हुई थी। इस वर्ष के अंत तक युद्ध समाप्त होगा, सोचकर महसूस होने वाली उत्तेजना के कारण हम रात भर सो नहीं पाए।

तुम्हारी ऐन

गुरुवार, 29 जुलाई, 1943

मेरी सबसे प्यारी किट्टी,

श्रीमती वैनडैन, डुस्सेल और मैं बरतन साफ कर रहे थे। मैं खामोश थी। इस बात का खुद मुझे बड़ा अचरज महसूस हो रहा था। उनके ध्यान में तो यह बात जरूर आती। इसलिए किसी भी तरह के सवाल से बचने के लिए मैंने अपने दिमाग को खँगालकर एक सामान्य सा विषय ढूँढ़ निकाला। 'हेंटी फ्रॉम अक्रॉस द स्ट्रीट' इस किताब के बारे में बात छेड़ना बेहतर होगा, ऐसा मुझे लगा, लेकिन इससे बड़ी कोई गलती नहीं होती। अगर मैं इस किताब के बारे में बोलती तो या तो मिसेज वैनडैन मेरा गला पकड़ लेतीं या मि. डुस्सेल यह नेक काम करते। मि. डुस्सेल ने मार्गो और मुझसे यह किताब पढ़ने की सिफारिश की थी। उन्होंने कहा था कि किताब बेहतरीन है। हम दोनों को लगा था कि यह किताब और किसी बात का उदाहरण बन सकती है, बेहतरीन उपन्यास का कतई नहीं हो सकती। उसमें छोटे बच्चे का चरित्र ठीक-ठाक उतारा गया था, लेकिन बाकी सब··· जितना कम बोलो, उतना बेहतर। बरतन साफ करते हुए इसी तरह की कोई बात मैंने कही और डुस्सेल तो गरजने ही लग गए।

"वैसे एक आदमी की मानसिकता तुम जान ही कैसे सकती हो? बच्चे के मन की बात जानना भी कोई बहुत मुश्किल नहीं होता, लेकिन तुम दोनों अभी उस किताब को पढ़ने लायक उम्र के नहीं हो। बीस साल का युवक भी इस किताब को ठीक से समझ नहीं पाएगा।" (फिर उन्होंने खुद हमें यह किताब क्यों पढ़ने दी।)

मिसेज वैनडी और डुस्सेल की वक्तृता चलती रही—उम्र के हिसाब से तुम्हें कुछ ज्यादा ही चीजों के बारे में पता है। इस उम्र में जो नहीं जाननी चाहिए, वे बातें भी तुम जानती हो। तुम्हारी परवरिश ही गलत ढंग से की गई है। बाद में जब बड़ी हो जाओगी तो जानने-जीने लायक कुछ बचेगा ही नहीं। तुम तब कहोगी, अरे, ये तो मैंने बीस साल पहले एक किताब में पढ़ा था। तुम्हें पति चाहिए या किसी से प्यार-व्यार करना हो तो बेहतर है कि जल्दी कर लो, वरना बाद में तो तय है कि तुम्हें हर बात बेमजा लगनी

ही है। जो भी जानने लायक है, वह सब तो तुम थ्योरी में अभी से जानती हो, लेकिन वास्तव में वह तो कोई और ही बात है।

किट्टी, उस वक्त मुझे कैसा लगा होगा, इसकी तो तुम कल्पना ही नहीं कर सकती। इसलिए मैंने शांति से उनसे कहा, जब तुम्हें लगता होगा कि हमारी परवरिश सही ढंग से नहीं की गई है, लेकिन कई लोग इस बात से सहमत नहीं होंगे, तो मैं खुद भी चौंक गई थी।

बच्चों की अच्छी परवरिश करना, यानी बच्चों को माता-पिता के खिलाफ भड़काना, ऐसा शायद वे समझते हैं, क्योंकि वे हमारे साथ हमेशा यही तो करते हैं। मेरी उम्र की लड़की को बड़ों से संबंधित विषयों के बारे में न बतानेवाली बात ठीक ही है। सबको ही पता चल जाता है, जो जब होना होता है, होता रहता है। लोग ऐसे ही बड़े होते हैं।

उस समय वे दोनों मेरा इतना मजाक उड़ा रहे थे, इस बात का मुझे ऐसा गुस्सा आया था कि मैं शायद उन्हें थप्पड़ जड़ देती। गुस्से में मैं अपना होश खो बैठी थी। काश कि मुझे पता होता कि और कितने दिन हमें साथ में गुजारने थे, पता होता तो उसी दिन से मैं दिन गिनना शुरू कर देती।

मिसेज वैनडैन कुशल वक्ता हैं। वे बोलने का उदाहरण ही हैं, बुरा उदाहरण। साथ में दस्तंदाज, अहंकारी, चालाक, धूर्त, हमेशा असंतुष्ट रहनेवाली है, साथ में घमंडी और नखरेबाजी, तुनकमिजाजी, जोड़ लीजिए, जो कि वे हैं, तब वे बेहद तिरस्करणीय महिला बन जाती हैं। मैडम वैनडैन पर मैं पूरी किताब लिख सकती हूँ। क्या पता, किसी दिन लिख ही डालूँ। जब जी चाहे, तब हर कोई लुभावने होने का स्वांग ओढ़ सकता है। मिसेज वैनडैन अपरिचितों के साथ मित्रतापूर्ण व्यवहार करती हैं, खासकर पुरुषों के साथ, इसलिए पहली बार उनसे मिलने पर आपके मन में उनके बारे में गलत धारणा बन सकती है।

मम्मा को लगता है कि मिसेज वैनडैन की मूर्खता शब्दों में नहीं कही जा सकती। मार्गो की राय में वे कतई महत्त्वपूर्ण व्यक्ति नहीं हैं, पिम की राय में वे बेहद कुरूप (शब्दश: और लाक्षणिक रूप से भी) और लंबे समय तक निरीक्षण के बाद (शुरुआत में मैं कभी पूर्वग्रही नहीं होती।) मैं इस राय तक पहुँची हूँ कि उनमें ऊपरी सभी तीन गुण हैं, इतना ही नहीं और भी ऐसे कई गुण उनमें हैं। उनमें इतने सारे दुर्गुण भरे हैं, मैं किसी एक का जिक्र क्यों करूँ?

तुम्हारी ऐन

ध्यान रहे—पाठक कृपा कर क्या इस बात का ध्यान रखेंगे कि ऊपरवाला हिस्सा लेखक का गुस्सा ठंडा होने से पहले लिखा गया था।

मंगलवार, 3 अगस्त, 1943

मेरी सबसे प्यारी किट्टी,

राजनीतिक मोर्चे पर सबकुछ ठीक-ठाक चल रहा है। इटली ने फासिस्ट पार्टी को प्रतिबंधित कर दिया है। अन्य कई स्थानों पर लोग फासिस्टों से लड़ रहे हैं। सेना भी लोगों के संघर्ष में शामिल हुई है। इस तरह कोई देश इंग्लैंड के साथ कैसे लड़ाई में डटा रह सकता है?

पिछले हफ्ते हमारा सुंदर रेडियो ले गए। मि. कुग्लर ने तय दिन वह ले जाकर जमा करवा दिया, इसलिए मि. डुस्सेल उनसे बहुत नाराज थे। दिनोदिन मि. डुस्सेल का स्तर नीचे और नीचे गिरता जा रहा है, ऐसा मुझे लगता है। अभी वे शून्य से नीचे हैं। राजनीति, इतिहास, भूगोल या किसी भी विषय पर वह जो भी कुछ बोलते हैं, वह इतना ऊटपटाँग होता है कि मैं उसे यहाँ देने का साहस ही नहीं कर पाऊँगी। हिटलर इतिहास के पन्नों से गायब हो जाएगा, रोटरडैम का बंदरगाह हैमबर्ग के बंदरगाह से बड़ा है, इटली पर बम बरसाकर उसके ठीक उड़ा देने के मौके का फायदा न उठाने के कारण अंग्रेज कैसे मूर्ख हैं, आदि-आदि।

हाल ही में तीसरी बार हवाई हमला हुआ है। इस बार भले दाँत किटकिटाएँ, पर साहसी बने रहने का निर्णय मैंने लिया है। मिसेज वैनडैन, जो हमेशा कहा करती हैं, उन्हें गिरने दो, और कि खत्म ही न होने की तुलना में धमाके के साथ फट जाना हमेशा बेहतर होता है, लेकिन वही हम सबमें ज्यादा डरपोक हैं। आज सुबह वह पत्ते की तरह काँप रही थीं, यहाँ तक कि वह रो भी पड़ीं। उनके पति ने उन्हें धीरज बँधाया। हफ्ते भर उनके साथ झगड़ते रहने के बाद हाल ही में उन्होंने उनके साथ समझौता कर लिया है, उस समय उन्हें देखकर मैं लगभग भावुक हो उठी थी।

मोशी की वजह से अब एक बात साफ हो गई है कि बिल्ली पालना फायदेमंद होता है और नुकसानदेह भी। घर भर में पिस्सू उड़ रहे हैं और दिन-ब-दिन हालत और बिगड़ती जा रही है। मि. क्लीमन ने हर जगह पीला पाउडर छिड़क रखा है, लेकिन पिस्सू हैं कि उनका दखल ही नहीं ले रहे। हम सबकी बड़ी किरकिरी हो रही है। बहुत परेशानी है। हमेशा यही लगता रहता है कि हाथ पर, पैर पर या शरीर के किसी भी हिस्से पर पिस्सूज ने काट खाया है। सो हम कूदकर खड़े हो जाते हैं और कुछ कसरत कर लेते हैं, ताकि अपने हाथ-पैर या शरीर को निहार सकें, लेकिन लंबे समय तक शरीर की कोई कसरत न करने का फल अब हमें भुगतना पड़ रहा है। हमारी हड्डियाँ इतनी कड़ी हो गई हैं कि हम बमुश्किल गरदन मोड़ पाते हैं। व्यायाम-कसरत आदि लंबे समय से पहले ही छूट गए हैं।

तुम्हारी ऐन

बुधवार, 4 अगस्त, 1943

मेरी सबसे प्रिय किट्टी,

लगभग साल भर से ऊपर हम अब गुप्त रूप से रह रहे हैं, सो हमारी यहाँ की जिंदगी के बारे में अब तुम भी बहुत कुछ जान गई हो। तुम्हें सबकुछ बताना मेरे लिए संभव नहीं हो पाएगा शायद, क्योंकि सामान्य लोगों की जिंदगी से, सामान्य हालात से यहाँ सबकुछ बहुत अलग है। फिर भी हमारे जीवन के बारे में तुम्हें करीब से सब पता रहे, इसलिए मैं समय-समय पर यहाँ के सामान्य दिवस के बारे में विस्तार से बताती रहूँगी। आज मैं यहाँ की शाम और रात के बारे में बताने से शुरुआत करूँगी।

शाम के नौ बजे हैं। गुप्त भवन में सोने से पहले का समय चहल-पहल वाला होता है। कुरसियाँ सरकाई जाती हैं, बिस्तर खींचकर निकाले जाते हैं, ब्लैंकेट की तहें खोली जाती हैं, दिन के समय चीजें जहाँ होती हैं, वहाँ से हर चीज हट जाती है। मैं एक छोटे से दीवान पर सोती हूँ। यह दीवान केवल पाँच फीट लंबा है। उसकी लंबाई बढ़ाने के लिए कुछ कुरसियाँ जोड़नी पड़ती हैं। दिन में डुस्सेल के बिस्तर पर रखे जाने वाले कंफर्टर्स, चद्दरें, तकिए, बेडशीट्स, ब्लैंकेट्स निकालने पड़ते हैं।

अगले कमरे में बड़ी अजीब चरमराहट की आवाजें आती रहती हैं। मार्गो के फोल्डिंग बिस्तर खोलने की यह आवाज है। लकड़ी का यह तख्तानुमा बिस्तर थोड़ा आरामदेह बनाने के लिए फिर इस पर ब्लैंकेट्स, तकिये आदि को बिछाया जाता है। ऊपर वाली मंजिल पर से तो मानो तूफान आया हो, जैसी आवाजें निकलती हैं। डरने की कोई बात नहीं, क्योंकि यह मिसेज वैनडी का बिस्तर खिड़की के पास खिसकाने की आवाज है। गुलाबी रंग के रात में पहननेवाले जैकेट में सजी महारानीजी अपने नाजुक नथुनों से रात की हवा सूँघ सकें, इसलिए यह सब करना पड़ता है।

नौ बजे का समय। पीटर के बाद गुसलखाना इस्तेमाल करने की मेरी बारी होती है। सिर से लेकर पैर तक मैं अपनी ठीक से सफाई करती हूँ और केवल गरमी के दिनों में कई बार मुझे सिंक में एकाध पिस्सू तैरता हुआ दिखाई देता है। मैं दाँत साफ करती हूँ, बालों को कर्लर्स में लपेटती हूँ, नाखूनों की देखभाल करती हूँ और पैरोक्साइड लगाकर होंठों के ऊपरवाले बालों को रंगहीन करती हूँ। यह सब करने के लिए केवल आधे घंटे का समय लगता है।

साढ़े नौ बजे मैं अपना बाथ रोब पहन लेती हूँ। एक हाथ में साबुन, दूसरे हाथ में फॉटी, बालों में लगानेवाली पिनें, पैंटीज, कर्लर्स और कपास का एक गोला लिए मैं गुसलखाने से निकलती हूँ। मेरे पीछे गुसलखाना इस्तेमाल करनेवाले के द्वारा मुझे पुकारा जाता है और देखकर घिन आए, ऐसे मेरे उतरे बालों की लट को ठीक से लपेटकर मैं

सिंक में छोड़कर आई थी, उसे उठाने के लिए कहा जाता है।

दस बजे अँधेरा करनेवाले परदे गिराने का और सबको गुड-नाइट कहने का समय। अगले कम-से-कम दस मिनट तक घर में बिस्तरों की चरमराहट, टूटे हुए स्प्रिंगों की आहों और अगर हमारी ऊपरवाली मंजिल पर रहनेवाले जोड़े में बिस्तर में झगड़ा न शुरू हो गया हो तो सब शांत हो जाता है।

साढ़े-ग्यारह बजे गुसलखाने का दरवाजा खुलने की आवाज आती है। अंदर से आनेवाले प्रकाश की पतली लकीर कमरे में फैलती है। जूतों की आवाज, बड़े कोट की आवाज (उसके अंदरवाले आदमी से भी बड़े कोट की) यह डुस्सेल के काम निपटाकर मि. कुग्लर के दफ्तर से लौटने की आवाज है। अगले पूरे दस मिनट तक मैं उन्हें आगे-पीछे पैर घसीटते हुए टहलने की आवाज सुनती हूँ। अखबार की आवाज आती है, जो वह कुछ खाने की चीजें अपनी अलमारी में रखते हैं, तब निकलती है, फिर बिस्तर ठीक करने की आवाज आती है। फिर उनकी आकृति गायब हो जाती है। इसके बाद बीच-बीच में गुसलखाने से आनेवाली रहस्यमयी आवाजों के अलावा सब शांति रहती है। लगभग तीन बजे का समय। बिस्तर के नीचे रखा टिन का कैन इस्तेमाल करने के लिए मुझे उठना पड़ा। इस टिन के नीचे रबड़ का मैट रखा होता है, ताकि अगर कुछ बहे तो फैले नहीं। मैं अपनी साँस रोककर काम कर लेती हूँ और कैन से पहाड़ से नीचे बहती नदी जैसी आवाज आती है। टिन का कैन फिर से जहाँ था, वहीं रखती हूँ और सफेद गाउन की वह आकृति (जिसे मार्गो, 'ढीठ नाइटी कहती है) बिस्तर में जाकर सो जाती है। फिर वह अगले दस-पंद्रह मिनटों तक रात की आवाजें सुनती जागती रहती है।

असल में वह टोह लेती रहती है कि नीचे कोई चोर तो घुसकर अंदर नहीं आए हैं, उस दिन की तरह। फिर वह अगले कमरे के अपने कमरे के और ऊपर के कमरे वाले हर बिस्तर से आती आवाजें की टोह लेती है। सोचती है कि वे सब सोए हैं या उसकी तरह जाग रहे हैं? इसमें कोई मजा नहीं, खासकर जब जिनकी टोह लेनी हो, उनमें डॉ. डुस्सेल जैसे लोग हों। पहले ऐसी आवाजें आती हैं, मानो कोई मछली हवा में साँस लेने की कोशिश कर रही हो। करीब नौ-दस बार ऐसी आवाजें आती हैं। उसके बाद जीभ निकालकर होंठों को खूब गीला करने की आवाजें आती हैं। यह बारी-बारी होता रहता है। बीच-बीच में चूमने जैसी आवाजें आती हैं, उसके बाद बार-बार करवटें बदलने की आवाजें आती हैं, तकियों को बार-बार ठीक करने की आवाजें आती हैं। पाँच मिनट की बिल्कुल शांति के बाद इसी क्रम से तीन या चार बार सब दुहराया जाता है। उसके बाद शायद वे कुछ देर तक अपने को सुला पाते हैं।

कभी-कभी रात के समय बंदूकें चलती हैं, एक और चार बजे के बीच। जब तक गोलियाँ नहीं चलतीं, मुझे उनके चलने का अंदाजा नहीं होता, लेकिन अचानक मैं अपने

को अपने बिस्तर के पड़ोस में खड़ी पाती हूँ। बस आदत सी पड़ गई है। कभी-कभी मैं गहरे ख्वाबों में डूबी रहती हूँ (अटपटी फ्रेंच क्रियाओं में या ऊपरी मंजिल पर चल रहे झगड़े में खोई) कि गोलियाँ बरसनी बंद होती हैं, तब ख्वाब से जागते हुए मुझे अहसास होता है कि अभी-अभी गोलियाँ बरसनी थमी हैं और मैं अपने ही कमरे में साँस थामे बैठी हूँ, लेकिन मैं फिर जाग जाती हूँ। फिर मैं उठकर अपना ऊपर से पहननेवाला लबादा ओढ़कर, तकिया और रूमाल उठाकर और स्लीपर्स पहनकर दौड़कर अगले कमरे में डैड के पास पहुँचती हूँ, बिल्कुल जैसे मार्गो ने इस जन्मदिवस की कविता में वर्णन किया है—

रात के अँधेरे में जब गोलियाँ की झनक उठती हैं,
दरवाजा चरमराकर खुलता है और दिखाई देते हैं,
एक रूमाल, एक तकिया और सफेद कपड़ेवाली आकृति···

डैड के बिस्तर तक पहुँचने पर सब बुरा बीत जाता है, कभी अत्यधिक ऊँची आवाज में गोलियाँ चल रही हों तो बात अलग है।

छह बजकर पैंतालीस मिनट पर अलार्म बजता है क्रिंऽग्ऽग। दिन हो या रात, वह कभी भी बज उठता है। आप चाहें या न चाहें। 'क्रिंगऽऽऽ' 'धड़म'···मिसेज वैनडी उसे बंद कर देती हैं। 'क्रीईक'। यह मिसेज वैनडी के उठने की आवाज है। पानी गरम करने के लिए रखकर वह गुसलखाने की तरफ बढ़ती हैं।

सवा सात बजे दरवाजा फिर चरमराता है। अब डुस्सेल के लिए गुसलखाना खाली है। मैं उठती हूँ और अकेले ही जाकर अँधेरा करने वाले परदे हटाती हूँ। इसी के साथ गुप्त भवन में नए दिन की शुरुआत होती है।

तुम्हारी ऐन

गुरुवार, 5 अगस्त, 1943

मेरी सबसे प्यारी किट्टी,

आज हम दोपहर के खाने की छुट्टी के बारे में बातें करते हैं—साढ़े बारह बजे हैं। समूचे गैंग ने अभी-अभी राहत की साँस ली है। रहस्यमय भूतकालवाले मि. वैन माटन और मि. डी. कोक लंच खाने के लिए घर गए हैं।

ऊपर से मिसेज वैनडी के सुंदर और इकलौते रण पर वैक्यूम क्लीनर चलने की आवाज सुनाई देती है। मार्गो कुछ किताबें बगल में दबाकर 'स्लो लर्नर्स' की क्लास में चली जाती है। असल में मि. डुस्सेल को इसकी जरूरत है। पिम हमेशा की तरह जाकर मि. डिकन्स, जो उनके हमेशा से साथी रहे हैं, के साथ किसी कोने में बैठ जाते हैं। उन्हें शांति की जरूरत है। मम्मा ऊपर जल्दी-जल्दी अपने काम निपटाती रहती हैं, जबकि मैं

दोनों गुसलखानों की सफाई करने के बाद खुद भी नहाकर निकलती हूँ।

बारह पैंतालीस। एक-एक कर सब आ जाते हैं। पहले मि. मीज आते हैं। उनके बाद या तो मि. क्लीमन या मि. कुग्लर आते हैं। उनके पीछे-पीछे बेप और कभी-कभी तो मीप भी आ जाती हैं।

एक बजे। सब रेडियो के इर्द-गिर्द बैठ जाते हैं। सब ध्यान देकर बीबीसी की खबरें सुनते रहते हैं। बस यही समय होता है, जब एनेक्स परिवार के लोग एक-दूसरे के लिए कोई व्यवधान पैदा नहीं करते। क्योंकि इस समय मि. वैनडैन भी बोलनेवाले को जवाब देने के मूड में नहीं होते।

सवा बजे खाना परोसा जाता है। नीचेवाले हर सदस्य को एक कप सूप और मिठाई अगर हो, तो दी जाती है। संतुष्ट मि. मीज दीवान पर बैठते हैं या टेबल से टेक लगाकर अखबार खोल लेते हैं, सूप का कप पास में रखते हैं और अकसर इस समय उनके पड़ोस में बिल्ली बैठी रहती है। अखबार, सूप या बिल्ली, इन तीनों में से एकाध कोई अगर न हो तो वे अपनी नाराजगी जताने से नहीं चूकते। मि. क्लीमन शहर की ताजा खबरें सुनाते हैं। उनके पास खबरों का अच्छा भंडार होता है। मि. कुग्लर जब आते हैं, तब जल्दी-जल्दी सीढ़ियाँ चढ़कर आते हैं। दरवाजे पर एक ही बार, लेकिन भारी-भरकम दस्तक देते हैं। अंदर आते समय उनके दोनों हाथ या तो एक-दूसरे को निचोड़ते हुए दिखते हैं या फिर खुशी से वे हाथ मलते हुए आते हैं। ये क्रियाएँ उनकी मन:स्थिति पर निर्भर करती हैं। वे शांत और बुरे मूड में हैं या अच्छे या बोलने को उत्सुक मूड में हैं।

इसके बाद दिन भर का शांति भरा समय आता है। सब सो जाते हैं। किसी तरह का कोई खलल नहीं। चेहरे से मि. डुस्सेल को देखकर लगता है कि वे अच्छे खाने का सपना देख रहे हैं। मैं उनकी ओर ज्यादा देर तक नहीं देखती, क्योंकि समय तुरंत बीत जाता है। देखते-देखते दोपहर के चार बज जाते हैं। डॉ. डुस्सेल हाथ में घड़ी लेकर खड़े मिलेंगे और बताएँगे कि टेबल साफ करने में मुझे एक मिनट की देर हुई है।

तुम्हारी ऐन

शनिवार, 7 अगस्त, 1943

मेरी सबसे प्यारी किट्टी,

कुछ हफ्तों पहले मैंने एक कहानी लिखनी शुरू की है। लिखनी शुरू की और पूरा करने के बाद ही दम लिया। यह सोच-सोचकर मुझे खुशी हो रही है कि मेरे पेन से बने उत्पादों की संख्या बढ़ती जा रही है।

तुम्हारी ऐन

सोमवार, 9 अगस्त, 1943

मेरी सबसे प्रिय किट्टी,

आजकल गुप्त भवन में हर दिन एक ही खाके के अनुसार बीतता है। तंत्र के बारे में मैंने आपको बता ही दिया है, सो आइए, अब मैं आपको डिनर के बारे में बता दूँ।

मि. वैनडैन को सबसे पहले खाना परोसा जाता है। उन्हें जो अच्छा लगता है, वह व्यंजन वे भरपेट खाते हैं। बातचीत में हमेशा हिस्सा लेते हैं, अपनी राय देने से चूकते नहीं हैं। एक बार उन्होंने जो कह दिया, सो कह दिया, कोई और सही राय नहीं हो सकती। अगर कोई कुछ अलग कहने का साहस दिखाता है तो मि. वैनडैन जिरह कर उसे गलत साबित करने के लिए तैयार होते हैं। ओह! बता दूँ, वे बिल्ली की तरह खोंखते हैं··· लेकिन मैं नहीं चाहती कि उन्हें कभी खोंखना पड़े। उनका खोंखना आपने अगर एक बार देख लिया, तो फिर कभी देखने की इच्छा नहीं बचती। उनकी राय सर्वश्रेष्ठ होती है। हर बात के बारे में उन्हें पता होता है। मान लिया कि उनके कंधों पर एक बेहतरीन सिर है, लेकिन वह फूलकर कुप्पा भी हैं।

अब मिसेज वैनडी मैडम। सच कहूँ, तो उनके बारे में कुछ न कहना ही बेहतर है। कुछ दिन, खासकर जब उनका मूड बुरा होता है, तब उनका चेहरा आप बिल्कुल नहीं पढ़ सकते। अगर आप उनकी बात का विश्लेषण करेंगे तो आपके ध्यान में आएगा कि वे शिकार नहीं, शिकारी हैं और हर कोई इस सच्चांई को नजरअंदाज करना चाहता है। फिर भी आप उन्हें आग लगानेवाली कह सकते हैं। संकट को वह खोदकर निकाल लेती हैं; हालाँकि मिसेज वैनडैन इसी को मजे की बात मानती हैं। मिसेज फ्रैंक और ऐन के बीच का झगड़ा खोदकर निकालना वैसे उनको अच्छा लगता। मार्गो और मि. फ्रैंक में झगड़ा लगाना उतना आसान नहीं, ऐसा वे मानती हैं।

चलिए, फिर टेबल पर लौटते हैं। मिसेज वैनडे भले कहती रहें कि उन्हें कभी अच्छी चीजें काफी मात्रा में नहीं मिलतीं, लेकिन चुने हुए आलू, स्वादिष्ट व्यंजन, खाने की अन्य जो भी चीजें हों, उनका नरम से नरम, लजीज से लजीज हिस्सा वे अपने लिए चाहतीं। जिसको जो चाहे, वह जरूर उसे मिले, लेकिन सबसे पहले मुझे अपना हिस्सा मिले, ऐसा वे सोचतीं (जबकि यही आरोप वे ऐन पर लगाती हैं) सुरक्षा का उनका मंत्र है—बोलते रहें, जब तक कि कोई सुन रहा है। किसी की उनके बोलने में दिलचस्पी है या नहीं, इससे उन्हें कोई फर्क नहीं पड़ता। सुननेवालों को लगना चाहिए कि मिसेज वैनडैन जो भी कहती हैं, उसमें सबकी दिलचस्पी होती है।

लुभावने अंदाज में मुसकराइए। जताते रहिए कि आप सब जानते हैं। सबको कोई-न-कोई उपदेश दीजिए, सबकी माँ बन जाइए। इससे आपकी प्रतिभा अच्छी बन

जाएगी, हालाँकि सुननेवाले अगर थोड़ा ध्यान से देखें तो उनके मन में बनी प्रतिमा टूट जाती है। कौन सी प्रतिमाएँ, पहली वे बेहद मेहनती हैं, दूसरी वे खुशमिजाज हैं, तीसरी लुभावना और कभी सुंदर चेहरा। ऐसी हैं पेट्रोनेला वैनडैन।

डैन फैमिली का तीसरा सदस्य। बहुत कम बोलता है। छोटे मि. वैनडैन लगभग सारा समय चुप रहते हैं और कम ही कभी अपनी उपस्थिति का लोगों को पता लगे, ऐसा कुछ करते हैं। उनकी भूख के बारे में कहें तो वह डनाल्डियन बरतन है, जो कभी नहीं भरता। भरपेट खाना खाने के बाद भी वह इत्मीनान से आपकी आँखों में देखकर कहेगा कि इतना ही खाना वह और खा सकता है।

चौथे नंबर पर है—मार्गो। पंछी जितना खाती है और बिल्कुल नहीं बोलती। वह केवल सब्जियाँ और फल खाती है। वैनडैन्स की राय में मार्गो 'बिगड़ी' बच्ची है। हमारी राय में 'कसरत और साफ हवा की कमी' है उसे।

उसके अलावा मम्मा भर पेट खाती हैं, अपने हिस्से जितना बोलती हैं। मिसेज वैनडैन की तरह उन्हें कोई भी 'एक सामान्य घरेलू औरत' के नजरिए से नहीं देखता। उन दोनों में क्या फर्क है ? मिसेज वैनडैन चौका सँभालती हैं और मम्मा बरतन-सफाई करती हैं, फर्नीचर चमकाती हैं।

छठे और सातवें नंबर पर डैड और मैं। डैड और अपने बारे में मैं ज्यादा कुछ नहीं बोलूँगी। डैड टेबल पर बेहद विनीत व्यक्ति होते हैं। औरों को ठीक तरह से परोसा गया है या नहीं, यह वे सबसे पहले देखते हैं। उन्हें अपने लिए कुछ नहीं चाहिए होता। बेहतरीन चीजें वे हमेशा बच्चों को देते हैं। वे अच्छाई की प्रतिमूर्ति हैं। उनके पड़ोस में जो बैठी है, वह गुप्त भवन की सबसे साहसी लड़की है।

अब डुस्सेल के बारे में जितना चाहो, तो नजरें हमेशा खाने की चीजों पर गड़ाए रखो, खाओ, बात न करो—ये हैं डुस्सेल। उनका कहना होता है और अगर कुछ बोलना ही चाहते हो तो भगवान् के लिए केवल खाने के बारे में ही बोलना। हालाँकि इससे झगड़े पैदा नहीं होते। इससे लोग बस बड़ी-बड़ी बातें बनाते हैं। वे बहुत ज्यादा खाते हैं। 'नहीं' शब्द उनके कोश में नहीं है। खाना अच्छा हो या बकवास, उन्हें कोई फर्क नहीं पड़ता।

छाती तक आने वाली पैंटें वे पहनते हैं। ऊपर लाल रंग की जैकेट। पेटेंट चमड़े की चप्पलें और मोटे फ्रेम वाला चश्मा। छोटी टेबल पर वे जब काम करते हैं, तब ऐसे दिखाई देते हैं। हमेशा पढ़ते रहते हैं, आगे कभी बढ़ते नहीं। इसमें व्यवधान केवल दोपहर की नींद, खाना और उनकी पसंदीदा जगह—शौचालय की सैर के ही कारण पड़ता है। दिन भर में तीन-चार या पाँच बार। शौचालय के बाहर कोई-न-कोई बड़ी बेसब्री से कभी इस टाँग पर या कभी उस टाँग पर भार देकर खड़ा होते हुए बड़ी मुश्किल से सब्र करते हुए खड़े मिलेंगे और क्या डुस्सेल को इससे कुछ फर्क पड़ता है ? बिल्कुल

नहीं। सात से साढ़े सात, साढ़े बारह से एक, दो से ढाई, चार से साढ़े चार, छह से सवा छह और साढ़े ग्यारह से बारह बजे के बीच। आप अपनी घड़ी मिला लीजिए। यह समय उनकी प्रिय जगह पर नियमित सैर का है। दरवाजे के बाहर से आने वाली कुछ गलत-सलत होने से पहले दरवाजा खोलने की मिन्नतें करने वाली पुकारों से वे अपनी समाधि भंग नहीं होने देते।

नौवें नंबर पर जो है, वह गुप्त भवन परिवार की सदस्य नहीं है, लेकिन वह हमारे घर और टेबल पर हमेशा हमारे साथ होती है। हेप की भूख तगड़ी है। वह हमेशा अपनी थाली खाली करती है, भले कुछ भी परोसा जाए। हेप को खुश रखना आसान है, जिससे हम सबको खुशी मिलती है। उसके गुण इस प्रकार गिनाए जा सकते हैं—वह खुश रहती है, हमेशा अच्छे मिजाज में होते हैं, दयालु है और हर काम के लिए तैयार।

मंगलवार, 10 अगस्त, 1943

मेरी सबसे प्रिय किट्टी,

नई कल्पना—खाने के समय मैं औरों के बजाय अपने आपसे ज्यादा बातें करती हूँ। इसके दो फायदे हैं। पहला, मेरी लगातार चलनेवाली चटर-पटर सुनना उनके लिए जरूरी नहीं होता और दूसरा, उनकी राय सुनकर मुझे झुँझलाहट नहीं होती। मेरी राय मूर्खतापूर्ण होती है, ऐसा मुझे नहीं लगता, लेकिन लोगों को ऐसा लगता है, इसलिए बेहतर है कि मैं अपनी राय अपने पास ही रखूँ। मुझे जो पसंद नहीं होता, वही जब मुझे खाना पड़ता है, तब भी मैं यही तरीका अपनाती हूँ। उस व्यंजन को मैं अपने सामने रखती हूँ, सोचती हूँ कि वह बहुत लजीज पदार्थ है, जितना संभव हो, उसकी तरफ देखना टालती हूँ और वह क्या है, यह समझ में आने से पहले ही मेरे पेट में पहुँच जाता है। सुबह जब मैं जागती हूँ, तब भी लगभग यही करती हूँ। बिस्तर से निकलते ही सोचती हूँ कि जल्द ही मुझे वापस सोना है, फिर मैं खिड़की के पास जाकर अँधेरा करने वाला परदा हटा देती हूँ, झिर्री से नाक लगाकर ताजी हवा तब तक सूँघती हूँ, जब तक कि मुझे ताजगी महसूस हो और मैं जाग जाती हूँ। जितना जल्दी संभव हो, मैं बिस्तर को समेट देती हूँ, ताकि फिर से बिस्तर में जाने की इच्छा न हो। मम्मा इसे क्या कहती हैं, पता है, यह एक तरह से जीने की कला है। मजेदार नाम है न?

पिछले हफ्ते हम सब थोड़ी उधेड़बुन में थे, क्योंकि हम सबकी पसंदीदा वेस्टरटोरन बेल को नीचे उतारकर लड़ाई में काम लेने के लिए पिघला दिया गया था। इसलिए हमें रात या दिन के सही समय का पता नहीं चल रहा था। उसकी जगह कोई और उपाय वे ढूँढ़ लेंगे, ऐसा मुझे अभी भी लगता है। ऐसी चीज, जो उसकी जगह काम

में लाई जा सके। जो टिन की, ताँबे की या उसके जैसी हो। इससे आस-पास रहनेवाले लोगों के मन में घंटे की याद बनी रहेगी।

ऊपर या नीचे, मैं जहाँ कहीं भी जाती हूँ, सबकी प्रशंसा भरी नजरें मिल जाती हैं, मैंने (वर्तमान स्थितियों के हिसाब से) बेहतरीन जूते जो पहन रखे हैं। मीप ने 27.50 गिल्डर्स में वे खरीदे हैं। गहरे जामुनी लाल रंग की स्मूड और चमड़े की मध्यम ऊँची एड़ियों वाला जूता है। मुझे तो ऐसा लग रहा है, जैसे मैं पांबोसा पहनकर चल रही हूँ और अपनी ऊँचाई से लंबी हो गई हूँ।

कल का दिन मेरे लिए दुर्भाग्यपूर्ण रहा। एक मोटी और लंबी सुई मेरे दाहिने हाथ के अँगूठे में चुभी। परिणामत: मार्गो को आलू छीलने पड़े। (अच्छाई के साथ आई बुराई भी होती है) लिखना भी मुश्किल हो गया था। फिर मैं अलमारी से इतनी जोर से टकराई कि लगभग उछलकर गिरी। इसके लिए मुझे सबसे डाँट खानी पड़ी। माथे पर लगी चोट को धोने के लिए नल खोलकर पानी बहाने की इजाजत वे मुझे नहीं दे रहे थे। सो मेरी दाहिनी आँख के ऊपर एक बड़ा गूमड़ उभर आया है। यह भी कुछ कम था शायद, इसलिए मेरे दाएँ पैर का अँगूठा वैक्यूम क्लीनर में अटक गया। खून बहा और पीड़ा भी हुई, लेकिन मेरे अन्य जख्म तब तक इतने बड़े थे कि मैंने इस चोट की ओर ध्यान नहीं दिया। यह मेरा पागलपन ही था, क्योंकि अब मेरी उँगली का जख्म पक गया है। भले मैं उस पर पट्टी बाँधूँ, गॉज लगाऊँ या बैंडएड, अपने नए जूते मैं पहन नहीं पा रही हूँ।

एक बार फिर डुस्सेल ने हम सबको संकट में डाला है। उसने मीप से मुसोलिनी पर आग बरसाने वाली प्रतिबंधित किताब मँगाई है। यहाँ आते-आते ही उसे एसास की एक मोटरसाइकिल ने गिरा दिया। उसे गुस्सा आया तो होश खोकर वह चीख पड़ी, 'अरे जानवर!' और अपनी राह चलती रही। मैं सोच भी नहीं पा रही कि अगर वे उसे पकड़कर थाने ले जाते तो फिर क्या होता?

तुम्हारी ऐन

हमारे इस छोटे से समुदाय में रोज एक काम करना पड़ता है—आलू छीलना।

कोई अखबार ले आता है, कोई छुरियाँ लाता है। (अच्छी चीज लानेवाले खुद के लिए रखते हैं) कोई आलू ले आता है तो कोई पानी। मि. डुस्सेल काम की शुरुआत करते हैं। वे अच्छा छीलते हैं, ऐसी बात नहीं है, लेकिन वह लगातार छीलते जाते हैं। बाकी लोग उनका अनुकरण कर रहे हैं या नहीं, यह वे बार-बार दाएँ-बाएँ मुड़कर देखते रहते हैं। अगर कोई उनके जैसा नहीं छील रहा है, ऐसा उन्हें लगे, जो अकसर होता है, तो वह तुरंत बताते हैं, ''देखो ऐन, मैं छीलने वाली छुरी ऐसे पकड़ता हूँ, ताकि अच्छे से छील पाऊँ और ऊपर से नीचे आता हूँ। नहीं, ऐसे नहीं···ऐसे।''

''मेरा तरीका सही है, ऐसा मुझे लगता है, मि. डुस्सेल।'' मैं यों ही कहती हूँ।

''लेकिन मेरा तरीका सबसे अच्छा है ऐन, तुम मुझसे सीख सकती हो। हाँ, तुम्हें जैसे ठीक लगे, वैसे तुम कर सकती हो।''

हम बस छीलते जाते हैं। तिरछी नजर से मैं डुस्सेल की ओर देखती हूँ। अपने ही खयालों में खोए हुए वे सिर हिलाते हैं (मेरे बारे में सोच रहे हैं वे पक्का!) लेकिन आगे कुछ नहीं कहते।

मैं छीलती रहती हूँ। मैं डैड की ओर देखती हूँ। वे मेरी दूसरी तरफ बैठे हैं। डैड के लिए आलू छीलना केवल काम नहीं, बिल्कुल ध्यान से की जाने वाली क्रिया है। जब वे पढ़ते हैं, तब उनके सिर की पिछली ओर एक गहरी झुर्री दिखती है, लेकिन जब वे आलू, फलियाँ छीलते हैं, तब लगता है कि वे अपने काम में पूरी तरह से डूबे हैं। हर बार वे आलू छीलते समय उनकी एक खास मुद्रा होती है। एक बढ़िया छीला हुआ आलू वह बनाकर देते हैं।

मैं अपना काम करती रहती हूँ। बीच-बीच में पल भर के लिए ऊपर देख लेती हूँ, मेरे लिए इतना काफी होता है। मिसेज वैन डी डुस्सेल का ध्यान अपनी ओर खींचने में लगी हैं। वे उनकी ओर देखने लगती हैं, लेकिन डुस्सेल उनकी कोशिशें ध्यान में नहीं आने वाली मुद्रा बना लेते हैं। वे एक आँख दबाती हैं, लेकिन डुस्सेल आलू छीलते रहते हैं। वे जोर से हँसती हैं, डुस्सेल फिर भी नहीं देखते। फिर मम्मा भी हँसती हैं, लेकिन डुस्सेल उनकी तरफ ध्यान ही नहीं देते। अपने लक्ष्य को पाने में नाकामयाब रहने के बाद मिसेज वैन डी को कोई और तरकीब अपनानी पड़ती है। पलभर के लिए शांति छा जाती है। फिर वह कहती हैं, ''पुट्‌टी, तुम एप्रन क्यों नहीं पहनते। वरना कल सुबह पूरा दिन मुझे तुम्हारे सूट पर पड़े धब्बे घिसकर हटाने पड़ेंगे।''

''मेरा सूट गंदा नहीं हो रहा है।''

फिर पल भर खामोशी छाई रहती है। ''पुट्‌टी, तुम नीचे क्यों नहीं बैठते?''

''मैं ऐसे ही ठीक हूँ। मुझे खड़े रहना पसंद है।''

फिर खामोशी।

''पुट्‌टी, ध्यान रखो, अब तुम छींटे उड़ा रहे हो।''

''पता है मम्मी, लेकिन मैं ध्यान से ही कर रहा हूँ।''

मिसेज वैन डी फिर नया विषय छेड़ती हैं, ''मुझे बताओ पुट्‌टी, आज ब्रिटिश बमबारी क्यों नहीं कर रहे हैं?''

''क्योंकि आज मौसम अच्छा नहीं है, केर्ली।''

''लेकिन कल का मौसम कितना अच्छा था। फिर भी उन्होंने कल भी बमबारी नहीं की।''

"छोड़ो, कुछ और बात करो।"

"क्यों, क्या कोई इस विषय पर बोल नहीं सकता, अपनी राय नहीं दे सकता?"

"क्यों, क्यों भला?"

"अरे, चुप रहो, मम्मी!"

"मि. फ्रैंक हमेशा अपनी पत्नी की बात का जवाब देते हैं।"

मि. वैन डी अपने आप पर काबू रखने की कोशिश में लगे हैं। अपनी पत्नी की यह टिप्पणी उन्हें हर बार व्याकुल कर जाती है, लेकिन वैन डी को इससे कोई फर्क नहीं पड़ता। वे कहती हैं, "ओह! यहाँ कभी हमला नहीं होने वाला।"

मि. वैन डी का रंग उड़ जाता है। मिसेज वैन डी के ध्यान में जब यह बात आती है, तब भी उन्हें कोई खास फर्क नहीं पड़ता। "ब्रिटिश कुछ कर ही नहीं रहे।"

बम बरसता है। "अब भगवान् के लिए यह रोना बंद करो।"

मम्मा बड़ी मुश्किल से हँसी दबा लेती हैं। मैं सामने देखते हुए मुँह सीधा रखती हूँ।

इस तरह के दृश्य हर रोज देखने मिलते हैं, बशर्ते तभी उनका कोई झगड़ा न हुआ हो। वैसे हालात में मिस्टर और मिसेज वैन डी एक शब्द भी नहीं कहते।

कुछ और आलू लाने के लिए मैं उठकर खड़ी हो जाती हूँ। मैं ऊपर बालाखाने में जाती हूँ, जहाँ पीटर बिल्ली के बदन से पिस्सू बीन रहा होता है।

वह ऊपर देखता है, बिल्ली को पता चलता है कि उनका ध्यान बँट गया है… व्हूऽऽश…बिल्ली भाग जाती है—खिड़की से बाहर और आँख से ओझल।

पीटर के मुँह से गाली निकलती है, मैं हँस देती हूँ और कमरे से निकल जाती हूँ।

ऐनेक्स में आजादी

साढ़े पाँच बजे—बेप के आने से हमारी रात की आजादी की शुरुआत का हमें पता चलता है। तुरंत बातें शुरू हो जाती हैं। मैं बेप के साथ ऊपर जाती हूँ। उसे हम सबसे पहले डेजर्ट मिलता है। वह जैसे ही बैठती है, मिसेज वैन डी अपनी इच्छाएँ गिनाने लगती हैं। उनकी फेहरिस्त की शुरुआत, "ओह, तुम्हें बता दूँ, बेप्स, मुझे कुछ और भी चाहिए" से होती है। बेप मेरी ओर देखकर आँख मारती है। ऊपर आनेवाले हर किसी को अपनी ख्वाहिशें बताने से मिसेज वैनडी चूकती नहीं हैं। शायद इसीलिए कोई भी वहाँ ऊपर जाना नहीं चाहता।

पाँच बजकर पैंतालीस मिनट : बेप जाती हैं। मैं दो माले उतरकर नीचे आती हूँ, आस-पास देखकर तसल्ली कर लेने के लिए। पहले रसोई, फिर निजी दफ्तर, फिर कोयले का ड्रम। मोशी के आने के लिए बिल्ली-दरवाजा खोलती हूँ।

निरीक्षण का लंबा चक्कर लगाकर मैं मि. कुग्लर के दफ्तर पहुँचती हूँ। मि. वैनडैन वहाँ सभी दराजें खँगाल रहे हैं, आज की डाक देखने के लिए। पीटर बोश और गोदाम की चाभी उठा लेता है। पिम टाइप राइटर्स उठाकर ऊपर रख देते हैं। मार्गो आसपास शांत कोना ढूँढ़ती है, अपना दफ्तरवाला काम करने के लिए। मिसेज वैनडी स्टोव पर पानी की केतली चढ़ाती हैं। मम्मा सीढ़ियों से नीचे आती हैं, उनके हाथ में आलुओं से भरी कड़ाही है। हम सब अपने काम करना जानते हैं।

जल्द ही पीटर गोदाम से लौट आता है। सब उससे एक सवाल पहले पूछते हैं कि क्या उसने ब्रेड देखा? नहीं, उसे याद नहीं रहा। वह दफ्तर के अगले दरवाजे के सामने हाथ टेककर घुटनों के बल बैठता है, जहाँ तक संभव हो, अपने को नीचा करते हुए रेंगकर स्टील की अलमारी के नीचे देखता है। वहाँ से ब्रेड निकाल लेता है। उठकर जाने लगता है। उसे जाना है, लेकिन क्या हुआ, समझ आने से पहले मोशी उसके ऊपर से छलाँग लगाकर टेबल के नीचे बैठने के लए पहुँच जाती है।

पीटर आसपास देखता है। आखिर उसे बिल्ली दिखाई देती है, आहा! वह रेंगकर फिर दफ्तर में पहुँच जाता है और बिल्ली को पूँछ से पकड़ लेता है। मोशी खोंखती है, पीटर उसाँस भरता है। उसने कौन सी बाजी मार ली है! मोशी अब खिड़की में बैठी है और अपने आपको चाट रही है। पीटर के चंगुल से बचने की उसे खुशी हो रही है। उसे ब्रेड के टुकड़े का लालच देने के अलावा अब पीटर के पास कोई उपाय नहीं है। मोशी लालच में आती है, दरवाजे के बाहर ब्रेड के पीछे चली जाती है। दरवाजा बंद हो जाता है।

दरवाजे की झिरी से मैं यह पूरा दृश्य देखती हूँ।

मि. वैनडैन गुस्सा हैं। वे दरवाजा धकेलते हैं। मैं और मार्गो एक-दूसरे की ओर देखते हैं। दोनों के मन में एक से विचार हैं। मि. कुग्लर की किसी गलती पर उन्हें फिर गुस्सा आया होगा और वे भूल गए होंगे कि पड़ोस में एक केग कंपनी भी है। हॉल में किसी की पदचाप सुनाई देती है। डुस्सेल अंदर आते हैं। इत्मीनान से चलकर खिड़की तक पहुँचते हैं, सूँघते हैं⋯खाँसते हैं, छींकते हैं, गला खखारते हैं। लेकिन उनका दुर्भाग्य⋯ बाहर हवा में काली मिर्च घुली है। वे आगे वाले दफ्तर तक जाते हैं। वहाँ के परदे खुले हैं। इसके मायने यही कि अपने लिखने वाले कागजों तक वे पहुँच नहीं पाएँगे। त्योरियाँ चढ़ाए हुए वे वहाँ से निकल जाते हैं।

मैं और मार्गो एक और बार एक-दूसरे की ओर देखती हैं। कल उसकी स्वीटहार्ट के लिए एक पन्ना कम होगा, मैं उसे कहते हुए सुन रही हूँ। मैं गरदन डुलाकर हामी भरती हूँ। सीढ़ियों पर किसी की हाथी सी चाल की आहट सुनाई देती है। ये डुस्सेल हैं। अपनी पसंदीदा जगह जा रहे हैं सुकून पाने के लिए। हम काम जारी रखते हैं। टक, टक⋯तीन बार ठोंका, यानी रात के खाने का समय हो गया।

सोमवार, 23 अगस्त, 1943

घड़ी में साढ़े आठ बजते हैं…

मम्मा और मार्गो नर्वस हैं। 'शऽश…डैड हैं। शांत रहो, ओहो, शश्ऽऽ…पिम! साढ़े आठ बजे हैं।'

यहाँ आओ, तुम अब पानी नहीं गिरा सकते। धीमे चलो!

डैड से ये बातें वे जब गुसलखाने में होते हैं, तब कही जाती हैं। ठीक साढ़े आठ बजे उन्हें लिविंग रूम में होना है। कोई नल खुला नहीं हो, कोई फ्लश नहीं चलाएगा, किसी के चलने की आवाज नहीं, किसी तरह की कोई आवाज नहीं। दफ्तर का स्टाफ जब तक आ नहीं जाता, यह सब सुनकर लगता है, यात्रा पर जाना यहाँ गोदाम में रहने से अधिक आसान होगा।

ऊपर का दरवाजा आठ बजकर बीस मिनट पर खुलता है। उसके बाद जमीन पर हल्के से तीन बार ठोंका जाता है। ऐन का गरमागरम सीरियल खाने का समय। मैं झटपट सीढ़ियाँ चढ़कर अपने लिए बननेवाला यह कुत्तों जैसा व्यंजन खाने के लिए पहुँच जाती हूँ।

नीचे अब हर काम फटाफट करना पड़ेगा। मैं अपने बाल बनाती हूँ, पॉटी उठाकर रखती हूँ। बिस्तर खिसकाकर ठीक जगह रखती हूँ। घड़ी में साढ़े आठ की घंटी बज रही है। मिसेज वैनडी जूते बदलती हैं, मि. वैनडी भी असली चार्ली चेपलिन की तरह। अब सब शांत है।

आदर्श परिवार का दृश्य अब अपने चरम पर पहुँचा है। मैं और मार्गो या तो पढ़ना या पढ़ाई करना चाहती हैं। डैड और मम्मा भी। डैड बैठे हैं (डिकंस और डिक्शनरी लेकर)। वे एक बूले-ढीले, चरमराते बिस्तर के किनारे बैठे हैं, जिस पर ढंग का गद्दा तक नहीं बिछा हुआ। दो मसनदें उनके लिए एक के ऊपर एक रखी जा सकती हैं, लेकिन उन्हें लगता है, मुझे इनकी जरूरत नहीं। मैं इनके बगैर ही काम चला सकता हूँ।''

एक बार वे जब पढ़ना शुरू कर देते हैं, फिर ऊपर नहीं देखते। बीच-बीच में कभी वे हँसते हैं और थोड़ा हिस्सा मम्मा से पढ़वा लेते हैं।

'अभी मेरे पास समय नहीं है।'

वे थोड़े नाराज से लगते हैं। फिर पढ़ने लगते हैं।

थोड़ी देर बाद जब एक और अच्छा परिच्छेद मिलने पर वे एक बार और कोशिश करते हैं, यह तुम्हें पढ़ना ही होगा, माँ! तब मम्मा उस फोल्डिंग बेड के किनारे बैठती हैं। पढ़ते हुए कुछ सिलते हुए, बुनते हुए या पढ़ाई करते हुए। कुछ देर बाद जो उन्हें करना होता है, वही काम लेकर बैठ जाती हैं। अचानक उनके दिमाग में एक बात

आती है। भूलने से पहले कह उठने वाले अंदाज में वे झटके से कहती हैं, ''ऐन याद रहे...मार्गो, इसे लिख लो।''

कुछ समय बाद वहाँ फिर शांति छा जाती है। मार्गो अपनी किताब झटके से बंद करती है। डैड माथे पर सिलवटें छूते-टटोलते हैं। उनकी भौंहें मजेदार ढंग से टेढ़ी हो जाती हैं और सिर के पीछे फिर एकाग्रता वाली सलवट उभरती है। अपनी किताब में वे गड़ से जाते हैं। माँ मार्गो के साथ बतियाने लगती हैं, मेरी उत्सुक्ता जगती है और मैं भी उनकी बातचीत सुनने लगती हूँ। पिम भी बातचीत में शामिल होते हैं, नौ बजते हैं। नाश्ते का समय।

शुक्रवार, 10 सितंबर, 1943

मेरी सबसे प्रिय किट्टी,

हर बार जब कोई अनोखी घटना, खुशनुमा नहीं, अप्रिय घटना घटती है, तब मैं तुम्हें बताती हूँ। इस बार कुछ बहुत प्रिय घट रहा है। बुधवार, 8 सितंबर के दिन हम सात बजे की खबरें सुन रहे थे। तब हमने एक उद्घोषणा सुनी, ''युद्ध के बारे में एक अच्छी खबर सुनिए, इटली ने हथियार डाल दिए हैं।'' इटली ने बिना शर्त आत्मसमर्पण किया था। इंग्लैंड से डच प्रसारण ठीक सवा आठ बजे शुरू हुआ। उसमें बताया, ''श्रोताओ, एक घंटा पंद्रह मिनट पहले।'' जैसे ही मैंने अपनी रोजमर्रा की रिपोर्ट लिखकर पूरी की, हमें इटली के समर्पण की बढ़िया खबर मिली। मैं आपको बताऊँ, इससे पहले कभी मैंने इतनी खुशी से अपनी लिखी रपट कूड़ेदान में नहीं फेंकी होगी।

इसके बाद अमेरिका का राष्ट्रगान, 'गॉड सेव द किंग' और रूस का राष्ट्रगान 'इंटरनेशनल' चलाया गया। अधिक आशावादी नहीं होने के बावजूद हमेशा की तरह डच कार्यक्रम ने बहुत सुकून दिया। ब्रिटिश नेपल्स तक पहुँचे थे। इटली का उत्तरी हिस्सा जर्मनी के कब्जे में था। शुक्रवार, 3 सितंबर के दिन युद्ध-विराम के संधि-पत्र पर हस्ताक्षर किए गए। इसी दिन ब्रिटिश इटली में आए थे। बडोलिओ और इटली के राजा की धोखाधड़ी का रोना जर्मन हर अखबार के सामने रो रहे हैं।

इसके बावजूद कुछ बुरी खबरें भी हैं मि. क्लीमन के बारे में। तुम्हें तो पता है, हम सब उन्हें बहुत चाहते हैं। वे हमेशा खुश रहनेवाले और आश्चर्यजनक रूप से निडर हैं। अलबत्ता वे हमेशा बहुत बीमार और पीड़ा में रहे। वे ज्यादा खा नहीं पाते थे और न ज्यादा चबा पाते थे। हाल ही में मम्मा ने उनके बारे में जो कहा था, वह बिल्कुल सही था, ''जब मि. क्लीमन कमरे में प्रवेश करते हैं, वहाँ सूरज जगमगाने लगता है।''

अब सुना है, पेट का एक गंभीर ऑपरेशन करवाने के लिए उन्हें अस्पताल जाना

पड़ा है। उन्हें वहाँ कम-से-कम चार हफ्तों तक रहना होगा। उन्होंने जब हमसे विदा ली, तब आप उन्हें देखते। इतना सामान्य बरताव था उनका, मानो वे किसी काम के लिए जा रहे हों।

तुम्हारी ऐन

गुरुवार, 16 सितंबर, 1943

मेरी सबसे प्यारी किट्टी,

निक्स में लोगों के आपसी रिश्ते दिनोदिन बिगड़ते जा रहे हैं। खाना खाते समय अब बात करने की हमारी हिम्मत नहीं होती, क्योंकि कोई कुछ भी कहे, किसी-न-किसी दूसरे को उस पर आपत्ति होती या कोई-न-कोई उसे गलत संदर्भों में लेता। मि. वोस्कुइजिल कभी-कभार हमसे मिलने आते हैं। दुर्भाग्य से उनका कुछ अच्छा नहीं चल रहा। वे खुद भी अपने परिवार की ज्यादा परवाह नहीं करते, क्योंकि उनका कहना है, मुझे क्या पड़ी है, मैं तो मरने ही जा रहा हूँ। यहाँ हर कोई कितना भावुक हो जाता है, यह मैं देखती हूँ, तब वोस्कुइजिल के घर का वातावरण कैसा होगा, इसकी मैं कल्पना कर सकती हूँ।

आजकल मैं हर रोज वेलेरियन ले रही हूँ—उत्तेजना और अवसाद से बचने के लिए, लेकिन दूसरे दिन मेरी हालत और ज्यादा खराब होती है। वैलेरियन की दस बूँदों की तुलना में एक स्वस्थ खिलखिलाहट मुझे ठीक कर सकती है, लेकिन हम सब जैसे हँसना ही भूल गए हैं। कभी-कभी मुझे लगता है कि इतना दुःख सहने के कारण मेरा चेहरा ही लटक जाएगा, मेरा मुँह दोनों कोनों से झुक जाएगा। औरों का हाल भी कुछ अच्छा नहीं है। यहाँ हर किसी को ठंड के मौसम का डर सता रहा है।

एक और बात हमारे दिन को खुशनुमा रहने नहीं दे रही है। गोदाम में काम करने वाले मि. वान मारन को गुप्त भवन के बारे में शक हो चला है। मीप कभी-कभी कहती है कि वह लैब जा रही है, बेप फाइल रूम जाने की बात कहती है, मि. क्लीमन ओपेक्टा के सामान की बात का जिक्र करते हैं तो मि. कुग्लर कहते हैं कि एनेक्सी इस इमारत का नहीं, बल्कि पड़ोस की इमारत का हिस्सा है, दिमागवाले किसी भी आदमी के मन में ये बातें शक पैदा करने के लिए काफी हैं।

असल में मि. वान मारन हद दर्जे के जिज्ञासु और गैर-भरोसेमंद व्यक्ति है। हमें वैसे उनसे कुछ लेना-देना नहीं था, लेकिन यों ही कोई कारण बता कर जिन्हें टाला जा सके, ऐसे वे नहीं थे।

एक दिन मि. कुग्लर को जब अत्यधिक सावधानी बरतने की जरूरत महसूस

हुई तो अपना कोट पहनकर वे कोनेवाली दवाई की दुकान तक गए। पाँच-मिनटों में ही वे लौट आए और चोरों की तरह सीढ़ियाँ चढ़कर ऊपर हमसे मिलने आए। सवा बजे वे लौटने लगे, तब बेप सीढ़ियों पर उनसे मिली और उन्हें चेताया कि वान मारन दफ्तर में गया है। मजबूरन मि. कुग्लर डेढ़ बजे तक हमारे साथ ही रहे। फिर उन्होंने अपने जूते उतारे और ऐसी ठंड में जुकाम होने के बावजूद वे सामने वाले बालाखाने से बड़ी सावधानी से एक-एक सीढ़ियाँ उतरकर, ताकि सीढ़ियों के चरमराने की आवाज न निकले, नीचे उतरे। सीढ़ियाँ उतरने में ही उन्हें पंद्रह मिनट लगे, लेकिन बाहर से आने के कारण वह सुरक्षित दफ्तर में पहुँच गए।

दरमियान के समय में बेप ने मारन से छुटकारा पाया और वह मि. कुग्लर को लेने एनेक्स के रास्ते आई। तब तक मि. कुग्लर आगेवाली सीढ़ी से निकल गए थे। तब तक वे बड़ी सावधानी से सीढ़ियाँ ही उतर रहे थे। आस-पास से गुजरनेवालों ने मैनेजर को दफ्तर के सामने जूते पहनते देखा हो तो उन्होंने क्या सोचा होगा? ऐ, क्या कर रहे हो तुम, मोजेवाले आदमी। यही कहते वे।

तुम्हारी ऐन

बुधवार, 29 सितंबर, 1943

मेरी सबसे प्यारी किट्टी,

आज मिसेज वैनडैन का बर्थ-डे है। चीज, मीट और ब्रेड के लिए एक-एक रेशन स्टैंप के अलावा जन्म-दिवस के उपलक्ष्य में उन्हें हम सबकी तरफ से केवल एक जैम का डिब्बा मिला। उनके पति डुस्सेल और दफ्तर के स्टाफ ने उन्हें केवल फूल दिए और कुछ अनाज दिया। हम कैसे जी रहे हैं, इसका अंदाजा इस बात से लगा लेना।

पिछले हफ्ते बेप को अवसाद ने घेरा, क्योंकि उन्हें एक साथ कई सारे काम करने पड़ रहे थे। लोग दसियों बार उसे किसी-न-किसी बहाने बाहर भेज रहे थे, हर बार वे जोर देते कि वह तुरंत जाए या दुबारा जाए या उसने सबकुछ गलत कर दिया है। उसका दफ्तर का काम तो था ही, साथ ही मि. क्लीमन बीमार थे, जुकाम के कारण मीप छुट्टी पर थी, खुद बेप के टखने में मोच आई थी, बॉयफ्रेंड की परेशानी थी ही, चिड़चिड़े पिता की देखभाल उसकी सहनशक्ति की सीमा थी। हमने उसे धीरज बँधाया और कहा कि एक-दो बार अगर वह सीधे इनकार कर दे तो और अपने पास समय की कमी होने की बात कह दे तो शॉपिंग लिस्ट अपने आप सिकुड़ जाएगी।

शनिवार को बड़ा कांड हुआ। ऐसा कांड, जैसा यहाँ पहले कभी नहीं हुआ था। वान मारन के बारे में चर्चा से उस बात की शुरुआत हुई, जो आगे जाकर वाद-विवाद

में तब्दील हुई और उसका अंत रोने-धाने में हुआ। डुस्सेल ने मम्मा से शिकायत की कि उसके साथ महारोगियों की तरह बरताव किया जा रहा है, कोई भी उनके साथ मित्रता नहीं कर रहा और ऐसा तो उन्होंने कुछ नहीं किया। इसके बाद वह खूब मीठा-मीठा बोले। सौभाग्य से इस बार मम्मा उनके इस झाँसे में नहीं आईं। उन्होंने डुस्सेल से साफ शब्दों में कहा कि हम सबको उन्होंने निराश कर दिया है और एक नहीं, कई बार उनके कारण सबको परेशानी झेलनी पड़ी है। हमेशा की तरह डुस्सेल ने मम्मा से बड़े-बड़े वादे किए, लेकिन उनकी छोटी झलक भी अब तक उनके बरताव में नहीं दिखी।

वैनडैन परिवार में कोई मुसीबत पैदा हो रही है, मैं आपको अभी बता देती हूँ। डैड गुस्सा हैं, क्योंकि वे हमें धोखा दे रहे हैं। मांस और कुछ अन्य चीजें वे अलग रख लेते हैं। अरे, इस बार किस तरह का बम फटेगा? काश! मैं इन झगड़ों में उलझी न होती। काश! मैं यहाँ निकलकर कहीं जा पाती। वे हमें पागल किए दे रहे हैं।

तुम्हारी ऐन

रविवार, 17 अक्टूबर, 1943

मेरी सबसे प्रिय किट्टी,

शुक्र है, मि. क्लीमन काम पर लौट आए हैं। वे थोड़े कमजोर लग रहे हैं, फिर भी वह मि. वैनडैन के कुछ कपड़े बेचने के काम पर निकल पड़े हैं। यह बात मानी नहीं जा सकती कि मि. वैनडैन के पैसे खत्म हो गए हैं। उनके पास बचे आखिरी सौ गिल्डर्स उन्होंने गोदाम में गुमा दिए। गोदाम अभी भी हमारे लिए मुसीबतें ही खड़ी कर रहा है। सोमवार की सुबह गोदाम में सौ गिल्डर्स कैसे गुम हो सकते हैं, ऐसा सभी पुरुषों को लगता है। शक बढ़ता जा रहा है। दरमियान सौ गिल्डर्स किसी ने चुरा लिये हैं। चोर है कौन, किसने चोरी की होगी? लेकिन मैं धन की कमी के बारे में बता रही थी। मिसेज वैनडी के पास बहुत सारे कपड़े हैं, ड्रेसेस, कोट्स, जूते आदि भी। उनके अलावा वह जी ही नहीं पाएँगी, ऐसा मिसेज वैनडैन को लगता है। मि. वैनडैन का सूट बेचना मुश्किल है। पीटर की बाइक को भी बेचने के लिए रखा गया है, लेकिन उसे कोई नहीं खरीदना चाहता। बात यहीं खत्म नहीं होती। मिसेज वैनडी अपने फर कोट को अलविदा कहने वाली हैं। उनकी राय में, फर्म को ही हमारे रखरखाव का खर्चा उठाना चाहिए, लेकिन उनका यह कहना विचित्र है। उनमें अभी-अभी इस बात को लेकर बड़ा झगड़ा हुआ है। झगड़ा अब 'ओ मेरे पुट्टी' और 'डार्लिंग केर्ली' तक आया है, यानी अब झगड़ा खत्म होने के कगार पर है।

इस सम्मानजनक घर को पिछले महीने भर में कितने अनादरयुक्त वचन सुनने-

सहने पड़े हैं, यह सोचकर मेरा मन आश्चर्यचकित होता है। डैड अपने होंठ एक-दूसरे पर दबाकर घर में घूमते हैं, जब कभी उन्हें अपना नाम सुनाई देता है, तब वे बड़े चौकन्ने होकर देखते हैं, मानो उन्हें एक और नाजुक मसला हल करने के लिए बुलाया जानेवाला हो। मम्मा ने अपने आपको इतना कड़ा बना लिया है कि उनके गालों पर तनाव से लाल रंग उभर आया है। मार्गो बार-बार सिरदर्द की शिकायतें करने लगी हैं। डुस्सेल को नींद नहीं आती और मिसेज वैनडैन दिन भर गुस्से में उफनती रहती हैं और मैं तो पूरी तरह बदल गई हूँ। सच बताऊँ तो मुझे कई बार पता ही नहीं चलता कि मैं किससे नाराज हूँ और किससे नहीं हूँ। इन बातों से मन को अलग करने का केवल एक रास्ता है पढ़ाई में डूब जाना और इधर मैं खूब पढ़ाई करने लगी हूँ।

तुम्हारी ऐन

शुक्रवार, 29 अक्तूबर, 1943

मेरी सबसे प्रिय किट्टी,

मि. क्लीमन को फिर बाहर भेजना पड़ा है। उनका पेट उन्हें शांति से रहने नहीं देता था। उन्हें यह भी पता नहीं है कि पेट में हो रहा खून का रिसाव रुका है या नहीं। वे हमसे कहने आए कि उनकी तबीयत ठीक नहीं लग रही है और वे घर जा रहे हैं। पहली बार वे काफी बीमार लग रहे थे।

मि. और मिसेज वैनडैन में और भी कई बार जोरदार झगड़े हुए हैं। कारण साफ है, अब उनके पास पैसे नहीं बचे हैं। वे मि. वैनडैन का एक सूट और एक ओवरकोट बेचना चाहते थे, लेकिन उन्हें कोई ग्राहक नहीं मिला। उन्होंने बड़ी ऊँची कीमतें लगाई थीं।

कुछ समय पहले मि. क्लीमन एक फर के सामान की खरीद-फरोख्त करने वाले के बारे में कह रहे थे। इससे मि. वैनडैन को अपनी पत्नी का फर कोट बेचने की सूझी। वह खरगोश के चमड़े का बना है। पिछले सतरह सालों से मिसेज वैनडी वे इस्तेमाल कर रही हैं। उसके मिसेज वैनडी को 325 गिल्डर्स मिले। बहुत बड़ी रकम थी। युद्ध के बाद अपने लिए कपड़े खरीदने के लिए वे ये रकम अपने ही पास रखना चाहती थीं। घर खर्चे के लिए उन पैसों की बहुत जरूरत है, यह मि. वैनडैन को बड़ी मेहनत करके उन्हें समझाना पड़ा।

उसके बाद जो चीखना-चिल्लाना, पैर पटकना और गालियाँ देने का दौर चला, उसकी आप कल्पना भी नहीं कर सकते। बहुत भयानक था वह सब। मेरा परिवार सीढ़ियों के नीचे साँस थामे खड़ा था, ताकि जरूरत पड़े तो उन दोनों को एक-दूसरे से अलग करने के लिए जा सकें। एक-दूसरे को ताने मारना, आँसू बहाना और तनाव, ऐसा

दमघोंटू और थका देने वाला होता था कि रात मैं अपने बिस्तर पर रोती रहती थी, अपने सौभाग्य को दुआएँ देती रहती थी कि मेरे पास अपने लिए कम से कम आधा घंटा तो है।

मैं अब ठीक हूँ। बस मुझे भूख नहीं लगती। लोग मुझसे कहते रहते हैं, "अरे, तुम तो बहुत दुबली हो गई हो।" मानती हूँ कि वे मुझे अच्छी और तंदुरुस्त देखना चाहते हैं, वे मुझे डेक्स्ट्रोज, कॉड-लिवर ऑइल, ब्रीवर्स सीस्ट और कैल्सियम भी खिलाते हैं, लेकिन मेरी नसें मेरा ठीक से साथ नहीं दे रहीं, खासकर रविवार के दिन। रविवार को मैं दयनीयता महसूस करती हूँ। यहाँ का वातावरण उबा देने वाला, आलस भरा और भारी होता है। बाहर से भी पंछियों की आवाज तक सुनाई नहीं देती है। मृतप्राय, दमनीय सन्नाटा पूरे घर पर छाया रहता है। मुझसे आकर वह ऐसे चिपक जाता है, मानो मुझे खींचकर अंडरवर्ल्ड के गहरे अंधकार में खींचकर ले जाना चाहता हो। ऐसे समय डैड, मॉम या मार्गो से मुझे कोई सुकून नहीं मिलता। मैं कमरा-दर-कमरा, सीढ़ियों पर ऊपर-नीचे बस चलती रहती हूँ। तब मुझे लगता है कि पंख कटा गाने वाली पंछी हूँ, जो बार-बार मुक्ति के लिए अपने अँधेरे पिंजड़े के दरवाजे पर अपने को फेंक रहा है। वह करुण स्वर में बिलबिलाता है, मुझे बाहर जाने दो, मुझे वहाँ जाने दो, जहाँ साफ हवा और ताजी हँसी है। मैं अब किसी की किसी भी बात का जवाब नहीं देती। बस दीवान पर लेटी रहती हूँ। नींद के कारण शांति और भयंकर डर जल्दी बीतते हैं। समय बीतता है। वैसे समय काटना नामुमकिन लगता है।

तुम्हारी ऐन

बुधवार, 3 नवंबर, 1943

मेरी सबसे प्यारी किट्टी,

इन सभी चीजों से हमारे मन को दूर करने के लिए डैड ने एक पत्राचार स्कूल से कैटलॉग मँगाया है। वे हमें आगे पढ़ाना भी चाहते हैं। मार्गो ने वह मोटा ब्रोशर तीन बार पूरा पढ़ा, लेकिन उसे उसमें पसंद आए और उसके बजट में बैठे, ऐसा कोई विषय नहीं मिला, लेकिन डैड को संतुष्ट करना आसान था। उन्होंने 'एलिमेंटरी लैटिन' विषय के ट्रायल पाठ की लिखित माँग भेजने की सोची। भेज भी दी। पाठ आ भी गया। मार्गो उत्साह के साथ काम में जुट गई। खर्चा अधिक होने के बावजूद उसने कोर्स करने का निर्णय लिया, लेकिन मुझे विषय बहुत कठिन लगा; हालाँकि मैं भी लैटिन भाषा सीखना चाहती थी।

मुझे एक नया प्रोजेक्ट देने के खयाल से डैड ने मि. क्लीमन से बच्चों की बाइबिल माँगी, ताकि मैं न्यू टेस्टामेंट के बारे में थोड़ी जानकारी पा सकूँ।

क्या आप हनुका के दिन ऐन को बाइबिल देना चाहते हैं? मार्गो ने पूछा, तब वह थोड़ी परेशान लग रही थी।

हाँ, शायद सेंट निकोल्स डे पर दूँ तो ज्यादा बेहतर होगा, डैड ने कहा।

जीजस और हनुका एक साथ ठीक नहीं जाते। वैक्यूम क्लीनर टूट जाने के कारण मुझे एक पुराने ब्रश से हर रोज रात को रग साफ करना पड़ता था। खिड़की बंद है। दीपक जल रहा है। स्टोव जला हुआ है और मैं रग को ब्रश से झाड़ रही हूँ। इससे तो जरूर कोई-न-कोई समस्या खड़ी होगी। मैंने सोचा, 'कोई-न-कोई शिकायत जरूर करेगा।' मेरी सोच सही निकली। कमरे में फैल रहे धूल के घने बादल से मम्मा का सिरदर्द करने लगा। मार्गो के नया लैटिन शब्दकोश पर धूल की पपड़ियाँ जम गईं। डैड की शिकायत थी कि जमीन अलग से दिखाई नहीं दे रही थी। सब मेरी मेहनत की बदौलत।

हमने तय किया कि रविवार के दिन सुबह साढ़े पाँच बजे के बजाय आगे से साढ़े सात बजे स्टोव जलेगा। मुझे यह थोड़ा जोखिम भरा लगा, क्योंकि पड़ोसी हमारी चिमनी से धुआँ निकलते देखेंगे तो क्या सोचेंगे?

यही बात परदों की भी थी। हम जब से यहाँ गुप्त रूप से रहने आए हैं, तभी से परदे खिड़कियों से चिपकाए गए हैं। कभी-कभार किसी का अपने मन पर वश नहीं रहता और वे बाहर देख लेते हैं। परिणामस्वरूप झिड़कियों की मानो झड़ी लग जाती है। जवाब में 'अरे, किसी को पता नहीं चलेगा।' कहा जाता है। गैर-जिम्मेदाराना हरकतें इसी तरह की जाती हैं और खत्म होती हैं। किसी को पता नहीं चलेगा, किसी को सुनाई नहीं देगा, कोई इतना ध्यान नहीं दे रहा होगा···कहना बहुत आसान है, पर क्या सचमुच ऐसा है?

अभी फिलहाल झगड़ों के तूफान थमे हुए हैं। केवल डुस्सेल और वैनडैन के बीच मनमुटाव है। डुस्सेल जब मिसेज वैनडैन के बारे में बात करते हैं, तब मि. वैनडैन का जिक्र, वह चमगादड़ या वह डायन, वह चुडैल या वह बुढ़िया कहकर करते हैं और मिसेज वैनडैन हमारे इन विद्वान्, सज्जन पुरुष का जिक्र, बूढ़ा सेवक या भावुक पागल कुँवारा कहकर करती हैं। करेल कहे मेथी से, तू कड़वी।

तुम्हारी ऐन

सोमवार की शाम, 8 नवंबर, 1943

मेरी सबसे प्यारी किट्टी,

तुमने अगर मेरे सभी खत एक साथ पढ़े तो तुम्हारे ध्यान में आएगा कि इनमें से हर खत का मूड अलग है। यहाँ गुप्त भवन में मैं अपने मूड्स के सहारे चलूँ, यह मुझे अच्छा नहीं लगता, लेकिन ऐसा केवल मेरे साथ ही नहीं होता। हम सबके साथ

यह होता है। अगर मैं कोई किताब पढ़ने में डूबी हुई हूँ तो मुझे अपने सभी खयालों को किताब छोड़कर बाकी लोगों से मिलते हुए ठीक से लगाना पड़ता है, वरना उन्हें मेरा बरताव विचित्र लग सकता है। तुम जानती हो कि फिलहाल मैं डिप्रेशन से, अवसाद से गुजर रही हूँ। मैं सचमुच यह बता नहीं पाऊँगी कि किस वजह से मैं डिप्रेशन में गई, लेकिन मुझे लगता है, मेरे डरपोक होने के कारण ही ऐसा हुआ है। हर मोड़ पर मेरा डर मेरा पीछा करता है। आज शाम जब बेप अभी यहीं थीं, दरवाजे की घंटी बड़े जोर से और देर तक बजी। तुरंत मेरा रंग उड़ गया। मेरे पेट में गड्ढा सा बना और मेरा दिल जोर-जोर से धड़कने लगा, क्योंकि मैं डर गई थी।

रात में बिस्तर में लेटती हूँ तो लगता है कि मैं डैड और मम्मा के बगैर एक अँधेरी गुफा में फँसी हूँ, या फिर मैं सड़कों पर घूम रही हूँ या गुप्त भवन में आग लगी है या हम सबको पकड़कर ले जाने के लिए वे मध्य रात्रि में आ गए हैं। बदहवास सी मैं रेंगकर अपने बिस्तर के नीचे चली जाती हूँ और यह सब मुझे इस तरह दिखाई देता है, जैसे वास्तव में हो रहा हो। ऐसा कभी भी हो सकता है, सोचकर मुझे बहुत डर लगता है। मीप कई बार कहती है कि यहाँ की शांति के कारण उसे हमसे कभी-कभी जलन होती है। हो सकता है, वह सच कह रही हो, लेकिन यह बात भी सही है कि ऐसा कहते समय उसे हमारे डर का अहसास नहीं है।

दुनिया हमारे लिए फिर कभी पहले जैसी होगी, ऐसा मुझे बिल्कुल नहीं लगता। 'युद्ध के बाद' के बारे में मैं बोलती तो हूँ, लेकिन मेरी वे बातें केवल हवाई किले जैसी होती हैं। ऐसी चीज, जो कभी भी सच नहीं हो सकती।

यहाँ रहनेवाले हम आठ लोग मुझे कभी-कभी नीले आकाश के टुकड़ों से लगते हैं, जिन्हें डरावने काले बादलों ने घेर रखा हो। जिस एकदम गोल जगह पर हम खड़े हैं, वह फिलहाल तो महफूज है, लेकिन वे डरावंने, काले बादल हम पर झपटने के लिए मँडरा रहे हैं। हम जहाँ खड़े हैं, वह घेरा धीरे-धीरे कसता जा रहा है। हमें अँधेरे और खतरे ने घेर रखा है। बदहवास से उनसे बाहर निकलने का रास्ता ढूँढ़ते हुए हम सब बार-बार एक-दूसरे से टकरा रहे हैं। नीचे चल रहे झगड़ों को और ऊपर की शांति और सौंदर्य को हम देखते हैं। इसी दरमियान काले बादल आकर हमें घेर लेते हैं, एक-दूसरे से अलग कर देते हैं। हम न ऊपर जा सकते हैं, न नीचे। काले बादल हमारे आस-पास अभेद्य काली दीवार की तरह खड़े होते हैं। ये दीवारें हमें मसलने के लिए आगे आती हैं, लेकिन अभी वे हमें मसल नहीं पाईं हैं। मैं केवल रो सकती हूँ और प्रार्थना कर सकती हूँ, "हे चकत्तो, और फैलो, हमें बाहर जाने दो।"

तुम्हारी ऐन

गुरुवार, 11 नवंबर, 1943

मेरी सबसे प्रिय किट्टी,

इस अध्याय के लिए मुझे अच्छा शीर्षक सूझ रहा है—

कसीदा : मेरे फाउंटेन पेन की स्मृति में

मेरा फाउंटेन पेन मेरी सबसे पसंदीदा और मेरे लिए बहुमूल्य चीज थी। मेरे लिए वह इसलिए बहुमूल्य था, क्योंकि उसकी निब मोटी थी और मैं केवल मोटी निब वाले पेन से ही ठीक से लिख पाती हूँ। मेरे पेन ने लंबी, मजेदार फाउंटेन पेन जिंदगी गुजारी, जिसके बारे में मैं आगे बता रही हूँ।

मैं तब नौ वर्ष की थी, जब सूती कपड़े में लिपटा मेरा 'वाणिज्यिक मूल्यविहीन' फाउंटेन पेन सुदूर आचेन से मेरे पास आया। आचेन में मेरे नाना-नानी रहते हैं। उन्होंने ही मुझे यह पेन भेजा था। मैं तब फ्लू से बीमार थी और बिस्तर में लेटी हुई थी। मुझे याद है, तब हमारे अपार्टमेंट के आसपास फरवरी की हवाएँ हो-हल्ले के साथ बह रही थीं। एक लाल चमड़े के बक्से पर यह सुंदर पेन आया। मैंने अपनी सभी गर्ल-फ्रेंड्स को पहले मौके में पेन दिखाया। अब मैं ऐन फ्रैंक एक फाउंटेन पेन की गर्वीली मालिक थी।

मैं दस वर्ष की हुई, तब मुझे यह पेन स्कूल ले जाने की अनुमति मिली। मुझे बड़ा अचरज हुआ, जब हमारी टीचर ने मुझे इससे लिखने की अनुमति भी दी। हालाँकि मैं जब ग्यारह वर्ष की हुई, तब मुझे अपनी यह बहुमूल्य चीज एक बार फिर बाँधकर अलग सँभालकर रखनी पड़ी, क्योंकि छठी कक्षा की हमारी टीचर ने हमें केवल स्कूल द्वारा दिए गए पेन और स्याही-दवात इस्तेमाल करने की इजाजत दी थी। जब मैं बारह वर्ष की हुई, तब यहूदी लिसेयुम में मेरा प्रवेश हुआ। इस खुशी में तब मेरे फाउंटेन पेन के लिए नया कवर मिला। इस कवर में पेंसिल रखने की जगह भी थी और उसमें एक जिप भी लगा हुआ था। जिपर बहुत सुंदर था। मैं तेरह वर्ष की हुई, तब मेरे साथ मेरा फाउंटेन पेन एनेक्स में गया। हम दोनों ने मिल कर कई डायरियाँ लिखीं और कई सारे निबंध लिखे। मैं चौदह वर्ष की हुई, जब मेरे साथ मेरा पेन अपनी जिंदगी का आखिरी वर्ष आनंद के साथ बिता रहा था कि तभी शुक्रवार का दिन था। शाम पाँच बजे के बाद का समय था। मैं अपने कमरे से बाहर आई थी और लिखने के लिए टेबल पर बैठने ही जा रही थी कि तभी लैटिन पढ़ने-पढ़ाने आए मार्गो और डैडी के लिए जगह बनाने के चक्कर में मैंने चीजों को अनजाने ही जोर से परे धकेला। अब टेबल पर फाउंटेन पेन की मालकिन के लिए बहुत कम जगह बची थी। बिना इस्तेमाल किया फाउंटेन पेन टेबल पर उपेक्षित सा पड़ा रहा। अपने लिए मिली बेहद कम जगह पर बैठकर बींस घिसने लगी। बींस

पर लगे फफूँद को हम यों ही मिटाते हैं और उन्हें साफ कर फिर डिब्बों में रखते हैं। पौने छह बजे मैंने कमरे में झाड़ू लगाई, धूल को अखबार में बटोरा, सड़े हुए बींस भी कूड़े में डाले और कागज को चूल्हे में झोंका। तुरंत एक बड़ी लपट उठी। मुझे लगा, अच्छा हुआ। अपनी आखिरी साँसें लेते हुए चूल्हे में, साँस लेने के लिए तड़पते हुए चूल्हे में जादुई तब्दीली आई, यह देखकर मुझे अच्छा लगा।

उसके बाद फिर सब दूर शांति फैली। लैटिन की छात्रा और उसके अध्यापक जा चुके थे। जहाँ लिखना बंद किया था, वहाँ से आगे बढ़ने के लिए मैं टेबल पर बैठी। मेरा फाउंटेन पेन कहीं दिखाई नहीं दिया। मैंने एक बार फिर देखा, मार्गो ने देखा, मम्मा ने देखा, डैड ने देखा, मि. डुस्सेल ने देखा, वह गायब था। 'बींस के साथ तुमने उसे चूल्हे में झोंक दिया हो शायद।' मार्गो बोली।

'नहीं, ऐसा नहीं हो सकता।' मैंने जवाब दिया।

हालाँकि शाम तक भी जब बहुत ढूँढ़ने के बावजूद पेन नहीं मिला, हम सबने माना कि पेन जल गया होगा, क्योंकि सेल्युलॉइड तीव्र ज्वलनशील पदार्थ है। दूसरे दिन हमारी ये आशंका सही साबित हुई, जब डैड को चूल्हे को खाली करते वक्त राख में पिन मिली। वह पिन, जो पेन को जेब में रखने के लिए काम आती थी। सोने की निब, लेकिन गायब थी। वह पिघलकर जल गया होगा। डैड ने कहा, लेकिन एक बात की मुझे तसल्ली है, भले छोटा सही कि मेरे फाउंटेन पेन का दाह-संस्कार संपन्न हुआ था, बिल्कुल वैसा, जैसा कि किसी दिन मेरा भी होने वाला है।

तुम्हारी ऐन

मंगलवार, 17 नवंबर, 1943

प्रिय किट्टी,

हाल में जो घटनाएँ घटी थीं, उनके कारण गुप्त भवन की बुनियाद हिल गई थी। बेप को डिप्थीरिया होने के कारण उसे हमसे छह हफ्तों तक संपर्क रखने से मना किया गया था। उसके बगैर खरीदारी और खाना बनाना बहुत मुश्किल होने वाला था। हमें उसका साथ बहुत याद आएगा, यह अलग बात। मि. क्लीमन अभी भी बीमार थे और बिस्तर पकड़े थे। पिछले तीन हफ्तों से उन्होंने दलिया या माँड़ जैसी चीजों के अलावा कुछ भी खाया नहीं था। इसलिए सारा काम मि. कुग्लर पर आया था और वह गले तक काम के बोझ तले डूबे थे।

मार्गो अपने लैटिन के पास एक अध्यापक को भेजती है, जो जाँचकर उसे वापस लौटाते हैं। उसने बेप के नाम से रजिस्ट्री करवाई है। अध्यापक बहुत अच्छे और विनोद

बुद्धिवाले हैं। मेरे जैसी स्मार्ट छात्रा पाकर उन्हें यकीनन खुशी हुई होगी, यह मैं शर्त के साथ कह सकती हूँ।

डुस्सेल किसी उलझन में फँसे हैं और हमें उनकी उलझन की वजह समझ नहीं आ रही। वे जब ऊपर थे, तब उन्होंने कुछ भी नहीं कहा था, तभी से इसकी शुरुआत हुई थी। मि. और मिसेज वैनडैन के साथ वे एक शब्द भी नहीं बोले थे। हम सबके ध्यान में यह बात आ चुकी थी। कुछ दिनों तक ऐसा ही चलता रहा। फिर मम्मा ने उन्हें मिसेज वैनडी के बारे में चेताया। उन्होंने कहा कि मिसेज वैनडैन उनका जीना मुहाल कर देंगी। डुस्सेल ने बताया कि मि. वैनडैन ने चुप रहने की, कुछ न कहने की शुरुआत की है। अब इसे तोड़ने की उनकी इच्छा नहीं है। मैं बता दूँ कि कल 16 नवंबर, यानी एनेक्स में रहने आने की उनकी सालगिरह का दिन था। मम्मा को इस अवसर पर एक पौधा मिला, लेकिन मिसेज वैनडैन, जिन्होंने कई हफ्तों तक इसका जिक्र किया था, लेकिन बाद में डुस्सेल हमें डिनर खिलाए, इस बात का जिक्र करना भी टाला था। इस मौके का फायदा उठाते हुए उन्हें हमें पहली बार ही सही हमारे द्वारा निस्स्वार्थ भाव से उन्हें हमारे साथ रहने देने के लिए शुक्रिया अदा करना चाहिए था, लेकिन इस सिलसिले में उन्होंने एक शब्द भी नहीं कहा और सोलह तारीख की सुबह जब मैंने उनसे पूछा कि इस अवसर पर मुझे उन्हें शुभ कामनाएँ देनी चाहिए या शोक संवेदना जतानी चाहिए, तब उन्होंने कहा था कि कुछ भी चलेगा। मम्मा ने समझौता कराने की भूमिका निभाने की जिम्मेदारी ली तो थी, लेकिन किया कुछ नहीं था। स्थितियाँ आखिर बिना कुछ किए हुए ही बीत गईं।

बिना बढ़ाए-चढ़ाए मैं एक बात कह सकती हूँ कि निश्चित तौर पर डुस्सेल के स्क्रू ढीले हैं। हम कई बार आपस में उन पर हँसते हैं, क्योंकि उन्हें कुछ याद नहीं रहता, उनका कुछ तय मत नहीं है और उनके पास सामान्य ज्ञान भी नहीं है। कई बार सुनी हुई खबर हमें सुनाते हुए उसकी जबान लड़खड़ाई है। इसके अलावा उन पर किए गए आरोपों या उनकी शिकायतों का वह हमेशा कई कसमें खाकर जवाब देते हैं और खाई गई कसमें या किए गए वादे वे कभी पूरे नहीं कर सकते।

कहते हैं न, इसके इरादे बड़े नेक होते हैं, लेकिन काम अदना।

तुम्हारी ऐन

शनिवार, 27 नवंबर, 1943

मेरी सबसे प्यारी किट्टी,

कल रात मैं जब सोने ही वाली थी, अचानक हनेली मेरे सामने प्रकट हुई। मैंने उसे देखा, फटे-पुराने चीथड़ों में उसका चेहरा भी बेहद दुबला हुआ था। उसने इतनी

दु:खी नजर से मेरी तरफ देखा, उसकी बड़ी-बड़ी आँखों में मेरे बारे में इतनी शिकायतें थीं कि वह जो कहना चाहती थी, मैं साफ-साफ पढ़ पाई—"और ऐन, तुमने मेरा साथ क्यों छोड़ा? मदद करो, मेरी मदद करो, इस नर्क से मुझे छुड़ा लो।"

और मैं उसकी मदद नहीं कर सकती। दूसरे जब दु:ख भोगते हैं और मर जाते हैं, तब मैं बस खड़ी रहकर देख सकती हूँ। मैं भगवान् से बस यही प्रार्थना कर सकती हूँ कि वह उसे वापस हमारे पास भेजे। मैंने हनेली को देखा, किसी और को नहीं। उसे देखकर समझ आया कि ऐसा क्यों? मैंने उसे गलत समझा था। मुझे समझ नहीं आया था कि सब उसके लिए कितना मुश्किल हो रहा था। वह अपनी दोस्त के प्रति समर्पित थी और शायद उसे ऐसा लगा हो कि मैं उसे अलग करने जा रही हूँ। बेचारी! उसे बहुत बुरा लगा होगा। पता है, क्योंकि मुझे भी ऐसा ही लगा था। मुझे कभी-कभी अचानक इस प्रकार समझदारी के झटके आते हैं, लेकिन फिर मैं अपनी समस्याओं और खुशियों में स्वार्थी बनकर घिर जाती हूँ।

उसके साथ इस तरह का बरताव करना बड़ी क्रूरता थी, जो मैंने की थी और अब वह ऐसी नजरों से मेरी तरफ देखती है। कितनी दयनीयता से उसका निस्तेज चेहरा और माँगती सी आँखें। काश! मैं उसकी मदद कर पाती। हे भगवान्, मैं जिसकी इच्छा करूँ, वह सब मेरे पास है, जबकि भाग्य ने उसे मौत की पकड़ में भेजा है। वह भी मेरी ही तरह समर्पित थी, शायद मुझसे ज्यादा और जो सही था, वही वह भी करना चाहती थी, लेकिन फिर मैंने जीवन क्यों चुना, जबकि वह शायद मरने वाली है, हम दोनों में फर्क क्या है, अब हम एक-दूसरी से इतनी दूर क्यों हैं?

सच कहूँ तो मैंने कई महीनों से उसके बारे में सोचा भी नहीं था। शायद एक साल से। वैसे मैं उसे पूरी तरह भूल गई हूँ, ऐसा भी नहीं है। फिर भी आज उसे यों सामने देखने तक बाद ही मैं उसके दु:ख की कल्पना कर पाई।

ओह हनेली! तुम युद्ध के अंत तक जिओगी और फिर हममें लौटोगी, ऐसी मैं उम्मीद करती हूँ। तब मैं तुम्हारा स्वीकार कर सकती हूँ। इस तरह तुम्हारे प्रति मुझसे जो गलती हुई है, उसे मैं सुधार सकूँगी और अगर मैं मदद करने की स्थिति में होती, तब भी उसे अब मेरी मदद की जितनी जरूरत है, उतनी कभी नहीं होगी। क्या वह कभी मेरे बारे में सोचती होगी; सोचती होगी अगर तो क्या सोचती होगी?

हे दयालु ईश्वर, उसे सांत्वना दो, ताकि कम से कम वह अकेली न हो। काश! तुम उसे बता पाते कि मैं उसके बारे में सोचती हूँ, प्रेम और सहानुभूति के साथ। हो सकता है, उसे थोड़ा सुकून मिले। मुझे इस बारे में ज्यादा नहीं सोचना चाहिए। इससे कुछ हासिल नहीं होने वाला। मुझे उसकी बड़ी-बड़ी आँखें दिखाई देती हैं। वे मुझे बार-बार परेशान करती रहती हैं। क्या हनेली सचमुच, सही में भगवान् में विश्वास करती है, या

फिर उस पर धर्म थोपा गया है, मुझे इसका पता भी नहीं है। मैंने इस बारे में कभी उससे पूछने की जहमत नहीं उठाई।

हनेली, हनेली काश! मैं तुम्हें कहीं और ले जा पाती। काश! मेरे पास जो कुछ भी है, सब मैं तुम्हारे साथ बाँट पाती। बहुत देर हो गई है अब। मैं अब तुम्हारी कोई मदद नहीं कर सकती। न ही मुझसे तुम्हारे प्रति जो गलतियाँ हुई हैं, उन्हें ठीक ही कर सकती हूँ, लेकिन मैं हनेली को कभी भुला नहीं पाऊँगी और मैं हमेशा उसके लिए प्रार्थना करती रहूँगी।

तुम्हारी ऐन

सोमवार, 6 दिसंबर, 1943

मेरी सबसे प्रिय किट्टी,

सेंट निकोल्स दिवस जैसे-जैसे करीब आ रहा था, वैसे-वैसे हम सबको पिछले वर्ष इस दिन के उपलक्ष्य में सजाई गई बॉस्केट याद आ रही थी।

किसी और की तो पता नहीं, लेकिन मुझे ऐसा जरूर लगा कि इस वर्ष संत निकोलस दिवस नहीं मनाना बड़ा भयंकर होगा। बहुत सोचने के बाद मेरे दिमाग में एक खयाल आया, जो थोड़ी मजेदार भी था। इस बारे में मैंने पिम से बात की और एक हफ्ते पहले हमने गुप्त भवन में रहनेवाले हर व्यक्ति पर कविता लिखने की सोची।

रविवार की शाम करीब पौने आठ बजे हम एक साथ ऊपर चले। हमारे पास एक बड़ा लाड्री बॉस्केट था, जिसे गुलाबी और नीले रंग के कार्बन पेपर से बनी बाण और आकृतियों से सजाया गया था। सबसे ऊपर भूरे रंग का कागज लपेटा था, जिससे एक नोट चिपकाया गया था। भेंट वस्तु के आकार को देखकर ही हर कोई अचंभित हुआ था। उस पर लगी चिट्ठी निकालकर मैंने सबको पढ़कर सुनाई—

"एक बार फिर आया सेंट निकोलस दिवस,
यह दिन हमारे गुप्त भवन में भी आया।
मुझे डर है कि यह हर बार की तरह मजेदार नहीं होगा।
जैसा मजेदार हमने पिछले वर्ष यह मनाया था।
तब हम आशावादी थे, शक की कोई वजह न थी,
आशावाद ही तब हर्षोल्लास का कारण बना था,
और इस वर्ष जब यह दिन आया, हमने सोचा
हम सब मुक्त होंगे, सुरक्षित और स्वस्थ भी।
फिर भी, नहीं भूलें कि आज सेंट निकोलस दिवस है।

हमारे पास देने के लिए कुछ भी अगर नहीं है,

तो भी हर कोई एक बार अपने जूते में झाँके।

इसके बाद एक-एक कर गुप्त भवन के हर सदस्य ने बॉस्केट के अंदर से अपना जूता निकाला। जूता निकलते ही बाकी सबकी हँसी छूटती थी। हर जूते के अंदर एक पैकेट था, जो जूते के मालिक के नाम से था।

तुम्हारी ऐन

बुधवार, 22 दिसंबर, 1943

मेरी सबसे प्यारी किट्टी,

बहुत तेज बुखार के कारण आज मैं लिख नहीं पाई थी। यहाँ बीमार होना बेहद खतरनाक है। हर बार खाँसी आते ही आवाज दबाने के लिए मुझे ब्लैंकेट के अंदर छिपना पड़ता था। एक बार, दो बार, तीन बार···और खाँसी रोकनी पड़ती है। खाँसी रोकने पर भी गले में खराश होती ही रहती थी। इसलिए मुझे दूध में शहद चीनी या खाँसी की दवा मिलाकर पीनी पड़ती है। मुझ पर जो-जो इलाज आजमाए गए, उनके बारे में सोचकर ही मुझे चक्कर से आने लगते हैं। बुखार में पसीना लाना, भाप लेना, ठंडे पानी का कपड़ा रखना, सूखे कपड़े को तहाकर रखना, गरम पेय लेना, गले पर अंदर से लेप लगाना, बिना हिल-डुले रहना, गरम पैड लेना, गरम पानी की बोतल से सिंकाई करना, नीबू पानी पीना और हर दूसरे घंटे थर्मामीटर से शरीर का तापमान जाँचना। इन उपायों से क्या आप ठीक होते हैं? सबसे बुरी हालत तब हुई, जब मिस्टर डुस्सेल ने डॉक्टर बनने की ठानी और अपने पोमेड लगे बालों वाला सिर मेरी नंगी छाती पर रखकर दिल की आवाज सुनी। उसके बालों के कारण एक तो गुदगुदी हो रही थी, दूसरे मुझे बेहद शर्म आ रही थी। ठीक है कि तीस वर्ष पहले उसने डॉक्टरी पढ़ी थी और उसके पास मेडिकल की उपाधि थी, फिर भी मेरे दिल पर उसने अपना सिर क्यों रखा? वह मेरा बॉयफ्रेंड तो नहीं था न, और वैसे भी मुझे लगता है कि उसे ठीक और गलत धड़कन के बारे में पता भी नहीं होगा। पहले तो उसे अपने कान साफ करने होंगे, क्योंकि आजकल उसे बहुत कम सुनाई देता है। वैसे मेरी बीमारी का वर्णन बहुत हुआ। अब मैं बिल्कुल ठीक हो गई हूँ। मेरी लंबाई आधा इंच बढ़ गई है और वजन भी दो पाउंड बढ़ा है। थोड़ी कमजोर लगती हूँ, लेकिन अपनी किताबों से मिलने को आतुर हूँ।

अपवादस्वरूप ही सही, कहना पड़ेगा कि अब हम सबमें अच्छी बन रही है। कोई झगड़े-टंटे नहीं, हालाँकि यह लंबे समय तक चलेगा नहीं, ऐसा लगता है। पिछले छह महीनों से इस घर में ऐसी शांति नहीं थी।

बेप अभी भी अलग-अलग रह रही है, लेकिन अब किसी भी दिन उसे बताया जा सकता है कि उसकी बहन को उससे बीमारी लगने का खतरा टल गया है।

क्रिसमस के लिए हम अधिक तेल, कैंडी और गुड़ खरीदेंगे। हनुका वाले दिन मि. डुस्सेल ने मम्मा और मिसेज वैनडैन को बेहतरीन केक दिया था। उनके द्वारा बनाए गए उस केक को मीप ने बेक किया था। बाकी सभी कामों के साथ उसके कंधों पर यह एक अतिरिक्त जिम्मेदारी डाली गई थी। मार्गो को और मुझे पेनी से बनाया गया ब्रश मिला था, एकदम चमचमाता हुआ। मैं हुबहू वर्णन तो नहीं कर पाऊँगी, लेकिन सचमुच वह बहुत सुंदर था।

मीप और बेप के लिए भी मैंने भेंट बनवाकर रखी हैं। एक महीने तक अपने गरम सीरियल पर डालनेवाली चीनी मैंने बचाई और मि. क्लीमन ने उसका इस्तेमाल कर फांड्यू बनवाया।

अब यहाँ हल्की-हल्की बारिश होने लगी है। वातावरण भारी रहता है। स्टोव से बदबू आती है और खाया हुआ जल्दी पचता नहीं, पेट भारी लगता है। तरह-तरह की आवाजें निकलती हैं। लड़ाई अब कठिन स्थितियों तक पहुँच चुकी है। सबकी उम्मीदें मुरझाई हुई हैं।

तुम्हारी ऐन

शुक्रवार, 24 दिसंबर, 1943

प्रिय किट्टी,

मैंने पहले भी कई बार तुम्हें इस बारे में लिखा है, हमें यहाँ कई बार मूड्स के शिकार होते रहते हैं। मेरे बारे में कहूँ तो दिनोदिन हालत और खराब होती जा रही है। गोएथे की एक मशहूर पंक्ति है—'या तो ऊँचे शिखर पर या गहरी खाई में' बिल्कुल ऐसी ही मेरी हालत हो गई है। ऊँचाई पर मैं तब पहुँचती हूँ, जब अन्य यहूदी बच्चों के साथ अपनी तुलना करती हूँ, खाई में तब होती हूँ, जब मिसेज क्लीमन कभी आकर जोपी के हॉकी क्लब, कैनो ट्रिप्स, स्कूल में खेले गए नाटक, दोस्तों के साथ दोपहर के समय पी गई कॉफी आदि बाहरी दुनिया की गतिविधियों का वर्णन करती हैं। मुझे जोपी से ईर्ष्या है, ऐसा मुझे नहीं लगता। मैं बस कुछ बेहतर समय गुजारना चाहती हूँ, इतना हँसना चाहती हूँ कि हँसने से जी दुखे।

कोढ़ियों की तरह हम इस घर में फँस गए हैं, खासकर ठंड के मौसम में ऐसा लगता है। क्रिसमस में नए वर्ष के आगमन के समय भी ऐसा लगता है। असल में मुझे यह सब लिखना ही नहीं चाहिए, क्योंकि इसे पढ़कर लगता है कि मैं कृतघ्न हूँ, लेकिन सबकुछ मैं अपने मन में दबाकर तो नहीं रख सकती। इसलिए शुरुआत में मैंने जो कहा

था, उसे यहाँ दोहरा देती हूँ, "कागज लोगों से ज्यादा सहनशील होता है।"

जब भी बाहर से कोई आता है, कपड़ों में बाहर की हवा लेकर, गालों पर ठंड लेकर, तब मुझे लगता है कि मैं अपना सिर ब्लैंकेट के नीचे दबा लूँ, ताकि मेरे दिमाग का विचार चक्र फिर से चल न पड़े। फिर भी मन में सवाल पनपता है, हमें खुली हवा में साँस लेने की इजाजत पता नहीं कब मिलने वाली है ? नहीं, हम ऐसा अभी कर नहीं सकते हैं, बल्कि जैसी भी हालत में हूँ, मुझे सिर उठाकर रखना पड़ता है, चेहरा निडर बनाए रखना पड़ता है, लेकिन दिमाग में विचार तो आते ही रहते हैं, बार-बार आते हैं।

यकीन कीजिए, आपको अगर डेढ़ साल तक चुप कराकर रखा जाए तो कभी-कभी वह चुप्पी आप पर भारी पड़ने लगती है। भावनाओं की अनदेखी नहीं की जा सकती, भले वह कितनी ही अन्यायपूर्ण या अकृतज्ञ ही क्यों न लगे। मुझे साइकिल दौड़ाने की, नाचने की, सीटी बजाने की, दुनिया देखने की, जवाँ महसूस करने की और मैं आजाद हूँ, यह जानने की बड़ी इच्छा होती है, लेकिन मैं उसे व्यक्त नहीं कर सकती। जरा सोचकर देखो कि हम सब आठों लोग अपने बारे में बुरा महसूस करें और अपना असंतोष चेहरे पर लेकर बरतें तो हमारा क्या होगा ? कभी-कभी मुझे अचरज होता है कि क्या कभी कोई मैं जो कह रही हूँ, वह समझेगा ? क्या कभी कोई मेरी अकृतज्ञता को नजरंदाज करे और मैं यहूदी हूँ या नहीं, इसकी फिकर बिना किए यह सोचे कि मैं बस एक युवती हूँ, जिसे थोड़े, सीधे-सादे आनंद की खोज है। मुझे नहीं पता और न मैं इस विषय के बारे में किसी से बोल ही सकती हूँ, क्योंकि मुझे यकीन है कि मैं बोलना शुरू करूँगी तो रो पड़ूँगी। आपको अकेले न रोना पड़े तो रोने से भी राहत मिल सकती है। हालाँकि मेरी सभी थ्योरी और कोशिशों के बावजूद हर दिन और दिन के हर घंटे एक ऐसी माँ की कमी महसूस करती हूँ, जो मुझे समझ सके। इसीलिए मैं जो भी करती हूँ और लिखती हूँ, हर जगह आगे चलकर मैं अपने बच्चों के लिए कैसी माँ बनना चाहती हूँ, यही सोचती रहती हूँ। ऐसी माँ, जो अपने बच्चे के बारे में लोग जो कहते हैं, उसे बहुत गंभीरता से न लेती हो, बस मुझे गंभीरता से लेती हो। मुझे जो कहना है, वह कह पाना मुझे कठिन लगता है, हालाँकि 'मॉम' शब्द में ही सब समाया हुआ है। अपने तईं मैंने इसका इलाज क्या निकाला है, क्या तुम जानती हो ? अपनी माँ को 'मॉम' जैसा कुछ कहने की तसल्ली अपने आपको देने के लिए मैं उन्हें कई बार 'मॉम्सी' कहती हूँ। काश ! इसमें से 'सी' को हटाकर मैं सम्मान से उन्हें केवल मॉम कह पाती। बेहतरीन 'मॉम', अच्छी बात यह है कि मम्मा को यह सब समझ नहीं आता। आता तो वे दुःखी हो जातीं।

चलो, इस बारे में इतना लिखना बहुत हुआ; हालाँकि मेरे लिखने के कारण में 'निराशा की गहराई' से उबर पाई हूँ।

तुम्हारी ऐन

क्रिसमस के बाद का दिन है। मुझे पिम की और पिछले वर्ष साल के इन्हीं दिनों उनकी बताई गई कहानी याद आ रही है। उस वक्त मुझे उनके कहे शब्दों का मतलब समझ नहीं आया था और न आज मेरी कुछ समझ में आता है। काश! वे खुद दुबारा वह सब बताएँ और मैं उन्हें बता सकूँ कि हाँ, आप जो कह रहे हैं, मैं सब समझ रही हूँ।

पिम ने मुझे बताया, क्योंकि मुझे लगता है औरों के बारे में बहुत सारी निजी बातें वे जानते थे और इसलिए उन्हें अपनी बात कहने की जरूरत महसूस हुई हो। सिर्फ एक बार। पिम अपने बारे में कभी बातें नहीं करते और मुझे लगता है कि उन्हें किन बातों से गुजरना पड़ा है, इसके बारे में मार्गो कुछ भी नहीं जानती है। बेचारे पिम, मैं उस लड़की के बारे में भूल गया हूँ, ऐसा मुझे महसूस कराने में वे कभी सफल नहीं हो सकते। वे कभी उसे नहीं भूल सकते। इसी वजह से वे बड़े सहनशील हो गए हैं। माँ की गलतियाँ वे नहीं जानते हों, ऐसी बात नहीं है। उम्मीद है कि मैं भी थोड़ी उन्हीं की तरह बनूँ, हाँ, उसके लिए वे जिन बातों से गुजरे हैं, उससे न गुजरना पड़े, बस।

ऐन

सोमवार, 27 दिसंबर, 1943

शुक्रवार की रात। जिंदगी में पहली बार मुझे क्रिसमस की भेंट मिली है। मि. क्लीमन, मि. कुग्लर और लड़कियों ने मिलकर हमारे लिए बेंहतरीन सरप्राइज बनाया था। मीप ने स्वादिष्ट क्रिसमस केक बनाया था, जिस पर शांति 1944 लिखा था। बेप ने युद्ध के समय से पहले जैसी कुकीज बनाई थी।

दही का एक गिलास पीटर, मार्गो और मेरे लिए बना था और बड़ों के लिए, हरेक के लिए बीयर की बोतल थी। एक बार फिर, हर चीज को अच्छे से बाँधा गया था, पैकेट के ऊपर सुंदर चित्र चिपकाए गए थे। अन्य बातों के बारे में इतना ही कि हमारी छुट्टियाँ बहुत जल्द बीत गई थीं।

ऐन

बुधवार, 29 दिसंबर, 1943

कल रात मैं फिर एक बार बहुत दु:खी थी। ग्रैंड माँ और हनेली एक बार फिर मेरे पास आईं। ग्रैंड माँ, ओ मेरी ग्रैंड माँ! उन्हें क्या-क्या भुगतना पड़ा, इसे हम कितना कम जान पाए, वह हमेशा सबके साथ कितनी दयालुता से पेश आती थीं और हमसे जुड़ी हर बात में वे कितनी दिलचस्पी लिया करती थीं और आज सारे समय वे अपनी गुप्त बात अपने दिल में छुपाए हुए थीं।

(ऐन की दादी मरणासन्न रूप से बीमार थीं।) ग्रैंड मा हमेशा निष्ठावान और अच्छी थीं। वे कभी हममें से किसी का दिल टूटने नहीं देतीं। कुछ भी हो, मैं कितना भी बुरा बरताव करूँ, ग्रैंड माँ हमेशा मेरी तरफ थीं। ग्रैंड माँ, क्या आप मुझसे प्रेम करती थीं या फिर क्या आप मुझे समझ ही नहीं पाती हैं? मुझे पता नहीं है। हमारे होते हुए भी ग्रैंड माँ कितनी अकेली रही होंगी। कई लोग आपसे प्यार करते हों, तब भी आप अकेलापन महसूस कर सकते हैं।

और हनेली का क्या, क्या वह अब भी जीवित है, वह क्या कर रही है? हे भगवान्! उसका खयाल रखना और उसे वापस हमारे पास ले आना। हनेली, मेरे साथ क्या हो सकता था, यह तुम्हारे कारण मुझे पता चला। मैं अपने को तुम्हारी जगह देखती रहती हूँ, तो फिर यहाँ जो भी होता है, वह देखकर मैं दुःखी क्यों होती रहती हूँ? हनेली के साथ क्या हो रहा है, उसके साथ जो हैं, उनके साथ क्या हो रहा होगा, यह सोचकर दुःखी होते रहने के बजाय क्या मुझे खुश, संतृप्त नहीं होना चाहिए? मैं स्वार्थी और डरपोक हूँ। हमेशा मुझे डरावने और विचित्र विषयों के सपने ही क्यों आते हैं? मैं सपने में डर के मारे चीखना क्यों चाहती हूँ? क्योंकि बाकी सब जो हो, सो हो, मेरे मन को अभी भी भगवान् का भरोसा नहीं है। भगवान् ने मुझे इतना सब दिया है, जिसे पाने की योग्यता मुझमें नहीं है। फिर भी हर रोज मैं गलतियाँ किए जा रही हूँ। जो आपको प्रिय होते हैं, उन्हें होने वाले दुःख की कल्पना से आपकी आँखों में आँसू आते हैं। असल में, ऐसी कल्पना में आप पूरा दिन रोकर गुजार सकते हैं। आप हद से हद भगवान् से प्रार्थना कर सकते हैं कि वे कोई चमत्कार कर उनमें से कुछ को तो बचा लें और मैं यही तो कर रही हूँ।

गुरुवार, 30 दिसंबर, 1943

मेरी सबसे प्रिय किट्टी,

आखिरी बार हुए जोरदार झगड़े के बाद अब यहाँ वातावरण ठीक हो रहा है। केवल हममें ही नहीं, डुस्सेल और 'ऊपरवालों' के साथ ही नहीं, वरन् मिस्टर और मिसेज वैन के साथ भी, हालाँकि, कुछ काले, बिजली की कड़क वाले बादल इस ओर आ रहे हैं और इस बार कारण है⋯खाना।

मिसेज वैनडी ने एक विचित्र कल्पना सामने रखी है कि सुबह के समय थोड़े कम आलू तले जाएँ और कुछ आलू दिन भर के लिए बचाकर रखे जाएँ। ममा और डुस्सेल और बाकी हम सबने इनकार किया, सो अब आलू भी बाँटकर के मिल रहे हैं। तेल और घी भी सबको समान रूप से वितरित किया जा रहा है, ऐसा मुझे नहीं

लगता। मम्मा ने इसका अंत करने की सोची है। अगर कुछ दिलचस्प बातें घटीं तो मैं तुम्हें बताऊँगी। पिछले कुछ महीनों से हम मांस बाँटकर ही पा रहे हैं। (उन्हें चरबी के साथ, हमें चरबी के बगैर)। सूप (वे खाते हैं, हम नहीं खाते), आलू (उन्हें छीले हुए, हमें बिना छीले हुए) अन्य चीजें और अब आलू भी।

काश कि हम सबकुछ बाँट लेते।

तुम्हारी ऐन

ध्यान रहे—बेप ने समूचे राज-परिवार की एक तसवीर मेरे लिए कॉपी करके रखी थी। ज्युलियाना बड़ी जवान लगती हैं, महारानी भी। तीन छोटी लड़कियाँ बड़ी प्यारी हैं। बेप ने यह बहुत अच्छा किया, क्या आपको भी ऐसा ही नहीं लगता?

रविवार, 2 जनवरी, 1944

मेरी सबसे प्यारी किट्टी,

आज सुबह मेरे पास जब करने के लिए और कुछ भी नहीं था, तब मैंने अपनी लिखी हुई डायरी के पन्ने पलटे। तब मैंने 'माँ' विषय से संबंधित कई पत्र पढ़े। उनमें मैंने इतने जोरदार शब्द इस्तेमाल किए थे कि पढ़कर खुद मुझे धक्का लगा। मैंने अपने आपसे सवाल किया, "ऐन क्या यह तुम ही हो, जो तिरस्कार के बारे में बोल रही हो। ओह ऐन, तुम ऐसा कैसे कर सकती हो?"

हाथ में किताब खुली रह गई। मैं बैठी रही। सोचती रही कि मुझमें इतना गुस्सा क्यों भरा है, इतना तिरस्कार मेरे मन में कहाँ से आया? तुम्हें यह सब बताने की नौबत आई, यह मुझे अच्छा नहीं लग रहा। पिछले वर्ष की ऐन को मैंने जानने की कोशिश की। उसके लिए माफी माँगने की कोशिश की, क्योंकि मुझे पता था कि जब तक इन सब आरोपों के साथ उसे जूझने को छोड़ देती और किन वजहों से वे इसकी खोज नहीं करतीं, तब तक मेरे मन का अपराध भाव नहीं जाता। मैं तब तकलीफ में थी (अब भी हूँ)। मेरे मूड के कारण मेरे सिर पर हमेशा बोझ धरा रहता (लाक्षणिक रूप से कह रही हूँ।) चीजें मुझे बस अपने नजरिए से दिखाई दिया करती थी, औरों का उनकी तरफ देखने का नजरिया क्या हो सकता है, यह शांतिपूर्वक सोच नहीं पा रही थी। जिन्हें मैंने अपनी अस्थिर मानसिकता के कारण दुखाया था या गुस्सा दिलाया था, उनका क्या कहना है, यह सोच नहीं पा रही थी। इसीलिए किस तरह की उनकी प्रतिक्रिया होती, यह भी नहीं सोच पा रही थी।

मैं खुद अपने अंदर छिप गई थी। अपने अलावा मैं किसी की नहीं सोचती थी। शांति से मैं अपनी डायरी में अपनी खुशी, अपने कटाक्ष, अपने दुःख दर्ज करती जा रही

थी। क्योंकि यह डायरी एक तरह से मेरी याददाश्त की किताब बनी थी। मेरे लिए जो बातें महत्त्वपूर्ण हुआ करती थीं, उनके बारे में भी मैं डायरी में बड़ी आसानी से 'सबकुछ खत्म' लिख रही थी, एक नहीं, कई पन्नों पर।

मैं मम्मा पर गुस्सा थी (अब भी कई बार रहती हूँ) यह सच है। वे मुझे समझ नहीं पाईं, लेकिन यह भी सच है कि मैं भी उन्हें समझ नहीं पाई। वे मुझसे प्रेम करती थीं, इसलिए मेरे प्रति उनका रवैया कोमल और अपनत्व भरा होता था, लेकिन मैंने उन्हें जिन मुश्किल हालात में डाला और मेरे कारण उन्होंने अपने को जिन दुःखद स्थितियों में पाया, उनके कारण वह निराश और चिड़चिड़ी बन गई थीं। सो हमेशा वह मुझ पर गुस्सा क्यों रहती थी, इसका अब मुझे पता चलता है।

मैं गुस्सा थी, बातों को मैंने दिल पर लिया था और उनके प्रति मेरा व्यवहार उद्यत और अमानुषिक था, क्रूर था, जिसके कारण वे दुःखी थीं। अप्रिय और दुःखद बरताव के क्रूर चक्कर में हम दोनों फँसी थीं। हम दोनों के लिए वह अच्छा समय नहीं था। अब कम-से-कम यह सब खत्म हो रहा है। क्या चल रहा है, यह जानने की मेरी बिल्कुल इच्छा नहीं थी और मेरे मन में अपने बारे में बड़ा दुःखद भाव भरा था, वैसे यह भी समझा जा सकता है।

कागज पर मैंने जो तीव्र हिंसक अभिव्यक्तियाँ दर्ज की थीं, वे केवल मेरे गुस्से की अभिव्यक्ति थी। सामान्य जिंदगी में, सामान्य स्थितियों में अपने को, अपने कमरे में बंद करा के पैर पटक के या मम्मा को उनकी पीठ-पीछे बुरा कहकर मैं इनसे पार पा जाती। आँखों में आँसू भरकर मम्मा के बारे में राय प्रकट करने के दिन अब लदे थे। मुझे थोड़ी अकल आई थी और मम्मा का कलम लाना भी अब स्थिर हुआ था। गुस्सा आने पर अब कई बार मैं अपनी जबान पर काबू रखती हूँ, मम्मा भी। इसीलिए ऊपरी तौर पर लगता है कि अब हम दोनों में अच्छी बन रही है, लेकिन एक बात पर मेरा अभी भी वश नहीं है, मम्मा को एक बच्चे के समर्पण से प्रेम करना अब मेरे लिए संभव नहीं।

अपनी अंतरात्मा को मैं यह कहकर सांत्वना प्रदान करती हूँ कि मम्मा उन्हें अपने दिल में लेकर घूमे।

तुम्हारी ऐन

गुरुवार, 6 जनवरी, 1944

मेरी सबसे प्रिय किट्टी,

आज मुझे दो बातें तुम्हारे सामने स्वीकार करनी हैं। बहुत समय चाहिए, लेकिन मुझे ये बातें किसी-न-किसी को बतानी होंगी और तुम्हारे अलावा मैं किससे कहूँगी?

क्योंकि मुझे पता है, तुम मेरे राज को, चाहे जो हो, राज ही रखोगी। पहली बात माँ के बारे में है, जैसा कि तुम जानती हो, मैं बार-बार उनकी शिकायत करती रही हूँ और हर बार उनके साथ अच्छी बने रहने की कोशिश करती रही हूँ। अब अचानक उनकी खामी का मुझे पता चला है। मम्मा ने कहा था, वे हमें अपनी बेटियों से अधिक अपनी दोस्त मानती हैं। यह सब बहुत अच्छा तो है, लेकिन कोई दोस्त माँ की जगह तो नहीं ले सकतीं। मैं चाहती हूँ कि मेरी माँ अच्छा उदाहरण बनें, ऐसी व्यक्ति बनें, जिनका मैं आदर कर सकूँ, लेकिन होता कुछ ऐसा है, जिससे मुझे लगता है कि क्या नहीं करना चाहिए, इस बात का वे उदाहरण बन रही हैं। मुझे लगता है कि मार्गो की सोच इस बारे में कुछ अलग ही है। इसलिए अभी-अभी मैंने जो कुछ कहा, वह कभी नहीं समझ पाएगी। ओह! डैड हैं कि मम्मा के बारे में किसी भी तरह की बातचीत से कतराते हैं।

मैं मम्मा को एक ऐसी महिला के रूप में देखती हूँ, जिनके पास अपने किशोर बच्चों के साथ बरतने का कौशल होता है, न कि ऐसी महिला के रूप में, जो मैं रोऊँ तो मेरा मजाक उड़ाए। इसलिए नहीं कि मैं दुःखी हूँ, बल्कि किन्हीं और कारणों से।

भले यह बहुत ही छोटी बात लगती हो, लेकिन एक वाकया ऐसा है, जिसके लिए मैं उसे कभी माफ नहीं कर सकती। एक बार जब हमें डेंटिस्ट के यहाँ जाना पड़ा था, तब वह घटा था। मम्मा और मार्गो मेरे साथ जा रही थीं और उन्होंने मुझे अपनी बाइसिकल लेने के लिए कहा था। डेंटिस्ट का काम जब पूरा हुआ और हम जब बाहर आए, तब मार्गो और मम्मा ने बड़े ही मीठे स्वर में मुझसे कहा कि वे दोनों कुछ खरीदने या कुछ देखने के लिए शहर की तरफ जा रही हैं। क्या यह मुझे सही-सही याद नहीं आ रहा। मैं भी उनके साथ जाना चाहती थी, लेकिन उन्होंने कहा कि मैं उनके साथ नहीं जा सकती, क्योंकि मेरी साइकिल मेरे साथ है। गुस्से से मेरी आँखों में आँसू आए। मुझे रोता देखकर मार्गो और मम्मा मेरी ओर देखकर हँसने लगीं। मुझे इतना गुस्सा आया कि मैंने उन्हें जीभ दिखाई, वहीं सड़क पर। एक बूढ़ी महिला वहाँ से गुजर रही थी। मुझे उन दोनों को जीभ दिखाते हुए देखकर उनको धक्का लगा। मैं अपनी साइकिल लेकर घर लौटी और शायद घंटों तक रोती रही। अजीब बात यह है कि मम्मा ने कई बार मुझे इस तरह दुखी किया है, लेकिन मुझे हमेशा यही वाकया याद आता है और याद आता है कि मैं तब कितनी गुस्सा थी।

दूसरी बात बताने को लेकर मेरे मन में थोड़ी हिचक है, क्योंकि उस बात का ताल्लुक मुझसे है। मैं ज्यादा संकोची नहीं हूँ किट्टी। फिर भी वे जब हर बार बाथरूम से लौटती हैं, तब वहाँ होने वाली हर बात को ब्योरेवार बताती हैं और यह कई बार होता है और हर बार उनकी बातें सुनकर मेरा समूचा शरीर विद्रोह कर उठता है।

कल मैंने सिस हेस्टर का शरमाने के बारे में लिखा लेख पढ़ा। लगा कि उन्होंने

वह मेरी स्थितियों को लक्ष्य करके ही लिखा है। ऐसा नहीं कि मैं बार-बार शरमाती हूँ, लेकिन इस बात के अलावा बाकी पूरा लेख मुझ पर लागू हो रहा था। तरुणाई आने लगती है तो लड़कियाँ अपने में सिमट सी जाती हैं। अपने शरीर में होने वाले सुंदर जादुई बदलावों के बारे में वे सोचने लगती हैं। मेरे साथ भी यही हो रहा था शायद और इसीलिए मुझे मार्गो, मम्मा और पिम से संकोच हो रहा था। लेकिन मार्गो, जो मुझसे कई गुना संकोची है, फिर भी उसे किसी तरह का कोई संकोच महसूस होता नहीं दिखाई देता।

जो मेरे साथ हो रहा है, वह इतना सुंदर है…मैं अपने बाहरी शरीर में होनेवाले बदलावों के बारे में ही नहीं बोल रही हूँ, बल्कि अपने अंदर आ रहे बदलावों के बारे में भी कह रही हूँ। मैं अपने या अपने में हो रहे इन बदलावों के बारे में किसी से बोलना पसंद नहीं करती, इसीलिए उनके बारे में मुझे अपने आपसे बोलना पड़ता है। जब भी माहवारी आती है (अब तक केवल तीन बार आई है), मुझे लगता है कि सारी वेदना, असहजता और झमेले के बावजूद मैं एक मीठा राज अपने साथ लिये घूम रही हूँ। इसलिए परेशानी के बावजूद मुझे हमेशा अपने अंदर के इस रहस्य के फिर-फिर आगमन का इंतजार रहता है।

सिस हेस्टर लिखती हैं कि मेरी उम्र की लड़कियाँ बहुत असुरक्षित महसूस करती हैं। उन्हें अभी-अभी पता चल रहा होता है कि उनका भी एक स्वतंत्र व्यक्तित्व है, अपना सोच है, अपनी आदतें और विचार हैं। यहाँ आई, तब मैंने तेरहवें वर्ष में कदम रखा ही था, शायद इसीलिए मैं अपने बारे में सोचने लगी और मुझे पता चला कि मैं एक स्वतंत्र व्यक्ति बनी हूँ, सामान्यत: लड़कियाँ जिस उम्र में होती हैं, उससे बेहद कम उम्र में। कभी-कभी जब रात में मैं अपने बिस्तर में लेटी रहती हूँ, तब मुझे अपनी छाती को छूकर देखने की बड़ी तीव्र इच्छा होती है। अंदर से आ रही स्थिर, शांत धड़कन सुनना चाहती हूँ।

यहाँ आने से पहले भी मेरे सुप्त मन में ये खयाल आया करते थे। एक बार जब मैं जैकी के यहाँ रात को रुकी थी, तब उसके शरीर के बारे में अपनी उत्सुकता पर काबू नहीं रख पाई थी। उसने हमेशा अपना शरीर मुझसे छिपाकर रखा था और मैं उसे कभी देख नहीं पाई थी। मैंने उससे पूछा भी था कि अपनी दोस्ती के सबूत के तौर पर क्या हम एक-दूसरे की छाती को छूकर देख सकते हैं? जैकी ने मना किया था। मेरे मन में और एक भयंकर इच्छा पैदा हुई थी, मैं उसे चूमना चाहती थी। मैंने उसे चूमा भी। जब भी मैं कोई नंगी औरत देह देखती हूँ, जैसे कि मेरी कला के इतिहासवाली पुस्तक की वीनस की तसवीर, मैं उत्तेजित होती हूँ। कभी-कभी वे मुझे इतनी बेहतरीन लगती हैं कि मुझे अपने आँसुओं को छलकने से रोकना पड़ता है। काश कि मेरी कोई गर्लफ्रेंड होती।

गुरुवार, 6 जनवरी, 1944

मेरी सबसे प्रिय किट्टी,

किसी के साथ बात करने की इच्छा मेरे मन में इतनी बलवती हुई है कि पता नहीं कैसे मैंने इस काम के लिए पीटर को चुन लिया है। कुछेक बार जब मैं दिन के समय पीटर के कमरे में गई थी, तब मुझे उसका कमरा भला और आरामदेह लगा था। पीटर बेहद सज्जन है, कोई उसे परेशान करे, तब भी वह उसे दरवाजा नहीं दिखा सकता। इसलिए मैं कभी वहाँ ज्यादा देर तक रुकी नहीं। मुझे हमेशा लगता रहा है कि कहीं वह मुझे चिपकू न समझ ले। उसके कमरे में रुके रहने की वजहें मैं ढूँढ़ती रही हूँ। उसके अनजाने उसे बोलने के लिए उकसाती रही हूँ। कल आखिर मुझे मौका मिल ही गया। वैसे आजकल पीटर को वर्ग पहेली का चस्का लगा है। दिन भर वह उन्हीं को हल करता रहता है। मैं उसकी मदद करने लगी और जल्द ही हम लोग उसकी टेबल पर आमने-सामने बैठने लगे। पीटर कुरसी पर बैठता और मैं दीवान पर।

उसकी गहरी नीली आँखों में देखना मुझे अच्छा लगता था। मेरे यों अचानक आ जाने से वह कितना झेंप गया था। उसके मन में क्या चल रहा है, मैं तुरंत समझ जाती। कैसे बरताव हो इस बारे में उसके चेहरे पर एक अजीब दयनीयता और अनिश्चिता छाई रहती थी, साथ ही अपने पौरुष का अहसास भी उसके व्यक्तित्व से झलकता था। उसका शर्मीलापन देखकर मैं उस पर फिदा हो गई। मैं उससे कहना चाहती थी कि मुझे अपने बारे में कुछ बताओ। मेरे बातूनीपन के अंदर झाँको, लेकिन मुझे पता चला कि सवाल पूछना सवाल बना लेने से कहीं अधिक कठिन काम है।

शाम खत्म होने को आई, लेकिन कुछ हुआ नहीं। सिवाय इसके कि मैंने उसको संकोचीपन के बारे में पढ़े उस लेख के बारे में बताया। जो मैंने तुममें लिखा था, वह नहीं, बस इतना बताया कि जैसे-जैसे वह बड़ा होता जाएगा, उसका संकोच कम होता जाएगा।

उसी रात बिस्तर में मैं खूब सोई। इस बात का खयाल भी रखा कि कोई मेरी आवाज सुन न पाए। पीटर से विनती करने का खयाल भी मुझे घिनौना लग रहा था। लोग अपनी लालसा पूरी करने के लिए कुछ भी करने को तैयार हो जाते हैं। मेरा ही उदाहरण लीजिए, मैंने तय किया कि मैं पीटर से बार-बार मिलूँगी और उसे किसी तरह मुझसे बात करने के लिए मनाऊँगी।

तुम ऐसा बिल्कुल नहीं सोचना कि मुझे पीटर से प्रेम हो गया है। ऐसा कुछ नहीं है, पीटर के बजाय वैनडैन की कोई बेटी होती तो मैं उससे बात करने की कोशिश करती।

आज सुबह मैं सात बजे से पहले जागी और मुझे याद आया कि मैं अभी-अभी किस सपने से जागी हूँ। मैं एक कुरसी में बैठी थी और मेरे सामने पीटर था...पीटर शिफ।

मेरी बोस के बनाए चित्रों की ओर हम देख रहे थे। स्वप्न इतना स्पष्ट था कि मुझे उनमें से कुछ ड्रॉइंग्स भी याद हैं, लेकिन बात इतनी ही नहीं है। अचानक मेरी और पीटर की नजरें मिलीं। लंबे समय तक मैं उन मखमली, भूरी आँखों में ताकती रही। फिर उसने बड़ी धीमी और कोमल आवाज में कहा, "अगर मुझे पहले से पता होता, तो मैं पहले ही तुम्हारे पास आता।" मैं अचानक मुड़ गई। मेरे मन में भावनाओं का सैलाब उठा था। तब मुझे अपने गालों पर उसके गालों का नरम, गरम स्पर्श महसूस हुआ। इतना अच्छा लगा, इतना अच्छा लगा...

उसी पल मैं जाग गई। जागने के बाद भी मुझे अपने गालों पर उसके गालों का अहसास हो रहा था और उसकी भूरी आँखें मानो सीधे मेरे दिल में झाँक रही थीं। इतना गहरे झाँक रही थीं कि मैं उससे प्रेम करती थी और अभी भी करती हूँ। यह बात वह आसानी से पढ़ पाता। फिर से मेरी आँखें भर आईं। मैं दु:खी भी थी, मैंने एक बार फिर उसे खो दिया। मैं खुश भी थी, क्योंकि मुझे निश्चित तौर पर पता चला था कि अभी भी मैं पीटर से प्रेम करती हूँ। थोड़ी मजेदार बात तो है, लेकिन ऐसी स्पष्ट बातें कई बार मुझे सपने में दिखती रही हैं। एक बार मैंने ग्रॅमी को देखा। (ग्रॅमी ऐनी की दादी हैं और ग्रैंड माँ नानी) इतना स्पष्ट कि उनकी नरम, झुर्रीदार त्वचा का स्पर्श भी मैंने अनुभव किया। एक बार और ग्रैंड माँ मेरे सपने में आई थीं, परी बनकर। उसके बाद एक बार हनेली को मैंने सपने में देखा था। मेरे दोस्तों की और यहूदियों की जो भुगतनी पड़ी, उस त्रासदी की प्रतीक है, यानी कि मैं जब प्रार्थना करती हूँ तो मैं उसके लिए प्रार्थना कर रही होती हूँ और सभी यहूदियों और जिन्हें मदद की जरूरत है, उन सबके लिए प्रार्थना कर रही होती हूँ।

और अब पीटर, मेरा सबसे प्रिय पीटर। अब से पहले उसकी इतनी साफ तसवीर मेरे दिल में नहीं थी। अब मुझे उसकी तसवीर की जरूरत नहीं, मैं तसवीर के बगैर भी उसे साफ-साफ देख पाती हूँ।

तुम्हारी ऐन

शुक्रवार, 7 जनवरी, 1944

मेरी सबसे प्यारी किट्टी,

मैं भी कैसी पागल हूँ। तुम्हें मैंने अभी अपने सच्चे प्रेम की कहानी बताई नहीं, यहाँ मैं भूल गई।

मैं जब बहुत छोटी थी, किंडरगार्टन में पढ़ती थी, तब मुझे सैली किमेल बहुत अच्छा लगता था। उसके पिता नहीं थे। वह और उसकी माँ उसकी एक मौसी के घर

रहते थे। सैली का एक मौसेरा भाई बहुत सुंदर था। छरहरे, गहरे काले रंग के बालोंवाले उस लड़के का नाम था एप्पी। बड़ा होने पर एप्पी किसी फिल्म स्टार जैसा दिखाई देने लगा, जबकि सैली ठिगना, मोटा और मजेदार दिखता था। लंबे समय तक हम सब हर जगह इकट्ठे घूमा करते थे, लेकिन मेरा प्रेम इकतरफा रहा। जब तक कि पीटर मेरी जिंदगी में नहीं आया। पीटर आया और सब बदल गया। मैं पीटर पर ऐसे रीझी थी कि हम लगभग हमेशा साथ रहते थे, क्योंकि उसे भी मैं बहुत पसंद थी। एक साल गरमी की पूरी छुट्टियाँ हमने ऐसे ही बिताई थीं। हाथों में हाथ डाले पास-पड़ोस में घूमते हम दोनों की याद आज भी मेरे मन में ताजा है। पीटर सफेद सूती सूट में और मैं गरमीवाली छोटी ड्रेस में। गरमी की छुट्टियाँ खत्म हुईं और वह सातवीं कक्षा में पढ़ने के लिए माध्यमिक विद्यालय में चला गया, जबकि मैं ग्रामर स्कूल की छठी कक्षा में थी। घर लौटते वक्त या तो वह मुझे या मैं उसे मिलते और हम साथ-साथ लौटते। पीटर आदर्श लड़का था—लंबा, सुंदर और छरहरा। उसका चेहरा गंभीर, शांत और बुद्धिमान था। उसके बाल काले थे, आँखें सुंदर भूरे रंग की थीं। गाल लालिमा लिये और सीधी नाक थी। उसकी हँसी पर मैं फिदा थी। हँसते हुए वह एकदम बच्चे सा नटखट लगता था।

गरमी की छुट्टियों में मैं गाँव गई थी। जब मैं लौटी, तब पीटर अपने पुराने पते पर नहीं मिला। वहाँ से वह चला गया था और एक बड़े लड़के के साथ रहने लगा था। उस लड़के ने पीटर से कहा था कि मैं बच्ची हूँ और पीटर ने मुझसे मिलना बंद कर दिया था। मुझे उससे इतना प्रेम था कि मैं इस सच्चाई का सामना ही नहीं करना चाहती थी। मैं उससे हमेशा चिपकी रहती, आखिर एक दिन मुझे लगा कि मैं अगर इसी तरह उसके पीछे लगी रहूँगी तो लोग मुझे लड़कों के प्रति पागल लड़की कहने लगेंगे।

साल बीतते रहे। अपनी उम्र की लड़कियों के साथ पीटर घूमता रहा। मुझे 'हेलो' कहना भी अब उसे गवारा नहीं था। मैंने यहूदी संस्था में पढ़ाई शुरू की। मेरी कक्षा के कई लड़के मुझसे प्रेम करते थे। मुझे भी अच्छा लगता था। उनका ध्यान बटोरकर मैं खुद को सम्मानित महसूस करती थी, लेकिन बस इतना ही। आगे हैलो को मुझसे जबरदस्त प्रेम हुआ, लेकिन जैसा कि मैंने आपसे कहा, मुझे फिर कभी किसी से प्रेम नहीं हुआ।

एक कहावत है, 'समय सब जख्मों को भर देता है।' मेरे साथ भी ऐसा ही हुआ। मैंने अपने आपसे कहा कि मैं पीटर को भूल चुकी हूँ। अब वह मुझे बिल्कुल पसंद नहीं आता, लेकिन उसके साथ जुड़ी मेरी यादें इतनी तीव्र थीं कि मुझे अपने लिए यह बात माननी ही पड़ी कि मैं उसे सिर्फ इसलिए नहीं चाहती, क्योंकि मुझे उससे मिलनेवाली अन्य लड़कियों से ईर्ष्या है। आज सुबह मुझे अहसास हुआ कि कुछ भी बदला नहीं है, बल्कि मैं बड़ी हो गई हूँ और जैसे-जैसे मैं बड़ी और सुलझे विचारों की बनती गई, मेरा प्रेम भी मेरे साथ बढ़ता गया। अब मैं समझ सकती हूँ कि पीटर को लगता था कि मैं

बच्ची हूँ। इसके बावजूद उसने मुझे पूरी तरह भुला दिया। यह खयाल मुझे दुःखी कर देता है। मैंने उसका चेहरा साफ-साफ देखा। तभी मुझे लगा कि पीटर के अलावा और कोई मेरे मन में इस तरह घर बना करके रह नहीं सकता।

आज मैं प्रचंड उधेड़बुन में हूँ। आज सुबह जब डैड ने मुझे चूमा तो मैं चिल्लाकर कहना चाहती थी, 'काश! आप पीटर होते।' मैं आजकल उसके बारे में निरंतर सोचती रहती हूँ। पूरा दिन मैं अपने आपसे कहती रहती हूँ, "ओ पीटर, मेरे प्रिय पीटर···पीटर!"

मुझे कहाँ से मदद मिल सकती है ? मुझे जीना होगा और भगवान् से प्रार्थना करते रहना होगा कि अगर हम यहाँ से निकलें तो पीटर और मेरी मुलाकात हो, वह मेरे पास आए और मेरी आँखों में आँखें डालकर मुझसे कहे, "ओह ऐन, अगर मुझे पता होता, मैं बहुत पहले तुम्हारे पास आ गया होता।"

एक बार जब मैं और डैड सेक्स के बारे में बात कर रहे थे, तब उन्होंने कहा था कि उस तरह की इच्छा समझ पाने के लिए मैं अभी बहुत छोटी हूँ, लेकिन मुझे लगा था कि मैं समझ पाती हूँ और आज मैं यकीन के साथ कह सकती हूँ कि मेरे पीटर से बढ़कर कोई भी मुझे पसंद नहीं है।

आईने में मैंने अपना चेहरा देखा। बहुत अलग दिखा मेरा चेहरा। मेरी आँखें साफ और गहरी थीं। मेरे गाल गुलाबी थे, जोकि पिछले कई हफ्तों से नहीं थे, मेरा मुँह बहुत नरम था। मैं खुश लग रही थी, फिर भी मेरे चेहरे के भावों में कुछ था, जो बेहद दुःखी और उदास था। उस भाव को देखकर मेरे होंठों की हँसी गायब हो गई। मैं खुश नहीं थी, क्योंकि मुझे पता था कि पीटर मेरे बारे में नहीं सोच रहा था। फिर भी, उसकी खूबसूरत आँखें मुझे ताड़ रही हैं, ऐसा मुझे लग रहा था। मुझे अब भी उसका ठंडा, नरम गाल अपने गाल पर महसूस होता है···और पीटर, पीटर तुम्हारे व्यक्तित्व से मैं अपने आपको कब मुक्त कर पाऊँगी ? जो भी कोई तुम्हारी जगह लेगा, मुझे लगता है कि वह तुम्हारा कमतर एवजी होगा। मैं तुमसे प्रेम करती हूँ, इतना ज्यादा कि वह बढ़ते-बढ़ते मेरे अंदर ही नहीं रह सकता। उसे बाहर निकलकर अपनी महत्ता दिखानी होगी।

हफ्ते भर पहले, एकाध दिन पहले भी अगर आप मुझसे, अपने किस दोस्त से अपनी शादी होने की सबसे ज्यादा संभावना आपको लगती है, पूछते तो मैं जवाब देती, "सैली से, क्योंकि वह मुझे अच्छा महसूस कराता है, शांत और सुरक्षित।" लेकिन अब मैं चिल्लाकर कहूँगी, "पीटर से।" क्योंकि मैं उससे प्यार करती हूँ। पूरे मन से, समूची आत्मा के साथ। मैं पूरी तरह अपने को समर्पित करती हूँ। अपवाद केवल उस एक बात का, वह मेरे चेहरे को छू सकता है, लेकिन उससे आगे नहीं बढ़ सकता।

आज सुबह मुझे लगा कि मैं आगे वाले बालाखाने में हूँ, पीटर के साथ। हम खिड़की के पास, जमीन पर बैठे हुए हैं। कुछ देर तक बातचीत करने के बाद हम दोनों

रोने लगे। कुछ क्षणों के बाद मैंने उसके मुँह को और उसके अद्‌भुत गाल को महसूस किया। ओह, पीटर! मेरे पास आओ। मेरे बारे में सोचो। मेरे प्रियतम पीटर!

बुधवार, 12 जनवरी, 1944

मेरी सबसे प्यारी किट्टी,

पिछले दो हफ्तों से बेप का आना वापस शुरू हो गया है, हालाँकि उसकी बहन को अगले हफ्ते तक स्कूल आने की मनाही है। जोरदार जुकाम के कारण खुद बेप को दो दिन बिस्तर में गुजारने पड़े थे। मीप और जान भी दो दिनों के लिए कहीं बाहर गए थे, इसलिए उनके पेट में गड़बड़ी के कारण बीमार थे।

फिलहाल मुझ पर नाच और बैले का भूत सवार है। हर शाम मैं लगन से अपनी डांस प्रैक्टिस करती रहती हूँ। मॉम्सी की एक लेसवाली हल्के बैंगनी रंग की स्लिप से मैंने एक बढ़िया अत्याधुनिक नृत्य-पोशाक बना ली है। टॉप के ऊपर के सिरे पर लगी डोरी सामने छाती के ऊपर बाँधने की व्यवस्था की है। गुलाबी रंग की डोरी वाले रिबंस भी हैं। अपने टेनिस के जूतों को मैंने बैले स्लिपर्स बनाने की कोशिश की, लेकिन बना नहीं पाई। यहाँ आकर कड़े हुए मेरे हाथ-पैर फिर पहले की तरह लचीले हो रहे हैं। एक बढ़िया कसरत का तरीका है कि जमीन पर बैठकर दोनों एड़ियाँ हथेली में रखो और दोनों पैर ऊपर उठाओ। मुझे बैठने के लिए तकिया लेना पड़ता है, वरना मेरी पीठ पर दबाव आता है।

यहाँ हर कोई 'ए क्लाउडलेस मॉर्निंग' किताब पढ़ रहा है। मम्मा को वह किताब इसलिए अच्छी लगी है, क्योंकि उसमें किशोरों की कई समस्याओं के बारे में विचार किया गया है। मेरे मन में एक व्यंग्यपूर्ण खयाल आया, ''पहले आप अपनी किशोरियों में दिलचस्पी लेना तो सीख लें।''

मुझे लगता है कि मम्मा की राय में पूरी दुनिया के माता-पिता के अपने बच्चों से जैसे संबंध होंगे, उनकी तुलना में हम दोनों बहनों के मम्मा-डैड से बेहतर संबंध हैं और कि दुनिया की कोई भी माँ अपने बच्चों के जीवन के साथ उतनी जुड़ी नहीं होंगी, जितनी वे खुद हैं। यह सोचते हुए उनके मन में निःसंशय मेरी बहन का खयाल होगा, क्योंकि मुझे नहीं लगता कि मार्गो के विचार और समस्याएँ मेरे जैसी होंगी; हालाँकि मैं कभी मम्मा को यह बताने से रही कि कम-से-कम उनकी एक लड़की वैसी बिल्कुल नहीं है, जैसा वे सोचती हैं। मम्मा बिल्कुल किंकर्तव्यविमूढ़ हो जाएँगी और वैसे भी वे बदल भी नहीं पाएँगी। मैं नहीं चाहती कि उन्हें यह दुःख झेलना पड़े। इसलिए भी, क्योंकि यहाँ कुछ भी बदलने वाला नहीं है। मम्मा को पता है कि मुझसे ज्यादा मार्गो

उन्हें चाहती है, लेकिन उन्हें लगता है कि मैं एक मुश्किल दौर से गुजर रही हूँ और कि सब ठीक होगा।

मार्गो भी इधर बहुत अच्छी बन गई है। वह पहले की तुलना में अब कई गुना बेहतर लगती है। वह अब पहले जितनी झगड़ालू नहीं रही, मेरी अच्छी दोस्त बन रही है वह। वह अब मुझे जिसे गिनने की जरूरत नहीं होती, वह छोटा बच्चा नहीं समझती।

मजेदार तो है, लेकिन कभी-कभी मैं खुद को औरों के नजरिए से देख सकती हूँ। 'ऐन फ्रैंक' जिसे कहा जाता है, उसकी तरफ एक नजर डालकर और उसकी जिंदगी के पन्ने पलटकर मानो वह कोई अपरिचित हो।

यहाँ आने से पहले, जब मैंने चीजों के बारे में उतना नहीं सोचा था, जितना अब मैं सोचती हूँ तो कभी-कभी लगता है कि मैं मॉम्सी, पिम या मार्गो जैसी नहीं हूँ और मैं हमेशा ही यहाँ बाहरवाली या पराई रहनेवाली हूँ। कभी-कभी मैं लगातार छह-छह महीनों तक लावारिस सोचकर गुजारती हूँ। कभी-कभी मैं खुद को पीड़िता होने की सजा देती हूँ, जबकि वास्तव में मैं हमेशा कितनी, भग्यशाली रही हूँ। उसके बाद मैं कुछ समय तक खुद को दोस्ताना अंदाज में रहने के लिए बाध्य करती हूँ। हर रोज सुबह मैं जब सीढ़ियों पर पैरों की आहट सुनती हूँ, तब सोचती हूँ कि मम्मा 'गुड मॉर्निंग' कहने के लिए आ रही हैं। मैं गर्मजोशी से उनका स्वागत करती हूँ, क्योंकि ईमानदारी से मैं उनकी ममता भरी नजरों को पाने की इच्छुक होती हूँ, लेकिन तब वह मुझे मेरे द्वारा की गई किसी टिप्पणी को लेकर डाँट देती हैं और मैं बिल्कुल निरुत्साहित होकर स्कूल के लिए निकल पड़ती हूँ।

घर लौटते हुए मम्मा के बरताव को लेकर कई कारण बताकर मैं अपने मन को समझाती रहती हूँ। उनके पीछे कितने झमेले लगे रहते हैं आदि, घर में कदम रखते हुए मैंने अपने को फिर सामान्य और उत्साहित बना लिया होता है, हमेशा की तरह बतियाते हुए मैं आती हूँ, लेकिन फिर सुबह सरीखी घटनाएँ दुबारा घटती हैं और मैं अपना बस्ता लिये, चेहरे पर दुःखी भाव लिये वहाँ से निकलती हूँ। कभी-कभी मैं गुस्से में ही रहने की सोच लेती हूँ, लेकिन फिर स्कूल के बाद मुझे इतना कुछ बताना होता है कि अपनी तय की हुई बात मैं भूल जाती हूँ। चाहती हूँ कि मम्मा जो भी कर रही हों, उसे रोककर मैं जो कह रही हूँ, वह सुनें, लेकिन मम्मा नहीं आतीं। सीढ़ियों पर मुझे उनके कदमों की आहट सुनाई नहीं देती, मुझे घोर अकेलापन महसूस होता है और मैं हर रात तकिए में मुँह छिपाकर रोती रहती हूँ।

यहाँ हर बात बहुत अधिक बिगड़ गई है, हालाँकि तुम्हें इस बारे में सब कुछ पता है। अब भगवान् ने मेरी मदद के लिए ही किसी को भेजा है, वह पीटर है। मैं अपने गले में पड़ा पेंडेंट हाथ से छूती हूँ, उसे उठाकर होंठों से लगाती हूँ और सोचती हूँ, 'मुझे

क्या! पीटर मेरा है। किसी को यह बात पता नहीं।' इस बात को मन में संजोए रखकर मैं हर बुरी टिप्पणी से पार पा सकती हूँ। यहाँ रहनेवालों में से कौन यह सोच सकता है कि एक षोडषवर्षीय लड़की के मन में इतना कुछ हो रहा है!

शनिवार, 15 जनवरी, 1944

मेरी सबसे प्रिय किट्टी,

हमारे बीच होने वाले विवादों और झगड़ों की हर बात विस्तार से बताना मेरे लिए जरूरी नहीं है। तुम्हें इतना भर बताना काफी होगा कि हमने कई सारी चीजें आपस में बाँट लेने की बात तय की है। मांस, घी और तेल जैसी कई चीजें अब हम आपस में बाँट लेते हैं और अपने आलू अलग से तल लेते हैं। इधर शाम के चार बजे हम थोड़ा राईवाला ब्रेड खा लेते हैं, क्योंकि रात के खाने के समय तक हम पेट में उछल-कूद करने वाले चूहों को बरदाश्त नहीं कर पाते।

मम्मा का जन्मदिवस बहुत जल्दी आ रहा है। मम्मा को मि. कुग्लर से थोड़ी अतिरिक्त चीनी मिली, जिससे मिसेज वैनडैन को मन में माँ के बारे में जलन पैदा हुई, क्योंकि उन्हें उनके जन्मदिवस पर अतिरिक्त चीनी नहीं मिली थी, लेकिन इस बारे में कहे गए कठोर शब्द, द्वेषपूर्ण संवाद और बहाए गए आँसुओं के बारे में बताकर तुम्हें क्यों परेशान करूँ? वे हमें इससे अधिक परेशान करते हैं, यह तुम्हें पता ही है।

इस बार मम्मा ने एक इच्छा जाहिर की है, जो निकट भविष्य में कभी पूरी हो सकती है, ऐसा नहीं लगता। उनकी इच्छा है, ''मि. वैनडैन का चेहरा लगातार दो हफ्तों तक देखने को न मिले। कई बार मुझे अचरज लगता है कि एक ही घर में रहनेवाले हर किसी के मन में देर-सवेर क्या एक-दूसरे के बारे में ऐसे ही खयाल आते होंगे, या फिर दुर्भाग्य का यह घड़ा केवल हमारे ही सिर पर फूटा है? खाने के समय जब डुस्सेल आधी भरी डेगची से चौथाई डेगची सब्जी अपनी थाली में परोस लेते हैं और बाकी लोगों को बिना खाए रहना पड़ेगा, यह सोचते तक नहीं हैं, तब मेरी खाने की इच्छा ही मर जाती है। इतना गुस्सा आता है कि लगता है, कूदकर उसे कुरसी से गिरा दूँ और दरवाजे से बाहर फेंक दूँ।

क्या ज्यादातर लोग ऐसे ही कंजूस और स्वार्थी होते हैं? यहाँ आने के बाद मानवीय स्वभाव का मेरा ज्ञान कुछ बढ़ गया है, जोकि एक तरह से अच्छा ही है, लेकिन जितना पाया, इतना अभी के लिए काफी है। पीटर का भी यही खयाल है।

हमारे इन झगड़ों के बावजूद युद्ध लगातार जारी है और लगता है, जारी ही रहेगा। इसी तरह आजादी और साफ हवा की हमारी लालसा भी बढ़ती जा रही है। जब तक हम यहाँ

हैं, तब तक हमें समय का जितना अच्छा इस्तेमाल किया जाना संभव है, कर लेना चाहिए।

देखा, मैं तो उपदेश देने लगी, हालाँकि मुझे लगता है कि अगर मैं कुछ दिनों तक यहाँ रही तो मैं सूखकर काँटा बन जाऊँगी। मुझे बस अच्छाई के प्रति ईमानदार किशोरी बनना है।

तुम्हारी ऐन

बुधवार की शाम, 19 जनवरी, 1944

मेरी सबसे प्रिय किट्टी,

लो, मैं फिर आ गई। पता नहीं क्या हुआ है, लेकिन उस दिन देखे ख्वाब के बाद मैं बिल्कुल बदल गई हूँ। वैसे बता दूँ कि कल रात फिर मैंने पीटर को सपने में देखा। एक बार फिर मुझे लगा कि उसकी आँखें मेरी आँखों के जरिए मेरे अंदर तक उतर गई हैं, हालाँकि यह सपना स्पष्ट नहीं था और न पहले देखे स्वप्न सा सुंदर था। तुम्हें पता है कि मार्गो का डैड से जैसा रिश्ता है, उससे मुझे हमेशा जलन हुआ करती थी। अब उस जलन के निशान भी मुझमें दिखाई नहीं देते। अब भी डैड कभी मेरे प्रति अन्याय करते हैं तो मुझे बुरा लगता है, लेकिन फिर मुझे लगता है कि "तुम जैसे हो, इसके लिए मैं तुम्हें तो दोषी नहीं ठहरा सकती। बच्चों के और किशोर-किशोरियों के मन के बारे में तुम कितना कुछ बताते रहते हो, लेकिन उनके बारे में तुम्हें कुछ भी पता नहीं है।" मुझे डैड के प्रेम की, वात्सल्य की, उनकी झप्पियों की और उनकी झप्पियों की शिद्दत से जरूरत महसूस होती है। अपने आपमें यों मेरा खोया रहना विचित्र नहीं है क्या, जिसे अच्छा और दयालु बनने की इच्छा है, उसे ही पहले क्या दूसरों को माफ नहीं करना चाहिए? मैं मम्मा को भी माफ करती हूँ, लेकिन हर बार वह फिर से मुझ पर कोई व्यंग्यपूर्ण टिप्पणी करती हैं या मुझ पर हँसती हैं, तब मैं अपने ऊपर नियंत्रण नहीं रख पाती।

मैं जानती हूँ कि मुझे जैसा होना चाहिए, मैं वैसी नहीं हूँ। क्या मैं कभी उनकी उम्मीदों पर खरी उतर पाऊँगी?

ऐन फ्रैंक

सूचनार्थ : डैड पूछ रहे थे कि क्या मैंने केक के बारे में तुम्हें बताया है? मम्मा को जन्मदिवस के उपलक्ष्य में एक मोछा केक मिला है। वह युद्ध-पूर्व के केक सरीखा है। दफ्तर से मिला है। वह दिन सचमुच बहुत अच्छा था, लेकिन फिलहाल मेरे दिमाग में ऐसी बातों की कोई जगह नहीं है।

शनिवार, 22 जनवरी, 1944

मेरी सबसे प्यारी किट्टी,

लोग अपनी असलियत छिपाने के लिए इतना सब क्यों करते हैं। यह क्या तुम मुझे बता सकती हो, या फिर, जब मैं औरों के साथ होती हूँ, तब अलग बरताव क्यों करती हूँ, यह बता सकती हो, लोगों को आपस में इतना कम भरोसा क्यों होता है? इसकी कोई न कोई वजह होगी, यह मैं जानती हूँ, लेकिन कभी-कभी लगता है कि हम किसी से, अपनों से भी मन की बात नहीं कह सकते, यह बहुत भयंकर है।

जिस दिन मैंने वह स्वप्न देखा, उस दिन मैं अचानक बड़ी हो गई, ऐसा मुझे लगता है, मानो मैं ज्यादा आजाद हो गई हूँ। वैनडैन परिवार के प्रति मेरा रुख भी बदल गया है। यह जब मैं तुम्हें बताऊँगी, तब तुम्हें भी बड़ा अचरज होगा। मेरे परिवार के पूर्वग्रह दूषित विवादों और चर्चाओं को गंभीरता से लेना मैंने बंद कर दिया है। ऐसा आमूल बदलाव मुझमें कैसे आया? देखो, ऐसा है कि अचानक मुझे अहसास हुआ है कि मम्मा अगर अलग होतीं तो, यानी अगर वह हमारी असली मम्मा होतीं तो हमारा रिश्ता बहुत-बहुत अलग होता। मिसेज वैनडैन एक बेहतरीन व्यक्ति हैं, ऐसा कतई नहीं है। फिर भी, अगर किसी अनिर्णय वाले विषय पर मम्मा अगर हठवादी नहीं होतीं तो आधे विवाद तो यों ही टल जाते। मिसेज वैनडैन की एक बात बहुत अच्छी है कि आप उनसे बात कर सकते हो। वे स्वार्थी होंगी, कंजूस होंगी और कपटी होंगी, लेकिन अगर आप उकसाओ नहीं उन्हें, अतार्किक साबित न करो तो वे तुरंत पीछे हट जाएँगी। हर बार यह नुस्खा काम नहीं करता, लेकिन आप अगर संयम बरतें तो कोशिशें कर सकते हैं और आगे बढ़ते रह सकते हैं।

बच्चों को लाड़ नहीं करना, खान-पान आदि के कुल सभी मामलों में अगर हमेशा बुराई देखने की बजाय हम थोड़े उदारमना होते, हमारा व्यवहार मित्रतापूर्ण होता तो हमारी परवरिश के सभी संघर्ष अब तक मिट चुके होते। तुम इस पर क्या बोलोगी, इसका मुझे पता है किट्टी। तुम कहोगी, पर ऐन, क्या सचमुच ये शब्द तुम्हारे होंठों से निकल रहे हैं, जिसे ऊपरवालों के कितने सारे क्रूर शब्द झेलने पड़े हों, तुमसे, जिसे अपने साथ हो रहे हर गलत अन्यायपूर्ण व्यवहार की पूरी जानकारी हो?

हाँ, फिर भी मैं यह सब कह रही हूँ। मुझे एक बार फिर सब बातों के बारे में सिलसिलेवार सोचना है। अपनी राय खुद बनानी है। केवल अपने मम्मा-डैड की राय को बंदर की तरह नकल कर अपनाना नहीं है। मुझे यह कहावत झूठी साबित करनी है कि 'फल पेड़ से दूर नहीं गिरता।' वैनडैन परिवार को मैं फिर सिरे से समझना चाहती हूँ। खुद तय करना चाहती हूँ कि सही क्या है और कौन सी बात बढ़ा-चढ़ाकर फैलाई गई है।

अगर मुझे उनसे निराश होना पड़ा तो मैं मम्मा-डैड को कभी भी शामिल कर सकती हूँ, लेकिन अगर मेरा अनुभव अलग रहा तो मैं उनकी राय बदलने की कोशिश कर सकती हूँ। अगर मैं ऐसा नहीं कर पाई तो मुझे अपनी राय पर कायम रहना होगा। हर मौके का फायदा उठाकर मैं मिसेज वैनडैन से हमारे बीच जो मतभेद हैं, उनके बारे में बात करूँगी। ढीठ लड़की के रूप में जानी जाने के बावजूद अपनी निष्पक्ष राय रखने से नहीं डरूँगी। अपने परिवार के बारे में मैं कोई भी नकारात्मक बात नहीं कहूँगी और अगर कोई और कहे तो मैं अपने परिवार की ओर से उनका विरोध करूँगी और आज के बारे में कहूँ तो पीठ-पीछे बात करना मैंने छोड़ दिया है। अब तक मुझे पूरा यकीन था कि वैनडैन परिवार ही सभी झगड़ों की जड़ हैं, लेकिन अब मुझे यकीन है कि गलती मोटे तौर पर हमारी थी। विषय के बारे में हम सही थे, लेकिन बुद्धिमान लोगों को (जैसे कि हम) औरों के साथ कैसे पेश आना चाहिए, इसका औरों से थोड़ा अधिक ज्ञान होना चाहिए।

उम्मीद है कि मुझमें ऐसे ज्ञान का थोड़ा अंश तो होगा और समय आने पर मैं उसका पूरा लाभ उठा पाऊँगी।

तुम्हारी ऐन

सोमवार, 24 जनवरी, 1944

मेरी सबसे प्यारी किट्टी,

मेरे साथ एक बड़ी अजीब घटना घटी है। (सच कहूँ तो, 'घटी है' यह कोई सही अभिव्यक्ति नहीं है।)

यहाँ आने से पहले घर में या स्कूल में, जब भी कोई सेक्स के बारे में बोलते तो वे चोरी-छिपे बोलते या बड़े भद्दे ढंग से बोलते। संभोग से संबंधित शब्द धीमे स्वर में फुसफुसाकर बोले जाते और जिन बच्चों को उस बारे में पता नहीं होता था, उनका मजाक उड़ाया जाता था। मुझे यह बड़ा अजीब लगता था। कई बार मुझे लगता कि इस विषय पर बातचीत करते समय लोग इतने रहस्यमय या निंद्य तरीके से बातचीत क्यों करते हैं? मैं इसमें कोई बदलाव नहीं ला सकती थी, इसलिए मैं कम से कम बोलती या अपनी सहेलियों से जानकारी लिया करती।

इस बारे में जब मेरे पास काफी जानकारी इकट्ठी हुई, तब एक बार मम्मा मुझसे बोलीं, "ऐन मैं तुम्हें अच्छी सलाह देती हूँ, इस बारे में लड़कों से बातचीत नहीं करना। अगर कोई लड़का बात छेड़े भी तो उसका जवाब नहीं देना।"

तब मैंने मम्मा को जो जवाब दिया था, आज भी मुझे याद है। मैंने कहा था, "नहीं, बिल्कुल नहीं।"

"सोचो तो।" बस इससे अधिक कुछ नहीं कहा गया था।

हम जब गुप्त भवन में रहने गए, तब डैड ने मुझे उन बातों के बारे में बताया, जो शायद मुझे मम्मा से सुननी चाहिए थीं। बाकी बातें मैंने किताबों में पढ़कर और इस विषय में होनेवाली बातचीत के दौरान सुनकर जानी थीं।

पीटर वैनडैन इस विषय के संदर्भ में स्कूल के लड़कों जितना फूहड़ या निंद्य नहीं था या हो सकता है, केवल पहली या दूसरी बार ऐसा हुआ हो, हालाँकि विषय की शुरुआत उसने नहीं की थी। एक बार बातचीत के दौरान मिसेज वैनडैन ने हमें बताया था कि उन्होंने कभी पीटर के साथ इस विषय पर बात नहीं की थी और उनकी जानकारी के अनुसार, उनके पति ने भी उससे ऐसी बातें नहीं की थीं। उन्हें तो यह भी पता नहीं था कि पीटर को इस संदर्भ में क्या पता है और जो पता है, वह जानकारी उसने कहाँ से पाई।

कल जब मैं, मार्गो और पीटर आलू छील रहे थे, बातचीत का रुख बोश की ओर मुड़ा। मैंने पूछा, "हमें अब तक पता नहीं कि बोश बिल्ला है या बिल्ली, है न?"

हमें पता है, पीटर ने कहा, "बोश बिल्ला है।"

मैं हँसने लगी। कहा, "ऐसा बिल्ला जो पेट से है।"

पीटर और मार्गो भी हँसने लगे। बात यह थी कि एक-दो महीने पहले पीटर ने ही हमें बताया था कि जल्द ही यकीनन बोश के पिल्ले आने वाले हैं, क्योंकि उसका पेट तेजी से फूल रहा है, हालाँकि बाद में बोश के फूले पेट का राज पता चला था। उसने कहीं से हड्डियाँ चुराकर खा ली थीं, खूब सारी। उसके पेट में पिल्ले नहीं पल रहे थे, तब पैदा कहाँ से होते!

मेरे आरोपों का जवाब देना पीटर को जरूरी लगा। उसने कहा, "आओ मेरे साथ, खुद देख लो। मैं एक दिन बोश के साथ खेल रहा था, तब मुझे पता चला कि वह यकीनन बिल्ला ही होगा।"

अपनी उत्सुकता पर काबू न रख पाने के कारण उसके साथ मैं गोदाम में गई, लेकिन उस वक्त बोश किसी से मिलने के मूड में नहीं था। अव्वल तो वह अपनी तय जगह पर ही नहीं था। हमने कुछ देर इंतजार किया और फिर ठंड बढ़ने लगी तो हम वापस ऊपर लौटे।

बाद में उसी दिन दोपहर के समय मैंने पीटर को फिर गोदाम में जाते सुना। मैंने साहस बटोरा और शांत घर को लाँघकर उसके पीछे पीछे गोदाम में पहुँची। बोश पैकिंग टेबल पर था, पीटर के साथ खेल रहा था। पीटर उसे वजन की मशीन पर रखकर उसका वजन लेने की कोशिश में था।

"आओ, तुम्हें देखना है क्या?" उसने बिना किसी भूमिका के कहा और बिल्ले को उठाकर पलटा। धीमे से उसका सिर और पंजे पकड़े और कहना शुरू किया, "ये

बिल्ले का पुल्लिंग, ये कुछ बाल और यह उसका पिछवाड़ा।''

बिल्ले ने उछलकर अपने को पीटर के हाथ से मुक्त किया और वह अपने छोटे पंजों के बल टेबल पर खड़ा रहा।

किसी और लड़के ने अगर मुझे इस तरह पुरुष का लिंग बताया होता तो मैं देखती ही नहीं, लेकिन पीटर बिल्कुल सामान्य स्वर में बोलता रहा, उस विषय पर जो बहुत ही संकोच पैदा करने वाला विषय था। ऐसा करने के पीछे उसका कोई और उद्देश्य भी नहीं था। जब उसका बताना पूरा हुआ था, तब तक मैं भी सामान्य हो चुकी थी। फिर हम दोनों बोश के साथ खेले। अच्छा समय बीता। थोड़ी देर बातचीत की और आखिर लंबे गोदाम को पार कर दरवाजे तक पहुँचे। ''मोशी का इलाज हुआ, तब तुम वहाँ थे ?।''

''हाँ था तो। उसमें ज्यादा देर नहीं लगती और वे बिल्ली को बेहोशी की दवा देते हैं।''

''क्या उसके शरीर से कुछ निकालते हैं ?''

''नहीं, पशु-चिकित्सक केवल उसकी नली काट देते हैं। बाहर से कुछ भी दिखाई नहीं देता।''

मुझे असल में धीरज बटोरना पड़ा होगा, क्योंकि आगे मैंने जो सवाल पूछा, वह उतना साधारण नहीं था। पीटर, जर्मन भाषा में पुरुष और स्त्री यौनेंद्रियों के नाम अलग-अलग हैं।''

''पता है मुझे।''

''स्त्री यौनेंद्रिय को 'वजाइना' कहते हैं, यह मैं जानती हूँ, लेकिन पुरुष यौनेंद्रिय को क्या कहते हैं, यह मैं नहीं जानती।''

''हाँ, सही है।''

''हम कैसे इन शब्दों को जान सकते हैं ? हमें अकसर संयोगवश इन शब्दों का पता चलता है।''

''इंतजार क्यों करें ? मैं अभी अपने मॉम-डैड से पूछता हूँ। उनके पास मुझसे अधिक जानकारी और तजुर्बा है।''

बात करते-करते हम सीढ़ियों तक पहुँच चुके थे, इसलिए और कुछ कहा नहीं गया।

हाँ, ऐसा पहले कभी नहीं हुआ। मैंने कभी किसी लड़की से भी इस विषय के बारे में इतने सामान्य स्वर में बात नहीं की थी। मुझे इस बात का भी यकीन था कि मम्मा ने जब मुझे लड़कों के बारे में चेतावनी दी थी, तब उनका भी यह मतलब नहीं रहा था।

इसी तरह बाकी बचे दिन भर मैं भी मैं नहीं रही थी। जब मैंने हममें हुई बातचीत के बारे में सोचा, तब मुझे थोड़ा अजीब लगा, लेकिन इस बातचीत से एक बात मेरी

समझ में आई थी कि कुछ युवा, भले वे विरुद्ध लिंगी क्यों न हों, ऐसी बातें, बिना किसी तरह के व्यंग्य, टिप्पणी या हास्य के कर सकते हैं।

क्या पीटर अपने माता-पिता से सचमुच बहुत सारे सवाल पूछेगा, कल वह जैसा लगा क्या, वह सचमुच वैसा है ?

अरे ! मुझे क्या पता ?

तुम्हारी ऐन

शुक्रवार, 28 जनवरी, 1944

मेरी सबसे प्यारी किट्टी,

इधर कुछ हफ्तों से मुझे परिवारों के वंश वृक्ष में और राजघरानों के वंश क्रम में बड़ी दिलचस्पी हो रही है। मैं इस निष्कर्ष तक पहुँची हूँ कि एक बार खोजबीन शुरू करो तो इतिहास को और गहरे तक खोदना पड़ता है। इससे और अधिक दिलचस्प बातें आपको पता चलती हैं। स्कूल की पढ़ाई मैं बड़े परिश्रमपूर्वक करती हूँ। रेडियो पर बीबीसी होम सर्विस का चलनेवाला कार्यक्रम मैं पूरा-पूरा समझ पाती हूँ। आज भी मैं अपने कई रविवार फिल्म स्टारों की इकट्ठा की गई तसवीरों को छाँटने में बिता देती हूँ। मेरा यह संग्रह अब काफी बड़ा हुआ है। हर सोमवार को मिस्टर कुग्लर मेरे लिए 'सिनेमा ऐंड थिएटर' मैगजीन लाकर मुझे बहुत खुश कर देते हैं। इस भवन में रहनेवाले कम दुनियादार लोग कई बार मेरे इस छोटे से शौक को पैसों की बरबादी कहते हैं। इसके बावजूद साल भर बाद भी किसी भी फिल्म के अभिनेताओं की अचूक सूची मैं कैसे बना सकती हूँ, इसका सबको अचरज लगता है। बपे, कई बार छुट्टी के दिन अपने बॉयफ्रैंड के साथ फिल्में देखने जाती है। मुझे शनिवार के दिन वह बताती है कि इस सप्ताहांत वे कौन सी फिल्म देखने जानेवाले हैं। तब मैं उस फिल्म में काम करनेवाले मुख्य कलाकारों के नाम और फिल्म के बारे में छपे परीक्षणों के बारे में फटाफट जानकारी देती हूँ। मॉम ने कहा था कि मुझे सुनने के बाद उन्हें फिल्म देखने जाना नहीं पड़ता।

फिल्म की कहानी, उसमें काम करनेवाले सितारों के नाम और उसके बारे में परीक्षण मुझे जुबानी याद हैं।

जब भी मैं बालों का कोई नया स्टाइल बनाकर लहराती हुई आती हूँ, तब उनके चेहरे पर आई नापसंदगी देखती हूँ, तब मुझे यकीनन लगता है कि अब कोई-न-कोई पूछेगा कि मैं किस फिल्म स्टार की कॉपी कर रही हूँ। मैं उन्हें बताती हूँ कि यह मेरा आविष्कार है तो उन्हें यकीन नहीं होता। हेयर स्टाइल की कहूँ तो वह कभी आधे घंटे से ज्यादा रहता नहीं। इतनी देर में उनकी टिप्पणियों से बेजार आकर मैं दौड़कर गुसलखाने

पहुँचती हूँ और बालों को अपनी शैली में सँवार लेती हूँ, यानी अपने घुंघराले बालों को पहले की तरह ही छोड़ देती हूँ।

तुम्हारी ऐन

शुक्रवार, 28 जनवरी, 1944

मेरी सबसे प्रिय किट्टी,

कभी-कभी मुझे लगता है कि कहीं तुम अपने को गाय की तरह तो महसूस नहीं कर रही हो? हर रोज मैं तुम्हारे सामने जो रूखा-सूखा चारा डाल देती हूँ, जिसे चबा-चबाकर उसकी एकरसता से तुम थक जाओ और बड़ी सी जम्हाई लेकर जुगाली करते हुए सोचो कि ऐन अब कोई नई बात क्यों नहीं सोचती?

माफ करना, मैं जानती हूँ कि तुम्हें यह गड्ढे में रुके पानी की तरह नीरस लगता होगा, लेकिन तुम मेरे बारे में सोचो कि यही सब रोज-रोज सुन-झेलकर मैं कितनी बीमार और थकी हुई महसूस करती हूँ। खाने की टेबल पर अगर राजनीति या अच्छे खाने की बात न चले तो मम्मा और मिसेज वैनडैन अपने बचपन की कहानियाँ छेड़ देती हैं, जो हम पहले ही हजार बार सुन चुके हैं या फिर मि. डुस्सेल रेस के सुंदर घोड़ों की, उनके चारलोट के प्रचंड वार्डरोब की, नावों में हुए छेदों की, चार वर्ष की उम्र में तैरना सीख चुके बच्चों की, दुखती हुई मांसपेशियों की या अपने डरे हुए मरीजों की बात छेड़ देते हैं। यह सबकुछ इतना असहज है कि हम आठों में से जब भी कोई बोलने के लिए मुँह खोलता है, तब बाकी सात में से कोई भी उसकी कहानी अपनी जुबान से सुना सकता है। हर चुटकुले की पंचलाइन उसके बताकर पूरी होने से पहले ही हमें पता होती है। इससे जो वह चुटकुला बताता है, उस पर आखिर में अकेले ही हँसने की नौबत आती है। इन दो गृहिणियों के पुराने दूधवाले, किराने के सामानवाले, कसाई आदि की कई-कई बार जबरदस्त तारीफ की जा चुकी है और उन्हें बुरा-भला कहकर भी हो गया है। अब तो ये सारे लोग हमें मेथुसलाह जितने बूढ़े लगने लगे हैं। बात असल में यह है कि अब गुप्त भवन में कोई भी नितांत नई या ताजी बात चर्चा के लिए ला पाना सर्वथा नामुमकिन है।

यह सब भी सहनीय है, बशर्ते कि बड़े लोगों को यह आदत न होती कि वे मि. क्लीमन, जान या मीप से सुनी बातें अपनी ओर से थोड़ा नमक-मिर्च लगाकर सुना देते। ऐसे समय उत्साही कथन कार को उसी तरह बोलने देने से न रोकूँ, इसलिए मुझे टेबल के नीचे अपने आपको कई-कई बार चिकोटियाँ काटनी पड़ी हैं। छोटी ऐन को कभी भी बड़ों की गलतियाँ नहीं सुधारनी चाहिए। भले वे कितनी भी बड़ी भूल करें या कितनी ही बार वे अपनी कल्पना के घोड़े सरपट दौड़ाएँ।

भूमिगत हुए या छुपकर जीनेवाले लोगों के बारे में बात करने का जॉन और मि. क्लीमन को खास शौक है। हमारी जैसी हालत में फँसे औरों के बारे में जानने की बड़ी उत्सुकता होती है और हम सचमुच उन लोगों के प्रति दु:ख के साथ सहानुभूति रखते हैं, जो पकड़े गए हैं और उन लोगों की खुशी महसूस कर सकते हैं, जो पकड़े जाने के बाद छूटकर आए हैं।

भूमिगत होना यहाँ एकदम आम बात हो गई है। यहाँ फ्री नीदरलैंड जैसे कई विरोधी गुट हैं, जो झूठा पहचान-पत्र बनाते हैं, छुपकर जीनेवालों को आर्थिक सहायता देते हैं, छुपने की जगह का इंतजाम करते हैं और भूमिगत हुए युवा ईसाइयों के लिए काम का प्रबंध करते हैं। ये उदार और निस्स्वार्थी लोग औरों के लिए क्या कुछ करते हैं, यह बड़ी ही आश्चर्यकारक बात है। दूसरों को बचाने और उनकी मदद करने के लिए वे अपनी जान के लिए कितना बड़ा जोखिम उठाते हैं।

इसका सबसे अच्छा उदाहरण हैं हमारी मदद करनेवाले लोग, जिन्होंने अब तक हमारी खूब मदद की है। उम्मीद है कि वे हमें पार पहुँचा देंगे और अगर वे ऐसा नहीं कर पाए तो वे भी अपने को उनकी जगह खड़ा पाएँगे, जिनकी वे मदद कर रहे हैं। हम उन पर कितना भारी बोझ हैं, इसके बारे में कभी उनके मुँह से एक लफ्ज तक नहीं निकलता। उन्होंने कभी इस बात की शिकायत नहीं की कि हमारे रूप में उनके सिर पर कितना बड़ा संकट मँडरा रहा है। वे हर रोज ऊपर आकर हर रोज पुरुषों के साथ व्यवसाय संबंधी, राजनीतिक संबंधी बातें करते हैं। महिलाओं के साथ वे खाने और युद्ध के दौरान मुश्किलों के बारे में बातें करते हैं। बच्चों के साथ वे किताबों और अखबारों के बारे में बातें करते हैं। वे हमेशा चेहरे पर खुशी बनाए रखते हैं। जन्मदिवस और छुट्टी के दिनों पर फूल और उपहार लाते हैं। हमेशा जो भी संभव हो, करने के लिए तत्पर रहते हैं। यह हमें कभी भूलना नहीं चाहिए। कुछ लोग युद्ध के मैदान में या जर्मन लोगों के खिलाफ अपनी वीरता दिखाते हैं और हमारी मदद करनेवाले हर रोज अपने अच्छे दिल से, अपनत्व से अपनी वीरता साबित करते हैं।

आजकल बड़ी विचित्र कहानियाँ सुनने में आती हैं और उनमें से कई सच होती हैं। उदाहरण के लिए, इसी हफ्ते मि. क्लीमन ने बताया कि जेल्डरलैंड प्रांत में फुटबॉल का मैच रखा गया था। एक टीम केवल भूमिगत हुए पुरुषों की थी और दूसरी टीम में ग्यारह पुलिसवाले। हिल्वरसम में नए पंजीकरण कार्ड बाँटे गए। गुप्त रूप से रहनेवाले लोगों को राशन की आपूर्ति होती रहे, इसलिए (अपनी राशन बुक लेने के लिए यह राशन कार्ड दिखाने की जरूरत होती है। अगर आप नहीं दिखा सकें तो एक राशन पुस्तक के लिए 60 गिल्डर्स देने पड़ते हैं।) रजिस्ट्रार ने उस जिले में छुपकर रहनेवाले सभी के लिए कार्ड लेने में सुविधा हो, इसलिए अलग टेबल लगवा दी थी और सूचना दी थी

कि निश्चित समय पर उस टेबल से वे अपना कार्ड ले सकते हैं।

ऐसे काम करते समय यह बात जर्मन लोगों के कानों तक न पहुँचे, इसलिए बहुत एहतियात बरतनी पड़ती है।

तुम्हारी ऐन

रविवार, 30 जनवरी, 1944

मेरी सबसे प्यारी किट्टी,

एक और रविवार बीत गया। शुरू-शुरू में मुझे बहुत बुरा लगता था, लेकिन अब आदत हो चुकी है, हालाँकि वे बड़े उबाऊ बीतते हैं।

मैं अभी गोदाम नहीं जा पाई हूँ, लेकिन जल्द ही जाऊँगी शायद। कल रात मैं अँधेरे में ही नीचे गई थी, अकेले, कुछ रातों पहले डैड के साथ मैं नीचे रह चुकी हूँ। मैं सीढ़ियों के ऊपर थी, जब जर्मन हवाई जहाज आगे-पीछे मँडरा रहे थे। तभी मुझे अहसास हुआ कि अब मैं ही हूँ अपने लिए, मैं अपनी मदद के लिए किसी पर भरोसा नहीं कर सकती। मेरा डर खत्म हुआ। मैंने ऊपर आसमान की ओर देखा और भगवान् पर भरोसा किया।

अकेले रहने की मुझे नितांत जरूरत महसूस होने लगी है। डैड को मुझमें आए बदलाव का अहसास हुआ, लेकिन मुझे किस बात की तकलीफ है, यह मैं उन्हें बता नहीं सकी। मैं बस चीखना चाहती हूँ, 'मुझे अकेला छोड़ दो।'

क्या पता, कोई दिन आएगा, जब मुझे जितना पसंद है, उससे ज्यादा मुझे अकेला छोड़ दिया जाएगा।

ऐन फ्रैंक

गुरुवार, 3 फरवरी, 1944

मेरी सबसे प्रिय किट्टी,

दिनोदिन देश पर हमले का ज्वर चढ़ रहा है। तुम अगर यहाँ होती तो मुझे यकीन है कि युद्ध की चल रही तैयारियाँ देखकर तुम भी प्रभावित होती; हालाँकि मुझे यकीन है कि हम जितना हल्ला मचा रहे हैं, वह देख तुम हँस पड़ती। क्या पता, इन सब बातों की कभी जरूरत ही न पड़े।

हमले से संबंधित खबरों से अखबार भरे पड़े हैं। ऐसी खबरें छापकर वे लोगों को पागलपन के क़गार पर ले जा रहे हैं, जैसे "हॉलैंड में अंग्रेजों का पदार्पण हुआ तो

जर्मन लोग देश की सुरक्षा के लिए कुछ भी करेंगे। जरूरत पड़ी तो उसे पानी के नीचे डुबा भी देंगे।'' उन्होंने हॉलैंड के पानी के नीचे आने वाले प्रदेश पर निशान लगाकर नक्शे भी प्रकाशित किए हैं। इन नक्शों में एमस्टरडम के ज्यादातर हिस्सों को रँगा गया था। इसलिए हमारा पहला सवाल यही था कि सड़कों पर पानी जब कमर से ऊपर तक रुक जाए तो क्या किया जाना चाहिए? इस सवाल के कई जवाब आए, जैसे—''चलना मुश्किल हो जाएगा, बाइक नहीं चलाई जा सकेंगी। सो हमें खुद रुके पानी में चलकर जाना पड़ेगा।''

''पागल सवाल मत करो। हमें कोशिश कर तैरना चाहिए। हम सब नहाने के, यानी तैरने के सूट पहनेंगे, टोपियाँ पहनेंगे और पानी के नीचे से जितना संभव हो, तैरते रहेंगे, ताकि किसी को यह पता ही न चल पाए कि हम यहूदी हैं।''

''अरे खाली दिमाग! हम सिर्फ महिलाओं को तैरता देखेंगे और देखेंगे कि खरगोश उनके पैर काट रहे हैं।'' (जाहिर है, यह कोई आदमी है। चलो, देखते हैं, कौन सबसे तेज चिल्लाएगा।)

''हम तो घर छोड़कर जाने के भी काबिल नहीं रहेंगे। गोदाम इतना अस्थिर और जर्जर है कि अगर बाढ़ आए तो वह गिर ही जाएगा।''

''सुनो, मजाक एक तरफ, हमें सचमुच एक नाव का प्रबंध कर लेना चाहिए।''

''फिकर क्यों करते हो, मेरे पास एक बढ़िया आइडिया है। हम लोग बालाखाने से एक-एक बक्सा ले आएँगे। उसे लकड़ी की चम्मच के चप्पू से चलाएँगे।''

''मैं लंबे बंबुओं का जूते की तरह इस्तेमाल करके चलूँगा। छोटा था, तब मैं इसमें माहिर था।''

''जान जीज को ऐसा कुछ करना नहीं पड़ेगा। वह अपनी पत्नी को पीठ पर लाद कर चलेगा। फिर तो मीप को बंबू के जूते पहनने पड़ेंगे। सो तुम समझ गई होगी कि यहाँ क्या चल रहा है। है न, किट? यह हल्के-फुल्के अंदाज में चल रही बातचीत मजेदार हैं, लेकिन सच्चाई इसे झूठ साबित करेगी। इसके बाद जो सवाल आएगा, वह हमले के बारे में ही होगा। अगर जर्मनों ने एमस्टरडम खाली कराया तो हम क्या करेंगे?''

''औरों के साथ शहर छोड़ देंगे। बेहतरीन ढंग से अपना भेष-रूप-रंग बदलने की कोशिश करेंगे।''

''चाहे कुछ भी हो, बाहर मत जाना। जहाँ हैं, वहीं रहना, यह सबसे बेहतर नीति है। पूरे हॉलैंड की जनता को झुंड की तरह हाँककर जर्मनी में ले जाने की क्षमता जर्मन लोगों के पास है। वहाँ जाकर सब मरेंगे।''

''हम यही रुकेंगे। यही सबसे सुरक्षित जगह है।''

''क्लीमन और उनके परिवार को भी हम यहाँ बुला लेंगे। हमारे साथ रहने के

लिए। किसी तरह एक गोणी भर के लकड़ी के छीले टुकड़े हम ले आएँगे और उन्हें बिछाकर हम जमीन पर सोएँगे। जरूरत पड़ने पर काम आएँगे, इसलिए मीप और मि. क्लीमन से कुछ ब्लैंकेट्स लाने के लिए कहेंगे। हमारे पास अब 65 पाउंड अनाज है। जान देखेगी कि थोड़ा और अनाज मँगवाकर रखेंगे। बींस व 10 पाउंड की दालें मँगाएँगे और 50 वेजिटेबल ज्यूस के कैन मँगा लेंगे।''

''बाकी चीजों के बारे में क्या करेंगे? मम्मा, हमें ताजा आँकड़े बताइए।''

''10 कैन मछली, 40 कैन दूध, 20 पाउंड दूध का पाउडर, तीन बोतलें तेल की, 4 डिब्बे मक्खन के, 4 जार मटन, स्ट्रॉबेरी के 4 बड़े जार, 2 जार रसबेरी के, 20 जार टमाटर के, 10 पाउंड ओटमील, 9 पाउंड चावल, बस इतना ही।''

''हमारा खाने के सामान का संग्रह अच्छा चल रहा है, साथ ही हमें दफ्तर के लोगों को भी खाना खिलाना पड़ता है। हमसे हमारे सामान में हर हफ्ते काफी बड़ी कटौती हो जाती है। इसीलिए जितना है, ऐसा लगता है, उतना होता नहीं है। हमारे पास कोयला और लकड़ी भी और मोमबत्तियाँ भी बड़ी मात्रा में हैं।''

''हम छोटी-छोटी थैलियाँ बनाकर उसमें पैसे रखकर अपने कपड़ों के अंदर छुपा लेंगे। अगर हमें यह जगह छोड़नी पड़े तो यह पैसा काम आएगा।''

हम एक सूची बना लेते हैं। अचानक अगर दौड़ना पड़ा तो क्या-क्या साथ लेना चाहिए, इसकी सूची बनाकर उन चीजों को पहले से नैपसैक में बाँधकर रखेंगे।

''भागना पड़े तो हम दो लोगों को पहरे पर बिठाएँगे, एक आगे वाली अटारी पर और दूसरे को भवन के पीछे।''

''अरे, एक बात तो सोचो, इतना सारा अनाज और पानी, गैस या बिजली होगी तो कैसे चलेगा?''

''हमें लकड़ी के चूल्हे का इस्तेमाल करना होगा। जो भी पानी मिले, उसे छानकर उबाल लो। हमें कुछ बड़े बरतन या जग साफ कर उनमें पीने का पानी रखना होगा। हम कैनिंग के लिए जो केतलियाँ इस्तेमाल करते हैं, उनमें से तीन में और नहाने के टब में इस्तेमाल के लिए पानी भरकर रख सकते हैं।''

''इसके अलावा हमारे पास अब भी करीब दो सौ तीस पौंड आलू मसालों वाले गोदाम में पड़े हैं।''

पूरे दिन मैं बस यही सुनती हूँ—'हमला, हमला और हमला।' हमले के अलावा बातचीत का कोई विषय नहीं। विवाद भी केवल भूखे रहना पड़े तो मरना या मौत, बम, आग बुझाने वाला यंत्र, स्लीपिंग बैग्स, आइडेंटिटी कार्ड्स, विषैली गैस इत्यादि विषयों पर ही होते हैं। जो कहीं से उत्साहवर्धक नहीं।

पुरुष योद्धाओं द्वारा दी जाने वाली स्पष्ट चेतावनियों के उदाहरणस्वरूप जान के

साथ संवादों के इस टुकड़े को देखिए।

एनेक्स : जर्मन सेना की जब वापसी होगी, तब वह यहाँ की समूची जनता को अपने साथ ले जाएगी।

जान : यह असंभव है। इतने लोगों को ले जाने के लिए उनके पास ट्रेनें नहीं हैं।

एनेक्स : ट्रेनें, तुम्हें क्या लगता है, वे यहाँ के नागरिकों को ट्रेनों में भरकर ले जाएँगे ? बिल्कुल नहीं। हर किसी को दायाँ-बायाँ पैंया करते हुए जाना होगा।

जान : मुझे नहीं लगता। तुम हमेशा हर बात की डरावनी तसवीर ही पेश करते हो। सभी नागरिकों को कैद कर ले जाने की ऐसी क्या वजह उनके पास होगी भला ?

एनेक्स : गोबेल ने क्या कहा था, वह तुम भूल गए क्या ? उसने कहा था, जर्मन अगर जाएँगे तो बसी हुई सारी बस्तियों को उजाड़ते हुए जाएँगे।

जान : उन्होंने तो कई बातें कही हैं।

एनेक्स : ऐसा नहीं करने के योग्य जर्मन लोग सभ्य या सुसंस्कत हैं, क्या तुम्हें ऐसा लगता है ? उनका तर्क होगा, अगर हम गाड़े जाएँगे तो किसी को पीछे नहीं छोड़ेंगे।

जान : तुम्हें जो लगता है, वह कहो, मैं इसका विश्वास नहीं कर सकती।

एनेक्स : यही हमेशा की कहानी है। कोई भी आने वाले संकट के बारे में पहले से सोचना नहीं चाहता। जब संकट सामने आकर खड़ा हो जाए तो तभी वे जागेंगे।

जान : लेकिन तुम्हें असलियत का पता नहीं है। तुम अंदाजे से कह रहे हो।

एनेक्स : क्योंकि हम इस सबसे गुजर चुके हैं। पहले जर्मनी में और अब यहाँ। रूस में क्या हो रहा है, आपको कैसा लगता है ?

जान : तुम्हें यहूदियों को इसमें शामिल नहीं करना चाहिए। रूस में क्या चल रहा है, यह कोई जानता है, ऐसा मुझे नहीं लगता। अंग्रेज और रूसी जर्मनों की ही तरह प्रचार के लिए जो है, उसे कई गुना बढ़ा-चढ़ाकर बता रहे हैं शायद।

एनेक्स : बिल्कुल नहीं। बीबीसी ने हमेशा सच बताया है और अगर खबर थोड़ी अत्युक्तियुक्त हो भी तो सच्चाई भी तो उतनी ही बुरी है। पोलैंड और रूस के लाखों नागरिकों को मार डाला गया या गैस चैंबर्स में डालकर उनकी जान ले ली गई।

हममें चलने वाले अन्य ऐसे संवाद में तुम्हें नहीं बताऊँगी। मैं शांत हूँ और इन सभी बातों की ओर ज्यादा ध्यान नहीं देती। मैं ऐसी स्थिति तक पहुँच चुकी हूँ जहाँ मेरे जीने-मरने से मुझे कोई फर्क नहीं पड़ता। दुनिया मेरे बगैर भी चलती ही रहेगी और मैं घटनाएँ बदल तो नहीं सकती। मैं बस उन्हें घटने देती हूँ। मैं अपनी पढ़ाई पर अपना ध्यान केंद्रित करती हूँ और उम्मीद करती हूँ कि अंत में सबकुछ ठीक ही हो जाएगा।

तुम्हारी ऐन

मंगलवार, 4 फरवरी, 1944

प्रिय किट्टी,

मुझे क्या महसूस हो रहा है, यह मैं तुम्हें बता नहीं पाऊँगी। एक मिनट में मैं शांति और सुकून चाहती हूँ और अगले पल मुझे थोड़े हँसी-मजाक की चाहत जागती है। यहाँ हम हँसना लगभग भूल ही गए हैं, यानी पेट में बल डालनेवाली हँसी अब हम भूल चुके हैं।

आज सुबह मैं थोड़ा खिलखिलाई, पता है न जैसे हम स्कूल में खिलखिलाया करती थीं, बिल्कुल वैसी। मार्गो और मैं बिल्कुल असली किशोरियों की तरह खिलखिला रही थीं।

कल रात मम्मा के साथ एक और बात हुई। मार्गो अपना ब्लैंकेट ओढ़ रही थी कि मम्मा अचानक उछलकर बिस्तर से कूदीं और ध्यान से अपना ब्लैंकेट जाँचने लगीं। तुम्हें पता है, उन्हें अपने ब्लैंकेट में क्या मिला? सुई! मम्मा ने अपना ब्लैंकेट रफू किया था और सुई हटाना भूल गई थीं। डैड ने गंभीरता से सिर डुलाते हुए मम्मा कितनी गैरजिम्मेदार हैं, ऐसा कहा। उसके थोड़ी ही देर बाद मम्मा जब गुसलखाने से निकली, तब उन्हें चिढ़ाने के लिए मैंने कहा, "ओह! कितनी क्रूर हो तुम!"

अर्थात् मम्मा ने मेरे ऐसा कहने की वजह पूछी और हमने उनसे उनके द्वारा सुई न हटाने की बात याद दिलाई। उन्होंने तुरंत अपनी गुस्सैल मुद्रा धारण की और कहा, "तुमसे भी क्या बात करनी। जब सिलाई करते हैं, तब पूरी जगह में सुइयाँ फैली रहती हैं और ये देखो, तुमने अपना मैनीक्योर सैट फिर लापरवाही से छोड़ा है। उसे उसकी जगह कभी नहीं रखती तुम।"

मैंने कहा कि मैंने उसका इस्तेमाल नहीं किया है। मार्गो ने मेरी बात सही होने की पुष्टि की, क्योंकि यह उसका काम था। इस पर मैं कितनी लापरवाह हूँ, इस बारे में मम्मा तब तक बोलती रहीं, जब तक कि मेरे कान नहीं पक गए। फिर मैंने तपाक से कहा, "तुम लापरवाह हो, ऐसा मैंने तो नहीं कहा था। दूसरों की गलतियों के लिए भी हमेशा मुझे ही जिम्मेदार ठहराया जाता है।"

मम्मा एकदम से चुप हुईं। एक मिनट के बाद मुझे मम्मा को किस्सी देकर गुड नाइट कहने का मौका मिला। यह वाकया बहुत महत्त्वपूर्ण भले न हो, लेकिन इन दिनों हर बात से मैं कैसे परेशान हो जाती हूँ, इसका सबूत जरूर है।

ऐन मेरी फ्रैंक

शनिवार, 12 फरवरी, 1944

मेरी सबसे प्यारी किट्टी,

सूरज की किरणें चमक रही हैं, आकाश पर गहरा नीला रंग छाया है, बढ़िया-सुखकारी हवाएँ चल रही हैं और मुझे आस लगी है, मैं सचमुच तड़प रही हूँ। हर चीज के लिए, जैसे किसी से बातें करने के लिए, आजादी पाने के लिए, सहेलियों से मिलने के लिए, एकांत पाने के लिए और मैं तड़प रही हूँ…रोने के लिए। लग रहा है कि मैं अभी फट पड़ूँगी। रोने से जी हल्का हो जाएगा, यह मैं जानती हूँ, लेकिन मैं रो नहीं सकती। मैं बहुत बेचैन हूँ। मैं एक कमरे से दूसरे कमरे में जा रही हूँ, खिड़कियों की झिर्रियों से आती खुली हवा सूँघ रही हूँ, साँसों में भर रही हूँ, अपने दिल की बात सुन रही हूँ, एक बार मेरी तड़प को मिटाओ… ।

मुझे लगता है कि वसंत मेरे अंदर है। मेरे अंदर के वसंत के जागने की आहट मैं सुन रही हूँ। उसे मैं अपने पूरे शरीर में और आत्मा में भी महसूस कर रही हूँ। सामान्य बरताव मुझे अपने आप पर थोपना पड़ रहा है। मैं पूरी तरह विभ्रमित हो गई हूँ, समझ में नहीं आ रहा है कि क्या पढ़ूँ, क्या लिखूँ, क्या करूँ? मैं बस इतना जानती हूँ कि मैं किसी चीज के लिए तड़प रही हूँ।

तुम्हारी ऐन

186 ऐन फ्रैंक

सोमवार, 14 फरवरी, 1944

मेरी सबसे प्यारी किट्टी,

शनिवार से मेरे जीवन में बहुत कुछ बदल गया है। क्या घटा? यह घटा मेरे मन में किसी चीज के लिए तड़प उठी थी (अभी भी मैं तड़प रही हूँ), लेकिन…एक छोटा, समस्या का एक बहुत छोटा हिस्सा अब हल हुआ है।

रविवार की सुबह मेरे ध्यान में आया और मैं बहुत खुश हुई (तुम्हें मैं सब सच ही बताऊँगी) कि पीटर मेरी ओर ताक रहा है। हर बार की तरह सामान्य नजर से नहीं, पता नहीं, मैं समझा नहीं पाऊँगी, लेकिन अचानक मुझे लगा, जैसी कि मेरी धारणा रही है, वह मार्गो से प्रेम नहीं करता। पूरे दिन मैंने उसकी ओर ज्यादा नहीं देखने की कोशिश की।

क्योंकि मैं जब भी देखती, मैंने उसे मेरी ओर देखता पाया, फिर मैंने अंदर बहुत अच्छा महसूस किया और ऐसा मैंने बहुत कम बार महसूस किया है।

रविवार की शाम के समय पिम और मेरे अलावा बाकी सब लोग रेडियो के इर्द-गिर्द इकट्ठा हुए थे। वे सब 'इम्मार्टल म्युजिक ऑफ द जर्मन मास्टर्स' (जर्मन

उस्तादों का अमर संगीत) सुन रहे थे। डुस्सेल रेडियो के बटन दबाता-घुमाता रहा था। इससे पीटर और बाकी सब लोग परेशान थे। आधे घंटे तक इंतजार करने के बाद पीटर ने चिड़चिड़ाते हुए डुस्सेल से पूछा कि क्या वे रेडियो के बटन को छेड़ना बंद कर देंगे? डुस्सेल ने अपने गुस्साए हुए स्वर में जवाब दिया, 'मैं तय करूँगा।' पीटर गुस्सा हुआ और उसने बदतमीजी से उस पर टिप्पणी की। मि. वैनडैन भी उसके पक्ष में बोले। डुस्सेल को पीछे हटना पड़ा। बस इतना हुआ। मतभेद का कारण दिलचस्प या बड़ा या गंभीर नहीं था, लेकिन पीटर ने ही मसले को गंभीरता से लिया था, क्योंकि उसी दिन सुबह मैं जब बालाखाने में किताबों के बक्सों में रखी किताबें उलट-पुलट रही थी, तब वह आया और क्या हुआ, बताने लगा था। इस बारे में मैं कुछ जानती नहीं थी, लेकिन जल्द ही पीटर की समझ में आया कि उसकी बातें बड़े ध्यान से सुननेवाला कोई उसे मिल गया है। वह अपने नए श्रोता के प्रति अधिक गर्मजोशी से बातें करने लगा।

वह ऐसे हुआ कि उसने कहा, "मैं सामान्यत: ज्यादा बोलता नहीं, क्योंकि मुझे पहले ही पता होता है कि मैं जल्द ही चुप हो जाऊँगा। मैं तुतलाने लगता हूँ, झेंपने लगता हूँ, शब्दों को मुँह ही मुँह में इतना घुमाने लगता हूँ कि आखिर मुझे बोलना ही बंद करना पड़ता है, क्योंकि फिर मुझे सही शब्द ही याद नहीं आते। यही कल भी हुआ। मुझे कहना कुछ और ही था, लेकिन एक बार बोलना शुरू किया तो सब कुछ गड्ड-मड्ड हो गया। यह बड़ा ही अजीब होता है। मुझमें एक बुरी आदत थी। कभी-कभी लगता है कि काश! अब भी वह आदत मुझमें होती। जब भी मुझे किसी पर गुस्सा आता, तब उनसे विवाद करने के बजाय सीधे उन्हें पीट देता। इस उपाय से किसी समस्या को मैं हल नहीं कर पाऊँगा, यह मैं जानता हूँ और इसीलिए मैं तुम्हारी प्रशंसा करता हूँ। तुम्हें कभी शब्दों की कमी महसूस नहीं होती। तुम्हें जो कहना होता है, ठीक वही तुम कहती हो और तुम जरा भी शरमाती या हिचकिचाती नहीं हो।"

"ओह! लेकिन इस बारे में तुम गलत हो।" मैंने कहा, "मैं जो भी कुछ बोलती हूँ, वह मुझे जो कुछ भी बोलना होता है, उससे अलग होता है और मैं बहुत बोलती हूँ, बहुत देर तक बोलती रहती हूँ। यह भी बुरा है।"

"हो सकता है, लेकिन तुम्हारे साथ एक अच्छी बात है। तुम जब झेंपती हो, तब लोगों को उसका पता नहीं चलता। तुम शरमाती नहीं हो, न निराशा में तुम्हारा दिल टूटता है।"

मुझे उसके शब्दों पर हँसी आई, लेकिन मैं मन-ही-मन हँसी। मैं चाहती थी कि वह शांतिपूर्वक अपने बारे में बोलता रहे, इसलिए मैंने अपनी हँसी रोकी। जमीन पर एक तकिया रखकर उस पर बैठी। अपने हाथ अपने घुटनों के गिर्द लपेटे और एकटक उसकी ओर देखती रही।

मैं बड़ी खुश थी, क्योंकि उस दिन मुझे पता चला कि इस घर में क्रोध के दौरे पड़नेवाला एक और व्यक्ति है। मैं टोकूँगी, इस खयाल से मुक्त होकर पीटर इत्मीनान के साथ डुस्सेल पर टीका-टिप्पणी कर रहा था। मुझे भी खुशी हो रही थी कि मेरे मन में साथ होने की जबरदस्त भावना पनपी थी। मेरी ऐसी गाढ़ी मित्रता, जो अब तक केवल अपनी सहेलियों से ही थी।

तुम्हारी ऐन

मंगलवार, 15 फरवरी, 1944

डुस्सेल के साथ हुई छोटी सी अनबन के कई परिणाम निकले, जिसके लिए केवल वे खुद जिम्मेदार थे। सोमवार की शाम को मि. डुस्सेल मम्मा से मिलने आए। उन्होंने विजयी भाव से मम्मा को बताया कि उस दिन सुबह पीटर ने खुद आकर उनसे पूछा कि क्या वह कल रात ठीक से सोए? फिर आगे उसने कहा कि रविवार की शाम को जो कुछ भी हुआ, उसका उसे खेद है और उसने सोचकर वह सब नहीं कहा था। मि. डुस्सेल ने पीटर को यह कहकर आश्वस्त किया कि उन्होंने वह बात दिल से नहीं लगाई है। सो अब सब ठीक है। मम्मा ने यह सब मुझे बताया। मुझे यह सुनकर मन-ही-मन बहुत आनंद हुआ कि जो पीटर मि. डुस्सेल से बहुत गुस्सा था, उसने अपना गुस्सा थूककर मि. डुस्सेल से माफी कैसे माँगी?

इस मामले में पीटर को खरी-खरी सुनाने से मैं अपने को रोक नहीं पाई। उसने भी तुरंत जवाब दिया कि डुस्सेल झूठ बोल रहा है। उस समय तुम पीटर का चेहरा देखती। काश! मेरे पास कोई कैमरा होता। क्रोध, क्षोभ, नाराजगी तथा अन्य कई भाव उसके चेहरे पर पल भर में आए-गए।

उस दिन शाम को मि. वैनडैन और पीटर ने मि. डुस्सेल के चेहरे से नकाब लगभग उतार लिया होता, लेकिन पीटर को एक बार और दाँतों के डॉक्टर की जरूरत थी।

असल में वे दोनों एक-दूसरे से बात नहीं करना चाहते थे।

बुधवार, 16 फरवरी, 1944

आज पूरा दिन इक्का-दुक्का निरर्थक शब्दों में मेरी और पीटर की बातचीत नहीं हुई। बहुत ठंड थी, इसलिए बालाखाने में जाने का कोई मतलब नहीं था और आज मार्गो का बर्थडे था। साढ़े आठ बजे के करीब वह उपहार देखने और औपचारिकता से अधिक समय तक रुककर बातचीत करने के लिए आया। ऐसा उसने पहले कभी नहीं किया था,

लेकिन दोपहर के समय मुझे मौका मिला। जन्मदिवस पर मार्गो के बहुत लाड़ करने के खयाल से मैं पहले उसके लिए कॉफी लेने गई, उसके बाद आलू लेने गई। जब मैं पीटर के कमरे में पहुँची, तब उसने जल्दी-जल्दी जमीन पर फैले अखबार समेटे। मैंने उससे पूछा कि बालाखाने की ओर जानेवाला दरवाजा क्या मैं बंद कर लूँ।

"जरूर, बंद करो", उसने कहा, "जब तुम्हें नीचे आना होगा तो बस दरवाजा हल्के से बजा देना। तुम्हारे लिए मैं दरवाजा खोल दूँगा।"

मैंने उसे धन्यवाद दिया, ऊपर गई और कम-से-कम दस मिनट में वहाँ रखे बैरलों में से सबसे छोटे आलू रखा बैरल ढूँढ़ने लगी। मेरी पीठ दर्द करने लगी। बालाखाने में बड़ी ठंड थी। लौटते समय मैंने दरवाजा बजाया नहीं, बल्कि खुद खोलकर चली आई; हालाँकि मुझे आता देखकर वह उठकर आया और उसने आलू भरा टोकरा मेरे हाथ से ले लिया।

"मैंने बहुत कोशिश की, लेकिन इनसे छोटे आलू ढूँढ़ नहीं पाई।"

"तुमने बड़े बैरल में देखा क्या?"

"हाँ, मैंने सब बैरल्स में देखा।"

तब तक मैं सीढ़ियाँ उतरकर आई थी। उसने आलुओं पर एक नजर डाली, टोकरी अभी उसी के हाथ में थी। उसने कहा, "ये ठीक तो हैं।" और टोकरी उसके हाथ से मैंने ली तो आगे कहा, "मेरी शुभकामनाएँ।" यह कहते हुए उसने मेरी तरफ ऐसी नजर डाली कि मैं अंदर से चमकने लगी। यकीनन वह मुझे खुश करना चाहता था, लेकिन चूँकि वह कोई लंबा भाषण नहीं दे सकता था, इसलिए सबकुछ उसने आँखों से ही कह दिया। मैं उसे इतनी अच्छी तरह जानती थी और उसके प्रति मैं कृतज्ञ भी थी। उसके शब्द और उसकी वह नजर याद कर आज भी मुझे बहुत अच्छा लगता है।

मैं जब नीचे गई, तब मम्मा ने कहा, उन्हें और आलुओं की जरूरत है। इस बार आलू रात के खाने के लिए चाहिए। आलू लाने के लिए मैंने फिर ऊपर जाने की पेशकश की। मैं जब पीटर के रूम में पहुँची, मैंने फिर व्यवधान पहुँचाने के लिए माफी माँगी। मैं ऊपर जाने लगी तो वह उठकर खड़ा हुआ। सीढ़ियाँ और दीवार के बीच वाले स्टैंड के पास पहुँचकर उसने मेरी बाँह पकड़कर मुझे रोकना चाहा।

"मैं जाता हूँ।" उसने कहा, "वैसे भी मुझे वहाँ जाना ही है।"

मैंने कहा, "तुम्हारा जाना वैसे बहुत जरूरी तो नहीं है। इस बार मुझे केवल छोटे आलू नहीं लाने हैं।" मेरी बातों पर यकीन हुआ तो उसने मेरी बाँह छोड़ दी। मेरे लौटते समय उसने छत का दरवाजा खोला और एक बार फिर उसने मुझसे आलुओं की टोकरी ली। दरवाजे के पास खड़े होकर मैंने उससे पूछा, "तुम क्या पढ़ रहे हो?"

"फ्रेंच!" उसने कहा।

मैंने पूछा, "क्या मैं तुम्हारे पाठ देख सकती हूँ?" फिर मैं हाथ धोकर आई और दीवान पर उसके सामने बैठी।

मैंने फ्रेंच के बारे में उसे थोड़ी जानकारी दी और उसके बाद हम बातचीत करने लगे। उसने बताया कि युद्ध समाप्त होने के बाद वह ईस्ट इंडीज जाकर रबड़ के बागान में रहेगा। घर में उसका जीवन कैसा है, यह उसने बताया। ब्लैक मार्केट के बारे में बताया और बताया कि उसे लगता है कि वह बिल्कुल निठल्ला है। उसकी कोई हैसियत नहीं। मैंने उसे बताया कि ऐसा नहीं है, उसे बस हीनभावना है। वह लड़ाई के बारे में बोला, कहा कि रूस और ब्रिटेन आखिर एक-दूसरे के खिलाफ लड़ेंगे। उनमें यहूदियों को लेकर युद्ध छिड़ेगा। उसने कहा, अगर वह ईसाई होता तो जीवन बहुत आसान होता। युद्ध के बाद वह ईसाई बन सकता है। मैंने उसे पूछा कि क्या वह बप्तिस्मा कर लेगा? लेकिन उसका मतलब वह नहीं था। उसने कहा कि वह कभी मन से ईसाई महसूस नहीं कर पाएगा, लेकिन युद्ध के बाद वह एक बात पक्के तौर पर करेगा कि उसके यहूदी होने का किसी को पता न चले। पल भर के लिए मेरे दिल में नश्तर चुभने सा दर्द हुआ। उसमें अभी भी थोड़ी बेईमानी बाकी है, यह शर्म की बात है, ऐसा मुझे लगा।

पीटर ने आगे कहा, "यहूदी हमेशा रहे हैं और आगे भी वे खास लोग बने रहेंगे।"

मैंने जवाब दिया, "बस इस बार, उन्हें कुछ अच्छा देने के लिए चुना जाए।"

लेकिन हम लंबे समय तक बतियाते रहे। खुशनुमा माहौल रहा। हम डैड के बारे में बोले, मानव का चरित्र आँकने के बारे में बोले और भी कई विषयों पर हममें बातचीत हुई। इतने विषयों पर कि अब वे सब मुझे याद भी नहीं।

पौने पाँच बजे मैं वहाँ से निकली, क्योंकि बेप आई थी।

उस शाम उसने कुछ और भी कहा था, जो मुझे अच्छा लगा था। हम एक फिल्म स्टार की तसवीर के बारे में बोल रहे थे, जो मैंने कभी उसे दी थी। पिछले डेढ़ साल से वह तसवीर उसके कमरे में लगी हुई है। उसे वह इतनी पसंद आई कि मैंने उससे कहा कि मैं ऐसी और तस्वीरें दूँगी।

"नहीं चाहिए।" उसने कहा, "मेरे पास जो एक है, वही मैं रखूँगा। हर रोज मैं उसकी ओर देखता हूँ। उसमें जो लोग हैं, वे अब मेरे दोस्त बन चुके हैं।"

अब मेरी समझ में आया कि वह हमेशा मोशी बिल्ली को इतनी जोर से क्यों भींचता है। उसे भी प्रेम की जरूरत है। वह जिस बारे में बोल रहा था, एक और विषय का जिक्र करना मैं भूल गई। उसने कहा, "नहीं, मैं डरता नहीं, बशर्ते कि बात मेरे बारे में न हो। मैं उस पर भी काम कर रहा हूँ।"

पीटर पर हीनभावना हावी थी। उदाहरण के तौर पर, उसे हमेशा लगता है कि वह कितना मूर्ख है और बाकी हम सब कितने स्मार्ट हैं। उसकी मैं जब फ्रेंच सीखने में

मदद करती हूँ तो वह हजार बार धन्यवाद देता है। मैं एकाध दिन में उससे कहने वाली हूँ, "ओह! बस भी करो! तुम्हें अंग्रेजी और भूगोल मुझसे बेहतर आता है।"

ऐन फ्रैंक

गुरुवार, 17 फरवरी, 1944

मेरी प्यारी किट्टी,

आज सुबह मैं ऊपर थी। मैंने मिसेज वैनडी को अपनी कुछ कहानियाँ पढ़कर सुनाने का वादा किया था। 'ईवाज ड्रीम' से मैंने शुरुआत की। उन्हें वह बहुत पसंद आई। उसके बाद 'द सीक्रेट एनेक्स' के कुछ परिच्छेद मैंने उन्हें पढ़कर सुनाए। सुनकर वह खूब हँसी। कुछ देर तक पीटर भी सुनता रहा (बस आखिरी हिस्सा)। फिर उसने पूछा कि क्या मैं कभी उसके कमरे में जाकर कुछ और सुना सकूँगी?

मैंने सोचा, यह मौका मुझे बिल्कुल नहीं चूकना चाहिए। इसलिए मैंने अपना नोटबुक देकर उसे कैडी और हैन्स में भगवान् के बारे में जो बातचीत होती है, वह हिस्सा पढ़वाया। उस पर इसका क्या असर पड़ा, मेरी समझ में नहीं आया। उसने कुछ कहा भी था, जो मुझे अब याद नहीं आ रहा, यानी वह अच्छा है, ऐसा उसने नहीं कहा था, वह जो लिखा था, उसके पीछे कल्पना उसे पसंद आई थी, शायद ऐसा कुछ वह बोला था। मैंने उससे कहा कि मैं उसे बताना चाहती हूँ कि मैं केवल हँसानेवाली बातें नहीं लिखती। उसने गरदन डुलाई। मैं वहाँ से निकली। देखते हैं, उससे और कुछ सुनने को मिलता है क्या?

तुम्हारी
ऐन फ्रैंक

शुक्रवार, 18 फरवरी, 1944

मैं जब भी ऊपर जाती हूँ, हमेशा उसे देखने के लिए जाती हूँ। अब मुझे व्यस्त रखने के लिए कुछ मिला है, इसलिए मेरी यहाँ की जिंदगी में काफी सुधार आए।

कम-से-कम मेरी दोस्ती का आधार हमेशा यहाँ है और मुझे यहाँ किसी प्रतिद्वंद्वी का डर नहीं। इसलिए (अपवाद केवल मार्गो का)। यह धारणा बिल्कुल नहीं बना लीजिए कि मुझे उससे प्रेम हो गया है, क्योंकि मुझे उससे प्रेम नहीं है। हाँ, लेकिन मुझे ऐसा लग रहा है कि पीटर और मेरे बीच कोई सुंदर बात पनपने जा रही है। एक तरह की दोस्ती और विश्वास का भाव। मुझे जब भी मौका मिलता है, मैं उससे मिलने चली जाती हूँ

और अब हमारा मिलना पहले की तरह नहीं रहा, यानी तब उसे पता ही नहीं था कि मेरा क्या करे। अब मैं दरवाजे से बाहर भी निकल जाऊँ, वह बोलता ही रहता है। ममा को मेरा ऊपर जाना पसंद नहीं है। वे हमेशा कहती हैं कि मैं पीटर को परेशान करती हूँ और कि मुझे उसे अकेला छोड़ना चाहिए। ईमानदारी से कहूँ, तो मुझे लगता है कि वे कभी मुझे समझ नहीं पाएँगी ? मैं जब पीटर के कमरे में जाती हूँ, तब वह मुझे इतनी अजीब नजरों से देखती हैं। वहाँ से जब मैं लौटती हूँ, तब हर बार वे पूछती हैं, "कहाँ से आ रही हो ?" बड़ा भयंकर है यह, लेकिन अब मैं फिर उनसे नफरत करने लगी हूँ।

तुम्हारी

ऐन.एम. फ्रैंक

शनिवार, 19 फरवरी, 1944

मेरी सबसे प्रिय किट्टी,

आज फिर शनिवार है। इसी से आपको समझ जाना चाहिए। आज सुबह पूरा सन्नाटा था। मैंने करीब घंटे भर का समय ऊपर बिताया मीट-बॉल बनाने में, लेकिन उससे बस छुट-पुट बात ही हो पाई।

ढाई बजे जब हर कोई पढ़ने, नींद लेने आदि के लिए ऊपर गया, तब मैं नीचे आई, साथ में मैं ब्लैंकेट भी ले आई थी। पढ़ने या लिखने के लिए मैं टेबल पर बैठना चाहती थी। थोड़ी ही देर में मेरा जी उचट गया। मैंने अपनी बाँहों में सिर छुपाया और दिल खोलकर रोई। आँसू मेरे गालों पर से बहते रहे। मुझे बहुत बुरा लग रहा था। काश कि 'वह' मुझे धीरज बँधाने आ जाए।

चार बज चुके थे, जब मैं फिर ऊपर गई। पाँच बजे मैं कुछ आलू लेने चली। मन में एक बार फिर इच्छा यही थी कि उससे मुलाकात हो जाए, लेकिन अभी मैं गुसलखाने में खड़ी अपने बाल बना रही थी कि वह बोश से मिलने गया।

मैं मिसेज वैनडी की मदद करना चाहती थी। इसलिए अपनी किताब आदि लेकर मैं ऊपर पहुँची, लेकिन अचानक मुझे लगा कि मेरी आँखों में फिर से आँसू छलक रहे हैं। मैं दौड़कर नीचे वाले गुसलखाने में पहुँची। जाते-जाते मैं हाथ में पकड़ने वाला छोटा आईना लेती गई थी। लंबे समय तक रोने के बाद मैं टॉयलेट की सीट पर बैठी थी। लाल रंग के एप्रेन पर मेरी आँखों से गिरे आँसुओं के पानी के काले धब्बे बने थे। मैं पूरी तरह निराश महसूस कर रही थी।

मेरे मन में जो चल रहा था, वह यों था, 'ऐसे तो मैं कभी भी पीटर तक पहुँच नहीं पाऊँगी। क्या पता, हो सकता है वह मुझे पसंद ही नहीं करता हो और उसे किसी

से अपने मन की बात बाँटने की इच्छा ही नहीं होती होगी। हो सकता है, वह मुझे बहुत हल्के से लेता हो। मुझे फिर अकेले ही रहना चाहिए। राज बाँटने के लिए कोई नहीं और पीटर भी नहीं, कोई आस नहीं, कोई सुकून नहीं और ऐसी कोई बात नहीं, जो मन में उम्मीद जगाए रखे। काश कि मैं अपना माथा उसके कंधे पर टिका पाती, मेरे मन को निराशा की गर्त में धकेलने वाले अकेलेपन के छोड़ दिए जाने के खयाल मेरे मन में नहीं आते। क्या पता, शायद उसे मेरी बिल्कुल भी फिक्र नहीं होगी। वह सबकी ओर ऐसी ही नरम आँखों से देखता होगा। हो सकता है, उसकी वह नजर केवल मेरे लिए थी, ऐसा सोचना मेरी गलतफहमी रही हो। ओ पीटर, काश कि तुम मुझे सुन पाते, देख पाते। सच्चाई अगर मेरी उम्मीदों को मार डालने वाली हो तो मैं उसे सह नहीं पाऊँगी।

कुछ देर बाद मुझे थोड़ा अच्छा लगा। मन में फिर से आस और उम्मीदें जागीं, हालाँकि मेरी आँखों से अभी भी आँसू बह रहे थे। बाहर नहीं, अंदर की तरफ।

तुम्हारी

ऐन.एम. फ्रैंक

रविवार, 20 फरवरी, 1944

पूरे सप्ताह में बाकी लोगों के घर में जो चलता है, वह यहाँ सप्ताहांत पर घटता है। जब अन्य लोग अच्छे कपड़े पहनकर सूरज की रोशनी में घूमने निकल पड़ते हैं, तब हम झाड़ू लगाते हैं, जमीन पर पोंछा घुमाते हैं और कपड़े धोते हैं।

आठ बजे हममें से कुछ लोग सोना चाहते हैं, लेकिन डुस्सेल जाग जाते हैं आठ बजे। वे बाथरूम जाते हैं। फिर वे नीचे जाते हैं और लौटकर फिर गुसलखाने में जाते हैं। वहाँ वे एक पूरे घंटे तक खूब रगड़-रगड़कर नहाते हैं।

साढ़े नौ बजे स्टोव जलाए जाते हैं। खिड़कियों पर से अँधेरा करने वाला परदा उतार देते हैं और मि. वैनडैन गुसलखाने की ओर जाते हैं। रविवार की सुबह मुझे एक अतिदिव्य से गुजरना होता है। बिस्तर में लेटे-लेटे प्रार्थना करते हुए मि. डुस्सेल की पीठ ताकना। यह तुम्हें थोड़ा अजीब लग सकता है, लेकिन प्रार्थना करते डुस्सेल को देखना भयंकर अनुभव है। ऐसा नहीं कि प्रार्थना करते हुए वह रोते हों या भावुक हो जाते हों, लेकिन वे करीब पूरे पंद्रह मिनट तक अपने पैर की उँगलियों से एडी तक झूलते रहते हैं। आगे-पीछे, आगे-पीछे, पूरे पंद्रह मिनट तक। आगे-पीछे, आगे-पीछे। यह चलता ही रहता है और अगर मैं अपनी आँखें बंद न करूँ तो मेरा सिर चकराने लगता है। सवा दस बजे वैनडैन सीटी बजाते हैं। गुसलखाना खाली है। फ्रैंक परिवार के कुछ निद्रालु चेहरे अपने तकियों पर जाग रहे हैं। उसके बाद सबकुछ बड़ी तेजी से घटता है। मार्गो

और मैं एक के बाद एक कर कपड़े धो देती हैं। नीचे बहुत ठंड होने के कारण हमने पैंट पहनी हैं और स्कार्फ से सिर ढके हैं। इस दरमियान डैड गुसलखाने में हैं। मैं और मार्गो बारी-बारी से ग्यारह बजे गुसलखाने में नहाती हैं। फिर हम शूचिर्भूत हो जाती हैं।

साढ़े ग्यारह बजे नाश्ता होता है। इस बारे में अधिक नहीं लिखूँगी, क्योंकि इस विषय पर वैसे ही काफी बोला जाता है।

सवा बारह बजे हम सब अपने रास्ते अलग-अलग निकल जाते हैं। ओवरआल पहनकर डैड घुटनों और हाथों के बल बैठकर रग को इतने जोर से ब्रश से रगड़ते हैं कि पूरे कमरे में धूल के बादल मँडराने लगते हैं। मि. डुस्सेल बिस्तर ठीक करते हैं। (गलत तरीके से, हमेशा की तरह।) काम करते हुए वह हमेशा बीथोवन वायलिन कंसर्ट की धुन सीटी पर बजाते रहते हैं। ममा बालाखाने में यहाँ से वहाँ करते हुए कपड़े सुखाती रहती हैं। मि. वैनडैन अपना हैट पहनते हैं और इमारत के निचले हिस्से में गुम जाते हैं। अकसर पीटर और मोशी उनके पीछे-पीछे चले जाते हैं। मिसेज वैनडैन लंबा एप्रेन लगाकर, काला ऊनी जैकेट और ओवरशूज पहनकर सिर पर लाल स्कार्फ बाँधकर गंदे कपड़ों का गट्ठर उठाती हैं और मँजी हुई धोबन की तरह कपड़े धोने के लिए नीचे चली जाती हैं। मैं और मार्गो बरतन चमकाती हैं तथा कमरा ठीक-ठाक करती हैं।

बुधवार, 23 फरवरी, 1944

मेरी सबसे प्यारी किट्टी,

कल से मौसम बड़ा सुहावना हो गया है। मैं काफी चुस्त हो गई हूँ। मेरा सबसे बेहतरीन कौशल—लिखना भी बदस्तूर अच्छा चल रहा है। हर रोज सुबह मैं बालाखाने जाती हूँ, अपने फेफड़ों की खाली हवा निकालकर उनमें कुछ ताजा हवा भरने के लिए। आज सुबह जब मैं वहाँ गई, तब पीटर वहाँ की सफाई कर रहा था। उसने जल्दी-जल्दी अपना काम पूरा किया और मैं जहाँ बैठी थी, वहाँ मेरी प्रिय जगह आकर जमीन पर बैठा। हम दोनों ने एक साथ ऊँचे नीले आकाश की ओर देखा। सामने खड़े बिना पत्तों वाले चेस्टनर के पेड़ पर ओस की बूँदों के कारण वह चमक रहा था, सीगल और अन्य पंछी जब आकाश में पंख फैलाए मँडराते, तब उनका पंख फैला शरीर चाँदी सा चमक रहा था। हम इतने प्रभावित और तंद्रिल थे कि बोल नहीं पा रहे थे। लकड़ी के एक मोटे खंभे पर सिर टिकाकर वह खड़ा था। मैं बैठी थी। हमने भर-भर कर साँसें लीं। बाहर देखते हुए हम दोनों को लगा कि शब्दों के कारण इस जादुई वातावरण में खलल नहीं पड़ना चाहिए। लंबे समय तक हम ऐसे ही रहे, जब तक टाँड़ पर रखी लकड़ियाँ तोड़ने के काम का उसका समय हुआ, तब तक मैं जान चुकी थी कि वह एक संभ्रांत लड़का

है। सीढ़ियाँ चढ़कर वह टाँड़ पर चढ़ा, मैं उसके पीछे-पीछे गई। लगभग पंद्रह मिनट तक वह लकड़ियाँ काटता रहा। हममें कोई बात नहीं हुई। मैं जहाँ खड़ी थी, वहाँ से मैं उसे देखती रही। मैं देख रही थी कि वह लकड़ियाँ ढंग से कटें, इसके लिए पूरी-पूरी कोशिश कर रहा था, अपनी ताकत का प्रदर्शन कर रहा था, लेकिन मैं सिर्फ उसे नहीं देख रही थी। एमस्टरडम मैं खुली खिड़की से बाहर भी देख रही थी। अपनी आँखों के बड़े हिस्से पर रेंगने दे रही थी, घरों की छतों पर से दूर क्षितिज तक एक हल्के नीले रंग का पट्टा, इतना हल्का कि लगभग अदृश्य सा।

जब तक यह है, मैंने सोचा, 'यह सूर्य प्रकाश और यह बिना बादलों का आकाश, मैं जब तक इनका आनंद उठा सकती हूँ, मैं कैसे दुःखी हो सकती हूँ?'

जो डरे हैं, अकेलापन महसूस करते हैं और दुःखी हैं, उन्हें बाहर जाना चाहिए, ऐसी जगह, जहाँ वे अकेले रह सकें—प्रकृति, आकाश और भगवान् के साथ रह सकें, क्योंकि तभी आप महसूस कर सकते हैं कि हर बात वैसी ही है, जैसी कि होनी चाहिए और भगवान् यही चाहते हैं कि लोग खुश रहें—प्राकृतिक सौंदर्य और सादगी के बीच।

जब तक यह सब है और यह सब हमेशा के लिए होना चाहिए, मुझे पता है कि हर दुःख की सांत्वना भी है, फिर स्थितियाँ चाहे जो भी हों। जो लोग दुःख भोगते हैं, उन सबके लिए प्रकृति सुख दे सकती है, इसमें मेरा पूरा-पूरा विश्वास है।

हाँ, क्या पता, ऐसा भी हो सकता है कि जल्द ही खुशी की यह अभिभूत करनेवाली भावना मैं ऐसे व्यक्ति के साथ बाँटने जा रही हूँ, जो खुद भी ऐसा महसूस करता है।

तुम्हारी ऐन

ध्यान रहे, कुछ विचार : पीटर को मुखातिब

हम यहाँ कितनी सारी बातों से वंचित हैं, उन बातों की कमी हमें इतनी खलती है···कितने अरसे से हम इन चीजों की कमी महसूस करते आए हैं। जितनी तुम्हें इन चीजों की कमी खलती है, उतनी ही मुझे भी खलती है। मैं बाहरी चीजों के बारे में बात नहीं कर रही, हमारे पास काफी चीजें हैं, वैसे देखा जाए तो मैं अंदर की चीजों के बारे में बोल रही हूँ। तुम्हारी ही तरह मैं भी आजादी पाने के लिए तड़प रही हूँ, खुली हवा में साँस लेने के लिए तड़प रही हूँ, लेकिन फिर लगता है कि इन चीजों की कमी की हमें पूर्ति हो रही है, मेरा मतलब अंदर की दुनिया से है।

आज सुबह जब मैं खिड़की के पास बैठी थी और बाहर दूर तक निहार रही थी, प्रकृति और भगवान् को, तब मैं खुश थी, बस केवल खुश थी। पीटर, लोगों को अपने अंदर जब तक ऐसी खुशी का अहसास प्रकृति से, स्वास्थ्य से और ऐसी ही अन्य चीजों से होता रहेगा, तब तक वे ऐसी खुशी बार-बार पाते रहेंगे।

धन, प्रतिष्ठा सब खो सकता है, लेकिन अपने मन की खुशी बस मद्धम पड़ सकती है, लेकिन अपने दिल में ही रहती है। जब तक हम जिंदा हैं, तब तक हमें फिर-फिर खुशी का अहसास कराने के लिए।

जब भी तुम्हें अकेलापन या निराशा महसूस होगी, तब किसी खूबसूरत दिन टाँड़ पर जाकर बाहर देखो। घरों की ओर या उनकी छतों की ओर नहीं, आकाश की ओर देखो। आकाश की ओर जब तक तुम निडरता से देख सकते हो, तब तक तुम अंदर से विशुद्ध हो, तब तक तुम फिर से खुशियाँ पा सकते हो।

रविवार, 27 फरवरी, 1944

मेरी सबसे प्यारी किट्टी,

अलस्सुबह से देर रात तक मैं केवल पीटर के बारे में सोचती रहती हूँ। सोती हूँ, तो उसकी तसवीर आँखों के सामने लेकर, उसी के सपने देखती हूँ, जागती हूँ, तब उसे मेरी ही तरफ ताकते हुए पाती हूँ।

मुझे शिद्दत से लगता है कि बाहर से हम जितने अलग लगते हैं, उतने अंदर से नहीं हैं। मैं बताती हूँ कि मुझे ऐसा क्यों लगता है। पीटर की और मेरी भी माँ नहीं है। उसकी माँ बेहद सतही है, उसे फ्लर्ट करना पसंद है और पीटर के दिमाग में क्या चल रहा है, इसकी उसे रत्ती भर परवाह नहीं है। मेरी माँ मेरी जिंदगी में बाकायदा दिलचस्पी लेती है, लेकिन यह करने का धेले भर का कौशल उनके पास नहीं है। संवेदनशीलता या माँ की जैसी समझ भी नहीं है।

पीटर और मेरा अपने ही अंतरतम की भावनाओं के साथ संघर्ष चल रहा है। हमें अभी अपने आपके बारे में यकीन नहीं है, इसलिए भावनात्मक रूप से हम दोनों अभी इतने कमजोर हैं कि अपने साथ होने वाले कठोर बरताव का हम सामना नहीं कर सकते। जब भी ऐसा कुछ होता है, मैं बाहर भागना चाहती हूँ या अपनी भावनाएँ छुपाना चाहती हूँ, लेकिन ऐसा करने के बजाय मैं बरतन पटकती हूँ, पानी गिराती हूँ या किसी तरह का शोर मचाती हूँ, ताकि हर कोई मेरे बारे में सोचे कि काश ये यहाँ से हजारों मील दूर कहीं होती। पीटर, ऐसी स्थितियों में अपने आपको छुपा लेता है, कम बोलता है, चुपचाप बैठा रहता है, दिवास्वप्न देखता है और सारे समय अपनी भावनाएँ छुपाए रहता है।

लेकिन हम दोनों एक-दूसरे के करीब कब और कैसे पहुँचेंगे?

मैं कब तक इस चाहत पर नियंत्रण रख पाऊँगी, मुझे पता नहीं।

तुम्हारी

ऐन.एम. फ्रैंक

सोमवार, 28 फरवरी, 1944

मेरी सबसे प्यारी किट्टी,

यह सब एक भयानक सपने की तरह है, ऐसा सपना, जो मेरे जागने पर भी लंबे समय तक नहीं टूटता। लगभग दिन के हर घंटे मैं उसे देखती हूँ, फिर भी मैं उसके साथ नहीं होती हूँ औरों के ध्यान में यह बात आने नहीं देती हूँ और मुझे यह जताना पड़ता है कि मैं खुश हूँ, जबकि असल में मेरा दिल दुःखता रहता है।

मेरे लिए पीटर शिफ और पीटर वैनडैन एक ही व्यक्ति में ढल गए हैं। यह व्यक्ति बेहद अच्छा और दयालु है और उससे मिलने के लिए मेरे मन में बड़ी तड़प जगी है। मम्मा भयानक हैं, डैड अच्छे हैं, इसीलिए वे नागवार भी हैं और मार्गो बुहत बुरी है, क्योंकि मेरे मुसकराते चेहरे के कारण वह मुझे सिर्फ अपने लिए रखना चाहती है, जबकि मैं बस अकेले रहना चाहती हूँ।

पीटर बालाखाने में नहीं आया, बढ़ई बनकर वह टाँड़ पर लकड़ी का कुछ काम करता रहा। उसके काम की हर आवाज के साथ मेरे साहस के परखच्चे उड़ते रहे। मैं और···और दुःखी होती रही। दूर कहीं घंटी की आवाज बजती रही 'मन को शुद्ध रखो, हृदय को शुद्ध रखो।'

मैं जानती हूँ कि मैं भावुक हूँ। मैं हताश और निराश हूँ, यह भी मुझे पता है।

मेरी मदद करो।

तुम्हारी

ऐन.एम. फ्रैंक

बुधवार, 1 मार्च, 1944

मेरी सबसे प्यारी किट्टी,

मेरी सब बातें पार्श्वभूमि में चली गईं, जब एक बार फिर यहाँ चोरी हुई। यहाँ होने वाली चोरी की वारदातों के बारे में बताकर मैं तुम्हें उबा रही हूँ, लेकिन मैं क्या कर सकती हूँ, जब चोरों का जीज एंड कंपनी को ही अपने कार्य से सम्मानित करने का मन है तो? हालाँकि जुलाई, 1943 में हुई घटना की तुलना में इस बार की घटना अधिक पेचीदा थी।

कल रात साढ़े सात बजे मि. वैनडैन रोज की तरह कुग्लर के दफ्तर की ओर जा रहे थे। तब उन्होंने देखा कि काँच के दोनों दरवाजे और दफ्तर का दरवाजा खुला था। उन्हें आश्चर्य हुआ, लेकिन वे आगे बढ़े। उन्हें यह देखकर और आश्चर्य हुआ कि आले के दरवाजे खुले थे और सामने दफ्तर में सबकुछ फैला पड़ा था।

'यहाँ चोरी हुई है', उन्होंने सोचा। लेकिन एक बार फिर जाँचने के लिए वे नीचे गए और अगला दरवाजा देखा। ताला जाँचा और पाया कि सब बंद है।

बेप और पीटर फिर लापरवाही से दरवाजा बंद करना भूल गए होंगे। मि. वैनडी ने सोचा। कुछ समय वे मि. कुग्लर के दफ्तर में ही रुके। उन्होंने बत्तियाँ बुझाईं। खुले दरवाजे और फैले सामान से ज्यादा परेशान हुए बिना वे ऊपर पहुँचे।

आज सुबह पीटर ने हमारे दरवाजे पर दस्तक दी। उसने बताया कि सामनेवाला दरवाजा पूरा खुला हुआ था। अलमारी से मि. कुग्लर का नया ब्रीफकेस और प्रोजेक्टर गायब है। पीटर को दरवाजा बंद करने के लिए कहा गया था। मि. वैनडैन ने, फिर रात में उन्होंने जो देखा था, उसके बारे में बताया। हम सबको बड़ी चिंता ने आ घेरा।

इन सबका एक ही मतलब हो सकता था, चोर के पास यहाँ की दूसरी चाभी होगी, क्योंकि कोई जबरदस्ती घुसकर आया हो, ऐसा नहीं लगता था। वह जो भी था, शाम के समय चुपचाप अंदर आ गया होगा। अंदर आने के बाद उसने अपना काम किया होगा। मि. वैनडैन की आहट सुनकर वह छिप गया होगा और मौका मिलते ही वहाँ से भाग गया होगा। जाते समय अपने साथ यहाँ से लूटी चीजें ले गया होगा। हड़बड़ी में वह दरवाजा बंद करना भूल गया होगा।

किसके पास यहाँ की चाभी हो सकती है ? चोर गोदाम में क्यों नहीं गया होगा, हमारे गोदाम में काम करनेवालों में से तो वे कोई नहीं था ? अगर था, तो क्या वह हमारा राज उगल देगा ? अब जब उसने मि. वैनडैन को सुना था तो या उसने उन्हें देखा भी था ?

यह सब बहुत डरावना है, क्योंकि हमें यह नहीं पता कि चोर कहीं यहाँ दुबारा आने की तो नहीं सोच रहा, या कि किसी और की आहट यहाँ पाकर वह इतना अचंभित हुआ था कि अब फिर यहाँ नहीं आएगा ?

तुम्हारी ऐन

गौर करो : अगर तुम हमारे लिए एक अच्छा गुप्तचर ढूँढ़ लाओ तो हमें खुशी होगी। शर्त बस यही है कि यहाँ छुपकर रह रहे लोगों के बारे में वह किसी को कुछ बता न दे।

गुरुवार, 2 मार्च, 1944

मेरी सबसे प्यारी किट्टी,

आज मैं और मार्गो बालाखाने गई थीं। वहाँ मार्गो के साथ रहने में मुझे अच्छा नहीं लगता, जितना कि पीटर के साथ रहने में लगेगा। (या किसी और के साथ बसने)

इसके बावजूद कि कई बातों को लेकर उसकी और मेरी सोच एक सी है।

बरतन धाते हुए बेप मम्मा और मिसेज वैनडैन के साथ बातें करने लगी। वह बता रही थी कि कभी-कभी उसे कैसे हतोत्साहित सा लगता है और पता है, इन दो कौशलविहीन महिलाओं ने उसकी क्या मदद की? हमारी मम्मा ने खासकर बात को बद से बदतर बना दिया। उसने क्या सलाह दी, पता है? उसने कहा कि दुनिया में बाकी जितने सारे लोग दु:खी हैं, उनके बारे में उसे सोचना चाहिए। जब आप खुद बुरी हालत में हों, तब औरों की बुरी हालत के बारे में सोचकर क्या राहत मिल सकती है भला? मैंने यह बात कही भी। जाहिर है, उनकी प्रतिक्रिया यही थी कि इस तरह की बातचीत से मुझे दूर ही रहना चाहिए।

बड़े लोग ऐसे ही मूर्ख होते हैं, मानो कि पीटर, मार्गो, बेप और मेरी भावनाएँ समान न हों। केवल एक बात मददगार है : माँ का प्यार या फिर बेहद करीबी दोस्त की मदद, लेकिन यह सबसे महत्त्वपूर्ण बात ये दो माताएँ नहीं जानतीं। हो सकता है, मिसेज वैनडैन मेरी मम्मा से थोड़ा ज्यादा जानती हो। काश! मैंने बेचारी बेप से कुछ कहा होता! ऐसा कुछ, जो मैंने अपने अनुभव से अर्जित किया हो। वह शायद उसकी मदद करता, लेकिन डैड हमारे बीच आए। उन्होंने मुझे परे धकेला। वे सब कितने मूर्ख हैं!

मैंने डैड और ममा के बारे में मार्गो से बात की। अगर वे बात को बिगाड़ नहीं देते तो यहाँ के हालात थोड़े अच्छे होते। हर रोज शाम को हम बैठकें लेते, जिसमें बारी-बारी हर कोई तय विषय पर बात करता, लेकिन हम यह भी कर ही चुके हैं। यहाँ बात करना भी मेरे लिए असंभव है। मि. वैनडैन हमेशा आक्रामक हो जाते हैं, मम्मा ताने देने पर उतर आती हैं, वह कुछ भी सामान्य तरीके से बोलती नहीं। डैड हिस्सा ही नहीं लेना चाहते। मि. डुस्सेल भी इस सबसे दूर रहते हैं और मिसेज वैनडैन पर इतने हमले होते हैं कि बाकी पूरा समय वह अपना तमतमाया चेहरा लिये बस बैठी रहती हैं। वे और कुछ कह ही नहीं पातीं और हमारे साथ क्या होता है? हमें तो कोई राय रखने की अनुमति नहीं हैं। अरे-अरे, कितने प्रगतिशील हैं वे। हम राय रखने के अधिकारी ही नहीं। लोग आपसे मुँह बंद रखने के लिए कह सकते हैं, लेकिन वे आपको अपनी राय रखने से रोक नहीं सकते। आप किसी को अपनी राय रखने से मना नहीं कर सकते। भले वे कितने ही कम उम्र के क्यों न हों। बेप, मार्गो, पीटर और मैं, हम सबकी मदद केवल प्रेम और समर्पण से ही की जा सकती है, लेकिन यही हमें यहाँ नहीं मिलता और कोई भी, खासकर यहाँ के पागलनुमा साधु लोग हमें समझ पाने की क्षमता रखते हैं, क्योंकि हम अधिक संवेदनशील हैं; वे सोच भी नहीं सकते कि हमारा सोच कितना आधुनिक और प्रगतिशील है।

प्रेम—प्रेम क्या है ? इस भावना को हम शब्दों में पकड़ पाएँगे, ऐसा मुझे नहीं लगता। प्रेम यानी किसी को समझना, उसका खयाल रखना, उसकी खुशी और गम बाँटना। धीरे-धीरे यही सब शारीरिक प्रेम में बदलता है। तुमने कुछ बाँटा, कुछ दे दिया और बदले में कुछ पाया, भले आप शादीशुदा हों या न हों, भले आपके बच्चे हों या न हों। अपना शील खोना कोई मायने नहीं रखता, जब तक कि तुम्हें पता हो कि जब तक जीवित हो, तब तक कोई तुम्हारे साथ है, जो तुम्हें समझता है और जिसे तुम्हें किसी और से बाँटना नहीं पड़ता।

तुम्हारी
ऐन.एम. फ्रैंक

इस समय मम्मा फिर मुझसे चिड़चिड़ा रही हैं। उन्हें जलन हो रही है, क्योंकि मैं उनसे ज्यादा मिसेज वैनडैन से बात करती हूँ। मुझे क्या ?

आज दोपहर मैं पीटर को पकड़ पाई। हम करीब पैंतालीस मिनट तक बातें करते रहे। वह मुझे अपने बारे में कुछ बताना चाहता था, लेकिन बता नहीं पाया; हालाँकि काफी समय के बाद वह बोल पाया। मैं लेकिन ईमानदारी से बताऊँ तो तय नहीं कर पाई कि मुझे ठहरना चाहिए कि निकल जाना चाहिए, लेकिन मैं उसकी मदद करना चाहती थी। मैंने उसे बेप के बारे में बताया और यह भी बताया कि हमारी माताएँ कैसे अकुशल हैं। उसने बताया कि उसके माता-पिता हमेशा झगड़ते रहते हैं, राजनीति, सिगरेट या किसी भी अन्य विषयों को लेकर। जैसा कि मैं पहले तुम्हें बता चुकी हूँ, पीटर बेहद संकोची लड़का है, लेकिन इतना भी संकोची नहीं कि यह न बता सके कि वह अपने माता-पिता से साल-दो साल तक नहीं मिलेगा तो निश्चित रूप से दुःखी नहीं होगा। उसने कहा, "मेरे डैड जैसे दिखते हैं, उतने अच्छे नहीं हैं, लेकिन सिगरेटों के मामले में मम्मा का कहना ही सही है।"

मैंने भी उसे अपनी मम्मा के बारे में बताया, लेकिन वह डैड की तरफदारी करने लगा। उसे डैड 'शानदार व्यक्ति' लगते हैं।

आज रात बरतन साफ करने के बाद जब मैं अपना एप्रेन उतारकर लटका रही थी, तब पीटर ने मुझे बुलाया। उसने बताया कि उसके डैड-मम्मा के बीच एक और झड़प हुई है और वे दोनों आपस में बात नहीं कर रहे, लेकिन उसने उनके बारे में जो कुछ मुझे बताया है, वह मैं किसी और से न कहूँ। मैंने उससे वादा किया, लेकिन मैं पहले ही यह बात मार्गो को बता चुकी थी; हालाँकि मार्गो किसी और को नहीं बताएगी, इसका मुझे यकीन था।

"अरे, नहीं पीटर।" मैंने कहा, तुम्हें मेरे बारे में फिक्र करने की जरूरत नहीं

है। जो भी सुनती हूँ, वह सबको बताने की जरूरत नहीं है, यह मैं जानती हूँ। तुम जो कुछ बताते हो, वह किसी को नहीं बताना, यह तो मैं जानती हूँ।

सुनकर उसे अच्छा लगा। हमारे बारे में कितनी बातें लोग करते हैं, यह भी मैंने उसे बताया। फिर कहा—वैसे मार्गो का कहना एकदम सही है। वह कहती है कि मैं इस बारे में ईमानदार नहीं हूँ, क्योंकि मैं जितनी पीठ-पीछे होनेवाली बातचीत रोकना चाहती हूँ, मैं खुद उतना ही मि. डुस्सेल के बारे में बात करना चाहती हूँ।

अच्छा है कि तुम खुद यह बात मान रही हो, उसने कहा। फिर वह झेंपा। उसकी ईमानदार तारीफ सुनकर मैं भी सकुचा गई थी।

फिर हम थोड़ी देर सीढ़ियों पर साथ-साथ ऊपर-नीचे चढ़े-उतरे। मैं उसके माता-पिता को पसंद नहीं करती, यह सुनकर उसे थोड़ा अचरज लगा था, "पीटर" मैंने उससे कहा, "मैं हमेशा से ईमानदार रही हूँ, यह तुम जानते हो, फिर यह मैं तुमसे कैसे नहीं कहती? हम उनकी गलतियाँ अब समझ सकते हैं।"

और मैंने कहा, "पीटर मैं सचमुच तुम्हें मदद करना पसंद करूँगी। क्या तुम मुझे अपनी मदद करने दोगे? तुम अजीब हालत में फँसे हो और मुझे पता है, भले तुम कुछ कहते नहीं, लेकिन यह बात तुम्हें परेशान करती है।"

"अरे, तुम्हारी मदद तो मैं हमेशा चाहूँगा।" पीटर ने कहा।

"तुम मेरे डैड से बात करो तो बेहतर रहेगा। तुम उनसे कुछ भी कह सकते हो, वह कभी यहाँ की बात वहाँ जाकर नहीं कहते।"

"पता है, वे सच्चे मित्र हैं न?"

पीटर ने 'हाँ' में गरदन हिलाई। मैंने कहा, "तुम्हें पता है, वह भी तुम्हें पसंद करते हैं?"

उसने तुरंत ऊपर देखा और फिर झेंप गया। इन दो-चार शब्दों ने ही उसे कितना खुश कर दिया था। दिल को छू लेनेवाली बात थी यह।

"ऐसा तुम्हें लगता है?" उसने पूछा।

"हाँ", मैंने कहा। उनके मुँह से गाहे-बगाहे जो बातें निकलती हैं, उनसे साफ पता चलता है।

तभी मि. वैनडैन ने वहाँ आकर उसे कुछ निर्देश दिए।

डैड की ही तरह पीटर भी 'शानदार व्यक्ति' है।

तुम्हारी

ऐन.एम. फ्रैंक

शुक्रवार, 3 मार्च, 1944

मेरी सबसे प्यारी किट्टी,

आज रात जब मैंने मोमबत्ती की लौ की ओर देखा, तब मुझे फिर से शांत और प्रसन्न महसूस हुआ। लगता है, उस मोमबत्ती में ग्रैंड माँ है। वे मेरा ध्यान रखती हैं, मेरी रक्षा करती हैं। मुझे वे बार-बार खुश महसूस कराती हैं, लेकिन और भी कोई है, जो मेरे मूड पर नियंत्रण रखता है। वह है पीटर। आज मैं जब आलू लेने गई थी, पूरा भरा टोकरा लेकर जब मैं सीढ़ियों पर खड़ी थी, तब उसने पूछा, "तुमने खाने के समय में क्या किया?"

मैं सीढ़ियों पर बैठ गई और हम बातें करने लगे। सवा पाँच बजे तक आलू रसोई में नहीं पहुँचे। (आलू लेने मैं निकली उसे घंटा गुजर गया था।) पीटर ने अपने मम्मा-डैड के बारे में कुछ नहीं कहा। हमने किताबों के बारे में और पुराने समय के बारे में बातें कीं। आँखों में कैसी रोनक लेकर वह मेरी ओर ताकता है, मुझे लगता है, उससे प्रेम करने लगूँगी मैं।

उसी शाम उसने यह विषय छेड़ा। आलू छीलने का काम पूरा करने के बाद मैं उसके कमरे में गई। मैंने कहा, "कितनी गरमी है। मेरी और मार्गो की ओर देखकर तुम तापमान बता सकते हो, क्योंकि जब ठंड पड़ती है, तब हम सफेद हो जाती हैं और जब गरमी आती है, तब हम लाल हो जाती हैं।"

"प्रेम में?" उसने पूछा।

"मैं क्यों प्रेम में होऊँगी?" बचकाना सा जवाब था यह। (या फिर सवाल)

"क्यों नहीं?" उसने कहा। उसके बाद रात के खाने का समय हुआ।

क्या मतलब था उसका, आज आखिर मैंने उससे पूछ ही लिया कि कहीं उसे मेरी बकबक परेशान तो नहीं करती? उसने बस यही कहा, "नहीं, मुझे तो अच्छी लगती है।" पर पता नहीं, उसने लिहाज करके कहा होगा।

किट्टी, पता है मुझे, मेरी बातें प्रेम में डूबे व्यक्ति जैसी ही होती हैं, जो और किसी विषय पर नहीं, बस अपने प्रेमी के बारे में ही बोलती रहती है और पीटर सचमुच बहुत प्यारा है। क्या मैं कभी उसे यह बात बता सकूँगी? अगर वह भी मेरी ही तरह सोचता हो तो, लेकिन मैं ऐसी हूँ कि मेरे साथ बड़ा एहतियात बरतना पड़ता है। यह मैं अच्छी तरह जानती हूँ और वह अकेले रहना ज्यादा पसंद करता है। इसलिए पता नहीं चलता कि वह मुझसे कितना प्यार करता है। जो भी हो, हम एक-दूसरे को थोड़ा और अच्छे से जानने लगे हैं। काश! हम थोड़ा और कहने का साहस बटोर सकें, पर क्या पता, हो सकता है मेरी कल्पना से अधिक तेजी से वह दिन आएगा।

दिन में एक-दो बार वह मेरी तरफ पहचानी नजर से देखता है। मैं कभी-कभी

आँख दबा देती हूँ। हम दोनों खुश होते हैं। उसके खुश होने की बात करना थोड़ा अजीब लगता है, फिर भी मुझे लगता है कि मुझे जो लगता है, वही उसे भी महसूस होता है।

तुम्हारी

ऐन.एम. फ्रैंक

शनिवार, 4 मार्च, 1944

प्रिय किट्टी,

पिछले कई महीनों में आया यह पहला शनिवार है, जब थकान, बोरियत या उदासी नहीं लग रही। कारण है पीटर। आज सुबह जब मैं बालाखाने में एप्रेन सुखाने जा रही थी, तब डैड ने पूछा कि क्या मैं वहीं रुककर फ्रेंच की पढ़ाई करना चाहती हूँ? मैंने हामी भरी। हमने कुछ देर फ्रेंच भाषा में बातचीत की। मैंने कुछ बातें पीटर को समझाईं और फिर हम अंग्रेजी की पढ़ाई करने लगे। डैड ने डिकन्स का लिखा कुछ पढ़कर सुनाया। मैं मानो सातवें आसमान पर थी, क्योंकि मैं डैड की कुरसी पर बैठी थी, पीटर के एकदम करीब।

पौने ग्यारह बजे मैं नीचे गई। फिर साढ़े ग्यारह बजे, जब मैं ऊपर गई, तब पीटर सीढ़ियों पर खड़ा मेरा इंतजार कर रहा था। हमने पौने बजे तक बातें कीं। मैं जब कमरे से निकलती, जैसे कि लंच के बाद, बातें और किसी के सुनने का डर नहीं होता तो पीटर मौके का फायदा उठाकर धीमे से मुझसे कहता, ''बाय ऐन, बाद में मिलते हैं।''

मैं कितनी खुश हो जाती हूँ सुनकर। कहीं वह मेरे प्रेम में तो कैद नहीं होने वाला? जो भी हो, वह एक अच्छा लड़का है और उससे बात कर मुझे कितना अच्छा लगता है, यह तुम्हें पता नहीं है।

मिसेज वैनडी को लगता है कि मेरा पीटर के साथ बात करना ठीक है। लेकिन आज उन्होंने मुझे छेड़ते हुए पूछा, ''तुम दोनों ऊपर जाते हो, तुम पर भरोसा किया जा सकता है न?''

''हाँ-हाँ, क्यों नहीं?'' मैंने विरोध जताते हुए कहा, ''आप मेरा अपमान कर रही हैं।''

सुबह, दोपहर और रात, मैं बस पीटर से मिलने को आतुर रहती हूँ।

तुम्हारी

ऐन.एम. फ्रैंक

ध्यान रहे : भूल जाऊँ, इससे पहले बता देती हूँ, कल रात बर्फ की चादर तले सबकुछ ढक गया था। अब बर्फ पिघल गई है, जरा भी नहीं बची।

सोमवार, 6 मार्च, 1944

मेरी सबसे प्यारी किट्टी,

पीटर ने अपने मम्मा-डैड के बारे में जब से बताया है, तब से मैं उसके प्रति अपने को ज्यादा जिम्मेदार मानने लगी हूँ। क्या तुम्हें यह थोड़ा अजीब नहीं लगता? मानो उसमें होने वाली झड़पें अब केवल उसे नहीं, मुझे भी परेशान करनेवाली हों। फिर भी अब इस विषय पर मैं कभी बात नहीं छेड़ती, क्योंकि उस बात से वह असहज हो जाता है। मुझे उनके मामले में नाक नहीं घुसेड़नी है, भले उसके लिए मुझे दुनिया भर की दौलत ही क्यों न मिलनेवाली हो।

पीटर का चेहरा देखकर मैं बता सकती हूँ कि इन बातों पर मैं जितनी गहराई से सोचती हूँ, वह भी उतनी ही गहराई से सोचता है। कल रात मैं थोड़ी नाराज थी, क्योंकि मिसेज वैनडी ने मुझे ताना देते हुए कहा था, 'विचारक!' पीटर झेंप गया, उसे बुरा लगा शायद और मेरा गुस्सा तो सातवें आसमान पर पहुँचा।

ये लोग अपना मुँह बंद क्यों नहीं रखते?

चुपचाप किनारे खड़े रहकर अकेलेपन से देखते रहना, उसके लिए कुछ भी कर न पाने की बेबसी क्या होती है, उसकी तुम कल्पना भी नहीं कर सकती। झगड़े जब होते हैं, तब वह कितना निराश महसूस करता होगा, इसकी मानो उसकी जगह मैं ही हूँ, इतनी स्पष्टता के साथ मैं कल्पना कर सकती हूँ और प्रेम की कहें तो बेचारे पीटर को तो प्रेम की कितनी जरूरत है।

उसने जब कहा कि उसे दोस्तों की जरूरत नहीं है तो वह कितना निर्मम लगा था, लेकिन वह गलत है। उसके कहने का वही मतलब होगा, ऐसा मुझे नहीं लगता। अपने पौरुष से, अकेलेपन से और ओढ़ी हुई अलिप्तता से वह इस कदर चिपका रहता है, ताकि अपनी भूमिका ठीक से निभा सके और कभी भी अपनी भावनाएँ व्यक्त न करनी पड़ें।

बेचारा पीटर कब तक वह यह सब करता रहेगा, अति मानवीयता के इस खोल में क्या कभी वह फट नहीं जाएगा?

ओह पीटर, काश! मैं तुम्हारे लिए कुछ कर पाती। काश! तुम मुझे अपने लिए कुछ करने देते। हम दोनों मिलकर अपने अकेलेपन को दूर भगा सकते हैं—तुम्हारे और मेरे।

मैं काफी सोचती रही हूँ, लेकिन कहा कम ही है। उसे देखकर मैं खुश होती हूँ और हम दोनों जब इकट्ठे होते हैं, तब अगर खुशी के दो पल बीते तो और ज्यादा खुश होती हूँ। कल मैंने अपने बाल धोए और चूँकि मुझे पता था कि वह अगले कमरे में ही है, मैं काफी शोर मचा रही थी। पता नहीं क्यों? अंदर से जब मैं शांत और गंभीर होती हूँ, तब बाहर से बहुत शोर मचाती हूँ।

मेरे अस्त्रों की झनकार सबसे पहले कौन सुनेगा?

वैनडैन परिवार की कोई बेटी नहीं है। अगर होती तो मेरी फतह और अधिक चुनौतीपूर्ण, सुंदर और अच्छी होती। किसी महिला से ही मेरा मुकाबला होता।

तुम्हारी

ऐन.एम. फ्रैंक

सुनो, तुम्हें पता है कि मैं तुम्हारे साथ हमेशा ईमानदार रही हूँ। इसलिए मुझे लगता है कि मुझे तुम्हें यह बात बतानी होगी कि मैं एक घटना से दूसरी घटना के बीच जीती हूँ। मैं हमेशा यही सोचती हूँ कि उसमें मुझसे मिलने की तड़प जागी है और उसकी मुझसे मिलने की संकोचपूर्ण कोशिशें देखकर मैं हँस-हँसकर बेहाल हो जाती हूँ। मैं जितनी आसानी से अपने आपको व्यक्त करती हूँ, वह भी अपने को उतनी ही आसानी से व्यक्त करना चाहता होगा, ऐसा मुझे लगता है। उसे क्या पता, उसका असहज होना, झेंपूपन ही मुझे आकर्षक लगता है।

मंगलवार, 7 मार्च, 1944

मेरी सबसे प्यारी किट्टी,

सन् 1942 के अपने जीवन के बारे में जब सोचती हूँ, तब सबकुछ एकदम झूठा लगता है। जिस ऐन फ्रैंक ने वह स्वर्गिक सुखमय जीवन जिया था, वह इन दीवारों के अंदर सयानी हुई ऐन फ्रैंक से बिल्कुल अलग है। जी हाँ, वह सब स्वर्ग के समान ही था। हर सड़क के नुक्कड़ पर पाँच प्रशंसक, बीस के आस-पास मित्रों की संगत, मेरे पसंदीदा अध्यापक, डैड और मम्मा का भरपूर प्यार तथा लाड़, थैलियाँ भर-भर कर मिलने वाली कैंडीज और बहुत सारा जेब खर्च। इससे अधिक चाहिए भी क्या?

शायद आप यह सोच रहे हों कि मैं उन सब लोगों को कैसे प्रभावित कर लेती थी। पीटर कहता है, क्योंकि मैं आकर्षक हूँ, लेकिन कारण केवल यही नहीं है। अध्यापकों का मेरे मेधावी जवाबों, मेरी हाजिरजवाबी से, मेरी समीक्षा बुद्धि से और मेरे मासूम चेहरे से मनोरंजन होता था। मैं ऐसी ही थी, मोहक, नखरेबाज और मजेदार। मेरे कुछ अच्छे गुण थे, जिनके कारण लोग मुझे पसंद करते थे। मैं बहुत मेहनती थी, ईमानदार और उदार थी। जो मेरे जवाब झाँककर देखना चाहे, उसे मैं कभी मैं मना नहीं करती थी। अपनी कैंडीज मैं उदारता से बाँट देती थी और मुझमें जरा भी घमंड नहीं था।

इतनी प्रशंसा के कारण क्या मैं आगे चलकर अति-आत्मविश्वासी हो जाती? मेरे सबसे अच्छे दिनों के बाद अचानक मैं वास्तविकता में उतर आई। यह अच्छा ही हुआ।

प्रशंसा के बिना जीना सीखने में मुझे एक वर्ष से अधिक समय लगा।

स्कूल में वे मुझे क्या समझते थे? मुझे अपनी कक्षा के विदूषक के रूप में देखा जाता था। मुझे हमेशा का सरदार माना जाता था, मैं कभी भी खराब मूड में नहीं होती थी, न छोटी-मोटी बातों पर रोया करती थी। फिर तुम ही बताओ, हर कोई मेरे साथ साइकिल चलाकर स्कूल जाना या स्कूल से लौटना चाहे तो क्या वह अचरज की बात थी? इसमें भी ताज्जुब की कोई बात नहीं थी कि हर कोई मेरी इच्छाएँ पूरी करने के लिए तत्पर रहता था।

आज उस ऐन फ्रैंक को जब मैं देखती हूँ, तब लगता है कि वह प्यारी, मजाहिया तो थी, लेकिन बहुत सतही थी। आज की ऐन फ्रैंक में और उसमें कोई समानता नहीं। पीटर ने मेरे बारे में क्या कहा था, याद है? 'जब भी मैं तुम्हें देखता था, तुम लड़कियों से और कम-से-कम दो लड़कों से घिरी रहती थीं। हमेशा हँसती रहती थी। सबका ध्यान हमेशा तुम्हारी ही ओर लगा रहता था।' सही कहता था वह। आज उस ऐन फ्रैंक का क्या बचा है? ऐसा नहीं कि मैं हँसना भूल गई हूँ या मजेदार ताने कसना भूल गई हूँ। इनमें मैं आज भी तब से बेहतर न सही, उतनी ही माहिर हूँ। लोगों को मैं आज भी उसी तरह बहला सकती हूँ, आज भी मैं उतनी ही चुलबुली और मजाहिया बन सकती हूँ, अगर मैं चाहूँ तो···

झोल यही है। मैं अब वैसा निश्चिंत और खुशियों भरा जीवन एकाध शाम तक, कुछ दिनों तक या एकाध हफ्ते तक ही जीना पसंद करूँगी। हफ्ता पूरा होते-होते मैं थक जाऊँगी। उसके बाद अर्थपूर्ण बातें करने वाला जो भी पहला व्यक्ति मिले, मैं उसके प्रति कृतज्ञ हो जाऊँगी। मुझे मित्र चाहिए, प्रशंसक नहीं। मेरे चरित्र का, व्यक्तित्व का, मेरे कर्मों का आदर करनेवाले लोग मुझे चाहिए, मेरी हँसी की दाद देने वाले नहीं। ऐसे में मेरे आस-पास लोगों की संख्या कम हो जाएगी, लेकिन अगर मित्र अच्छे हों तो उससे क्या फर्क पड़ता है?

इतना सब मेरे पास होने के बावजूद सन् 1942 में मैं खुश नहीं थी। कई बार मुझे लगता कि मैं अकेली पड़ गई हूँ। सब मुझे अकेला छोड़ गए हैं, लेकिन पूरा दिन मैं किसी-न-किसी काम में लगी रहती थी, मैंने इस बात पर ज्यादा ध्यान नहीं दिया। जितने मजे ले सकती थी, लिये। जाने-अनजाने उस खालीपन को भरने के लिए चुटकुले सुनाती रही।

पीछे मुड़कर देखती हूँ तो लगता है, जिंदगी का वह हिस्सा ऐसे पीछे छूट गया है, जिसे फिर कभी नहीं पाया जा सकता। मेरे खुशमिजाज, चिंताविहीन स्कूली दिवस अब कभी भी लौटकर नहीं आएँगे। अब मुझे उनकी कमी खलती नहीं। मैं अब बड़ी हो

गई हूँ, वहाँ से बहुत आगे निकल आई हूँ। अब मैं फिर कभी बच्ची नहीं बन पाऊँगी। मेरे व्यक्तित्व का गंभीर पहलू अब हमेशा मेरे साथ रहता है।

सन् 1944 के नए वर्ष तक का अपना जीवन मैं शक्तिशाली आतिशी शीशे से देखती हूँ। मैं जब घर में थी, मेरी जिंदगी सूरज की रोशनी से भरी थी। फिर 1942 के बीच में रातोरात सबकुछ बदल गया। वे झगड़े, एक-दूसरे पर आरोप-प्रत्यारोप मैं वह सब सह नहीं पाई। यह सब इतना अचानक हुआ था। अपने आप को सही रखने का एक ही उपाय मुझे सूझा था, जिस पर मैंने अमल किया था, वह था पलटकर जवाब देना।

सन् 1943 के पहले आधे हिस्से में मैं खूब रोई, अकेलापन और अपनी गलतियाँ, खामियों का मुझे धीमे-धीमे अहसास होता रहा। यह सब मुझमें कूट-कूटकर भरा था और कई गुना मुझे उसका अहसास हुआ। दिनभर मैं बोलती रहती थी, डैड को अपने करीब लाने की कोशिश की और हार गई। इस कारण अपने आप में सुधार लाने का जिम्मा अब पूरी तरह मेरे ही कंधों पर आ पड़ा था। मुझे उनके ताने सुनकर बहुत उदास लगता था, इसलिए मुझे वे सुनते ही नहीं थे।

साल का दूसरा हिस्सा थोड़ा ठीक था। तब मैं बच्ची से किशोरी बनी थी। मेरे सब लोग एक बड़े व्यक्ति की तरह पेश आने लगे थे। मैं सोचने लगी थी। कहानियाँ लिखने लगी थी। मैंने आखिर यह तय कर लिया था कि औरों को मुझसे कुछ लेना-देना नहीं है। उन्हें कोई अधिकार नहीं पहुँचता कि वे घड़ी के पेंडुलम की तरह मुझे आगे-पीछे झुलाते रहे। मैं अपने तरीके से अपने को बदलना चाहती थी। मम्मा के बगैर मैं, पूरी तरह, अच्छे से जी सकती हूँ, इसका मुझे अहसास हो गया था और जानकर मुझे दुःख हुआ था, लेकिन इससे ज्यादा इस बात के अहसास से मैं दुःखी हो गई थी कि अब आगे से मैं कभी डैड से अपने राज बाँट नहीं सकूँगी। मैं अब अपने अलावा किसी और पर भरोसा नहीं कर पाऊँगी।

नए साल की शुरुआत के बाद दूसरा बड़ा बदलाव आया : मेरा सपना। उस सपने के सहारे मैं जान पाई अपने मन में लगी लगन···एक लड़के के प्रति। किसी सहेली के लिए नहीं, बल्कि एक बॉयफ्रेंड के लिए चाहत जागी थी। एक और बात, इस दौरान मैंने लक्ष्य की, अपने बाहरी सतही और खुश-खुश रूप में मैंने अंदरूनी आनंद महसूस किया। कभी-कभार मैं चुप भी हो जाती हूँ। अब मैं केवल पीटर के लिए जीती हूँ, क्योंकि भविष्य में मेरे साथ जो भी होगा, वह उसी पर निर्भर करता है।

रात की प्रार्थना में, 'हे भगवान्, यहाँ जो भी अच्छा, प्रिय और सुंदर है, उसके लिए धन्यवाद।' कहने के बाद मैं बिस्तर में लेट गई। मेरा दिल खुशी से भरा था। मैं इस गुप्त जीवन के बारे में सोचती हूँ, अपने स्वास्थ्य, अपने समूचे अस्तित्व के साथ अच्छा

है, पीटर का प्रेम (जो अभी एकदम नया है, नाजुक है और हम दोनों अभी जिसका उच्चारण करने से भी हिचकते हैं) भविष्य, खुशी और प्रेम है प्रिय और दुनिया, प्रकृति और हर चीज की खूबसूरती और ठाठ है सुंदरता।

ऐसे लमहों में मैं यहाँ दुःखों के बारे में नहीं सोचती, बल्कि जो भी खूबसूरती अभी बची हुई है, उसके बारे में सोचती हूँ। इसी बात पर मुझमें और मम्मा में जो फर्क है, वह उभरकर सामने आता है। दुःख के बारे में उनकी सलाह है—"दुनिया में जितने भी दुःख हैं, उनके बारे में सोचो और वे तुम्हारे हिस्से नहीं आए हैं, इसलिए कृतज्ञ रहो।" मेरी सलाह है, "बाहर निकलो, गाँव की ओर, सूरज और प्रकृति की कृपा का आनंद उठाओ। बाहर जाओ और खुशी को दुबारा महसूस करो। अपने अंदर छुपी खुशी को महसूस करो, अपने अंदर छुपी समूची खूबसूरती के बारे में सोचो, अपने आस-पास की हर बात की खूबसूरती महसूस करो और खुश रहो।"

मम्मा का उपदेश सही होगा, ऐसा मुझे नहीं लगता, क्योंकि अगर आप दुःख का ही हिस्सा बन जाएँगे तो आप क्या कर सकते हैं? आप बिल्कुल उसी में गुम जाएँगे। दूसरी तरफ, दुर्भाग्य में भी खूबसूरती हो सकती है। अगर आप खोजेंगे तो आपको जरूर ज्यादा और ज्यादा खुशी मिलती रहेगी और आप अपना संतुलन बनाए रखेंगे। जो व्यक्ति खुद खुश है, वह औरों को भी खुश करेगा। जिस व्यक्ति के पास साहस और श्रद्धा है, उसकी मृत्यु में भी दुर्गति नहीं होगी।

तुम्हारी
ऐन.एम. फ्रैंक

बुधवार, 8 मार्च, 1944

मैं और मार्गो एक-दूसरे को चिट्ठियाँ लिखने लगी थीं, बस ऐसे ही, मजे में। एक बार दोनों में इस तरह की चिट्ठियाँ लिख दी गईं। ऐन थोड़ा विचित्र तो है, लेकिन मुझे दूसरे दिन केवल वही बातें याद रहती हैं, जो पहली रात घटती हैं। उदाहरण के तौर पर, अचानक मुझे याद आता है कि कल रात मि. डुस्सेल जोर-जोर से खर्राटे ले रहे थे। (अब बुधवार की दोपहर के पौने तीन बज रहे हैं और मि. डुस्सेल फिर खर्राटे भर रहे हैं। इसीलिए कल रात की बात मुझे याद आई।) मुझे शौचालय का इस्तेमाल करना पड़ा, तब मैंने दरवाजा खोलने-बंद करने आदि की इतनी जोरदार आवाजें निकालीं, ताकि उनके खर्राटे रुकें।

मार्गो : खर्राटे भरना और हवा पाने के लिए हाँफना इनमें से बेहतर क्या है?

ऐन : खर्राटे भरना बेहतर है, क्योंकि मैं जब शोर करती हूँ तो वे रुकते हैं और

खर्राटे भरनेवाले की नींद भी नहीं टूटती।

मार्गो को मैंने यह नहीं बताया, जो मैं तुम्हें बताने जा रही हूँ, वह यह है कि मुझे पीटर के सपने आते हैं। परसों रात की बात है, मुझे सपना आया कि मैं यहीं, अपने ड्रॉइंग रूम में अपोलो स्केटिंग रिंग के उस छोटे बच्चे के साथ स्केटिंग कर रही हूँ। वह अपनी बहन के साथ वहाँ आया था। वही लड़की, जो हमेशा नीले रंग की एक ही ड्रेस पहनकर आती है और जिसके पैर बहुत दुबले हैं। मैंने बड़े ताव से अपना परिचय दिया और उससे उसका नाम पूछा। उसका नाम था पीटर। सपने में ही मेरे मन में आया, कुल कितने पीटर्स को मैं जानती हूँ?

उसके बाद मुझे जो सपना आया, उसमें हम पीटर के कमरे में खड़े थे। सीढ़ियों के पास हम दोनों एक-दूसरे के सामने खड़े थे। मैंने उससे कुछ कहा, उसने मुझे चूमा, लेकिन जवाब में कहा कि वह मुझे उतना अधिक नहीं चाहता और मैं उसके साथ छेड़-छाड़ न किया करूँ। मैंने आजिजी और विवाद भरे स्वर में उससे कहा, 'मैं तुम्हें छेड़ नहीं रही हूँ, पीटर?'

जब मैं जागी, तब असल में पीटर ने यह नहीं कहा था, यह जानकर मुझे इतनी खुशी हुई।

कल रात मुझे सपना आया कि हम दोनों एक-दूसरे को चूम रहे हैं, लेकिन पीटर के गाल बड़े अजीब थे। जितना दिखाई देते हैं, उतने वे कोमल नहीं थे। वे डैड के गालों जैसे थे, दाढ़ी बनाने वाले आदमी के गालों जैसे।

शुक्रवार, 10 मार्च, 1944

मेरी सबसे प्यारी किट्टी,

दुर्भाग्य कभी अकेला नहीं आता। यह कहावत आज के हालात पर लागू होती है। पीटर ने भी अभी-अभी ऐसा ही कहा है। यहाँ जो भी बुरी बातें घटी हैं, पहले मैं तुम्हें उनके बारे में बताती हूँ और अभी भी यह तलवार हमारे सिर पर टँगी हुई है। पहली बात, मीप बीमार हुई। कल हेंक और आगजे की शादी हुई उसकी बदौलत। वेस्टर कर्क में उसे सर्दी लग गई, जहाँ वह शादी में शामिल होने गई थी। दूसरी बात, पिछली बार पेट में खून रिसने लगा, तब से मि. क्लीमन काम पर नहीं आए हैं। इसलिए अब सारी जिम्मेदारी अकेली बेप को उठानी पड़ रही है। तीसरे, पुलिस ने एक आदमी को गिरफ्तार कर लिया है। (जिसका नाम मैं नहीं लिखूँगी।) यह उस आदमी के लिए भयंकर तो है ही, हम सबके लिए भी है, क्योंकि वह हमें आलू, मक्खन और जैम की आपूर्ति करता था। मिस्टर एम, मैं उन्हें यही कहती हूँ।

उनके तेरह वर्ष से उम्र के पाँच बच्चे हैं, एक और जन्म लेनेवाला है।

कल रात एक बार और एक डरावनी घटना घटी। हम सब खाना खा रहे थे, तब अचानक किसी ने दूसरे कमरे की दीवार पर दस्तक दी। उसके बाद पूरी शाम हम सब डरे और सहमे हुए तथा उदास थे।

यहाँ जो कुछ हो रहा है, उसके बारे में लिखने का अब मेरा बिल्कुल मन नहीं करता। मैं कुछ ज्यादा ही अपने आप में सिमटी रहती हूँ। मुझे गलत मत समझना। अच्छे दिलवाले बेचारे मि. एम के साथ क्या हुआ, यह मैं जानती हूँ, लेकिन उनके लिए मेरी डायरी में जगह नहीं है।

मंगलवार, बुधवार और गुरुवार के दिनों शाम साढ़े-चार बजे से सवा पाँच बजे तक मैं पीटर के कमरे में थी। हमने फ्रेंच भाषा की पढ़ाई की और यहाँ-वहाँ की बातों पर चर्चा की। समय अच्छा बीता। मैं दोपहर की इस घड़ी का इंतजार करती हूँ। इससे बढ़िया बात यह है कि मुझे लगता है कि पीटर को भी मुझसे मिलने में बड़ी खुशी होती है।

तुम्हारी

ऐन.एम. फ्रैंक

शनिवार, 11 मार्च, 1944

इधर कुछ समय से मैं एक जगह स्थिर बैठ नहीं पा रही हूँ। ऊपर से नीचे और नीचे से ऊपर मैं चलती रहती हूँ।

पीटर के साथ बात करना मुझे अच्छा लगता है, लेकिन हमेशा मुझे लगता रहता है कि मैं उसे परेशान कर रही हूँ। उसने अपने बीते दिनों के बारे में थोड़ा-बहुत बताया है। अपने मम्मा-पप्पा के बारे में और अपने बारे में; हालाँकि इतना काफी नहीं है। हर पाँच मिनट बाद मुझे अचरज लगता है कि मैं उसके बारे में और क्यों जानना चाहती हूँ। पहले उसे लगता था कि मैं मुसीबत की टोकरी हूँ, मुझे भी उसके बारे में यही लगता था। मेरा मन अब बदल गया है, लेकिन उसके मन के बारे में कैसे पता चलेगा? शायद उसका मन भी बदला है, लेकिन इसका यह मतलब तो नहीं कि हम अच्छे दोस्त बन जाएँ; हालाँकि मुझे ऐसा लगता है कि अगर हममें मित्रता हुई तो हमारे यहाँ के दिन सहने लायक बन जाएँगे, लेकिन इस बात को लेकर मैं अपना दिमाग खराब नहीं करूँगी। वैसे भी उसके बारे में सोचने में मेरा काफी समय बीत जाता है। और केवल मुझे बुरा लग रहा है, इसलिए वह सब बताकर मैं तुम्हारा समय भी गँवाना नहीं चाहती।

रविवार, 12 मार्च, 1944

मेरी सबसे प्यारी किट्टी,

जैसे-जैसे दिन बीतते जा रहे हैं, यहाँ का वातावरण बड़ा विचित्र होता जा रहा है। कल से पीटर ने मेरी तरफ देखा नहीं है। वह ऐसे व्यवहार कर रहा है, मानो उसे मुझ पर गुस्सा आ रहा हो। उसका पीछा करने की, उससे बातचीत करने की मैं कम से कम कोशिश करती हूँ, लेकिन यह जरा मुश्किल है। क्या चल रहा है, एक पल वह मुझसे एक हाथ की दूरी क्यों रखना चाहता है? और दूसरे पल दौड़कर वह मेरे पड़ोस में आ खड़ा होता है। मैं शायद यह सब बहुत बढ़ा-चढ़ाकर देख रही हूँ। हो सकता है, वह भी मेरी ही तरह मूडी हो। हो सकता है, कल सबकुछ सामान्य हो जाएगा।

अंदर बहुत बुरा महसूस करते हुए ऊपर से अपने को बिल्कुल सामान्य जताना मुझे बहुत कठिन लगता है। मुझे बोलना पड़ता है, काम में लोगों की मदद करनी पड़ती है औरों के साथ समय बिताना पड़ता है और सबसे कठिन बात, सबके सामने अपने आपको खुश जताना पड़ता है। बाहर जा नहीं सकती, यह कमी मुझे बहुत खलती है और ऐसी जगह की कमी खलती है, जहाँ मैं जितनी देर तक चाहूँ अकेले रह सकूँ। शायद मैं सबकुछ गड्ड-मड्ड कर रही हूँ। किट्टी, लेकिन फिर, मैं बिल्कुल उलझन में पड़ गई हूँ। एक तरफ मेरे मन में उसे पाने की इच्छा के कारण मैं नीम पागल हो गई हूँ। उसके साथ एक कमरे में होती हूँ तो उससे नजरें दूर रखना मेरे लिए मुश्किल हो जाता है, तो दूसरी तरफ मैं नहीं समझ पाती कि वह मेरे लिए इतना महत्त्वपूर्ण क्यों हो गया है, मैं फिर पहले जैसी शांत क्यों नहीं हो सकती?

दिन-रात, बल्कि जागते हुए हर घंटे के बाद मैं अपने आपसे यह क्यों पूछती रहती हूँ, ''क्या तुमने उसे अकेले रह पाने के लिए पर्याप्त समय दिया है, क्या तुम ऊपर बहुत ज्यादा समय बिता रही हो, जिन गंभीर विषयों पर वह बोलने के लिए तैयार नहीं हो, उनके बारे में तुम बहुत बोलती हो, हो सकता है, वह तुम्हें पसंद ही नहीं करता हो, कहीं यह सब तुम्हारी कल्पना का खेल तो नहीं, तो फिर उसने तुम्हें अपने बारे में इतना सबकुछ क्यों बताया, बताया इसका उसे दुःख तो नहीं?'' इस तरह के और, और भी ऐसे कई खयाल मन में आते रहते हैं।

कल दोपहर में बाहर की दुनिया से मिली खबर से मैं इतनी परेशान थी कि आखिर कुछ देर सोने के खयाल से दीवान पर लेट गई। मैं बस सोना चाहती थी, बिल्कुल सोचना नहीं चाहती थी। चार बजे तक मैं सोई रही, लेकिन फिर मुझे पड़ोसवाले कमरे में जाना पड़ा। मम्मा के सभी सवालों का जवाब दे पाना आसान नहीं था और न डैड को दोपहर में सोने की वजह बता पाना आसान था। मैंने सिरदर्द का बहाना बनाया, जो

झूठ तो नहीं ही था। मेरा सिर दर्द तो कर ही रहा था, अंदर की तरफ से। सामान्य लोगों को, सामान्य लड़कियों को, मेरी उम्र की किशोरियों को मेरा इस तरह अपने आप पर दया दिखाना अजीब सा लगता होगा, लगने दो। मैं तुम्हारे सामने अपना दिल खोलकर रख देती हूँ। बाकी समय मैं वैसी ही गुस्ताख, चुलबुली और आत्मविश्वासी लड़की होती हूँ, जो सवालों को टालने की फिराक में रहती है और अपने आपसे परेशान होने से बचती फिरती है।

मार्गो बहुत नरम दिल है। वह चाहती है कि मैं अपने राज उसे बताऊँ, लेकिन मैं उसे हर बात नहीं बता सकती। वह मेरी हर बात गंभीरता से लेती है, बहुत गंभीरता से और वह अपना ढेर सारा समय अपनी पगलैट बहन के बारे में सोचने में बिताती है। मैं जब भी बोलने के लिए मुँह खोलती हूँ, वह करीब से मुझे देखते हुए सोचती है, 'यह अभिनय कर रही है या सच बोल रही है?'

ऐसा इसलिए, क्योंकि हम दोनों हमेशा साथ होती हैं। जिससे मैं अपने दिल की बात कहती हूँ, वह चौबीस घंटे मेरे आस-पास रहे, यह मुझे पसंद नहीं है। मेरे इन उलझे विचारों को मैं कब और कैसे सुलझाऊँगी, आंतरिक शांति मुझे फिर कब मिलेगी?

तुम्हारी ऐन

मंगलवार, 14 मार्च, 1944

मेरी सबसे प्रिय किट्टी,

हम आज क्या खाने जा रहे हैं, यह सुनकर तुम्हें (हालाँकि मुझे नहीं) मजा आएगा शायद। सफाई कर्मचारी निचली मंजिल पर काम कर रही है। इसलिए इस वक्त वैनडैन परिवार के प्लास्टिक से ढकी टेबल पर बैठी हूँ। रूमाल पर मैंने युद्ध से पहले वाला परफ्यूम छिड़का हुआ है और फिलहाल वह नाक और मुँह को घेरकर बैठा है। मैं किस बारे में बात कर रही हूँ, इसका हो सकता है, आपको अंदाजा ही न हो। चलिए, शुरुआत से बताती हूँ। जो लोग हमें अनाज के कूपंस मुहैया कराते थे, उन्हें गिरफ्तार कर लिया गया है। इसलिए अब हमारे पास केवल ब्लैक में खरीदे हुए पाँच राशन कार्ड हैं। कोई कूपंस नहीं, तेल नहीं, घी नहीं। मीप और मि. क्लीमन फिर बीमार हैं, इसलिए बेप से अकेले सारी खरीदारी नहीं की जाती। खाना बेकार बनता है और हम भी। कल के लिए ही हमारे पास बिल्कुल घी नहीं है। मक्खन या मार्गाटीन भी नहीं है। हम नाश्ते में तले हुए आलू नहीं खा सकेंगे। (ब्रैड बचाने के लिए हम यही करते रहे हैं), इसलिए अब हम गरम खिचड़ी खाने लगे हैं और मिसेज वैनडी को चूँकि लगता है कि हम भूखे हैं, इसलिए हमें आधा और आधा करने की सोची है। आज के दोपहर के खाने में मसले

हुए आलुओं के साथ करमसाग का अचार था। इससे आपको रूमाल के जरिए की गई तजवीज का मतलब समझ में आएगा। कुछ सालों तक गला करमसाग कैसी बदबू छोड़ता है, इसकी आप कल्पना तक नहीं कर सकते। रसोई में सड़े हुए आलूबुखारे, सड़े अंडे और सड़ाँध से भरे समुद्री पानी की मिली-जुली बू जैसी बदबू फैली है। छिह! उसे खाने की कल्पना मात्र से मुझे उल्टी आती है। इसके अलावा हमारे पास आनेवाले आलुओं में बड़ी अजीब बीमारियाँ फैली हैं कि दो टोकरियों में से एक टोकरी आलू तो फेंकने पड़ते हैं। उन पर कौन सी बीमारी फैली है, इसका अंदाजा लगाने के खेल-खेल कर हम अपना मनोरंजन करते हैं और हम इस नतीजे तक पहुँचे हैं कि इन आलुओं को कैंसर, चेचक और खसरा हुआ है। ईमानदारी से, युद्ध के चौथे साल में गुप्त रूप से जीना कोई तफरीह नहीं है। काश! यह बदबूदार घपला जल्द से जल्द खत्म हो जाए।

आपको अगर सच बता दूँ, यहाँ की जिंदगी अगर किसी और तरह से दिलचस्प होती तो खाने से मुझे कोई फर्क नहीं पड़ता, लेकिन ऐसा नहीं है। मेहनत से भरी इस जिंदगी ने हमें एक-दूसरे के प्रति असहमति से भर दिया है। हममें से पाँच बुजुर्गों की वर्तमान स्थिति के बारे में ऐसी राय है। (बच्चों को राय रखने की अनुमति नहीं है और पहली बार मैं इस नियम का मान रही हूँ।)

मिसेज वैनडैन, ''मैंने रसोई की रानी बनने की कामना बहुत पहले ही त्याग दी है, लेकिन बिना कुछ किए बैठे रहना भी ऊब से भरा है, इसलिए मैंने फिर से खाना बनाना शुरू किया। इसके बावजूद मैं शिकायत किए बगैर रह नहीं पाती, तेल के बिना खाना बनाना असंभव है और उन अलग-अलग बदबू के कारण मेरा पेट तक जी घबराता है।

इसके अलावा, अपनी मेहनत के बदले में मुझे क्या मिलेगा? अकृतज्ञ और क्रूर टिप्पणियाँ। मेरे साथ हमेशा काली बिल्लियों सा व्यवहार किया जाता है। हर गलती के लिए मुझे ही कोसा जाता है और तो और, मुझे लगता है कि युद्ध में बहुत धीमी गति रही है। आखिर जीत जर्मनों की ही होने वाली है। मुझे इस बात का डर लगता है कि हम भूखों मरेंगे और मैं जब बुरे मूड में होती हूँ तो अपने पास आनेवाले हर किसी को हड़काती हूँ।''

मि. वैनडैन : ''मैं बस सिगरेट फूँकता रहता हूँ। इसीलिए मुझे खाना, राजनीतिक हालात और केरली के मूड बुरे नहीं लगते। केरली अच्छी है। अगर मैं सिगरेट न पिऊँ तो मैं बीमार हो जाता हूँ। तब मुझे मीट खाना पड़ता है। जीवन असहनीय हो जाता है। कुछ भी अच्छा नहीं लगता और तब एक जोरदार झगड़ा हो जाता है। मेरी केरली पागल है।''

मिसेज फ्रैंक : ''खाना महत्त्वपूर्ण नहीं है, लेकिन अभी मुझे अगर राई का ब्रेड मिल जाए तो मजा आ जाए। मुझे बहुत भूख लग रही है। अगर मैं मिसेज वैनडैन होती तो मिस्टर वैनडैन की सिगरेट फूँकते रहने की आदत पर कब की रोक लगा चुकी होती,

लेकिन अब मेरा सिर चकरा रहा है, इसलिए मुझे सिगरेट की जरूरत है। वैनडैन बड़े भयंकर लोग हैं। अंग्रेज कई गलतियाँ कर रहे हैं, लेकिन युद्ध निश्चित तौर पर आगे बढ़ रहा है। मुझे अपना मुँह बंद रखना चाहिए और शुक्र मनाना चाहिए कि मैं पोलैंड में नहीं हूँ।''

मि. फ्रैंक : ''सबकुछ ठीक है। मुझे कुछ नहीं चाहिए। शांत रहो, अपने पास बहुत समय है। बस मुझे अपने हिस्से के आलू दे दो और मैं चुप रहूँगा। मेरे हिस्से का कुछ राशन बेप के लिए अलग से निकालकर रखो। राजनीतिक स्थितियों में सुधार आ रहा है। मैं बहुत आशावादी हूँ।''

मि. डुस्सेल : ''मैंने अपने लिए जो लक्ष्य निर्धारित कर रखे हैं, वे मुझे पूरे करने हैं, हर काम समय से पूरा होना चाहिए। राजनीतिक स्थितियाँ 'अच्छी' हैं, हमारा पकड़ा जाना 'असंभव' है। मैं, मैं, मैं...''

तुम्हारी ऐन

गुरुवार, 15 मार्च, 1944

मेरी सबसे प्यारी किट्टी,

हुश्श! कुछ पलों के लिए दुःख और दुर्भाग्य से उबरे! आज मैं बस यही सुन रही हूँ कि ''अगर यह और वह होता है तो हम पर मुसीबत आएगी और अगर फलाँ-फलाँ बीमार हो जाए तो हमें अपनी लड़ाई खुद लड़नी पड़ेगी, और अगर... ।''

खैर, आगे का सब तुम जानती हो या कम-से-कम तुम इस सबसे परिचित हो। सो तुम्हें पता होगा ही कि एनेक्स में रहनेवाला कौन क्या बोला होगा।

इन सभी अगर की वजह यह है कि मि. कुग्लर को छह दिनों के काम का हिसाब देने के लिए बुलाया गया है, बेप को जोरदार जुकाम हुआ है और उसे कल शायद घर पर ही रुकना पड़ेगा। मीप अभी फ्लू से उबरी नहीं है और मि. क्लीमन के पेट में इतना खून रिसा कि वे बेहोश हो गए। दुःखों की भी यह कैसी कड़ी जुड़ी है।

अब हम सबको यही लगता है कि मि. कुग्लर को अब किसी विश्वास के डॉक्टर से अपनी बीमारी का सर्टिफिकेट लेना होगा। उस सर्टिफिकेट को वह हिलवरसम के सिटी हॉल में पेश कर सकते हैं। गोदाम के कर्मचारियों को कल के दिन छुट्टी दी गई है। सो बेप कल दफ्तर में अकेली होगी। अगर (लो, एक और अगर) बेप को घर पर रहना पड़ा तो दरवाजा खुलेगा ही नहीं। हमें भी बिल्कुल चुप रहना होगा, ताकि केग कंपनी में किसी को हमारी आहट सुनाई न दे। एक बजे जान आकर हम बेचारे जीवों की खबर लेंगे, प्राणी संग्रहालय के मालिक की तरह आकर वह हमारी खबर लेंगे।

कई-कई दिनों के बाद, मानो युगों के बाद, जान ने हमें बाहरी दुनिया की खबर दी। हम कैसे उसके गिर्द इकट्ठा हुए थे, यह तुम्हें देखना चाहिए था। दादी के इर्द-गिर्द कहानी सुनने इकट्ठा हुए पोते-पोतियों की भीड़ जैसा नजारा था।

उसने भी अपने उत्सुक श्रोताओं को और किस बात की हो सकती है, खाने की बातें सुनाकर बहलाया। मीप की दोस्त श्रीमती पी उनके लिए खाना बनाती थीं। परसों जान ने गाजर-मटर खाए थे, कल उसे बचा हुआ खाना पड़ा, आज वह कुम्हड़ा-मटर पका रही है और कल वह बचे हुए गाजर-आलू के साथ मसलकर खाने की सोच रहा है।

हमने उसे मीप के डॉक्टर के बारे में पूछा।

"डॉक्टर?" जान ने कहा, "कैसा डॉक्टर? आज सुबह जब मैंने उसे फोन किया, तब उसका सचिव लाइन पर आया। मैंने फ्लू की दवा देने के बारे में पूछा तो मुझे बताया गया कि दूसरे दिन सुबह आठ और नौ बजे के बीच जाकर मैं परची ले सकता हूँ। अगर फ्लू के कारण आप बहुत बुरी हालत में हों तो खुद डॉक्टर फोन पर आकर कहते हैं, जीभ बाहर निकालो और 'आऽ' कहो। अरे, मैं सुन सकता हूँ, तुम्हारे गले में गड़बड़ है, वहीं विषाणु संसर्ग हुआ है। मैं परची लिखकर देता हूँ, जो तुम दवा की दुकान में ले जाना। तुम्हारा दिन अच्छा बीते, और बस इतना ही। उनका काम बड़ा आसान हो गया, फोन पर ही रोग निदान कर लिया, लेकिन मुझे डॉक्टर को दोषी नहीं ठहराना चाहिए। एक आदमी के बस दो ही हाथ होते हैं। आजकल रोगी बहुत हो गए हैं और डॉक्टर कम।

जान की इस बात पर हम सब खूब हँसे। आजकल डॉक्टर का 'वेटिंग-रूम' कैसा दिखाई देता होगा, इसकी मैं कल्पना कर सकती हूँ। अब डॉक्टर्स गरीब रोगियों को देखना नहीं चाहते, वे छोटी-मोटी बीमारीवाले अमीरों को देखते हैं। गरीबों को देखकर वे सोचते हैं, अरे, तुम यहाँ क्या कर रहे हो? जाओ, कतार में पीछे जाकर खड़े रहो। जिनकी तबीयत ज्यादा खराब है, मैं पहले उन्हें देखूँ।

तुम्हारी ऐन

गुरुवार, 16 मार्च, 1944

यहाँ का मौसम बड़ा सुहाना है। अवर्णनीय अच्छा, पल भर में मैं बालाखाने जा रही हूँ।

मैं पीटर से ज्यादा बेचैन क्यों हूँ, यह अब मैं जानती हूँ। उसके पास उसका अपना एक कमरा है, जहाँ वह काम कर सकता है, सपने देख सकता है, सोच सकता है और सो भी सकता है। मुझे हमेशा इस कोने से उस कोने की ओर खदेड़ा जाता है। डुस्सेल

के साथ मैं जिस कमरे में रहती हूँ, वहाँ मैं कभी अकेली नहीं होती, जबकि अकेले रहने की मेरी बड़ी इच्छा होती है। यह भी एक कारण है कि मैं कई बार बालाखाने की शरण चली जाती हूँ। जब मैं वहाँ होती हूँ या तुम्हारे साथ होती हूँ, तब मैं खुलकर मनमाफिक रह सकती हूँ, भले थोड़े समय के लिए ही सही। फिर भी, मैं रोना-बिसूरना नहीं चाहती, बल्कि, मैं साहसी बनना चाहती हूँ।

पीटर के साथ इन विषयों पर बात नहीं करना कितना कठिन होता है, लेकिन मैं जानती हूँ कि मुझे इंतजार करना होगा, उसके द्वारा बात छेड़े जाने का। सपनों में मैंने जो कुछ कहा और किया, वह हुआ ही नहीं। इस तरह दिन में बरतना कितना कठिन होता है। किट्टी, ऐन बावली है, लेकिन यह समय ही खब्ती है और हालात उन्मादी।

फिर भी ऐसी स्थितियों में अगर कोई बात सबसे अच्छी है तो वह यह कि मैं अपने विचार और भावनाएँ लिख पाती हूँ, वरना मेरा दम घुट जाता। पता नहीं इन सभी बातों के बारे में पीटर क्या सोचता है। उसके साथ इस बारे में कभी बात करूँगी, ऐसा मैं हमेशा सोचती रहती हूँ। मेरे अंदर बसी ऐन के बारे में उसे पता चला ही होगा, क्योंकि ऐन के जिस बाहरी स्वरूप को वह देखता आया है, उससे उसे प्यार नहीं हो सकता। शांति और नीरवता चाहनेवाला पीटर मेरे जैसी ऊधमी और शोर मचानेवाली लड़की को कैसे बरदाश्त करता, मेरे मजबूत मुखौटे के पीछे क्या है, यह जान सकनेवाला पीटर क्या पहला और अकेला व्यक्ति होगा, जानने के लिए उसे क्या बहुत समय लगेगा, प्रेम और दयाभाव में करीबी रिश्ता है। ऐसी एक पुरानी कहावत है न, क्या यहाँ भी ऐसा ही कुछ नहीं हो रहा? क्योंकि मुझे अपने आप पर जितनी दया आती है, उतनी ही कई बार उस पर भी आती है। ईमानदारी से कहूँ, तो कहाँ से शुरुआत करूँ, यही समझ में नहीं आ रहा, सो जिसके लिए बोलना ही इतना कठिन होता है, उस पीटर से मैं कैसे उम्मीद कर सकती हूँ। काश! मैं उसे लिखकर बता सकूँ, फिर शायद उसे पता चले कि मैं क्या कहना चाहती हूँ, बोलकर कह पाना कितना कठिन है, इसलिए।

तुम्हारी
ऐन.एम. फ्रैंक

शुक्रवार, 17 मार्च, 1944

मेरी सबसे प्रिय प्रिय,

आखिर सबकुछ ठीक-ठीक ही हुआ, बेप को बस गले में खराश थी, फ्लू नहीं हुआ था उसे और मि. कुग्लर को बारीकी के काम से निजात दिलाने वाला वैद्य का प्रमाणपत्र मिला। पूरे गुप्त भवन ने छुटकारे की लंबी साँस ली। यहाँ सबकुछ अच्छा है।

बस मुझे और मार्गो को मम्मा-डैड से थोड़ी परेशानी है बस।

मुझे गलत मत समझना। मैं अभी भी डैड से पहले जितना ही प्रेम करती हूँ, लेकिन जब कोई हमारी उम्र का हो जाता है, तब वह अपने कुछ निर्णय खुद लेना चाहता है। उनकी छाया से बाहर निकलना चाहता है। मैं जब भी ऊपर जाती हूँ, वे मुझसे पूछते हैं कि मैं क्या करना चाहती हूँ। अपने खाने में मुझे कितना नमक चाहिए, यह वे मुझे तय नहीं करने देते। हर रोज रात सवा आठ बजे मम्मा मुझसे पूछती हैं कि क्या तुम्हारा अभी नाइटी पहनने का समय नहीं हुआ? मैं जो किताब पढ़ूँ, वह उनकी मंजूरी वाली होनी चाहिए। वैसे मुझे मानना पड़ेगा कि वे इस मामले में कड़ाई नहीं बरतते और मैं जो चाहूँ, वह लगभग सभी किताबें मुझे पढ़ने देते हैं, लेकिन मैं और मार्गो उनकी दिन भर चलनेवाली टीका-टिप्पणियों तथा प्रश्नों से ऊब चुकी हैं।

कुछ और बातें हैं, जो उन्हें नाराज कर देती हैं, जैसे मैं अब उन्हें हर रोज सुबह, दोपहर, शाम को छोटी किस्सियाँ नहीं देना चाहती। लाड़-प्यार के जिन कई सारे नामों से वे हमें पुकारते हैं, अब वे सारे बुरे लगते हैं। पादने और गुसलखाने में जाने को लेकर डैड की बातें अब घृणित लगती हैं। थोड़े में कहना हो तो उनके सहवास से अगर कुछ समय तक छुट्टी मिले तो उससे बेहतर कुछ नहीं होगा, लेकिन उन्हें इस बात की कोई खबर नहीं है। न ही मार्गो ने या मैंने कभी उन्हें इस बारे में कुछ कहा है। कहने का कोई मतलब भी नहीं है, क्योंकि वे समझेंगे ही नहीं।

कल रात मार्गो ने कहा, ''मैं अपना सिर हाथ में पकड़कर एकाध बार उसाँस लूँ तो तुरंत वे पूछते हैं कि तुम्हें सिर दर्द तो नहीं, तुम्हारी तबीयत को कुछ हुआ तो नहीं? और मुझे इन बातों से बड़ी परेशानी होती है।''

हम दोनों के लिए यह जानना बड़ा सदमा था कि हमारे करीबी और सुव्यवस्थित परिवार का केवल कुछ अंश ही बचा है। ऐसा इसलिए हुआ, क्योंकि यहाँ हर बात बेतरतीब सी हो गई है। मेरा मतलब है कि बाहर की बातें करते समय हमें बच्चे माना जाता है, लेकिन अंदर से हम दोनों अपनी उम्र की लड़कियों से ज्यादा समझदार हो गई हैं। मैं केवल चौदह वर्ष की होने के बावजूद मुझे क्या चाहिए, कौन सही है, कौन गलत, इसका मुझे पता होता है। मेरी अपनी राय है, मेरी कल्पनाएँ हैं, मेरे उसूल हैं और हो सकता है एक किशोरी के मुँह से सुनने में यह थोड़ा अजीब लगे, मुझे लगता है कि अब मैं बच्ची नहीं रही, मैं पूरी व्यक्ति बन चुकी हूँ। मैं पूरी तरह स्वतंत्र हो चुकी हूँ। मुझे पता है कि विवाद में या चर्चा में हिस्सा लेना हो तो मैं माँ से सरस हूँ। मेरा नजरिया अधिक निष्पक्ष होता है। मैं बढ़ा-चढ़ाकर नहीं बोलती, मेरे हाथ बेहतर और स्वच्छ तरीके से काम करते हैं और इसीलिए (हो सकता है पढ़कर तुम हँस दो) मुझे लगता है कि मैं उससे कई मामलों में श्रेष्ठ हूँ। किसी से प्रेम करने के लिए अपने मन में उसके

प्रति मन में आदर्श का भाव होना जरूरी है, लेकिन मेरे मन में मम्मा के बारे में न आदर है, न कौतुक का भाव है।

पीटर अगर मुझे मिले तो फिर भी सबकुछ अच्छा लग सकता है, उसकी कई बातें मुझे पसंद है। वह कितना सभ्रांत और मेधावी है।

तुम्हारी
ऐन.एम. फ्रैंक

शनिवार, 18 मार्च, 1944

मेरी सबसे प्यारी किट्टी,

अपने बारे में अपनी भावनाओं के बारे में मैंने तुम्हें जितना बताया है, उतना किसी जिंदा इनसान को कभी नहीं बताया, फिर मैं सेक्स के बारे में बताने से क्यों बचूँ?

मम्मा-डैड और लोग सेक्स की बात पर आते ही बड़े असहज हो जाते हैं। बारह वर्ष की उम्र में अपने बच्चों को सबकुछ सही-सही बताने की बजाय जैसे ही विषय छिड़े, वे अपने बच्चों को कमरे से बाहर भेज देते हैं। उन्हें सबकुछ अपने बलबूते जानने पर मजबूर करते हैं। बाद में जब अभिभावकों को पता चलता है कि किसी तरह उनके बच्चों ने जानकारी हासिल कर ली है, तब वे यह मान लेते हैं कि उन्हें सबकुछ पता चल चुका है। फिर वे उनसे पूछकर तसल्ली क्यों नहीं कर लेते कि बच्चे असल में इस विषय में क्या और कितना जानते हैं?

माता-पिता की राह की सबसे बड़ी मुश्किल जो मेरे हिसाब से कंकड़ बराबर की है, होती है कि उन्हें लगता है कि सेक्स के बारे में सबकुछ पता चलने के बाद उनके बच्चे शादी की संस्था को एक पवित्र संस्था नहीं मानेंगे, जबकि पवित्रता की यह बात निरी बकवास ही होती है। मेरी राय पूछो तो शादी से पहले अगर पुरुष को थोड़ा अनुभव होना गलत तो नहीं है। वैसे इसका शादी से कुछ लेना-देना नहीं होता है न?

मैं ग्यारह वर्ष की जैसे ही हुई, उन्होंने मुझे माहवारी के बारे में बताया। फिर भी हर माह निकलनेवाला खून आता कहाँ से है, इसका मुझे पता नहीं था। न इसका पता था कि उसके आने का मतलब क्या है। जब मैं साढ़े बारह वर्ष की हुई तो जैक से थोड़ा बहुत जाना। वह मेरी तरह अज्ञानी नहीं थी। मेरे सहज ज्ञान ने मुझे बताया कि एक पुरुष और एक स्त्री जब साथ होते हैं, तब मिलकर वे क्या करते हैं। शुरुआत में मुझे सब बड़ा विचित्र सा लगा था, लेकिन जैक ने जब उसकी पुष्टि की तो मुझे अपने आप पर गर्व हुआ कि मैंने अपने बलबूते यह सब सोच लिया था।

जैक ने ही मुझे बताया था कि बच्चे माँ के पेट से नहीं निकलते। उसने कहा

था, "जहाँ से कच्चा माल जाता है, वहीं से बनी-बनाई चीज आती है।" जैक और मैंने मिलकर योनिच्छेद और भी कई बारीकियों को ढूँढ़ निकाला था। हमने यह सब सेक्स-शिक्षा की किताबों से जाना था। मैं यह भी जानती थी कि बच्चे होने से कैसे बचा जा सकता है; हालाँकि वह चीज शरीर के अंदर कैसे काम करती है, यह मेरे लिए रहस्य ही था। मैं जब यहाँ आई, डैड ने मुझे वेश्याओं आदि के बारे में बताया था। इसके बावजूद कुछ सवाल थे, जो अनुत्तरित ही रहे थे।

माताएँ अगर अपने बच्चों को सेक्स के बारे में नहीं बतातीं तो बच्चे उसे टुकड़ों में यहाँ-वहाँ से बटोरते हैं, जो कि ठीक नहीं है।

शनिवार होने के बावजूद आज मैं ऊबी नहीं हूँ, क्योंकि आज मैं यहाँ, ऊपर बालाखाने में हूँ पीटर के साथ। मैं आँखें बंद करके वहाँ सपने देखती बैठी थी। अहा, कितना सुंदर था सबकुछ!

तुम्हारी
ऐन.एम. फ्रैंक

रविवार, 19 मार्च, 1944

मेरी सबसे प्यारी किट्टी,

मेरे लिए कल का दिन बहुत महत्त्वपूर्ण दिवस था। खाना खाने के बाद दोपहर तक सबकुछ सामान्य था। पाँच बजे मैंने आलू चढ़ाए और ममा ने मुझे कुछ खून के सॉसेज पीटर को देने के लिए थमाए। पहले मैं नहीं चाहती थी कि मैं ले जाऊँ, लेकिन आखिर मैं ले गई। वह पहले सॉसेज लेने के लिए बिल्कुल तैयार नहीं था और मुझे लग रहा था कि हमारे बीच 'अविश्वास' को लेकर जो विवाद हुआ था, इसलिए शायद वह इनकार कर रहा है। अचानक मुझे लगा कि अब मैं यह सब एक पल के लिए भी बरदाश्त नहीं कर पाऊँगी। मेरी आँखों में आँसू भर आए। बिना कुछ कहे मैंने प्लेट मम्मा को लौटाई। फिर गुसलखाने चली गई, ताकि जी भरकर रो सकूँ। उसके बाद पीटर के साथ बात कर चीजें सुलझाने का मैंने निर्णय किया। डिनर से पहले हम चारों उसे शब्द पहली सुलझाने में मदद कर रहे थे, इसलिए मैं कुछ बोल नहीं सकी, लेकिन हम जैसे ही खाना खाने बैठे, मैंने फुसफुसाकर उससे कहा, "पीटर, आज रात तुम शॉर्टहैंड की प्रैक्टिस करने जा रहे हो क्या?"

"नहीं।" उसने जवाब दिया।

"मुझे बाद में तुमसे बात करनी है।" मैंने कहा।

वह मान गया।

बरतनों की सफाई के बाद मैं उसके कमरे में गई और पूछा कि क्या उसने हमारे बीच हुए झगड़े के कारण सॉसेजेस लेने से इनकार किया। सौभाग्य से वजह कुछ और थी। उसे लगा कि इस तरह से एकदम से ले लेना बुरा व्यवहार माना जाएगा। नीचे बहुत अधिक गरमी महसूस हो रही थी। मेरा चेहरा गुड़हल के फूल की तरह लाल हो गया था। इसलिए मार्गो ने माँगा तो उसे पीने के लिए पानी लाकर देने के बाद मैं फिर ताजी हवा लेने ऊपर चली गई। मुँह दिखाने के लिए मैं पहले वैनडैन परिवार की खिड़की के पास जाकर खड़ी रही। फिर मैं पीटर के कमरे में गई। वह खुली खिड़की की बाईं तरफ खड़ा था। मैं दाहिनी तरफ खड़ी हुई। खुले, साफ प्रकाश भरी जगह बात करने से नीम अँधेरे में खुली खिड़की के पास खड़े होकर मन की बात कहना आसान होता है। मुझे लगता है, पीटर को भी शायद ऐसा ही लगता हो। हमने एक-दूसरे को बहुत कुछ बताया, इतना कुछ कि सब यहाँ लिखना संभव नहीं है। बहुत अच्छा लगा। गुप्त भवन में गुजरी वह मेरी सबसे हसीन शाम थी। जिन विषयों पर हममें बातें हुईं, उनका संक्षिप्त विवरण मैं तुम्हें बताती हूँ।

पहले हमने झगड़ों के बारे में बात की। मैंने बताया कि आजकल मैं कैसे झगड़ों को अलग नजरिए से देखती हूँ। फिर बताया कि हम कैसे अपने माता-पिता से अलग हो चुके हैं। मम्मा-डैड और मार्गो और अपने बारे में मैंने पीटर को बताया। उसने पूछा, "तुम लोग हमेशा एक-दूसरे को गुड-नाइट किस देते हो न?"

"एक, हम तो कई कई देते हैं, तुम नहीं देते?"

"नहीं। असल में मैंने कभी किसी को किस नहीं किया।"

"तुम्हारे बर्थ-डे पर भी नहीं?"

"हाँ, अपने बर्थ-डे पर किया है।"

हममें से कोई भी अब अपने अभिभावकों पर विश्वास नहीं करता, इस विषय पर आपस में हम बोले। उसके ममा-पापा आपस में कितना ज्यादा प्रेम करते हैं और काश कि वह उन्हें अपने मन की बात बता पाता, लेकिन वह बताना नहीं चाहता, यह उसने बताया। मैं कैसे बिस्तर में मुँह छिपाकर रोती हूँ और कैसे वह टेरेस पर जाकर गालियाँ बकता है, आदि बातें हमने कीं। मैंने उसे बताया कि मार्गो और मेरी कैसे हाल ही में नए सिरे से पहचान हुई है और फिर भी हम एक-दूसरे को अपने बारे में बहुत कम बताती हैं, क्योंकि हमेशा हम साथ ही रहती हैं। हर कल्पना संभव विषय पर हमने बातें कीं, विश्वास, भावनाएँ और अपने बारे में। ओह किट्टू, वह बिल्कुल वैसा है, जैसा मैंने सोचा था।

उसके बाद हमने सन् 1942 के बारे में बातें कीं। हम उस समय कैसे अलग थे, उस वक्त हम जैसे थे, आज पहचान भी नहीं पाते, आदि। शुरू-शुरू में कैसे हम एक-दूसरे को बिल्कुल पसंद नहीं करते थे। उसने मुझे बकबक करनेवाली माना था और

मैंने उसे अति सामान्य माना था। वह मुझसे फ्लर्ट, यानी हँसी–ठट्ठा क्यों नहीं करता, यह मेरी समझ में नहीं आता था, लेकिन अब मैं खुश हूँ। उसने बताया कि कैसे वह कई बार जाकर अपने कमरे में छुप जाता था। मैंने कहा कि मेरी बकबक, मेरा उल्लास और उसकी चुप्पी एक ही सिक्के के दो पहलू थे और मुझे शांति और निःशब्दता दोनों पसंद थे। अकेले मेरे लिए मेरे पास मेरी डायरी के अलावा कैसे कुछ और नहीं था। सब मुझे कैसे नापसंद करते थे और मि. डुस्सेल से लेकर सबको मेरी अनुपस्थिति कैसे पसंद थी, मैं कैसे हमेशा अपने अभिभावकों के साथ रहना नापसंद करती हूँ, आदि बातें हमने की। मेरे अभिभावकों के बच्चे हैं, यह उसके लिए कितनी खुशी की बात है और वह है, यह मेरे लिए कितनी खुशी की बात है। इस पर भी हममें बातें हुईं।

अब मुझे उसकी अकेले रहने की इच्छा समझ में आ रही है। उसके अपने मम्मा–डैड के साथ रिश्ते और उनके बीच झड़प हो तो कैसे मैं उसकी मदद करना चाहूँगी, यह मैंने उसे बताया।

"तुमने हमेशा मेरी मदद की है।" उसने कहा।

"कैसे!" मैंने पूछा, सुनकर मुझे बड़ा अचरज हुआ था।

"तुम्हारे उल्लास से।" उसने कहा।

पूरी शाम हुई बातचीत में उसने मेरे बारे में यही एक अच्छी बात कही। उसने यह भी बताया कि पहले उसे थी, लेकिन अब मेरे उसके कमरे में जाने पर उसे कोई आपत्ति नहीं है। असल में उसे मेरा वहाँ जाना पसंद था। मैंने उसे बताया कि मम्मा और डैडी द्वार दिए गए प्यार भरे नामों का वैसे कोई मतलब नहीं है और इधर–उधर दिए गए इक्के–दुक्के चुंबनों से विश्वास पनपता नहीं। अपने तरीके से काम करने के बारे में भी हमने बातचीत की, जैसे—डायरी लिखना, अकेलापन झेलना, हरेक के आंतरिक और बाह्य व्यक्तित्व का फर्क, मेरा मुखौटा आदि विषयों पर।

बहुत अच्छा लगा। अब वह मुझसे एक दोस्त की हैसियत से प्रेम करेगा। फिलहाल के लिए इतना काफी है। मैं कृतज्ञ और खुश हूँ, इतनी कि मेरे पास बताने के लिए शब्द नहीं हैं। मुझे तुमसे माफी माँगनी चाहिए, किट्टी, क्योंकि आज मेरे लिखने का अंदाज हमेशा की तरह नहीं है। जो भी मेरे दिमाग में आया, वह मैंने लिख दिया है।

मुझे लगता है कि पीटर और मेरे बीच एक राज पल रहा है। जब भी वह अपनी उन नजरों से मेरी ओर देखता है, उस हँसी के साथ, तो मेरे अंदर एक दीपक जलता है। दिन ऐसे ही गुजरें, ऐसी मैं प्रार्थना करती हूँ और चाहती हूँ कि हमें ऐसी ही सुखदाई घड़ियाँ बार–बार मिलें।

तुम्हारी कृतज्ञ और खुश

ऐन

सोमवार, 20 मार्च, 1944

मेरी प्यारी किट्टी,

आज सुबह पीटर ने पूछा कि क्या मैं किसी शाम और उससे मिलने जाऊँगी? उसने कसम खाकर बताया कि मैं उसे परेशान नहीं करती। उसने कहा, अगर मैं एक शाम उसके साथ गुजार सकती हूँ तो एक और शाम भी उसके साथ बातों में गुजार सकती हूँ। मैंने कहा, मैं हर शाम उससे मिल नहीं सकती, क्योंकि मेरे मम्मा-डैडी को यह ठीक नहीं लगता। उसने कहा, इस बात के बारे में मुझे चिंता नहीं करनी चाहिए। तब मैंने उससे कहा कि मैं किसी शनिवार की शाम आऊँगी। मैंने उससे यह भी पूछा कि वह मुझे चाँद कब देख सकेगा यह बताए।

"जरूर", उसने कहा, "हम नीचे जाकर वहाँ से चाँद देख सकेंगे शायद।" मैंने उसकी बात मानी। मुझे चोरों से डर नहीं लगता।

इसी दरमियान, मेरी खुशियों पर एक साया पड़ा था। लंबे समय तक मुझे लगता था कि मार्गो पीटर को पसंद करती है। कितना? मुझे पता नहीं था, लेकिन वे स्थितियाँ ही बेहद अप्रिय थीं। लगता था कि जब भी मैं पीटर से मिलने जाती थी, अनजाने में उसे दु:खाती थी। मजेदार बात यह कि वह कभी इस बात को व्यक्त नहीं करती थी। मैं उसकी जगह होती तो मुझे बड़ी जलन होती, लेकिन मार्गो कहती है कि मुझे उसके लिए बुरा महसूस नहीं करना चाहिए।

"मुझे इसलिए बुरा लगता है कि केवल तुम ही अकेली रह गई हो।" मैंने कहा।

"मुझे इसकी आदत हो गई है।" उसने कहा। उसके स्वर में थोड़ी कड़वाहट थी। यह मैं पीटर से कहने का साहस नहीं रखती। हो सकता है आगे चलकर कभी बता दूँ, पहले उसे और मुझे कई अन्य बातों पर चर्चा करनी होगी। मल रात मम्मा ने मुझे थप्पड़ मारा। असल में मैंने वह थप्पड़ कमाया था। उनके बारे में उपेक्षा और अवहेलना मुझे ज्यादा बढ़ानी नहीं चाहिए। चाहे जो हो एक बार फिर मुझे उनसे दोस्ती कर लेनी चाहिए और अपनी टिप्पणियाँ अपने तक ही सीमित रखनी चाहिए।

पिम भी अब पहले की तरह नहीं रहे। मेरे साथ बच्चों सा व्यवहार नहीं करने की वे कोशिश कर रहे हैं, लेकिन अब उनके बरताव में ठंडापन आ गया है। आगे चलकर क्या होता है, देखना पड़ेगा। उन्होंने मुझे चेतावनी दी है कि अगर मैं अंकगणित न करूँ तो युद्ध के बाद मुझे किसी क्लास में प्रवेश नहीं दिलाया जाएगा। इस बारे में भी मुझे बस क्या होता है, इसका इंतजार ही करना पड़ेगा। मैं फिर से शुरुआत करना चाहती हूँ, बशर्ते कि मुझे नई किताब मिले।

अब के लिए बस इतना ही। मैं आजकल बस पीटर की तरफ देखती हूँ तो मेरा दिल भावनाओं से भर-भर आता है।

तुम्हारी

ऐन.एम. फ्रैंक

मार्गो की अच्छाई का सबूत। यह आज ही मुझे मिला 20 मार्च, 1944 को। ''ऐन, कल जब मैंने कहा कि मैं तुमसे जलती नहीं, मैं पूरा सच नहीं बता रही थी। स्थितियाँ कुछ ऐसी हैं। मैं तुम्हारे या पीटर के बारे में जलती नहीं हूँ। मुझे अपने विचार और भावनाएँ बाँटने के लिए कोई मिला नहीं और जल्दी मिलनेवाला नहीं, इसीलिए मैं कामना करती हूँ, तहेदिल से कामना करती हूँ कि तुम दोनों आपस में एक-दूसरे पर विश्वास कर सकोगे। यही की कई सारी बातें जिन्हें लोग अपरिहार्य मान बैठे हैं, आजकल तुम तक पहुँचती नहीं हैं।

दूसरी तरफ पीटर के साथ मैं कभी इतनी अंतरंग नहीं हो पाती, इसका मुझे यकीन है। किसी व्यक्ति की नजदीकी महसूस किए बिना मैं अपने विचार उसके साथ साझा नहीं कर सकती। मेरे मन को यह विश्वास हो कि उसने मुझे भली-भाँति जाना है, भले मैंने अपनी तरफ से कुछ कहा न हो, तभी मैं किसी के साथ अपने विचार बाँट सकती हूँ। इसीलिए मुझे ऐसे व्यक्ति की तलाश है, जो मुझसे बेहतर बौद्धिक क्षमता रखता हो और पीटर ऐसा नहीं है, लेकिन तुम्हारी उसके साथ नजदीकी मैं समझ सकती हूँ। इसलिए तुम अपने आपको दोषी मत ठहराओ। तुम्हें लगता है कि जिस पर मेरा अधिकार था, वह तुमने किया, लेकिन यह गलत है। तुम्हारी दोस्ती से तुम्हें और पीटर को लाभ ही होगा।''

इसका मैंने जो जवाब दिया—

मेरी प्यारी मार्गो,

तुमने बड़ी सहृदयता से खत लिखा है, लेकिन फिर भी स्थितियों के बारे में खुश नहीं हूँ और मुझे लगता नहीं कि मैं कभी खुश होऊँगी। फिलहाल, जैसा तुम्हें लगता है, वैसे मेरे और पीटर के बीच में बहुत अधिक विश्वास नहीं है। बस यों समझो कि दिन की तेज रोशनी के बजाय जब तुम चाँदनी रात में किसी खुली खिड़की के पास खड़े रहते हो, तब दिल खोलकर बात कर सकते हो। छत पर खड़े होकर चिल्लाने से ज्यादा हम फुस-फुसाकर अपनी भावनाएँ अच्छी तरह से व्यक्त कर सकते हैं। मुझे लगता है, पीटर के बारे में तुम्हारे मन में बहन का सा वात्सल्य उमड़ा है और तुम उसकी उतनी ही मदद करना चाहती हो, जितनी कि मैं करती। हो सकता है कभी तुम कर भी पाओगी; हालाँकि हम उस तरह के विश्वास की बात नहीं कर रहे। मुझे लगता है विश्वास दोनों

तरफ से होना चाहिए। मुझे लगता है कि इसी कारण कभी एक-दूसरे के इतने करीब नहीं आ पाए, लेकिन अब हम इस विषय में बातें नहीं करेंगे। अगर तुम्हें अभी किसी और विषय पर चर्चा करनी हो तो लिख देना प्लीज, क्योंकि आमने-सामने बोलने से ज्यादा मुझे अपनी बात कागज पर लिखकर व्यक्त करना अच्छी तरह आता है। तुम्हें पता है कि मैं तुम्हारा कितना आदर करती हूँ। मैं बस यही चाहती हूँ कि तुम्हारी और डैड की अच्छाई का कुछ अंश मुझमें उतरे, क्योंकि इस बारे में तुम दोनों में काफी समानता है।

तुम्हारी ऐन

बुधवार, 22 मार्च, 1944

मेरी सबसे प्यारी किट्टी,

कल रात मार्गो से मुझे यह चिट्ठी मिली—

प्रिय ऐन,

कल की तुम्हारी चिट्ठी से मुझे लग रहा है कि तुम जब भी पीटर से मिलने जाती हो, काम से या बातचीत करने के लिए तब तुम्हारी सद्विवेक बुद्धि तुम्हें कोंचती रहती है। यह खयाल बहुत ही अप्रिय है। उसकी कोई वजह नहीं है। मेरे मन में मुझे लगता है कि कोई-न-कोई होगा, जो मेरे विश्वास का हकदार होगा। जैसा कि मैं उसके विश्वास की हकदार होऊँगी और उस व्यक्ति की जगह मैं पीटर को सह नहीं सकती।

हालाँकि जैसा कि तुमने लिखा है, पीटर के बारे में मेरे मन में भाई जैसी भावना है—छोटे भाई जैसी। हम एक-दूसरे को अभी आँक रहे हैं, हो सकता है, आगे कभी हममें ऐसी कोई भावना न पनपे, लेकिन अभी हम ऐसी स्थिति तक नहीं पहुँचे हैं, यह मैं तुम्हें निश्चित तौर पर बता सकती हूँ। इसलिए मेरे बारे में तुम्हें अपने आपको बुरा मानने की जरूरत नहीं है। अब जब तुम्हें संगत मिल गई है तो उसका आनंद लो।

यहाँ बातें ठीक से बेहतर होती जा रही हैं। मुझे लगता है, किट्टी, गुप्त भवन में सच्चे प्यार का उदय हो रहा है। हम लंबे समय तक अगर यहीं रहे तो पीटर के साथ शादी करने को लेकर किया जाने वाला हँसी-मजाक शायद सच ही हो जाए। याद रखो, मैं उससे शादी करने के बारे में नहीं सोच रही। वह जब बड़ा होगा, तब कैसा बनेगा, इसका मुझे पता तक नहीं है और पता नहीं, शादी करने जितना हम दोनों के बीच प्यार है भी या नहीं।

अब एक बात का मुझे यकीन हो गया है कि पीटर भी मुझसे प्यार करता है। मुझे बस यह पता नहीं है कि वह क्या सोचकर प्यार करता है। उसे केवल एक अच्छे दोस्त

की जरूरत है या एक लड़की की और वह आकर्षित हुआ है या कि उसे मुझमें बहन की तलाश है, यह मैं नहीं जानती। उसके मम्मा-पप्पा में जब झगड़ा होता है, तब हर बार मैं उसकी मदद करती हूँ, ऐसा जब उसने कहा तो मुझे बहुत अच्छा लगा। उसकी दोस्ती में मेरे विश्वास कर पाने की दिशा में वह पहला कदम उठा था। कल मैंने उससे पूछा कि अगर दर्जन भर ऐन बार-बार उससे मिलने आती रहेंगी तो उसे कैसा लगेगा? जवाब में उसने कहा, "अगर वे सब तुम्हारी तरह होंगी तो उतना बुरा भी नहीं होगा।" वह बेहद आतिथेय है और मुझे लगता है कि उसे भी मुझसे कितना अच्छा लगता है। दरमियान के समय में वह बहुत मेहनत से फ्रेंच भाषा की पढ़ाई कर रहा है। रात् बिस्तर में जाने बाद भी सवा दस बजे तक वह पढ़ता रहता है।

जब-जब रात होती है, मुझे हमारी बातचीत याद आती है, हमारे शब्द याद आते हैं, तब पहली बार मुझे पूरी तरह संतोष प्राप्त होता है। मेरा मतलब है कि मैं अभी भी अपनी बात ही रखना चाहूँगी, किसी तरह का बदलाव मुझे उसमें नहीं चाहिए, जैसा कि हर बात-घटना दुबारा याद आने पर मैं उसमें कुछ न कुछ बदलने की सोचती हूँ। खड़ा हो या चाहे चुपचाप बैठा हो, कितना सुंदर दिखाई देता है वह। मेरे बारे में उसे सबसे ज्यादा चौंकाने वाली बात यही लगी होगी कि मुझमें दिखाऊ कुछ भी नहीं, दुनियादार दिखाई देने वाली ऐन असल में सपने देखने वाली, सपनों में खाने वाली है, बिल्कुल उसके जैसी, बस उससे कुछ अधिक संकटों से घिरी।

कल रात खाना खाने के बाद मैं राह देख रही थी कि वह मुझे ऊपर बुलाएगा, लेकिन उसने कुछ कहा नहीं। मैं चली आई। वह नीचे आकर मि. डुस्सेल से बोला कि रेडियो सुनने का समय हो गया है, फिर गुसलखाने के आस-पास कुछ देर तक वह खड़ा रहा, लेकिन जब उसे लगा कि डुस्सेल को कुछ ज्यादा ही समय लग रहा है तो वह वापस ऊपर लौट गया। कुछ देर तक अपने कमरे में ही चहलकदमी करने के बाद वह थोड़ा जल्दी ही सो गया।

पूरी शाम मैं इतनी बेचैन रही कि थोड़े-थोड़े समय के बाद गुसलखाने में जाकर चेहरे पर पानी के छींटे देकर आती रही। कुछ देर तक मैं पढ़ती रही, कुछ देर आँखें खुली रख कल्पना-लोक में विचरती रही, घड़ी की ओर देखकर इंतजार करती रही, इंतजार करती रही, करती रही, ऊपर से आती उसके कदमों की आहट सुनते हुए थककर मैं भी जल्दी ही सोने चली गई।

आज रात मुझे नहाना पड़ेगा और कल?

कल बहुत···बहुत दूर है।

तुम्हारी
ऐन.एम. फ्रैंक

मेरा जवाब :

मेरी प्रिय मार्गो,

मुझे लगता है कि रुककर, आगे क्या होता है, इसका इंतजार करना ही सबसे बेहतर तरीका होगा। हम जैसे पहले थे, वैसे बन जाएँ या और अलग कुछ करें, इसका हमें जल्द ही फैसला करना होगा। मुझे इसका अंदाजा नहीं है कि क्या होगा। मैं अपनी नाक से आगे देख नहीं पाती हूँ।

हालाँकि एक बात का मुझे पक्का यकीन है। अगर मैं और पीटर दोस्त बन जाते हैं तो मुझे उसे यह बताना पड़ेगा कि तुम भी उसे पसंद करती हो और जरूरत पड़े तो तुम भी उसकी मदद करने के लिए तैयार हो। मुझे यकीन है कि तुम नहीं चाहती कि मैं भी मदद करूँ, लेकिन मैं इसकी परवाह नहीं करती। पीटर तुम्हारे बारे में क्या सोचता है, इसका मुझे पता नहीं है, लेकिन समय आने पर मैं उससे यह बात पूछूँगी। इसमें निश्चित तौर पर कोई बुराई नहीं है, बल्कि यह तो अच्छी बात होगी। बालाखाने में हमारे साथ तुम्हारा स्वागत है या जब हम वहाँ होंगे, तब तुम आना। तुम्हारे आने से हमारे बीच कोई व्यवधान नहीं पहुँचेगा। भले हम बालाखाने में हों या कहीं और। तुम्हारे कारण हमें किसी तरह कोई परेशानी नहीं होगी, क्योंकि हममें एक बात बिन बोले तय हुई है, हम केवल शाम के समय ही बातें करते हैं, जब अँधेरा हो जाता है तब।

अपने मन को उल्लसित रखना। मैं अपनी तरफ से भरसक कोशिश कर रही हूँ; हालाँकि यह हर समय संभव नहीं होता। तुम्हारा समय तुम्हें लगता है, उससे बहुत जल्द आने वाला है।

तुम्हारी ऐन

गुरुवार, 23 मार्च, 1944

मेरी सबसे प्यारी किट्टी,

यहाँ कमोबेश चीजें सामान्य स्थिति में आई हैं। हमारे कूपन वालों को जेल से रिहा कर दिया है। भगवान् का लाख-लाख शुक्र है। मीप कल से काम पर लौट आई है, लेकिन आज उनके पति की बारी थी बीमार होने की। उन्हें ठंड लगी और बुखार चढ़ा है। सामान्य ज्वर के लक्षण हैं। बेप की हालत बेहतर है। हालाँकि उसे भी खाँसी है और मि. क्लीमन को लंबा समय घर पर ही बिताना होगा। कल पास ही में एक हवाई जहाज गिरा। जहाज पर सवार कर्मचारी समय रहते पैराशूट लगा कर कूद सके। हवाई जहाज एक स्कूल पर गिरा, लेकिन सौभाग्य से उस वक्त बच्चे स्कूल में नहीं थे। थोड़ी आग भड़की और कुछ लोग मारे गए। हवाई जहाज से जब कर्मचारी

उतरे, तब जर्मनों ने उन पर गोलियाँ चलाईं। एमस्टरडम के जिन लोगों ने यह देखा, यह कायराना और क्रूरता भरा कृत्य देखकर उनका खून खौला। हम औरतों की तो डर के मारे हालत यह थी कि काटो तो खून नहीं। बर्रर्रर्रऽ मुझे बंदूक के चलने की आवाज से सख्त नफरत है।

अब अपने बारे में।

कल मैं पीटर के साथ थी और किसी तरह, ईमानदारी से कह रही हूँ, कैसे यह विषय निकला, पता नहीं, हम सेक्स के बारे में बातें करने लगे। उसे कुछ बातें पूछने का मैंने बहुत पहले से मन बना रखा था। उसे हर बात का पता होता है। मैंने जब कहा कि मैं और मार्गो को काफी मामलों की जानकारी नहीं है, तब उसे अचरज हुआ। मैं उसे अपने और मार्गो के बारे में बहुत कुछ बताती रहती हूँ। ममा और डैड के बारे में भी बताती हूँ। फिर मैंने कहा कि इधर कुछ समय से मैं उनसे कुछ पूछने का साहस नहीं जुटा पाती। उसने मुझे मदद का आश्वासन दिया। मैंने कृतज्ञता के साथ उसके आश्वासन को स्वीकारा। उसने बताया कि गर्भ निरोधक कैसे काम करते हैं। मैंने फिर सीधे ही उससे पूछा कि लड़के बड़े हो गए हैं, यह कैसे पहचाना जा सकता है? उसे इस बारे में थोड़ा सोचना पड़ा। उसने कहा कि वह शाम को बताएगा। जैक के साथ क्या हुआ था, यह मैंने उसे बताया, मैंने कहा कि ताकतवर लड़कों के सामने लड़कियाँ असुरक्षित हो जाती हैं। वह बोला, "खैर, तुम्हें मुझसे डरना नहीं होगा।"

उस शाम जब मैं लौटी, तब उसने लड़कों के बड़े होने के बारे में बताया। थोड़ी सकुचाहट हुई, लेकिन उसके साथ इस विषय पर चर्चा कर पाना बहुत अच्छा लगा। उसे नहीं लगा था कि किसी लड़की के साथ वह इस विषय पर खुले आम चर्चा कर पाएगा और किसी लड़के के साथ इस विषय पर खुले आम मैं बातचीत कर पाऊँगी। इसकी मैंने कल्पना तक नहीं की थी। अब मैं सबकुछ जानती हूँ, ऐसा मुझे लगता है। जर्मन में गर्भनिरोधक शब्द का उच्चारण वह थोड़े अजीब ढंग से करता है, लेकिन इस बात की उसने मुझे पूरी-पूरी जानकारी दी।

उस रात मार्गो और मैं गुसलखाने में मार्गो की दोस्त ब्रैम तथा ट्रीस के बारे में बातें कर रही थीं।

आज सुबह मुझे बहुत धक्का लगने वाला था। नाश्ते के बाद पीटर ने मुझे ऊपर आने का इशारा किया। मैं पहुँची, तब उसने कहा, "तुमने मेरे ऊपर यह गंदी चाल चली। कल रात तुम्हारे और मार्गो के बीच बाथरूम में जो बातें चल रही थीं, वे मैंने सुनीं। मुझे लगता है, तुम सिर्फ यह जानना चाहती थी कि देखें तो पीटर कितना जानता है और फिर तुम मुझ पर हँसना चाहती थी।"

मैं अचंभित थी। इस अजीब खयाल से उसे छुटकारा दिलाने के लिए मैंने बहुत कोशिशें कीं। उसे कैसा लग रहा होगा, इसका मुझे अहसास था, लेकिन वह जो सोच रहा था, वैसा कुछ नहीं था।

"अरे नहीं, पीटर।" मैंने कहा। मैं कभी इतनी ओछी और खोटी हरकत नहीं करूँगी। तुमने मुझसे जो कुछ कहा, वह मैं किसी और को नहीं बताऊँगी, कभी नहीं। तुमसे ऐसे विषय के बारे में पूछने का बस नाटक करना और फिर इतनी ओछी हरकत पर उतर आना...नहीं पीटर, इस तरह की बात को मैं मजाक नहीं समझती।

यह ठीक भी नहीं होता; हालाँकि मैंने कुछ नहीं कहा, ईमानदारी से। क्या तुम्हें मुझ पर विश्वास नहीं ? उसने यकीन दिलाया कि उसे मुझ पर भरोसा है, लेकिन लगता है, इस विषय पर उसके साथ मुझे एक बार और बात करनी पड़ेगी। शुक्र है कि उसने सीधे बात कह दी, सोचो अगर वह इस बात को मन में दबाकर सोचता रहता कि मैं इतनी नीच हूँ। कितना अच्छा है वह। अब हर बात मुझे उसे बतानी पड़ेगी।

तुम्हारी ऐन

शुक्रवार, 24 मार्च, 1944

प्रिय किट्टी,

आजकल अकसर रात के खाने के बाद मैं पीटर के कमरे में जाती हूँ। शाम की ताजी, साफ हवा मुझे सूँघनी जो थी। दिन की तुलना में अँधेरे में आप अर्थ गहन संवाद तुरंत छेड़ सकते हैं। उसके पड़ोस में बैठे-बैठे तो मुझे बहुत सुखद और आरामदेह लग रहा था। हम दोनों एक कुरसी पर बैठकर बाहर देख रहे थे। मैं जब पीटर के कमरे में जाती हूँ, तब पीटर के मम्मा-पप्पा और मि. डुस्सेल मूर्खतापूर्ण टिप्पणियाँ करते हैं। 'ऐन का दूसरा घर' कहते हैं। या फिर "क्या किसी संभ्रांत व्यक्ति का रात के समय बिजली गुल करने के बाद अपने कमरे में किसी युवती को आने देना योग्य है ?" आदि इस तथाकथित चुटकुलेबाजी का सामना करते हुए पीटर की कमाल की हाजिरजवाबी का पता चलता है। मेरी मम्मा को भी बेहद उत्सुकता हो रही है। हममें क्या बातचीत होती है, यह पूछने के लिए वे उतावली हो रही हैं। हालाँकि अंदर-ही-अंदर उन्हें ऐसा भी लगता है कि कहीं मैं जवाब देने से इनकार न कर जाऊँ। पीटर का कहना है कि बड़ों को केवल इसलिए जलन हो रही है, क्योंकि हम युवा हैं और इसलिए उनकी ऊलजलूल टिप्पणियों को हमें दिल से नहीं लगा लेना चाहिए।

कभी-कभी वह मुझे लेने नीचे चला आता है। इससे थोड़ी सकुचाहट होती है, क्योंकि वह चाहे जितनी सावधानी बरते, उसका चेहरा लाल हो जाता है और उसके मुँह

से बोल ही नहीं फूटते। शुक्र है कि मैं इस तरह शरमाती नहीं। बहुत अटपटा महसूस होता होगा उसे।

इसके अलावा मुझे एक और बात की फिक्र है। पूरे समय मार्गो को नीचे अकेले बिताना पड़ता है, जबकि मैं ऊपर पीटर के साथ होती हूँ, लेकिन मैं इस बारे में क्या कर सकती हूँ? वह मेरे साथ ऊपर आए तो मुझे कोई हर्ज नहीं, लेकिन यहाँ आकर भी वह अकेली ही बैठी रहेगी।

हमारी इस अप्रत्याशित दोस्ती को लेकर मुझे अनगिनत टिप्पणियाँ, ताने सुनने पड़े हैं। कितनी बार लंच की टेबल पर 'युद्ध अगले पाँच वर्षों तक अगर जारी रहा तो गुप्त भवन में होनेवाली शादी' के चर्चे छिड़ते हैं, मैं आपसे नहीं कह सकती। अभिभावकों के बीच चलनेवाली इस हल्की-फुल्की बातचीत पर हम कितना ध्यान देते हैं? तो बहुत कम ध्यान देते हैं, क्योंकि उनकी बातचीत बेमतलब ही होती है। वे भी कभी युवा थे, यह मेरे ममा-डैड क्या भूल गए हैं? शायद हाँ, लगता तो ऐसा ही है। जो हो, हम गंभीर होते हैं, तब भी वे हम पर हँसते हैं और हम मजाक करते हैं, तब वे गंभीर होते हैं।

आगे क्या होगा, मैं नहीं जानती या मैं यह भी नहीं जानती कि शायद कुछ कह पाने के लिए हमारे पास कुछ बचेगा भी या नहीं, लेकिन अगर यह सब ऐसे ही चलता रहा तो वह समय भी आएगा, जब हम किसी से बात ही नहीं करेंगे। काश कि उसके ममा-पापा इतना अजीब तरह से पेश आना बंद कर देते। वे इसलिए अजीब बरतते हैं, क्योंकि उन्हें शायद मेरा बार-बार वहाँ जाना अच्छा नहीं लगता। पीटर और मैं कभी भी उन्हें यह नहीं बताते कि हममें क्या बातचीत होती है। हममें इतनी निजी बातों को लेकर चर्चा होती है, यह उन्हें अगर पता चलेगा, तब की सोचिए!

मुझे पीटर से एक और बात पूछनी है कि वह यह कि लड़कियाँ नीचे से कैसे दिखती हैं, क्या वह जानता है? लड़कों की शरीर रचना लड़कियों की शरीर रचना जितनी जटिल नहीं होती। तसवीरों में या नंगे मॉडलों की फोटो में आप बड़े साफ तौर से देख सकते हैं कि लड़के कैसे दिखाई देते हैं, लेकिन औरतों के साथ ऐसा नहीं है। लड़कियों के जननांग उनके पैरों के बीच छिपे होते हैं। शायद इतनी नजदीकी से पीटर ने किसी लड़की को देखा नहीं होगा। असल में मैंने भी नहीं देखा है। लड़की के शरीर के अंगों का वर्णन मैं कैसे करूँ? उसने यही कहा था कि उसे इस बात का अचरज लगता कि ये चीजें आपस में फिट कैसे बैठती हैं? वह गर्भाशय ग्रीवा के बारे में बोल रहा था। यह स्त्री के शरीर के अंदर होती है, जिसे देखा नहीं जा सकता। औरतों का हर अंग बेहद सलीके से बना है। ग्यारह-बारह की उम्र तक मुझे पता नहीं था कि बाहर की तरह अंदर भी मादा जननांग की मुड़ी त्वचा होती है, क्योंकि बाहर से वह दिखाई नहीं देती। इससे भी मजेदार बात यह कि पहले मुझे लगता था कि पेशाब जननांग की मुड़ी

हुई त्वचा से ही निकलता है। एक बार मैंने मम्मा से पूछा भी था कि मुड़ी हुई त्वचा के बीच यह उभरा हुआ सा कुछ है, वह क्या है ? उन्होंने कहा कि उनको पता नहीं। उन्हें जब कुछ बताना नहीं होता, तो वे ऐसे ही न जानने का बहाना करती हैं।

लेकिन मॉडल के बगैर आप कैसे बता सकते हैं कि वह कैसे दिखता है ? मैं कोशिश करती हूँ।

जब आप खड़ी होती हो, तब सामने की ओर से आपको केवल बाल दिखाई देते हैं। पैरों के बीच दो नरम चीजें होती हैं, जिन पर भी बाल होते हैं। आप खड़े होते हो, तब वे आपस में चिपकी रहती हैं। इसलिए उनके अंदर क्या है, यह आप देख नहीं सकते। जब आप बैठती हैं, तब वे अलग होती हैं, तब पता चलता है कि वे अंदर से मांसल और लाल होती हैं। बाहरी मुड़ी त्वचा के बीच ऊपर की तरफ फोड़े की तरह उभरा हिस्सा होता है। उसे मादा-शिश्न कहते हैं। उसके बाद होती है अंदर की मुड़ी हुई त्वचा। वह भी चुन्न के रूप में एक-दूसरे से चिपकी रहती है। वह जब खुलती है, तब आपको मांसल उभार दिखाई देता है, जो अँगूठे के सामनेवाले हिस्से के बराबर होता है। इस मांसल उभार के ऊपरी हिस्से में कुछ छेद होते हैं, जहाँ से पेशाब बाहर निकलता है। इस अंग का निचला आधा हिस्सा त्वचा की तरह दिखता है, लेकिन वही स्त्री का गुप्तांग है। बड़ी मुश्किल से वह दिखाई देता है, क्योंकि मुड़ी हुई त्वचा उसे ढके रहती है। वह इतना छोटा छेद होता है कि पुरुष वहाँ कैसे प्रवेश कर सकता है, इसका मुझे बड़ा अचरज लगता है और उससे ज्यादा अचरज इस बात का लगता है कि जहाँ से एक उँगली अंदर डालना भी मुश्किल होता है, वहाँ से बच्चा कैसे पैदा होता है ? यही सब है और इसका मानव जीवन में कितना महत्त्वपूर्ण कार्य होता है।

तुम्हारी
ऐन.एम. फ्रैंक

शनिवार, 25 मार्च, 1944

मेरी सबसे प्यारी किट्टी,

जब कुछ घटता है, तभी पता चलता है कि आपमें कितना बड़ा बदलाव आया है। मुझमें बड़ी तेजी से यह बदलाव आया है, अब पहलेवाली मुझसे आज की मैं बिल्कुल अलग हूँ। मेरे मत, कल्पनाएँ, मेरी महत्त्वपूर्ण राय, सबमें बदलाव आया है। अंदर से, बाहर से कुछ भी पहले जैसा नहीं रहा और मैं सावधानी से यह भी जोड़ना चाहूँगी, क्योंकि यही सही है, मुझमें जो बदलाव आए हैं, वे बेहतरी के लिए ही आए हैं। एक बार मैंने तुमसे कहा था कि सालों तक लाड़-प्यार में पलने के बाद बड़ों की कठोर

और झिड़कियों भरी जिंदगी से मेल बैठाना मेरे लिए कितना कठिन था। हालाँकि मुझे जितना सहना पड़ा, उसके लिए मम्मा और डैड ही जिम्मेदार हैं। घर में रहते थे, तब वे चाहते थे कि मैं जिंदगी के मजे लूँ। वह तो ठीक था, लेकिन यहाँ उन्हें मुझे अपने साथ हाँ में हाँ मिलाने के लिए नहीं कहना चाहिए था। झगड़ों और गॉसिप्स में उन्हें मुझे केवल अपना पक्ष नहीं बताना चाहिए था। लंबे समय के बाद मुझे यह बात समझ में आई कि दोनों पक्ष बराबर के हिस्सेदार हैं। अब मुझे पता है कि यहाँ कई तरह की गलतियाँ की गई हैं। छोटों और बड़ों का उसमें बराबर-बराबर का हिस्सा रहा है। वैनडैन के साथ पेश आने में मम्मा-डैड से बस से बड़ी गलती वही हुई है कि वे निष्पक्ष और मैत्रीपूर्ण नहीं रहे। (सही है, मैत्री का वे बहाना भी बना सकते थे।) इसके बावजूद मैं शांति बनाए रखना चाहती हूँ। झगड़ने या गप्प लड़ाने में मेरी कोई दिलचस्पी नहीं है। डैड और मार्गो के साथ यह मुश्किल नहीं है, लेकिन मम्मा के साथ है। इसीलिए वह जब कभी-कभार मुझसे गुस्सा होती हैं तो वह मुझे अच्छा ही लगता है, मिस्टर वैन डैन की बात अलग है। आप उनके कहे में हाँ से हाँ मिलाओ, वे तुम्हारी तरफदारी करेंगे। बस शांति के साथ सुनते जाओ, बीच-बीच में कुछ कहो मत और सबसे महत्त्वपूर्ण बात उनके चिढ़ाने का तथा चुटकुलों का अपनी तरफ से चुटकुले सुनाकर जवाब दो। मिसेज वैनडी को जीतना हो तो उनके साथ दिल खोलकर बातें करो। अपनी गलती हो तो मान लो। वे भी खुले दिल से अपनी गलतियाँ मान लेती हैं, जो उनसे बहुत सारी होती हैं। शुरुआत में जैसे उनकी मेरे बारे में बुरी राय थी, वह अब नहीं रही है, यह मैं जानती हूँ। यह हो पाया सिर्फ इसलिए, क्योंकि मैं ईमानदार हूँ। लोगों को उनके मुँह पर मैं उनके बारे में क्या सोचती हूँ, यह बता देती हूँ, भले वह उन्हें पसंद आए या नहीं। मैं ईमानदार रहना चाहती हूँ। ईमानदारी आपको आगे ले जाती है और अपने आपके बारे में बेहतर महसूस कराती है।

कल मिसेज वैनडी मि. क्लीमन को हमारे द्वारा दिए गए चावल के बारे में बात कर रही थीं। हम बस देते ही रहते हैं, लेकिन हर बात की एक हद तो होती है न? अगर वे खुद थोड़ी मेहनत करें तो अपने लिए थोड़े चावल तो जुटा ही सकते हैं। हम अपना सामान क्यों बाँटते रहें? हमें उन चीजों की कितनी ज्यादा जरूरत है।

''नहीं, मिसेज वैनडैन,'' मैंने उनसे कहा, ''मैं आपसे सहमत नहीं हूँ। जरूर मि. क्लीमन अपने लिए थोड़े चावल जुटा सकते हैं, लेकिन उन्हें ऐसा करना पसंद नहीं है। जो लोग हमारी मदद कर रहे हैं, उनकी बुराई करना हमें शोभा नहीं देता। हमें अगर संभव हो तो उन्हें जिस चीज की जरूरत है, वह उन्हें देनी चाहिए। हफ्ते में एकाध बार अगर एक कटोरी चावल कम खाना पड़े तो कोई फर्क नहीं पड़ता, हम उनके बदले बींस तो खा ही सकते हैं।''

मिसेज वैनडी बात को इस तरह समझ नहीं सकती थीं, लेकिन उन्होंने कहा कि भले वे मेरी राय से सहमत नहीं हैं, वे पीछे हटने के लिए तैयार हैं। उनका इस तरह का बरताव ही असल में एक अजूबा था।

खैर, बहुत कुछ कह दिया मैंने। कभी-कभी मुझे अपनी जगह का पता चलता है। कभी मेरे मन में संदेह पैदा होते हैं, लेकिन मुझे जो करना होता है, वह मैं करके रहती हूँ। मुझे इसका पक्का पता है, खासकर अब, क्योंकि अब मेरी मदद करने के लिए कोई है। ऐसे कठिन प्रसंगों में पीटर मेरी मदद करता है।

उसे मुझसे कितना प्रेम है, मैं नहीं जानती, न ही यह जानती हूँ कि कभी हम एक-दूसरे को चूमने तक भी आगे बढ़ेंगे या नहीं। जो हो, मैं जबर्दस्ती आगे बढ़ना नहीं चाहती। मैंने डैड से कहा, मैं कई बार पीटर से मिलने जाती हूँ, उन्हें इस बारे में कोई आपत्ति तो नहीं है, अर्थात् उन्हें कोई आपत्ति नहीं थी।

केवल अपने तक सीमित रखनेवाली कई बातें अब पीटर से मैं आसानी से कह पाती थी। उदाहरण के तौर पर, आगे चलकर मैं लिखना चाहती हूँ, क्या मैं लेखिका बन सकती हूँ, मैंने जो लिखा है, उसे और आगे बढ़ा सकती हूँ?

धन या संपत्ति के तौर पर मेरे पास ज्यादा कुछ नहीं है, मैं खूबसूरत नहीं हूँ, मैं सुंदर नहीं हूँ, विद्वान् या चतुर भी नहीं हूँ, लेकिन मैं खुश हूँ और मैं हमेशा खुश रहना चाहती हूँ। मैं पैदाइशी खुश व्यक्ति हूँ, मुझे लोग पसंद हैं, मैं लोगों पर विश्वास करना जानती हूँ और मैं चाहती हूँ कि हर कोई खुश रहे।

तुम्हारी समर्पित दोस्त
ऐन.एम. फ्रैंक

एक खुला, रौशन लेकिन खाली...
दिन रात की तरह ही अँधेरा होता है।

(कुछ हफ्तों पहले मैंने यह लिखा, लेकिन अब यह सच नहीं है। फिर भी मैं इसे यहाँ जोड़ रही हूँ, क्योंकि कविताएँ मैं बहुत कम लिखती हूँ।)

सोमवार, 27 मार्च, 1944

मेरी सबसे प्यारी किट्टी,

गुप्त रूप से बिताए हमारे जीवन की किताब में कम-से-कम एक बड़ा अध्याय राजनीति पर होना चाहिए। मैं अब तक इस विषय को टालती रही हूँ। केवल इसलिए कि इस विषय में मेरी कोई दिलचस्पी नहीं है। आज हालाँकि एक पूरा खत मैं राजनीति को समर्पित कर रही हूँ।

इस विषय पर लोगों की कई राय हैं, युद्ध के समय में बार-बार यह विषय कानों से टकराए, इसमें भी कोई आश्चर्य नहीं, लेकिन राजनीति को लेकर बहुत हल्ला मचाना मूर्खता ही है। उन्हें हँसने दो, गालियाँ बकने दो, शर्तें लगाने दो, चिड़चिड़ाने या और जो वे करना चाहते हैं, करने दो, जब तक कि वे अपना खून जलाते रहें, लेकिन उन्हें हुज्जत न करने दो, क्योंकि उससे बातें बिगड़ जाती हैं। जो लोग बाहर से आते हैं, वे हमारे लिए ढेर सारी खबरें ले आते हैं। बाद में वे सारी खबरें गलत साबित होती हैं। अब तक कभी हमारे रेडियो ने गलत खबरें नहीं दी हैं। जान, मीप, मि. क्लीमन, बेप और मि. कुग्लर अपने मूड के हिसाब से राजनीतिक ऊँच-नीच बताते हैं, हालाँकि जान थोड़ा कम।

यहाँ एनेक्स में कभी मूड बदलता नहीं। हमले, हवाई हमले, भाषण आदि पर अंतहीन विवाद छिड़ते हैं। इनकी खबरें सुनते वक्त 'इंपॉसिबल', 'अरेरे! भगवान् के लिए' जैसे अनगिनत उद्गार निकलते हैं। 'अगर वे अब शुरुआत कर रहे हैं, तो पता नहीं यह कब तक चलेगा।' 'बहुत बढ़िया, अच्छा चल रहा है।' आदि-आदि ।

आशावादी, निराशावादी और सत्यवादी भी बिना थके अपने मत व्यक्त करते रहते हैं। अन्य बातों की तरह ही उन सबको यकीन होता है कि सत्य पर केवल उन्हीं का एकाधिकार है। एक महिला को इस बात से चिढ़ होती है कि उसके पति का अंग्रेजों पर अटूट विश्वास है तो एक पति अपनी पत्नी पर केवल इसलिए हल्ला बोलता है, क्योंकि वह प्रिय देश को लेकर हमेशा उसे चिढ़ाती है और अपमानजनक टिप्पणियाँ करती रहती है।

इसी प्रकार सुबह तड़के से लेकर देर रात तक सब चलता रहता है। मजेदार बात यह कि वे इन बातों से कभी थकते नहीं। मैंने एक तरकीब ढूँढ़ निकाली है, जिसका असर बड़ा तेज होता है। बिल्कुल वैसे, जैसे किसी को पिन चुभाने के बाद उन्हें उछलते हुए देखना। इस प्रकार यह तरकीब काम करती है। मैं पहले राजनीति पर बात छोड़ती हूँ।

बस एक सवाल भर पूछने की देर होती है, एक शब्द या एक वाक्य बोलिए और आपको पता चलने से पहले ही परिवार के सब लोग उस विषय में गुत्थमगुत्था होते हैं।

मानो जर्मन भाषा की और बीबीसी अंग्रेजी की खबरें काफी नहीं थीं, इसलिए वे खास हवाई महलों की खबरों की घोषणाएँ सुनाने लगे हैं। कम शब्दों में कहना हो तो बहुत बढ़िया। दूसरे शब्दों में कहा जाए तो अब अंग्रेजी फौजें दिन-रात लगी रहती हैं। जर्मन प्रचार व्यवस्था की तरह नहीं, जो अब चौबीसों घंटे झूठी खबरें फैलाने में लगी रहती है। (सो हर रोज सुबह आठ बजे रेडियो खोल दिया जाता है। कभी-कभी इससे भी जल्दी) और हर घंटे खबरें सुनी जाती हैं। रात नौ, दस या ग्यारह बजे तक यही चलता रहता है। बड़ों में कितनी धीरता है, यह इस बात का पक्का सबूत माना

जा सकता है, लेकिन साथ ही यह इस बात का भी सबूत है कि उनके दिमाग का पक्का भुर्ता बन गया है। (मेरा मतलब उनमें से कुछ लोगों के दिमाग का। मैं किसी का अपमान करना नहीं चाहती, इसलिए ऐसा कह रही हूँ।) एक बार या ज्यादा-से-ज्यादा दो बार की खबरों की खुराक एक दिन के लिए काफी होनी चाहिए, लेकिन नहीं, ये बूढ़े बेवकूफ¨जाने दो, मैंने वैसे भी सब कह ही डाला है। 'काम करते वक्त संगीत' नाम का एक प्रसारण इंग्लैंड से होता है। वहाँ से फ्रैंक फिलिप्स और क्वीन विल्हेल्मिना बारी-बारी से सुननेवालों के लिए उद्घोषणाएँ करते रहते हैं। बड़े लोग अगर खा या सो नहीं रहे हों तो रेडियो को घेरकर बैठे-बैठे खाने, सोने और राजनीति की बातें करते रहते हैं। 'बाप रे!' कहते हुए भी मैं उकता गई। अपने आपको उदास बूढ़ी चुड़ैल बनने से बचाने का यही एक तरीका फिलहाल यहाँ उपलब्ध है। वैसे मेरे आसपास सब बूढ़े लोग ही हैं, सो ऐसी चुड़ैल बनना शायद उतना बुरा खयाल साबित न भी हो, क्या पता?

एक चमचमाता उदाहरण लीजिए। हमारे प्रिय विंस्टन चर्चिल साहब का भाषण। रविवार शाम नौ बजे का समय। चाय का बरतन कोझी के नीचे टेबल पर तैयार है। मेहमान कमरे में प्रवेश करते हैं।

डुस्सेल रेडियो की बाईं तरफ बैठते हैं, मि. वैनडी सामने की ओर, पीटर उनके पड़ोस में, मिस्टर वैनडी के पड़ोस में मम्मा है और मिसेज वैनडी उनके पीछे जगह लेती हैं। मार्गो और मैं आखिरी पंक्ति में बैठी हैं और पिम टेबल पर। हमारे बैठने की जगह का यह साफ-साफ विवरण नहीं है, यह मैं जानती हूँ, लेकिन उससे कोई फर्क नहीं पड़ता। पुरुष सिगरेट पी रहे हैं। खबरें सुनने के तनाव में पीटर की आँखें मुँदी हैं। मम्मा ने अपनी लंबी, काली नाइटी पहनी है, हवाई जहाजों की आवाज के कारण मिसेज वैनडी काँप रही हैं। हवाई जहाज को भाषण से कुछ लेना-देना नहीं है और वह इस्सैन की ओर बेखौफ उड़ा चला जा रहा है। डैड सुड़ककर चाय पी रहे हैं। मार्गो और मैं बहनों की तरह जुड़ी बैठी हैं, हमारे साथ सोई हुई मोशी भी है। वह हम दोनों की गोदी में फैलकर सोई है। मार्गो के बाल कर्लर्स में बँधे हैं और मेरा नाइट गाउन बेहद कसा हुआ और छोटा है। यह सब बेहद अंतरंग, आरामदेह और शांतिपूर्ण लगता है। असल में एक बार ही सही, वातावरण वैसा ही है। फिर भी मुझे भाषण खत्म होने का डर है। वे सब बेहद उतावले हो रहे हैं, मानो विवाद शुरू करने के मौके का इंतजार कर रहे हों। स् स्स् स्स्स्¨ मानो बिल्ली चूहे को बिल से बाहर निकालने के लिए ललचा रही है। वे सब एक-दूसरे पर अपने मतांतरों के साथ टूट पड़ते हैं और झगड़ते रहते हैं।

तुम्हारी ऐन

मंगलवार, 28 मार्च, 1944

मेरी सबसे प्रिय किट्टी,

राजनीति के बारे में और बहुत कुछ लिखना मुझे जितना अच्छा लगेगा, उतनी ही अधिक खबरे मेरे पास हैं, जो मुझे तुम्हें बतानी हैं। ममा ने मुझे पीटर के कमरे में जाने से सख्त मना किया है, क्योंकि उनके मुताबिक मिसेज वैनडैन को जलन है, दूसरे पीटर ने मार्गो को भी हमारे साथ ऊपर बुलाया है। वह ऐसा सचमुच चाहता है या केवल सभ्यतावश कह रहा है, यह मैं नहीं जानती। तीसरी बात, मैंने डैड से पूछा कि क्या मुझे मिसेज वैनडैन की जलन से चौकन्ना रहने की जरूरत है? तो उन्होंने कहा, नहीं है।

अब मुझे क्या करना चाहिए? मम्मा गुस्सा हैं, वे नहीं चाहतीं कि मैं ऊपर जाऊँ। वे चाहती हैं कि मैं विली डुस्सेल के साथ वाले अपने कमरे में जाकर अपना गृहपाठ पूरा करूँ। हो सकता है, खुद उन्हें जलन हो रही हो। डैड को हमारे साथ बिताने वाले कुछ घंटों से कोई आपत्ति नहीं, बल्कि उन्हें इस बात की खुशी है कि हम दोनों में इतनी अच्छी बनती है। मार्गो को भी पीटर पसंद है, लेकिन उसकी राय में एक विषय पर दो लोगों में जितनी अच्छी बातचीत संभव है, उतनी तीन लोगों में नहीं हो सकती।

आगे और कि मम्मा को लगता है कि पीटर को मुझसे प्रेम है। सच बताऊँ, तो मुझे लगता है, काश कि उसे होता। फिर हम लोग समान स्तर पर होते और फिर एक-दूसरे को समझना बहुत आसान होता। मम्मा का कहना है कि पीटर हमेशा मेरी ओर देखता रहता है। खैर, हम दोनों बीच-बीच में एक-दूसरे की ओर देखते तो हैं, लेकिन अगर वह मेरे गाल में पड़नेवाले गड्ढों को निहारता रहता हो, उसे वे बेहद अच्छे लगते हों, तो भला मैं क्या कर सकती हूँ?

मैं बड़ी मुश्किल में हूँ। मम्मा मेरे खिलाफ हैं और मैं उनके खिलाफ हूँ। उनके और मेरे बीच चलने वाले निःशब्द शीतयुद्ध की ओर डैड अनदेखी करते हैं। मम्मा दुःखी है, क्योंकि वे अभी मुझसे प्रेम करती हैं, लेकिन मैं भी नाखुश नहीं हूँ, क्योंकि अब मुझे उनसे कोई फर्क नहीं पड़ता।

पीटर के बारे में कहना हो तो मैं उसका साथ खोना नहीं चाहती। वह कितना अनूठा है, मुझे वह बेहद पसंद है। उसमें और मुझमें एक बेहतरीन रिश्ता बन सकता है, तो फिर बड़े लोग फिर एक बार हमारे बीच अपनी नाक क्यों घुसेड़ रहे हैं? सौभाग्य से मुझे अपनी भावनाएँ छुपाना आता है। इसलिए मेरे मन में उसके प्रति पागलपन की हद तक जो प्रेम है, उसे मैं छुपा सकती हूँ। क्या कभी वह अपने प्रेम की अभिव्यक्ति करेगा, क्या कभी मैं उसका गाल अपने गाल पर महसूस कर सकती हूँ? जैसे सपने में मैंने पीटरू का गाल महसूस किया था, ओ पीटर और पीटरू। तुम दोनों मानो एक ही हो। वे हमें समझ

नहीं सकते, हम एक-दूसरे के पड़ोस में बिना एक शब्द भी कहे बैठकर खुश हैं, यह वे कभी नहीं समझ सकते। हम दोनों को करीब लानेवाली बात क्या है, यह उनकी समझ में नहीं आती। इन सभी मुश्किलों से हम कब उबरेंगे? और यह अच्छा ही है कि हमें उन्हें लाँघकर जाना है, क्योंकि उससे हम दोनों का साथ बहुत भला लगता है। जब वह अपना सिर अपनी बाँह पर टिकाए आँखें मूँद लेता है, तो लगता है वह एक बच्चा ही है। जब वह मोशी के साथ खेलता है या उसके बारे में बोलता है, तब वह बहुत प्यारा लगता है, जब वह आलू का बोरा या कोई और चीज ढोता है तो वह ताकतवर लगता है, जब वह चलती बंदूकें देखने या अँधेरे घर को लाँघकर चोरों को ढूँढ़ने जाता है, तब वह साहसी होता है और वह जब सकुचा हुआ और अनाड़ी होता, तब बेहद प्यारा लगता है। मुझे जब उसे कुछ सिखाना होता है, उससे अधिक वह जब कोई बात मुझे समझाता है, तब वह बहुत अच्छा लगता है। काश कि हर बात में वह मुझसे बेहतर होता।

हम अपनी दो माताओं का कितना खयाल रखते हैं? काश कि वह कुछ कहता। डैड हमेशा मुझसे कहते हैं कि मैं बहुत अभिमानी हूँ, लेकिन मैं नहीं हूँ। मैं बस निकम्मी हूँ। मुझे ज्यादा लोगों ने नहीं बताया कि मैं सुंदर हूँ। बस स्कूल में एक लड़के ने कहा था। उसने कहा था, मैं हँसती हूँ तो बड़ी खूबसूरत दिखाई देती हूँ। कल पीटर ने मेरी अच्छी प्रशंसा की। बस मजे के लिए मैं यहाँ हममें हुई बातचीत के बारे में बताती हूँ।

पीटर मुझसे कई बार कहता है, "हँसो न!" पहले मुझे यह बड़ा अजीब लगता था। इसलिए कल मैंने उससे पूछ ही लिया, "तुम हमेशा मुझे हँसता हुआ क्यों देखना चाहते हो?"

"क्योंकि जब तुम हँसती हो, तब तुम्हारे गाल में गड्ढे पड़ते हैं। तुम यह कैसे करती हो?"

"उनके साथ मैं पैदा हुई हूँ। मेरी ठुड्डी में भी एक गड्ढा बनता है। सौंदर्य का बस यही एक लक्षण मेरे पास है।"

"नहीं-नहीं, यह सही नहीं है।"

"हाँ है, मुझे पता है, मैं सुंदर नहीं हूँ। कभी सुंदर नहीं थी मैं और न कभी बन पाऊँगी।"

"मैं तुमसे सहमत नहीं हूँ, मुझे लगता है कि तुम सुंदर हो।"

"मैं नहीं हूँ।"

"मैं कहता हूँ—हो और तुम्हें इस बारे में मेरी बात माननी होगी।" फिर मैंने भी उसके बारे में वही बात दोहराई।

तुम्हारी
ऐन.एम. फ्रैंक

बुधवार, 29 मार्च, 1944

मेरी सबसे प्यारी किट्टी,

श्री बोल्केस्टीन, कैबिनेट मंत्री, लंदन से डच रेडियो पर बोल रहे थे। उन्होंने कहा कि युद्ध के बारे में लिखी गई डायरियों और खतों का युद्ध के बाद संग्रह प्रकाशित किया जाएगा। जाहिर है कि यह सुनते ही हर कोई मेरी डायरी पर टूट पड़ा। कल्पना करो कि गुप्त भवन के बारे में अगर मैं कोई उपन्यास प्रकाशित कर पाऊँ तो वह कितना दिलचस्प होगा। शीर्षक पढ़कर लोग पहले उसे जासूसी उपन्यास समझेंगे।

खैर, गंभीरता से कहूँ तो युद्ध के दस वर्षों के बाद लोग यह पढ़कर हँसेंगे कि हम यहाँ कैसे रहा करते थे। छिपकर जीवन बितानेवाले यहूदियों के बारे में हमने क्या खाया, हम किस विषय पर बातचीत किया करते थे आदि विषय लोग बड़े चाव से पढ़ेंगे। मैं हमारे यहाँ के जीवन के बारे में तुम्हें बहुत कुछ बताती हूँ, फिर भी हमारे जीवन के बारे में तुम बहुत कम जानती हो। हवाई हमलों के दौरान औरतें कितना डर जाती हैं, जैसे पिछले रविवार के दिन 350 ब्रिटिश हवाई जहाजों ने इजमुइदीन पर 550 टन बम गिराए। उनके कारण घास के तिनके की तरह घर हवा में लहराए, डोले या फिर, यहाँ कितने रोग फैले हैं, आदि।

तुम्हें इनमें से किसी बात की जानकारी नहीं है और तुम्हें हर चीज आखिरी ब्योरे तक समझाने में मेरा पूरा दिन बीत जाएगा। सब्जियाँ और अन्य सभी जरूरत की चीजें खरीदने के लिए भी लोगों को कतार में खड़ा रहना पड़ता था। डॉक्टर्स अपने मरीजों से नहीं मिल सकते, क्योंकि उनकी पीठ मुड़ी नहीं कि उनके वाहन गुम हो जाते। डाके और चोरियों की घटनाएँ इतनी आम हो गई थीं कि तुम खुद से पूछतीं कि अचानक ऐसा क्या हुआ कि डच लोगों की उँगलियाँ हरकत में आ गईं? आठ से ग्यारह वर्षों की उम्रवाले छोटे बच्चे भी लोगों के घरों के काँच तोड़कर जो भी मिले, वह लूटकर ले जाते थे। पाँच मिनटों के लिए भी लोग अपना घर छोड़कर नहीं जा सकते थे। वे अगर छोड़कर कहीं आस-पास भी गए तो लौटने पर उन्हें अपनी सारी चीजें घर से गायब मिलतीं। हर रोज अखबारों के पन्ने चोरी चले गए। टाइपराइटर्स, पर्शियन गलीचे, बिजली से चलने वाली घड़ियाँ कपड़े आदि चीजें लौटाने के लिए पुरस्कारों की गई घोषणाओं से रँगे रहते।

चोर सड़क के नुक्कड़ों पर लगी बिजली की घड़ियाँ उतारकर ले जाते। सार्वजनिक फोन, उनसे जुड़े वायर का आखिरी इंच तक उखाड़कर ले जाते।

डच लोगों में नैतिकता की भावना शायद कमजोर रही होगी। हर कोई भूखा मिलता है। एरसाज कॉफी के अलावा बाकी सभी राशन का एक हफ्ते भर का सामान दो दिनों में खत्म हो जाता। लंबे समय से हमला होने में है। पुरुषों को जलयानों में भर-

भरकर जर्मनी भेजा जा रहा है। बच्चे बीमार हैं या कुपोषित हैं। हर कोई पुराने और जर्जर कपड़ों में है। जीर्ण जूते पहने दिखता है। जूतों के नए तल्ले 7.50 गिल्डर्स में मिलते हैं, काले बाजार में। इसके अलावा, केवल कुछेक मोची ही पुराने जूतों की मरम्मत का काम करते हैं। अगर करते भी हैं तो अपने जूतों की बारी आने तक आपको महीनों इंतजार करना पड़ता है। दरमियान के समय कई बार जूते गुम जाते हैं।

इन सभी बातों में से एक बात उभरकर सामने आई है—जैसे-जैसे खाना दिनोदिन बेकार होता जा रहा है और कायदे-कानून कड़े होते जा रहे हैं, वैसे-वैसे अधिकारी वर्ग के खिलाफ तोड़-फोड़ की घटनाएँ भी बढ़ती जा रही हैं। राशन बोर्ड, पुलिस, अधिकारी वर्ग; सब या तो अपने साथी नागरिकों की मदद कर रहे हैं या उन्हें गिरफ्तार करके जेल भेज रहे हैं। सौभाग्य से कम डच लोग गलत कामों में लगे हैं।

तुम्हारी ऐन

शुक्रवार, 31 मार्च, 1944

मेरी सबसे प्यारी किट्टी,

सोचो कि अभी इतनी ठंड है और ज्यादातर लोगों के पास पिछले महीने भर से कोयला नहीं है। भयंकर है, ऐसा लगता है न? रूसी सेना के बारे में लोगों के मन में आशा है, क्योंकि वह बढ़िया काम कर रही है। राजनीतिक परिदृश्य के मामले में मैं अधिकतर लिखती नहीं, लेकिन अभी रूसी सेना कहाँ है, इसके बारे में मुझे आपको बताना होगा। वह पोलिश सीमा तक पहुँच चुकी है और रोमानिया की प्रुत नदी के पास पहुँची है। वह ओडेस्सा के करीब है और उन्होंने टेर्नोपोत को घेर रखा है। हर रात हम स्टैलिन के संदेश की उम्मीद रखते हैं।

मॉस्को में उन्हें कई बार सैल्यूट किया जा रहा है। पूरे शहर में दिन भर गड़गड़ाहट मची होगी। युद्ध आसपास ही हो रहा है, ऐसा वे दिखाना चाहते होंगे या फिर अपनी खुशी जाहिर करने को कोई और तरीका उनके पास नहीं होगा, पता नहीं।

जर्मन सेना ने हंगरी पर काबू कर लिया है।

वहाँ अभी भी करीब दस लाख यहूदी रह रहे हैं। अब वे सब खत्म होंगे। यहाँ कोई खास बात नहीं हो रही है। आज मिस्टर वैनडैन का जन्मदिवस है। उन्हें तंबाकू के दो पैकेट, एक कप कॉफी, जो उनकी पत्नी बचाकर रख पाई थी, मि. कुग्लर द्वारा दिया गया लेमन पंच, मीप के दिए हुए सारडाइंस, हमारा दिया हुआ यू डी कोलोन, लिलैक और ट्यूलिप के फूल और रासबेरी केक। मक्खन की कमी और आटे का दर्जा ठीक नहीं होने के कारण केक थोड़ा चीकट हो गया था, लेकिन था स्वादिष्ट।

कुछ समय से मेरे और पीटर के बारे में हो रही बातें थोड़ी ठंडी पड़ गई हैं। आज रात वह मुझे लेने आ रहा है। कितना अच्छा है वह, क्या तुम्हें ऐसा नहीं लगता? क्योंकि यह सब करना उसे पसंद नहीं है। हम दोनों में अच्छी दोस्ती हो गई है। बहुत सारा समय हम साथ गुजारते हैं। हर संभव विषय पर हम बातचीत करते हैं। किसी नाजुक विषय पर पहुँचने पर बाकी लड़कों के साथ जैसे बातचीत रोकनी पड़ती है, वैसे हमें बात रोकनी नहीं पड़ती। उदाहरण के लिए, हम खून के बारे में बात कर रहे थे और बात माहवारी तक पहुँची। उसे लगता है कि खून की इस कमी को सहने की ताकत रखने के कारण महिलाएँ काफी मजबूत होती हैं, इसीलिए मैं भी मजबूत हूँ, ऐसा उसका कहना है। मुझे बस लगता है कि क्या सचमुच ऐसा है? यहाँ का मेरा जीवन अब बेहतर, काफी बेहतर हुआ है। भगवान् की मुझ पर कृपादृष्टि है और हमेशा रहेगी।

तुम्हारी
ऐन.एम. फ्रैंक

शनिवार, 1 अप्रैल, 1944

मेरी सबसे प्यारी किट्टी,

फिर भी हर बात कितनी मुश्किल है। आप नहीं जानते, मैं क्या कहना चाहती हूँ न? वह मुझे चूमे, इसका मैं बड़ी बेसब्री से इंतजार कर रही हूँ, लेकिन इसमें लगता है, समय लगेगा। क्या अभी भी वह मुझे अपना मित्र समझता है, क्या उसके लिए मैं मित्र से अधिक नहीं हूँ?

तुम और मैं, हम दोनों जानते हैं कि मैं बेहद मजबूत हूँ। ज्यादातर बोझ मैं अकेले सह सकती हूँ। अपनी चिंताएँ किसी के साथ बाँटने की मुझे आदत नहीं है। मैं कभी भी माँ से चिपकी नहीं रही। फिर भी मैं अपना सिर उसके कंधे पर टिकाना चाहती हूँ। बस, उसके साथ शांत बैठना चाहती हूँ।

नहीं, पीटर के गाल का सपना मैं चाहकर भी भुला नहीं पाऊँगी। कितना अच्छा था सबकुछ तब। क्या उसके मन में भी ऐसी ही चाहत है, उसे मुझसे मुहब्बत है, यह मुझसे कहने से क्या वह शरमाता है, वह मुझे अपने पास क्यों चाहता है व मुझसे कुछ कहता क्यों नहीं?

मुझे इस तरह नहीं सोचना चाहिए। मुझे शांत रहना चाहिए। मैं फिर से मजबूत बनने की कोशिश करती हूँ। अगर मैं धीरज बनाए रखूँ तो बाकी सब ठीक हो जाएगा, लेकिन और यही सबसे मुश्किल है, लगता है कि मैं उसका पीछा कर रही हूँ। हमेशा मुझे ही ऊपर की मंजिल पर जाना पड़ता है। वह कभी चलकर मेरे पास नहीं आता;

हालाँकि यह कमरों की वजह से होता है और वह जानता है कि मैं क्यों मना करती हूँ। हाँ, मुझे यकीन है कि जितना मुझे लगता है, वह उससे ज्यादा समझता है।

तुम्हारी
ऐन.एम. फ्रैंक

सोमवार, 3 अप्रैल, 1944

मेरी सबसे प्यारी किट्टी,

मेरी हमेशा की आदत से अलग आज मैं यहाँ के खाने के बारे में तुम्हें विस्तार से बतानेवाली हूँ। खाने की बात न सिर्फ एनेक्स में, बल्कि पूरे हॉलैंड में यहाँ तक कि यूरोप और पूरी दुनिया में अब मुश्किल और शायद इसीलिए महत्त्वपूर्ण हो बैठी है। पिछले इक्कीस महीनों से हम यहाँ रह रहे हैं और कई तरह के 'अन्न चक्रों' से गुजर चुके हैं। इसका मतलब क्या है, यह आप जल्द ही जानेंगे। 'अब चक्र' के मायने यह कि कुछ समय के लिए कोई एक ही व्यंजन या सब्जी खाने में उपलब्ध होना। लंबे समय तक हमने केवल कासनी खाकर गुजारे हैं। (कासनी (द्दठ्ठस्द्व1द्द) एक ऐसी वनस्पति है, जो रेत में उगाई जाती है और उसके पत्तों के बीच काफी धुलने के बाद भी रेत फँसी रहती है, जो खाते समय दाँतों के बीच रगड़ खाती है।) इसी को लक्ष्य कर ऐन कहती है—कासनी रेत के साथ कासनी बिना रेत के, कासनी मसले आलुओं के साथ, कासनी और मसले आलू का केसरोल आदि। उसके बाद बारी आती पालक की। फिर कोल्हाबी, विलायती कचालू, खीरे, टमाटर, खट्टी गोभी, आदि-आदि।

हर रोज लगातार सुबह, दोपहर और शाम के खाने में केवल खट्टी गोभी खाना भयंकर होता है, लेकिन जब जोरों की भूख लगती है, तब आप कई बातें करते हैं। अब हमारे अब तक के सबसे अच्छे दिन चल रहे हैं, क्योंकि अब हमें सब्जियाँ खाकर गुजारा नहीं करना पड़ता।

हमारे सप्ताह भर के दोपहर के भोजन में अब हम राजमा, मटर का सूप, आलू के गुलगुले, आलू का कैसरोल और कभी भाग्य ने साथ दिया, तो शलजम के पत्ते और सड़ी गाजर और फिर राजमा। ब्रेड की कमी के कारण हम हर खाने में आलू ही खाया करते थे। नाश्ते में तले हुए आलू, वेजिटेबल सूप, राजमा सूप और चिकन सूप के पैकेट्स। हर चीज में डबलरोटी या ब्रेड में भी राजमा मिलाया जाता था। रात के खाने में हमेशा आलू रस्से वाले और शुक्र है कि अभी भी ये हमारे पास बचे हैं—बीट रूट का सलाद। गुलगुलों के बारे में मुझे आपको बताना होगा। सरकार की ओर से दिए जाने वाले आटे से हम गुलगुले बनाया करते थे। आटा-पानी और खमीर मिला-मिलाकर। इतने चीकट

और कड़े होते थे, पेट में मानो पत्थर पड़े हों, लेकिन चलता है।

हर हफ्ते सबको लिवर सॉसेज का एक टुकड़ा मिलता था और बिना मक्खन की ब्रेड स्लाइड पर जैम मिलता था, उस दिन का सब इंतजार करते, लेकिन सबसे बड़ी बात कि हम सब जिंदा थे और कई बार जो चीजें हमें खाने के लिए मिलती थीं, वे हमें स्वादिष्ट भी लगती थीं।

तुम्हारी
ऐन.एम. फ्रैंक

बुधवार, 5 अप्रैल, 1944

मेरी सबसे प्यारी किट्टी,

लंबे समय से मैं सोच रही हूँ कि स्कूली पढ़ाई करने के कष्ट क्यों उठा रही हूँ ? लंबे समय तक युद्ध समाप्ति के कोई आसार नजर नहीं आ रहे थे। युद्ध-समाप्ति की बात अवास्तविक और परीकथा के समान लगती थी। सितंबर तक अगर युद्ध खत्म नहीं हुआ, तो मैं वापस स्कूल नहीं जाना चाहूँगी, क्योंकि फिर मुझे दो साल पीछे रहना होगा।

पीटर ही मेरे समूचे दिन पर छाया रहता। पीटर और पीटर के अलावा कुछ नहीं। शनिवार की रात तक बस पीटर के सपने, पीटर के विचार। शनिवार की रात मैं बेहद दयनीय स्थिति तक पहुँच जाती। सब भयानक था। पीटर के साथ होती, तब मैं अपने आँसू रोक लेती। नीबू-पानी पीते समय वैनडैन परिवार के साथ मैं ठठाकर हँसती। तब मुझे उत्तेजना और खुशी महसूस होती, लेकिन जैसे ही मैं अकेली होती, मेरी आँखें बहने लगतीं। मैं नाइट ग़ाउन में थी, जमीन पर बैठकर मैं बड़ी शिद्दत से प्रार्थना करने लगी। फिर मैंने अपने पैर छाती के पास खींच लिये, बाँहों से पैरों को लपेटा और बाँहों पर सिर टिका दिया। फिर मैं रोई। खाली जमीन पर घुटनों में सिर छिपाकर बैठी मैं रोती रही। अचानक मेरी हिचकी बँधी और उस आवाज से मैं इस दुनिया में लौट आई। अपने आँसुओं पर मैंने रोक लगाई। सटे हुए कमरे में जो भी थे, मैं नहीं चाहती थी कि मेरे रोने की आवाज उन तक पहुँचे। फिर मैंने अपने आपको सँभाला। बार-बार कहती रही, मुझे यह करना चाहिए। उस अजीब स्थिति में बैठने के कारण मैं बिस्तर की ओर लुढ़की और अकेले की लड़ाई लड़ती रही, साढ़े दस बजे तक। मैं जब बिस्तर पर लेटी, तब वह सब खत्म हो गया था।

और अब सचमुच सब खत्म हो गया है। आखिर मुझे पता चला कि स्कूल की पढ़ाई मुझे इसलिए करनी है, क्योंकि मैं अनपढ़ नहीं रह सकती। जीने के लिए और आगे मैं पत्रकार बनना चाहती हूँ, इसलिए भी। हाँ, मुझे पत्रकार बनना है। मैं लिख सकती हूँ। मेरी कुछ कहानियाँ अच्छी हैं। गुप्त एनेक्सी के मेरे द्वारा किए गए वर्णन में हास्य

है। मेरी डायरी के पन्नों पर मैंने जो लिखा है, वह विविधतापूर्ण, रंगीन और जीवंत है; हालाँकि सचमुच मुझमें टैलेंट है या नहीं, कुशलता है या नहीं, यह देखना अभी बाकी है।

'इवा के सपने' यह मेरी लिखी बेहतरीन परीकथा है। अजीब बात यह है कि मुझे वह कहानी कैसे सूझी, यह मैं भी नहीं जानतीं। 'कैडी की जिंदगी' के कुछ हिस्से अच्छे बन पड़े हैं; हालाँकि पूरी कहानी के रूप वह सामान्य ही है। मैं खुद अपनी अच्छी और कठोर समीक्षक हूँ। क्या अच्छा बना है और क्या नहीं, मैं जानती हूँ। लिखना कितना अच्छा है, यह जब तक आप लिखते नहीं, तब तक नहीं जान सकते। मैं अच्छी ड्रॉइंग नहीं बना सकती, इसका मुझे हमेशा दुःख था, लेकिन मैं लिख सकती हूँ, इसका पता चलने से अब मैं बहुत खुश हूँ और अगर मुझमें किताबें लिखने या लेख लिखने की कुशलता नहीं है, तब भी मैं अपने लिए तो लिख ही सकती हूँ; हालाँकि मैं इससे बेहतर कुछ हासिल करना चाहती हूँ। मम्मा, मिसेज वैनडैन और अन्य कई महिलाओं की तरह औरतों वाले कामों में ही जिंदगी नहीं बिताना चाहती। मैं नहीं चाहती कि उनकी तरह बाद में मुझे भी लोग भुला दें। पति और बच्चों के अलावा भी मैं अपने लिए कुछ चाहती हूँ। बाकी कई लोगों की तरह मैं जिंदगी गँवाना नहीं चाहती। मैं कुछ काम करना चाहती हूँ, ऐसा काम, जिससे सबकी मदद हो सके। उनकी भी मदद हो, जिनसे मैं अब तक नहीं मिली हूँ। मरने के बाद भी मुझे जीवित रहना है और इसी कारण मैं भगवान् की शुक्रगुजार हूँ कि उसने मुझे यह कौशल दिया। इसके सहारे मैं अपना विकास कर सकती हूँ और साथ ही मेरे अंदर जो भी है, सब व्यक्त कर सकती हूँ।

लिखते समय मैं अपनी सारी फिकर भूल जाती हूँ। मेरा दुःख गायब हो जाता है। मेरी आत्मा पुनः नवीन बन जाती है, लेकिन यह बहुत बड़ा मसला है कि क्या मैं कभी बहुत बड़ा कुछ लिख पाऊँगी? क्या मैं कभी पत्रकार या लेखिका बन पाऊँगी?

मुझे उम्मीद है कि हाँ। मुझे बेहद उम्मीद है कि मैं बनूँगी। लिखने से मैं हर बात दर्ज कर रख सकती हूँ। मेरे विचार, कल्पनाएँ और मेरी फंतासियाँ।

'कैडीज लाइफ' पर अरसे से मैंने कुछ काम नहीं किया है। अपने मन में आगे क्या होगा, इसकी रूपरेखा तैयार है; हालाँकि यह कहानी कुछ अच्छी नहीं बन पा रही है। मैं कभी उसे पूरा नहीं कर पाऊँगी। हो सकता है उसकी समाप्ति कूड़ेदान में या स्टोव में हो। भयंकर खयाल है यह। फिर मैं अपने को बताती हूँ, 'चौदह वर्ष की उम्र में और इतने कम अनुभव के साथ में तुम जीवन का फलसफा तो नहीं ही लिख पाओगी।'

इसलिए मैं बस आगे बढ़ती हूँ, आगे बढ़ते हुए ऊपर उठने की कोशिश करती हूँ। यह सब मैं कर पाऊँगी जरूर, क्योंकि मैंने लिखने की ठान जो ली है।

तुम्हारी

ऐन.एम. फ्रैंक

गुरुवार, 6 अप्रैल, 1944

मेरी सबसे प्यारी किट्टी,

तुमने मुझे अपनी दिलचस्पियों और अपने शौकों के बारे में पूछा है। मैं जवाब दूँगी, लेकिन पहले से बताए दे रही हूँ, मेरे एक नहीं, कई सारे शौक हैं। जानकर आश्चर्य में डूब मत जाना।

मेरा सबसे पहला और महत्त्वपूर्ण शौक है—लिखना, हालाँकि इसे मैं शौक के तौर पर नहीं मानती।

दूसरा शौक है—वंशावलियों के नक्शे बनाना। हर अखबार, किताब, दस्तावेज आदि में देखकर मैं फ्रांसीसी, जर्मन, स्पैनिश, अंग्रेज, आस्ट्रियाई, रूसी, नॉर्वेजियन और डच राजवंशों के वंश-वृक्ष संबंधी जानकारियाँ इकट्ठा कर रही हूँ। इनमें से कई परिवार संबंधी जानकारी पाने में मुझे काफी सफलता मिली है। लंबे समय से मैं जीवनियाँ या इतिहास की पुस्तकें पढ़ते समय नोटस बना रही हूँ। इतिहास की किताबों के पन्नों से मैंने कई परिच्छेदों की कॉपियाँ बना ली हैं।

इस प्रकार मेरा तीसरा शौक है इतिहास। डैड ने इस विषय की कई सारी किताबें पहले ही मुझे खरीदवा दी हैं। मैं बड़ी बेसब्री से उस दिन का इंतजार कर रही हूँ, जब मैं खुद सार्वजनिक पुस्तकालय में जाकर मुझे जो जानकारी चाहिए, वह बटोर सकूँ।

मेरा चौथा शौक है ग्रीक और रोमन पुराण। मेरे पास इस विषय की भी बहुत सारी किताबें हैं। मैं नौ देवियों के और झियस के सात प्रेमपत्रों के नाम बता सकती हूँ। हरक्युलस की सात पत्नियों के नाम भी मुझे पता हैं और भी कई बातें...शाबाशी दो।

मेरे अन्य शौक इस प्रकार हैं—फिल्मों के स्टार्स और उनकी पारिवारिक तसवीरें देखना, इकठ्ठा करना। यह सब पढ़ना मुझे बेहद पसंद है। कला का इतिहास, खासकर लेखकों, कवियों और चित्रकारों के संदर्भ में जानना, पढ़ना। संगीतकारों के बारे में जानकारी प्राप्त करना भी उसके बाद आता है। बीजगणित, ज्यामिति, अंकगणित से मुझे नफरत है। स्कूल के अन्य सभी विषय मुझे पसंद हैं, लेकिन इतिहास मुझे सबसे ज्यादा पसंद है।

तुम्हारी

ऐन.एम. फ्रैंक

मंगलवार, 11 अप्रैल, 1944

मेरी सबसे प्रिय किट्टी,

मेरा सिर चकरा रहा है। कहाँ से शुरुआत करूँ, कुछ समझ नहीं आ रहा। गुरुवार (पिछली बार गुरुवार को ही मैंने तुम पर लिखा था) को सबकुछ ठीक-ठाक चल रहा था। शुक्रवार के दिन (गुडफ्राइडे) था। हमने मोनोपोली का खेल खेला। शनिवार की दोपहर को भी हम खेले। दिन बड़ी तेजी से बीत रहे थे। शनिवार की दोपहर करीब दो बजे के आसपास अंधाधुंध फायरिंग शुरू हुई। पुरुष सदस्यों का कहना था; गोलियाँ मशीनगन से दागी जा रही थीं। उसके बाद सबकुछ शांत हुआ।

अगले दिन रविवार की शाम को साढ़े-चार बजे पीटर मुझसे मिलने आया। मैंने ही उसे बुलाया था। सवा पाँच बजे हम आगे वाले बालाखाने में गए। छह बजे तक हम वहीं पर थे। शाम के 6.0 बजे से 7.30 बजे तक रेडियो पर एक सुंदर मोल्झार्ट संगीत का कार्यक्रम था। क्लीन नाटमूजिक; खासकर मुझे बहुत पसंद आया। अच्छा संगीत मेरे हृदय को छू लेता है, इसलिए रसोई में संगीत सुनना मुझे पसंद नहीं है। जिस कपड़े धोने के टब का पीटर फ्रिस्बी बनाता था, उसमें धुलने वाले कपड़े भरे थे और वह निचली मंजिल पर ऑफिस की रसोई में था। इसलिए पीटर वह ला नहीं सका। हम दोनों सामने वाले बालाखाने में गए। वहाँ आराम से बैठ पाएँ, इसलिए हमारे कमरे में उपलब्ध इकलौता तकिया भी मैं साथ ले गई। सामान जिसमें बाँधा जाता है, उस क्रेट पर तकिया रख हम बैठे। क्रेट और तकिया दोनों छोटे थे, इसलिए हम लगभग चिपककर ही बैठे थे। दो और क्रेट्स पर हमने पीठ टेकी थी। हमें कंपनी देने के लिए मोशी बिल्ली भी आई थी। इस तरह हम बिना सुरक्षा रक्षक के तो थे नहीं। अचानक रात करीब पौने नौ बजे मि. वैनडैन ने सीटी बजाई और पूछा कि हममें से किसी ने डुस्सेल का तकिया कहाँ है, देखा है? हम उछलकर खड़े हुए और तकिया लेकर निचली मंजिल पर पहुँचे। मोशी और मि. वैनडैन भी हमारे साथ थे। इसी तकिये के कारण आगे कई मुसीबतें पैदा हुईं। डुस्सेल जो तकिया सिर के नीचे लेकर सोते थे, वही मैं ले आई थी। इसलिए भड़के थे। उन्हें डर था कि तकिये में पिस्सू भर जाएँगे। एक तकिये की खातिर उन्होंने पूरा घर सिर पर उठा रखा था। बदले की भावना से मैंने और पीटर ने मिलकर उनके बिस्तर के नीचे दो कड़े ब्रश ठूँस दिए, हालाँकि हमें जल्द ही उन्हें निकालना पड़ा, क्योंकि अचानक डुस्सेल ने अपने कमरे में जाने का निर्णय लिया। बाद में इस छोटे से वाकये को याद कर हम खूब हँसे।

लेकिन हमारा यह हँसी-मजाक अल्पजीवी साबित हुआ। सुबह 9.30 बजे पीटर ने हल्के से दरवाजे पर दस्तक दी। उसने डैड से ऊपर चलकर एक मुश्किल अंग्रेजी

वाक्य का अर्थ बताने की विनती की। "कुछ अजीब सा नहीं लगा?" मैंने मार्गो से पूछा, "यह तो बस बहाना है, ऐसा लग रहा था। पुरुष जिस प्रकार आपस में बातें कर रहे हैं, उससे लगता है कि कोई अंदर घुस आया हो।" मेरा अनुमान सही था। उसी पल गोदाम के अंदर घूसखोरी हुई थी। तुरंत डैड, मि. वैनडैन और पीटर नीचे पहुँचे थे। मैं मार्गो, मम्मा और मिसेज वैनडैन इंतजार करने लगे। चार डरी हुई औरतों के लिए आपस में बातचीत करना जरूरी हो जाता है, सो हम तब तक बतियाती रहीं, जब तक नीचे से जोरदार आवाज सुनाई दी। उस धमाकेदार आवाज के बाद सबकुछ शांत हुआ था। घड़ी में पौने दस बज रहे थे। हमारे चेहरों के रंग उड़ गए थे। हम सब शांत थे; हालाँकि मन में सब डरे हुए थे। पुरुष कहाँ थे, यह धमाका किस बात का था, घुसखोरों से वे लड़ तो नहीं रहे थे? सोचने में भी हमें डर लग रहा था। चुपचाप बैठकर हम बस इंतजार कर रही थीं।

दस बजे सीढ़ियों पर पदचाप सुनाई दी। डैड अंदर आए। उनके चेहरे का रंग उड़ा हुआ था और वे घबराए हुए लग रहे थे। उनके पीछे-पीछे मि. वैनडैन भी आ गए। उन्होंने कहा, "बिजली गुल करो, बेआवाज ऊपर चलो, पुलिस आएगी।" डरने के लिए भी समय नहीं था। बत्तियाँ गुल की गईं। मैंने अपनी जैकेट ली और हम ऊपर जाकर बैठी रहे।

"क्या हुआ, जल्दी से हमें बता दो?"

हालाँकि कुछ भी बताने के लिए वहाँ था कौन? पुरुष कबके निचली मंजिल पर लौटे थे। दस बजकर दस मिनट तक उन चारों में से कोई भी ऊपर नहीं आया। उनमें से दो लोगों ने पीटर के कमरे की खुली खिड़की से पहरा दिया। नीचे जाने वाली सीढ़ियों से सटे दरवाजे पर ताला लगा दिया गया और किताबों की अलमारी सटा दी गई। रात के दीये को हमने स्वीटर पहना दी। फिर उन्होंने नीचे जो हुआ था, वह सब हमें बताया—

पीटर अभी सीढ़ियाँ उतरा ही था कि उसने दो बड़े धमाके सुने। नीचे जाकर उसने देखा तो पता चला कि गोदाम के दरवाजे के बाएँ दरवाजे का बड़ा पट्टा गुम था। वह तुरंत ऊपर लपका। 'होम गार्ड' को उसने सूचना दी। फिर वे चारों नीचे गए। उन्होंने गोदाम में प्रवेश किया, तब चोर अपना काम कर रहे थे। अचानक, बिना सोचे-समझे मि. वैनडैन चिल्लाए, "पुलिस!" बाहर जाते हुए कदमों की आहट सुनाई दी। चोर भाग गए थे। दरवाजे से टूटकर निकला लकड़ी का फट्टा फिर उन्होंने फिट कर दिया, ताकि पुलिस का ध्यान उसकी तरफ न जाए, लेकिन तभी बाहर से किसी ने जमकर लात जमाई और वह फट्टा फिर जमीन पर जा गिरा। सभी पुरुषों को चोरों की ढिठाई पर आश्चर्य लगा। पीटर और वैनडैन को इतना गुस्सा आया कि उन्हें लगा कि जाकर उन चोरों का कत्ल कर दे। मि. वैनडैन ने कुल्हाड़ी जमीन पर पटकी, फिर सबकुछ शांत हो गया।

एक बार फिर लकड़ी के फट्टे को उसकी जगह पर चढ़ा दिया गया। एक बार फिर चोरों की कोशिश नाकामयाब कर दी गई थी। बाहर से एक पुरुष और स्त्री द्वारा दरवाजे में बनी खाली जगह से अंदर फ्लैश की रोशनी डाली गई। पूरे गोदाम पर रोशनी डाली गई। 'यह क्या···' उनमें से एक पुरुष बुदबुदाया, लेकिन अब उनकी भूमिकाएँ बदल गई थीं। पुलिसवालों के बजाय अब वे चोर साबित हुए थे। चोर ऊपर की ओर लपके। डुस्सेल और मि. वैनडैन ने डुस्सेल से किताबें छीनीं। पीटर ने किचन और ऑफिस के दरवाजे और खिड़कियाँ खोल दीं। फोन जमीन पर पटक दिया और चारों किताबों की अलमारी के पीछे वाले हिस्से में आकर दुबक गए।

पहले हिस्से की समाप्ति।

संभावना यही थी हाथ में फ्लैशलाइट लेकर आए उस पुरुष और महिला ने पुलिस को इत्तिला दे दी होगी। वह रविवार की रात थी, ईस्टर के रविवार की। दूसरा दिन ईस्टर का सोमवार था। दफ्तर बंद ही रहने वाला था, मतलब कि हम मंगलवार की सुबह तक आराम से घूम-फिर नहीं सकते थे। कल्पना करो, ऐसी डरी हुई हालत में एक पूरा दिन और दो रातें बितानी थीं। हम कुछ सोच ही नहीं पा रहे थे। घने अँधेरे में वहाँ बैठे रहे। डर के कारण मिसेज वैनडैन ने बिजली गुल कर दी थी। हम फुसफुसाकर बातें कर रहे थे। हर बार जब कुछ खड़कने की आवाज़ आती तो कोई-न-कोई चुप करा देता—शूश-श्श!

साढ़े दस बजे। फिर ग्यारह बजे। कोई आवाज नहीं आई। डैड और मि. वैनडैन बारी-बारी ऊपर हमारे पास आते रहे। सवा ग्यारह बजे नीचे आवाज आई। आप अगर नीचे होते तो ऊपर साँस ले रहे पूरे परिवार की आवाज आपको सुनाई देती, लेकिन कोई अपनी जगह से हिला नहीं, किसी के शरीर की एकाध मांसपेशी भी नहीं हिली। घर में कदमों की आवाज सुनाई दी, निजी दफ्तर में, किचन में···और फिर···सीढ़ियों पर आवाज आई। फिर किताबों की अलमारी खटखटाई। उस पल हम पर जो गुजरी, उसे शब्दों में पकड़ा नहीं जा सकता।

"अब हम पकड़े जाएँगे", मैंने कहा। उसी रात हम सभी पंद्रह लोगों को गेस्टापो घसीटकर ले जा रहे हैं, ऐसा चित्र मेरी आँखों के आगे आया।

किताबों की अलमारी दुबारा खटखटाई गई। इस बार दो बार खटकी। फिर हमने एक कैन के लुढ़कने की आवाज सुनी। फिर दूर जाते कदमों की आवाज। फिलहाल संकट टल गया था। हर किसी के बदन में सिहरन दौड़ी। कइयों के दाँत किटकिटाने की आवाज मैंने सुनी। किसी ने एकाध शब्द भी नहीं कहा। साढ़े ग्यारह तक हम ऐसे ही रहे। उसके बाद घर में कोई आवाज सुनाई नहीं दी, लेकिन बाहर ठीक हमारी सीढ़ियाँ जहाँ खत्म हो रही थीं, उसी तल्ले पर बत्ती जलती रही। किताबों की अलमारी के ठीक

सामने। अलमारी पर संदेह होने के कारण उन्होंने बत्ती जलती हुई छोड़ी थी या वे बत्ती बुझाना भूल गए थे? हमें फिर से अपनी जीभ के होने का अहसास हुआ।

अब इमारत में लोग नहीं थे, लेकिन शायद कोई दरवाजे पर पहरा देने के लिए खड़ा था। तब हमने तीन बातें कीं, क्या चल रहा होगा, यह सोचने की कोशिश की, तब भी हम डर के मारे काँप रहे थे। बार-बार पेशाब करने जाना पड़ रहा था। सारी बकेट्स बालाखाने में थीं और हमारे पास बस पीटर की वेस्ट पेपर बास्केट थी, जो धातु की बनी हुई थी। पहले मि. वैनडैन गए, फिर डैड गए, मॉम को जाना था, लेकिन शर्म के मारे वह नहीं गईं। डैड वेस्ट पेपर बास्केट दूसरे कमरे में रख आए, जहाँ कृतज्ञता भाव के साथ मिसेज वैनडैन, मार्गो और मैंने उसका इस्तेमाल किया। आखिर मम्मा को भी हार माननी पड़ी। कागज की बड़ी माँग थी और सौभाग्य से मेरी जेब में कुछ कागज पड़े हुए थे।

वेस्ट पेपर बास्केट की सड़ाँध घिरी रही, हम फुसफुसाकर बातें करते रहे। हम सब बुरी तरह थके थे। मध्य रात्रि का समय था। जमीन पर लेटो और सो जाओ। मुझे और मार्गो को एक तकिया और एक ब्लैंकेट दिया गया था। मार्गो खाने की चीजें रखने वाली अलमारी के पास लेट गई। मैं टेबल के पैरों के बीच में सोई। जमीन पर सोने की स्थिति में बदबू ज्यादा नहीं आ रही थी, लेकिन मिसेज वैनडैन ने चुपके से जाकर थोड़ा ब्लीच पाउडर डाला और रसोईवाले नैपकिन से वेस्टपेपर बास्केट को ढका।

बातें, खुसुर-पुसुर, डर, बदबू, पादते लोग, बार-बार गुसलखाने के चक्कर लगाते लोग, इनसे भरे वातावरण में सोने की कोशिश, हालाँकि ढाई बजे तक मैं इस कदर थक गई कि मुझे ऊँघ आ गई। साढ़े तीन बजे तक मुझे कुछ भी सुनाई नहीं दिया। मिसेस वैनडी ने मेरे पैरों पर जब सिर टिका दिया, तब मेरी नींद खुली।

"भगवान् के लिए, मुझे कुछ पहनने के लिए दीजिए।" मैंने कहा। तब कुछ कपड़े मुझे थमाए गए। उनमें क्या-क्या था, यह बस मत पूछो—पाजामे के ऊपर पहनने के लिए ऊनी स्लैक्स, लाल रंग का एक स्वीटर, काली स्कर्ट, सफेद स्टॉकिंग्ज और फटे-पुराने, घुटनों तक आने वाले मोजे।

मिसेज वैनडैन फिर कुरसी पर ठीक से बैठ गईं और मि. वैनडी मेरे पैरों पर सिर टिकाकर लेट गए। साढ़े तीन बजे के बाद मैं अपने ही विचारों में डूब गई। मैं इतना काँप रही थीं कि मेरे पैरों पर सिर से टेक लगाकर लेटे हुए मिस्टर वैनडी फिर से सो नहीं पाए। साढ़े तीन बजे के बाद मैं अपने खयालों में डूब गई। पुलिस लौट आने की स्थिति के लिए मैं अपने को तैयार कर रही थी। हम छुपकर जी रहे थे, यह हम उन्हें बता देंगे। अगर वे अच्छे लोग हुए तो हम सुरक्षित रहेंगे। अगर नाजियों के हमदर्द हुए तो हम उन्हें घूस देने की कोशिश करेंगे।

"हमें रेडियो छिपाकर रखना होगा।" मिसेज वैनडी ने रुआँसी आवाज में कहा।

"हाँ-हाँ, चूल्हे में छिपाओ।" मि. वैनडी ने जवाब दिया, अगर वे हमें ढूँढ़ेंगे तो क्या रेडियो नहीं ढूँढ़ निकालेंगे ?"

"फिर तो उन्हें ऐन की डायरी भी मिलेगी।" डैड बोले।

"तो उसे जला दो।" जो सबसे ज्यादा बुरा था, वह बोला। वह मैं थी।

इस समय और जब पुलिस किताबों की अलमारी खटका रही थी, उस दौरान मैं बेहद डरी थी। फिर अचानक मैं मानो होश में आई, सोचा—नहीं, डायरी नहीं। मेरी डायरी गई तो मेरी जान निकल जाएगी। शुक्र है कि डैड इस विषय में आगे कुछ बोले नहीं।

क्या बातचीत हुई थी, वह सब याद करने का कोई मतलब नहीं। कितना कुछ कहा गया था। मैंने मिसेज वैनडैन को धीरज बँधाया। वे बहुत घबराई हुई थीं। हमने भाग जाने को लेकर बात की, गेस्टापो द्वारा पूछताछ किए जाने के बारे में हम बोले, क्लीमन को फोन लगाने के बारे में सोचा और साहसी बनने के बारे में भी हमने सोचा।

हमें सैनिकों की तरह बरताव करना होगा, मिसेज वैनडैन। अगर हमारे दिन ही भर गए हों तो फिर, जैसा कि आजकल वे रेडियो पर बता रहे हैं, हम अपनी महारानी के लिए अपने देश के लिए, स्वाधीनता के लिए, सत्य और न्याय के लिए अपनी जान की कुर्बानी देंगे। बुरी बात सिर्फ यह होगी कि हम अपने साथ सबको घसीटेंगे।"

घंटे भर के बाद मिस्टर वैनडैन ने एक बार फिर मिसेज वैनडैन से जगह की अदला-बदली की। डैड भी आकर मेरी बगल में बैठे। पुरुष लोग एक के बाद एक सिगरेट फूँक रहे थे। कभी-कभी किसी की लंबी उसाँस सुनाई दे रही थी। कोई एक बार फिर टट्टी करने चला गया। उसके बाद सब फिर से दुहराया गया।

चार बज गए, फिर साढ़े-चार, फिर पाँच, साढ़े पाँच˙˙˙मैं पीटर के पास गई और उसके साथ उसकी खिड़की में बैठी और सुनने लगी। हम लोग इतने करीब सट कर बैठे हुए थे कि हमें दूसरे का काँपता बदन महसूस हो रहा था। समय-समय पर हम आपस में एकाध दो शब्द बोल लेते थे और दूसरों की कही बात ध्यान देकर सुना करते। एक दरवाज़े की कालिख वाली पट्टी उन्होंने हटाई। सबने मिलकर मि. क्लीमन को फोन पर बताई जाने वाली बातों की सूची बनाई। सात बजे के करीब सब मि. क्लीमन से फोन पर बातचीत करने वाले थे। सब उनसे विनती करने वाले थे कि वे किसी को यहाँ भेज दें। एक बड़ा जोखम उठा रहे थे, क्योंकि दरवाजे पर या गोदाम में तैनात पुलिसकर्मी द्वारा उनकी बातचीत सुने जाने का डर था, लेकिन बात न करने में इससे बड़ा जोखिम था, पुलिस कभी भी लौटकर आ सकती थी।

मैं उनकी सूची यहाँ दे रही हूँ, लेकिन साफगोई के लिए सूची को मैं यहाँ कॉपी कर रही हूँ।

चोरी : इमारत में पुलिस आई है। किताबों की अलमारी तक, आगे नहीं। चोर

आए, गोदाम के दरवाजे से अंदर घुसे और बगीचे के रास्ते भाग गए। मुख्य दरवाजा पूरे समय बंद ही रहा। कुग्लर शायद दूसरे दरवाजे से निकल गए थे।

निजी दफ्तर की काली अलमारी में टाइपराइटर और कैलकुलेटर सुरक्षित थे।

मीप या बेप द्वारा धोए जाने वाले कपड़े रसोई में रखे हुए थे।

कुग्लर या बेप के ही पास दूसरे दरवाजे की चाभियाँ हैं। चोरों ने शायद ताला तोड़ दिया था।

मि. जान को चेतावनी देनी थी और उससे चाभी लेने की कोशिश करनी थी। चाभी लेकर दफ्तर का मुआयना करना होगा, बिल्ली को खाना भी खिलाना होगा।

बाकी सब योजना के मुताबिक ही चला। मि. क्लीमन को फोन किया गया, दरवाजे से डंडे हटाए गए, टाइपराइटर को अलमारी में रखा गया। उसके बाद हम तब टेबल के इर्द-गिर्द बैठे और मि. जान या पुलिस का इंतजार करने लगे।

पीटर सो गया था। मि. वैनडैन, ऐन फ्रैंक और मैं जमीन पर लेटे हुए थे। तभी नीचे हमें जोरदार पदचाप सुनाई दी। मैं. धीमे से उठी, कहा, "यह मि. जान है।"

"नहीं, नहीं, यह पुलिस है।" वे सब बोले।

किताबों की अलमारी पर किसी ने दस्तक दी। मीप ने सीटी बजाई। मिसेज वैनडैन पर यह सब बहुत भारी गुजर रहा था। वे कुरसी में से गिर गईं, मानो अचानक शरीर की ताकत खत्म हुई हो। डर के मारे वे बिल्कुल सफेद पड़ गई थीं। एक और मिनट अगर तनाव बना रहता तो शायद वे बेहोश हो जातीं।

मीप और चौकीदार अंदर आए। अंदर का नजारा उन्होंने देखा। सिर्फ टेबल की फोटो भी काफी होती, क्या-क्या था उस पर—'सिनेमा और थिएटर' की एक कॉपी, जिसका उसमें छपी नाचती लड़कियों की तसवीरों वाला पन्ना खुला हुआ था, उस पर जाम और पेक्टिन के धब्बे—दस्त से लड़ने के लिए हम यही खा रहे थे, जाम के दो जार, आधी ब्रेड, एक और चौथाई ब्रेड, पेक्टिन, आईना, कंघी, माचिस, राख, सिगरेट्स, तंबाकू, एक एश ट्रे, किताबें, किसी की चड्डी, एक फ्लैश लाइट, मिसेज वैनडैन की कंघी, टॉयलेट पेपर, आदि-आदि। मि. जान और मीप का स्वागत अलबत्ता तालियाँ बजाकर और आँखों में आँसू लेकर किया गया। मि. जान ने दरवाजे के सुराख पर पाइन की लकड़ी का एक फट्टा ठोंककर बैठाया। फिर मीप के साथ वह भी लौट गया। पुलिस को गोदाम में हुई चोरी की जानकारी देने वे गए। मीप को गोदाम के दरवाजे के नीचे रात के चौकीदार स्वीगर की लिखी चिट्ठी भी मिली। दरवाजे में हुए छेद पर उसका ध्यान गया था और उसने इस बात की खबर पुलिस को दी थी। मि. जान भी स्लीगर्स से मिलना चाहते थे।

अब हमारे पास आधे घंटे का समय था। इस आधे घंटे में हमें अपना और घर का

हुलिया ठीक कर लेना था। उन तीस मिनटों में जो काम हुआ, वैसा बदलाव मैंने पहले कभी नहीं देखा था। नीचे जाकर मैंने और मार्गो ने अपने बिस्तर ठीक किए। गुसलखाने में जाकर दाँत साफ किए, हाथ-मुँह धोया, बाल बनाए। फिर मैंने कमरा थोड़ा ठीक-ठाक किया और मैं ऊपर पहुँची। वहाँ पहले से टेबल साफ की हुई मिली। इसलिए हम थोड़ा पानी ले आए, कॉफी और चाय बनाई, दूध गरम किया और टेबल सजाई। डैड और पीटर ने हमारे द्वारा इस्तेमाल किया गया वेस्टपेपर बास्केट वाला टॉयलेट खाली किया, गुनगुने पानी और ब्लीच पाउडर से बॉस्केट को धोया। उनमें से सबसे बड़ा जो था, वह लबालब भरा था, इसलिए उसे उठाने में उन्हें काफी मशक्कत करनी पड़ी। वह बहुत भारी था। बुरी बात यह भी हुई कि वह रिसने लगा था। उन्होंने उसे पहले एक बकेट में रखा और ले गए। ग्यारह बजे मि. जान लौटे और हमारे साथ टेबल के पास बैठे। धीरे-धीरे सब लोगों की जान में जान आई। मि. जान ने फिर सब बताया—मि. स्लीजर्स सोए हुए थे, लेकिन उनकी पत्नी ने बताया कि रोज की तरह गश्ती-दल चक्कर लगा रहे थे, तब दरवाजे में बने सुराख पर उनका ध्यान गया। उसने पुलिस को बुलाया, तब दो पुलिसवाले आए और उन्होंने इमारत का मुआयना किया। मि. स्लीगर्स रात के पहरेदार की हैसियत से अपनी साइकिल पर बैठकर हर रोज रात में इस इलाके की चौकीदारी करते हैं। उनके दो कुत्ते उनके साथ होते हैं। उनकी पत्नी ने कहा कि मंगलवार को लौटकर वे कुग्लर को सब कुछ बता देंगे। पुलिस स्टेशन में किसी को इस वारदात की कोई खबर नहीं थी; हालाँकि मंगलवार की सुबह आकर पहले यहाँ का जायजा लेंगे। इस बारे में उन्होंने नोट दर्ज कर रखा है।

वहाँ से लौटते समय मि. जान को मि. वैन होवेन मिले। वे हमें आलू की आपूर्ति करते हैं। मि. जान ने उन्हें चोरी की बात बताई, तब वे शांति से बोले, ''मैं जानता हूँ।'' उन्होंने कहा, ''कल रात मैं और मेरी पत्नी जब आपकी इमारत के पीछे से जा रहे थे, तब मैंने वहाँ दरवाजे में एक सुराख में फ्लैश लाइट चलाकर देखा। तभी शायद चोर भाग गए होंगे। सुरक्षा के खयाल से मैंने पुलिस को खबर नहीं की। आपके पक्ष में पुलिस को सूचित करना ठीक नहीं होगा, ऐसा मुझे लगा। वैसे मुझे कुछ पता नहीं, लेकिन मुझे कुछ शक है।'' जान ने उन्हें धन्यवाद दिया और आगे बढ़े। मि. वैनहोवेन को शक है कि हम यहाँ हैं, क्योंकि वे हमेशा दोपहर के खाने के अवकाश में आलू ले आते हैं। कितने सुसंस्कारी व्यक्ति हैं।

जान जब गए, तब एक बजा था और हमने बरतन साफ कर लिये थे। हम सभी आठ लोग फिर सोने गए। पौने तीन बजे मेरी नींद खुली, तब मैंने देखा कि मि. डुस्सेल पहले से जाग रहे हैं। नींद भरी आँखें और चेहरा लेकर मैं गुसलखाने के लिए निकली, जहाँ पीटर से मेरी मुलाकात हुई। वह भी तभी नीचे आया था। हममें बाद में दफ्तर में

मिलना तय हुआ। मैंने मुँह-हाथ धोए और नीचे चली गई।

"इन सब बातों के बाद क्या तुम फिर कभी सामने वाले छज्जे पर जाना चाहोगी?" पीटर ने पूछा। मैंने 'हाँ' में गरदन हिलाई, अपना तकिया उठाया, उसके गिर्द एक कपड़ा लपेटा और हम साथ-साथ ऊपर चले आए। मौसम बेहद सुहाना था। हवाई हमले की सूचना देने वाली घंटियाँ जल्द ही बजने लगीं, तब भी हम जहाँ थे, वहीं बैठे रहे। पीटर ने मेरे कंधे पर अपना हाथ लपेटा और मैंने अपना हाथ उसके कंधे के गिर्द डाला। इसी तरह हम चार बजे तक बैठे रहे। फिर मार्गो हमें कॉफी पीने के लिए बुलाने आई।

हमने ब्रेड खाई, लेमनेड पी, हँसी-मजाक किया (हम हँसी-मजाक करने जैसी हालत तक लौट आए थे) बाकी सब भी सामान्य स्थिति तक लौट आए थे। उस शाम मैंने पीटर को धन्यवाद दिया, क्योंकि हम सबमें वह बड़ा बहादुर निकला था।

उस रात हम पर जिस प्रकार का संकट आया था, वैसे संकट में हम सब पहली बार ही फँसे थे। भगवान् की हम पर सचमुच कृपा थी। जरा सोचिए, पुलिस किताबों की अलमारी तक पहुँची थी। बत्ती जल रही थी, फिर भी कोई हमारी छिपने की जगह ढूँढ़ नहीं पाया। 'अब हमारी खैर नहीं', मैं फुसफुसाई थी, लेकिन हम एक बार फिर बच निकले थे। हमला जब होता है, बम जब गिरना शुरू होते हैं, तब हर व्यक्ति अपने लिए होता है, लेकिन इस बार हमें उन मासूम ईसाई लोगों की खातिर डर लग रहा था, जिन्होंने हमें पनाह दी थी और जो हमारी मदद कर रहे थे।

"इस बार हम बच गए, हमें इसी तरह बचाते रहना।" बस यह और इतना ही हम कह पाए।

इस प्रसंग के कारण बहुत सारे बदलाव आए। अभी तुरंत यह हो रहा है कि डुस्सेल अपना काम गुसलखाने में करेंगे और साढ़े आठ से साढ़े नौ तक पीटर पहरा देगा। अब पीटर को अपने कमरे की खिड़की खोलने की इजाजत नहीं रही, क्योंकि एक बार केग के लोगों ने खिड़की खुली देखी थी। रात के 9.30 बजे के बाद हम किसी टॉयलेट में फ्लश नहीं कर सकेंगे। मि. स्लीगर्स ने एक रात के चौकीदार की नियुक्ति की है। आज रात को एक बढ़ई हमारे फ्रैंकफर्ट पलंगों की फ्रेम की लकड़ी से बाड़ बनाने के लिए आ रहा है। गुप्त भवन में चर्चा जोरों पर है। मि. कुग्लर ने हमारी लापरवाही के लिए हमें झिड़क दिया है। जान ने भी कहा है कि हमें निचली मंजिल पर नहीं जाना चाहिए। अब हमें स्लीगर विश्वास करने लायक है या नहीं, यह परखना पड़ेगा। दरवाजे के पीछे किसी की आहट पाकर क्या कुत्ते भौंकेंगे? बाड़ कैसे बनाई जाए, जैसी बातों पर गौर करना होगा।

हमें बार-बार अहसास कराया जाता था कि हम कैद में रहनेवाले यहूदी हैं, एक स्थान पर बद्ध हैं, हमारे कोई अधिकार नहीं हैं। हाँ, अगर हैं तो केवल हजारों दायित्व

हैं। हमें अपनी भावनाओं को अनदेखा कर हृदय को और मजबूत बनाना है। जो भी असुविधा है, उसे बिना शिकायत सहना है। अपने बस में जो भी है, वह करना है और भगवान् पर भरोसा रखना है। एक दिन यह भयानक युद्ध खत्म होगा। वह समय भी आएगा, जब हम केवल यहूदी नहीं रहेंगे, हम भी इनसान बनेंगे।

हमारी इस हालत के लिए कौन जिम्मेदार है, किसने हमें औरों से अलग कर दिया, किसके कारण हम इतनी मुसीबतें झेल रहे हैं ? हम जैसे भी हैं, हमें भगवान् ने बनाया है, लेकिन वे भगवान् ही होंगे, जो हमें इस मुसीबत से उबारेंगे। दुनिया की नजरों में हम खत्म हो गए हैं, लेकिन अगर इतना दुःख झेलने के बाद भी यहूदी बचे हुए हैं तो आगे हमेशा यहूदियों के उदाहरण दिए जाएँगे। हो सकता है, हमारा धर्म ही दुनिया को और सब लोगों को अच्छाई क्या होती है, यह सिखाएगा। इसी कारण, केवल इसी कारण अब हमें यह सब सहना होगा। हम केवल डच, केवल अंग्रेज बनकर नहीं रह सकते। हम जो हैं, जहाँ कहीं हैं, हमेशा यहूदी रहेंगे और हमें हमेशा यहूदी बने रहना होगा, और हम यही चाहेंगे।

साहसी बनें! अपना कर्तव्य याद रखें और बिना शिकायत के उसे पूरा करते रहें। कोई-न-कोई रास्ता निकल आएगा। भगवान् ने कभी भी यहूदियों को अपने से अलग नहीं किया है। युगों-युगों से यहूदियों को दुःख झेलने पड़े हैं, लेकिन वे युगों से जीते रहे हैं। युगों से जो दुःख वे भोगते आए हैं, उसने उन्हें मजबूत बनाया है, जो कमजोर होंगे, उनकी हार होगी, जो ताकतवर होंगे, वही बचेंगे और वे कभी नहीं हारेंगे।

उस रात मुझे सचमुच लगा कि मैं मरने जा रही हूँ। पुलिस का मैं इंतजार कर रही थी और अपने आपको मारने के लिए तैयार कर रही थी, युद्धभूमि पर लड़नेवाले सैनिक की तरह। मैं अपने देश के लिए हँसी-खुशी अपनी जान दे देती, लेकिन अब जबकि मुझे बख्श दिया गया है, मेरी पहली इच्छा यही है कि जैसे ही युद्ध समाप्त हो जाएगा, मैं सबसे पहले डच नागरिक बनूँगी। मुझे डच बनना पसंद है। मुझे यह राष्ट्र पसंद है। यहाँ की भाषा पसंद है और मुझे यहाँ काम करना है। इसके लिए अगर मुझे महारानी को खत भी क्यों न लिखना पड़े, मैं अपना लक्ष्य हासिल करके ही रहूँगी।

मैं अपने माता-पिता से अब धीरे-धीरे स्वतंत्र होती जा रही हूँ। अभी मैं युवा हूँ, इसलिए अधिक साहस के साथ जिंदगी का सामना कर सकती हूँ और मम्मा से बेहतर तथा सही मायनों में न्याय को जान सकती हूँ। मैं क्या चाहती हूँ, मुझे पता है। मेरी एक मंजिल है, मेरे कुछ मत हैं। मेरा एक धर्म है और मेरा प्रेम भी है। अगर मैं अपनी जिंदगी जी पाई तो ही मैं संतुष्ट हो पाऊँगी। मैं एक स्त्री हूँ, यह मैं जानती हूँ। अंदरूनी शक्ति और साहस रखनेवाली महिला हूँ मैं।

भगवान् अगर मुझे जीने दें, तो मम्मा ने जितना हासिल किया, उससे कहीं अधिक मैं हासिल करूँगी। मेरी आवाज सुनी जाए, ऐसा कुछ मैं करूँगी। मैं दुनिया में मानव जाति की भलाई के लिए काम करूँगी।

अब मुझे पता चला है कि सबसे पहले साहस और आनंद जरूरी होते हैं।

तुम्हारी ऐन

शुक्रवार, 14 अप्रैल, 1944

प्रिय किट्टी,

यहाँ अभी भी सब तनाव में हैं। पिम गुस्से से उबल रहे हैं। मिसेज वैनडैन भुनभुनाती हुई जुकाम से बिस्तर में पड़ी हैं। बिना सिगरेट पिए ही मिस्टर वैनडी का रंग फीका पड़ा हुआ है। अपनी कई सुविधाओं को खोने के कारण डुस्सेल हर किसी पर बिफर रहे हैं, आदि-आदि। हमारे सौभाग्य ने शायद अब हमें अलविदा कह दिया है। गुसलखाना रिस रहा है और नलका जाम हो गया है। हमारे क़ई संपर्कों को धन्यवाद कि जल्द ही हम ये चीजें दुरुस्त करवा लेंगे।

कभी-कभी मैं भावुक हो जाती हूँ, जैसा कि आप जानते हैं, लेकिन कभी-कभी मेरे भावुक होने के कारण भी होते हैं। पुराने सामान और धूल में रखे लकड़ी के कड़े बक्सों पर पीटर और मैं जब पास-पास बैठते हैं, जब हमारी बाँहें एक-दूसरे के गिर्द होती हैं, पीटर जब मेरे बालों की एक लट के साथ खेलता रहता है, बाहर जब पंछी अपना गीत गाते रहते हैं, पेड़ पर जब कलियाँ खिलने को होती हैं, सूरज जब इशारे करता है और आकाश जब गहरा नीला होता है, तब मेरे मन में बहुत कुछ पाने की इच्छा जागती है।

मैं अपने आस-पास अतृप्त और नाराज चेहरे देखती हूँ। मेरे आसपास केवल उसाँसें और शिकायतों का ही माहौल होता है। आपको तब लगेगा कि हमारा जीवन दुःखी मोड़ पर मुड़ गया है। आगे बस बुरा ही बुरा होने वाला है। सच कहती हूँ, बातें उतनी ही बुरी हो सकती हैं, जितनी आप उन्हें होने देते हैं। यहाँ, गुप्त भवन में अच्छा उदाहरण प्रस्तुत करने की कोई कोशिश भी नहीं करता है। अपना मूड बेहतर कैसे बनाए रखना है, यही हम लोगों को सोचना पड़ता है। हर दिन हम सुनते हैं, ''काश! यह सब खत्म हो जाए।''

काम, प्रेम, साहस और आशा मुझे बेहतर बनाते हैं और सब सहने में मेरी मदद करते हैं। किट, सचमुच मुझे लगता है कि आज मैं थोड़ी पगला गई हूँ। क्यों, मैं नहीं जानती। मेरा लिखा सब गड्ड-मड्ड हो रहा है। एक बात से दूसरी बात पर में छलाँगें

लगा रही हूँ। कभी-कभी मुझे लगता है कि मैं जो लिख रही हूँ, उसमें क्या किसी को कोई दिलचस्पी होगी? वे शायद कहें कि एक कुरूप लड़की के खयाल हैं। मेरी ये डायरी मि. बोल्केस्टीन या मिस्टर जेरब्रैंडी के किसी काम की नहीं। (उस दौरान जेरिट बोल्केस्टीन शिक्षामंत्री थे और पीटर जेरब्रैंडी डच सरकार में प्रधानमंत्री थे, जो देश निकाले के कारण लंदन में रह रहे थे।)

(संदर्भ के लिए देखें, ऐन का 29 मार्च, 1944 का खत)

तुम्हारी
ऐन.एम. फ्रैंक

शनिवार, 15 अप्रैल, 1944

प्रिय किट्टी,

एक के बाद एक बुरी घटनाएँ घटती जा रही हैं। यह सब कब खत्म होने वाला है, आप अगर ऐसा सोच रहे हैं तो इसे आप दोहरा सकते हैं। जानते हैं, अब क्या हुआ? अगले दरवाजे की कुंडी खोलना पीटर भूल गया। परिणामस्वरूप मि. कुग्लर और गोदाम में काम करनेवाले कर्मचारी अंदर नहीं आ सके। वे केग्स के यहाँ गए, दफ्तर के किचन की खिड़की तोड़ी और उस रास्ते अंदर आए। गुप्त भवन की खिड़कियाँ खुली थीं। केग के लोगों ने खुली खिड़कियाँ देखीं। उन्होंने क्या सोचा होगा, वैन मारन ने क्या सोचा होगा? मि. कुग्लर बेहद गुस्सा हुए। दरवाजे नहीं लगाने के बारे में हमने उन पर आरोप लगाए और हमारी तरफ से ऐसी पागल हरकत हुई। पीटर बेहद दुःखी है। खाने की मेज पर मम्मा ने कहा कि उन्हें किसी और से बढ़कर पीटर के बारे में बुरा लगता है। वह लगभग रोने को हुआ। हम भी बराबर के गुनहगार है, क्योंकि हर रोज हम उससे दरवाजा खोलने के बारे में पूछकर याद दिलाते हैं। मिस्टर वैनडैन भी पूछते हैं। बाद में मैं उसे शायद थोड़ा धीरज बँधा सकूँ। मैं सचमुच उसकी मदद करना चाहती हूँ।

पिछले कुछ हफ्तों में गुप्त भवन के जीवन से संबंधित खबरों का यह रहा ताजा बुलेटिन।

एक हफ्ते पहले, शनिवार के दिन बोश की तबीयत अचानक बिगड़ गई। वह निश्चित बैठा रहा और बेहोशी में झूलने लगा। मीप ने तुरंत उसे उठा लिया, टॉवेल में लपेटा, शॉपिंग बैग में उसे रखा और कुत्ते-बिल्लियों वाले दवाखाने में उसे ले गईं। बोश के पेट में कुछ गड़बड़ी थी। पशु चिकित्सक ने उसे दवाई दी। पीटर ने उसे कुछ दवाइयाँ थोड़े समय खिलाईं, लेकिन फिर बोश गायब हो गया। मैं शर्त लगाकर कहती

हूँ कि वह अपनी स्वीटहार्ट से मिलने गया होगा, लेकिन वह जब लौटा, तब उसकी नाक सूजी हुई थी और उसे उठाया तो वह कराह रहा था। शायद उसने कहीं से खाने की कोई चीज चुराई होगी और किसी ने उसे पीटा होगा। इसी दौरान मोशी के गले से आवाज निकलनी बंद हो गई। हम उसे भी पशु-चिकित्सक के पास ले जाना चाहते थे कि उसकी हालत सुधर गई।

अब हम बालाखाने की खिड़की में रात के समय झिर्री खोलकर रखते हैं। शाम के समय मैं और पीटर कई बार वहाँ बैठते हैं। रबर सीमेंट और ऑयल पेंट के इस्तेमाल से हमारा गुसलखाना तुरंत दुरुस्त हुआ। टूटे हुए नलके की जगह नया नलका लगाया।

सौभाग्य है कि मि. क्लीमन की तबीयत अब ठीक हो गई है। वे जल्द ही एक विशेषज्ञ से मिलने जा रहे हैं। उन्हें ऑपरेशन की जरूरत न पड़े, बस इसलिए हम प्रार्थना कर रहे हैं। इस हफ्ते हमें किताबों के आठ बक्से मिले हैं। दुर्भाग्य से अगले दो हफ्तों के लिए बींस की जगह हमें ओटमील (जई का आटा) या दलिया खाकर गुजारा करना होगा। हम आजकल पिकेलिलि, यानी सब्जियों का अचार खा रहे हैं। अगर आपका भाग्य आपके साथ नहीं हो तो, हो सकता है, आपको केवल खीरा और सरसों के सॉस से भरी बोतल मिलेगी और आपको बस उसी के सहारे गुजारा करना पड़ेगा।

बड़ी मुश्किल से आपको कभी-कभार सब्जियाँ नसीब होंगी। यहाँ तो केवल सलाद-पत्ते और बस सलाद-पत्ते ही मिलते हैं। हमें खाने में केवल आलू और बिना मांस का शोरबा ही मिलता है।

रूसियों ने क्रीमिया के आधे से ज्यादा हिस्से पर कब्जा कर लिया है। अंग्रेज कैसिनो से आगे बढ़ नहीं रहे। अब हमें वेस्टर्न वॉल का ही भरोसा है। वहाँ अनगिनत, असंभाव्य से लगनेवाले जोरदार हवाई हमले हुए हैं। हेग में जन्म, मृत्यु और विवाह दर्ज किया जाने वाला दफ्तर भी बम की चपेट में आया। सभी डच लोगों को नए राशन और रजिस्ट्री कार्ड दिए गए हैं।

आज के लिए बस इतना ही।

तुम्हारी
ऐन.एम. फ्रैंक

रविवार, 16 अप्रैल, 1944

मेरी सबसे प्यारी किट्टी,

कल की तारीख याद रखना, क्योंकि यह मेरे लिए चिरस्मरणीय मंगल दिवस है। पहले चुंबन का दिवस क्या हर लड़की के लिए महत्त्वपूर्ण नहीं होता! इसीलिए मेरे लिए यह दिन बहुत महत्त्वपूर्ण है। ब्रैम ने मुझे दाहिने गाल पर चूमा था या मिस्टर वौस्ट्रा ने मेरा दाहिना हाथ चूमा था—ये घटनाएँ कल की तुलना में कहीं नहीं ठहरतीं। अचानक मुझे यह चुंबन कैसे मिला, बताती हूँ।

कल रात आठ बजे पीटर के साथ मैं उसके दीवान पर बैठी थी और थोड़ी ही देर में उसने मेरे गिर्द अपनी बाँह लपेटी। (चूँकि वह शनिवार की रात थी, इसलिए उसने अपना ओवरआल नहीं पहना था।) थोड़ा परे हटकर बैठने में क्या हर्ज है? इस तरफ अलमारी से मेरा सिर टकरा रहा है।

तुरंत वह इतनी दूर सरका कि दीवान के दूसरे सिरे पर चला गया। मैंने उसकी बाँह के तले से हाथ बढ़ाकर उसकी पीठ पर रखा और उसने मेरे कंधों पर अपनी बाँह रखी। उसने मुझे पूरी तरह आगोश में ले लिया था।

पहले भी कई बार हम इस तरह बैठे थे, लेकिन कल रात के जितना करीब कभी नहीं बैठे थे। उसने मुझे अपने करीब पकड़ रखा। मेरी बाईं कुहनी तक का हिस्सा उसकी छाती से सटा था। मेरा दिल जोरों से धड़कने लगा था, लेकिन अभी और कुछ होना था। जब तक मेरा सिर उसके कंधे पर नहीं टिका, वह संतुष्ट नहीं था। उसका सिर मेरे सिर पर टिका था। पाँच मिनट के बाद मैं उठी, लेकिन थोड़ी ही देर में उसने फिर मेरा सिर अपने कंधे पर टिका दिया। कितना अच्छा लग रहा था। मैं बोल नहीं पा रही थी। मेरी खुशी बेहद गहरी थी। उसने मेरा गाल और कंधा सहलाया, थोड़ा सकुचाता हुआ सा, फिर वह मेरे बालों से खेलने लगा। पूरा समय हमारे सिर एक-दूसरे के सिर से चिपके हुए थे।

उस समय मेरे पूरे शरीर में क्या हो रहा था, यह मैं तुम्हें नहीं बता पाऊँगी, किट्टी। मैं बहुत खुश थी, कोई शब्द ही नहीं सूझ रहा था। यही हाल पीटर का भी था।

साढ़े नौ बजे हम उठकर खड़े हुए। रात में इमारत के आस-पास चक्कर लगाने जाते समय के अपने टेनिस के जूते पीटर ने पहने। मैं उसके पास में ही खड़ी थी। मैं नहीं जानती, कैसे मैंने सही कदम उठाए, लेकिन नीचे जाने से पहले उसने मुझे चूमा। आधा गाल पर, आधा कान पर, इन दोनों के बीच पड़ते बालों पर। पीछे देखे बिना मैं दौड़कर नीचे पहुँची। अजीब है, इसके लिए मैंने कितना इंतजार किया था।

रविवार की सुबह, ग्यारह बजे से कुछेक मिनट पूर्व।

तुम्हारी

ऐन.एम. फ्रैंक

सोमवार, 17 अप्रैल, 1944

मेरी सबसे प्रिय किट्टी,

तुम्हें लगता है, मेरी उम्र की लड़की एक दीवान पर बैठकर साढ़े सोलह वर्ष के लड़के को चूमने को डैड और मम्मा की इजाजत मिलेगी? मुझे नहीं लगता, लेकिन इस मामले में मुझे अपनी ही धारणा पर भरोसा करना होगा। उसकी बाँहों में सिमटकर सपने देखते हुए कितनी शांति और सुरक्षा महसूस हो रही थी। उसके गाल को अपने गाल पर महसूस करना कितना रोमांचकारी था। कोई अपनी राह देख रहा है, यह कल्पना कितनी सुखकर है, लेकिन···हाँ, एक लेकिन है, क्या पीटर इस घटना को यहीं छोड़गा? उसने जो कसम खाई थी, उसे मैं भूली नहीं थी।

वह तो लड़का है!

बेहद छोटी उम्र में मैंने यह सब शुरू किया है, यह मैं जानती हूँ। अभी मैं पूरे पंद्रह साल की भी नहीं हूँ और इतनी आजाद हूँ···औरों के लिए यह समझ पाना थोड़ा मुश्किल है। मार्गो कभी किसी लड़के को चूमेगी नहीं, यह मैं जानती हूँ। हाँ सगाई या शादी की बात चले तो और बात है। पीटर का या मेरा शादी करने का कोई प्लान नहीं है। मुझे इस बात का भी यकीन है कि डैड से शादी से पहले मॉम ने भी किसी पुरुष को छुआ नहीं होगा। मेरी सहेलियाँ या जैक क्या कहेंगी, अगर उन्हें पता चले कि मैं पीटर की बाँहों में उसकी छाती पर अपना दिल रखकर, अपना सिर उसके कंधे पर रखकर, उसका सिर और चेहरा मेरे सिर पर रखे लेटी थी।

ओह ऐन, यह तो जबरदस्त धक्का देने वाला है, लेकिन सच कहूँ तो यह बिल्कुल धक्का नहीं देता। हम यहाँ बंद हैं, दुनिया से कटे हुए, उत्सुक और डरे हुए, खासकर पिछले कुछ दिनों से। ऐसे में हमें एक-दूसरे से अगर प्यार है तो हम अलग क्यों रहें, ऐसे बुरे समय में हम एक-दूसरे को क्यों न चूमें? सही उम्र के होने तक हम इंतजार क्यों करें, मुझे इसके लिए किसी से इजाजत लेने की क्या जरूरत है?

मैंने तय किया है, मैं अपनी पसंद के काम करूँगी। वह मुझे कभी दुख नहीं देगा या नाराज नहीं करेगा। मेरा मन मुझसे जो करने के लिए कहे और जिससे हम दोनों को खुशी मिले, वह बात मैं क्यों न करूँ?

फिर भी किट्टी, मुझे लगता है कि कुछ गड़बड़ है इसमें। मेरे मन में जो शक है, उसे तुम भाँप सकती हो। छिपकर रहने की मजबूरी में मेरी ईमानदारी का किया हुआ विद्रोह है यह। क्या ऐसा तुम्हें लगता है कि मैं जो कर रही हूँ, वह डैड को बताना मेरा कर्तव्य है? हममें जो राज है, उसे तीसरे व्यक्ति के साथ बाँटना क्या जरूरी है? फिर तो उसकी सारी सुंदरता ही खत्म हो जाएगी, लेकिन बताने से क्या मुझे अच्छा महसूस होगा? मैं डैड से कहकर देखती हूँ।

और हाँ, मुझे उसके साथ और भी कई बातों के बारे में चर्चा करनी है। सिर्फ एक-दूसरे की बाँहों में लेटे रहने का कोई मतलब नहीं। अपने विचार एक-दूसरे के साथ बाँटने के लिए एक-दूसरे पर बेहद भरोसा होना चाहिए, लेकिन इससे हमारी मजबूती बढ़ेगी।

तुम्हारी
ऐन.एम. फ्रैंक

ध्यान रखें : कल सुबह हम छह बजे ही जाग गए थे, क्योंकि पूरे परिवार को किसी के घर में घुस आने की आवाजें सुनाई दी थीं, लेकिन इस बार चोरों के शिकार शायद हमारे कोई पड़ोसी हुए थे। सात बजे उठकर हमने जाँचा तो सारे दरवाजे बंद थे, भगवान् की कृपा।

मंगलवार, 18 अप्रैल, 1944

मेरी सबसे प्यारी किट्टी,

यहाँ सब ठीक है। कल रात एक बार फिर बढ़ई आया था। दरवाजों पर लोहे के पैनल लगाने थे। डैड ने अभी-अभी बताया कि उनके अनुमान से 20 मई से पहले रूस, इटली और पश्चिम में भी बड़ी कारवाइयाँ होने की संभावना है। युद्ध जितना लंबा खिंचेगा, उतना इस जगह से मुक्त हो पाना मुश्किल होगा।

पिछले दस दिनों से जिस विषय पर बातचीत करना मैं और पीटर टाल रहे थे, उस पर आखिर हमने कल बात की। मैंने उसे लड़कियों के बारे में सबकुछ बताया। बेहद निजी बातें भी बिना हिचकिचाए बताईं। मुझे उसकी एक बात बड़ी मजेदार लगी, उसका मानना था कि स्त्री के शरीर के दरवाजे की कभी तसवीर नहीं बनानी चाहिए। यह दरवाजा स्त्री के टाँगों के बीच होता है, इसकी वह कल्पना भी नहीं कर पाया। होंठों के पास चूमकर उस शाम हम विदा हुए। सचमुच, बहुत अच्छा लगा।

कभी मैं अपनी पसंदीदा सुविचारों की डायरी ऊपर ले जाना चाहती हूँ, ताकि पीटर और मैं चीजों के बारे में और गंभीरता से सोचें। सारा समय एक-दूसरे की बाँहों में लेटे रहना बहुत अधिक संतोष देनेवाली बात तो नहीं है, ऐसा मुझे लगता है। उम्मीद है कि उसे भी ऐसा ही लगता होगा।

सामान्य ठंठ के मौसम के बाद अब यहाँ सुंदर वसंत आया है। अप्रैल बेहद खूबसूरत महीना है, न ज्यादा गरम, न ज्यादा ठंड। कभी-कभी हल्की बौछारें आती हैं। हमारा चेस्टनट वृक्ष बहुत सारे नए पत्तों से लद गया है। उस पर अभी से यहाँ-वहाँ

छोटे-छोटे फूलों के गुच्छे दिखाई देने लगे हैं।

शनिवार को बेप ने हमें फूलों के चार गुलदस्ते दिए हैं। उनमें से तीन डफोडिल्स के हैं और मेरे लिए एक ग्रेप हैसिंथ का है। मि. कुग्लर हमें अधिक से अधिक अखबार लाकर देते हैं। अंकगणित की पढ़ाई का समय हो गया किट्टी, अलविदा आज के लिए।

तुम्हारी
ऐन.एम. फ्रैंक

बुधवार, 19 अप्रैल, 1944

मेरी सबसे प्रिय डार्लिंग,

('डियरेस्ट डार्लिंग' एक फिल्म का शीर्षक है, जिसमें डोरिथ क्रिस्लर, इडा वुस्ट और हेराल्ड पॉल्सेन हैं।) खुली खिड़की में सामने बैठकर प्रकृति का आनंद लेना, पंछियों की चहचहाहट का संगीत सुनना, गाल को छूती सूरज की किरणें महसूस करना और अपने प्रिय युवक को बाँहों में बाँधे रखने से अधिक अच्छा क्या हो सकता है? उसकी बाँहें जब मेरे गिर्द लिपटी रहती हैं, मुझे बेहद शांति और सुरक्षा महसूस होती है। उसके पास होने का अहसास और बोलने के लिए कुछ भी नहीं होना। इससे किसी का क्या बुरा हो सकता है? मुझे तो इसमें बेहद खुशी ही मिली है और काश! इसमें कभी कोई खलल डाले, बिल्कुल मोशी भी नहीं।

तुम्हारी
ऐन.एम. फ्रैंक

शुक्रवार, 21 अप्रैल, 1944

मेरी सबसे प्रिय किट्टी,

गले में खराश के कारण मैं कल बिस्तर में ही पड़ी रही, लेकिन मुझे बुखार नहीं था। इसलिए आज मैं उठी। मेरे गले की खराश लगभग खत्म हो चुकी है।

कल, जैसा कि अब तक आप जान चुके होंगे, हमारे फेरो का पचपनवाँ जन्मदिवस था। आज हर रॉयल हाइनेस प्रिंसेस एलिजाबेथ ऑफ यॉर्क का अठारहवाँ जन्मदिवस है। बीबीसी के रिपोर्ट के अनुसार राजपरिवार के बच्चों को घोषित किया जाता है, लेकिन उसे अभी बालिग घोषित नहीं किया गया है। हम सब सोच रहे थे कि पता नहीं किस राजकुमार के साथ इस सुंदर राजपुत्री का ब्याह होगा, लेकिन हममें उसके

लिए योग्य उम्मीदवार कौन हो सकता है, यह तय नहीं कर पाए। उसकी बहन मार्गरेट रोज का ब्याह शायद बेल्जियम के प्रिंस बाउडोइन से होगा।

यहाँ हम पर एक के बाद एक मुसीबतें आ रही हैं। बाहर के दरवाजे अभी दुरुस्त किए ही गए थे कि वैनमारेन ने एक बार फिर मुसीबत खड़ी कर दी। शायद खुद उसने ही आलू का आटा चुराया था और अब वह बेप पर आरोप मढ़ना चाहता था। आश्चर्य की बात नहीं कि इस मसले को लेकर एक बार फिर गुप्त भवन का वातावरण गरमाया था। बेप बेतरह गुस्सा थीं। शायद इस बार मि. कुग्लर आखिर इस बुरे आदमी को बाहर कर ही देंगे।

बीथोवन स्ट्राट के परीक्षक आज सुबह यहाँ आए थे। उन्होंने हमें अलमारी के लिए 400 गिल्डर्स दिए। हमारी राय में कीमत के अन्य अनुमान भी बहुत छोटी राशि वाले थे।

'द प्रिंस' पत्रिका से मैं पूछने वाली हूँ कि वे मेरी एक परीकथा छद्म नाम से छापेंगे क्या? लेकिन अब तक मेरी लिखी सभी परीकथाएँ बहुत लंबी हैं। सो मुझे लगता नहीं कि वे मेरी परीकथा छापेंगे। मिलते हैं डार्लिंग, अगली बार फिर।

तुम्हारी
ऐन.एम. फ्रैंक

मंगलवार, 25 अप्रैल, 1944

मेरी सबसे प्रिय किट्टी,

पिछले दस दिनों से डुस्सेल मिस्टर वैनडैन से बात नहीं कर रहे। चोरी की घटना के बाद सुरक्षा की जो व्यवस्था लागू की गई है, उसे लेकर उनमें अनबन है। शाम के समय अब उन्हें नीचे जाने की इजाजत नहीं थी, यह एक वजह थी। साढ़े नौ बजे पीटर और मि. वैनडैन नीचे एक चक्कर लगा आते हैं और उसके बाद किसी को नीचे जाने की इजाजत नहीं है। रात के आठ बजे के बाद और सुबह आठ बजे से पहले अब हम फ्लश नहीं चला सकते। सुबह मि. कुग्लर के कमरे में जब बत्ती जलती है, केवल उसके बाद ही हम खिड़कियाँ खोल सकते हैं। रात में डंडी के सहारे भी अब खिड़कियाँ खुली नहीं रखी जा सकतीं। इस कारण ही डुस्सेल नाराज थे। उनका कहना था कि मि. वैनडैन ने उन्हें निशाना बनाया है, लेकिन असल में वे खुद ही इसके लिए जिम्मेदार हैं। वे कहते हैं कि ऐसा समय आए तो वह बिना खाए दिन गुजार सकते हैं, बिना हवा के नहीं। किसी तरह खिड़कियाँ खुली रखने की कोई तरकीब उन्हें ढूँढ़ निकालनी होगी।

"इस बारे में मुझे मि. कुग्लर से बात करनी पड़ेगी," उन्होंने मुझसे कहा।

मैंने उनसे कहा कि इस तरह के मसलों के बारे में हमने कभी भी मि. कुग्लर से बात नहीं की है, हम आपस में ही बात करते हैं।

इस पर वे बोले, "हर बात मेरी पीठ पीछे ही होती है, इस बारे में मुझे तुम्हारे पिताजी से बात करनी होगी।"

अब उन्हें शनिवार की दोपहर बाद या रविवार के दिन मि. कुग्लर के दफ्तर में बैठने की अनुमति नहीं है, क्योंकि कुग्लर के प्रबंधक अगर अगले कमरे में होंगे तो उन्हें आहट मिलने की संभावना थी। हालाँकि, इसके बावजूद डुस्सेल वहाँ जाकर बैठे। मि. वैनडैन गुस्से में थे। डैड मि. डुस्सेल से बात करने के लिए नीचे गए। डुस्सेल के नीचे आने की कोई फालतू सी वजह बताई, लेकिन इस बार डैड भी उस वजह को मान नहीं सके। अब चूँकि डुस्सेल ने उनका अपमान किया था, इसलिए डैड भी डुस्सेल से कम से कम मतलब रखने की कोशिश करते हैं। हममें से किसी को पता नहीं कि डुस्सेल ने डैड से क्या कहा, लेकिन उन्होंने शायद कोई बेहद बुरी बात कही थी।

अगले हफ्ते उस कमीने की वर्षगाँठ है। जब आप लोगों से नाराज हो तो उनसे जन्मदिन कैसे मनाओगे? जिनसे तुम्हारी बात तक नहीं होती, उनसे तुम भेंट कैसे स्वीकारोगे?

मि. वोस्कुइजिल की सेहत दिनोदिन तेजी से बदतर होती जा रही है। पिछले दस से अधिक दिनों से उनका शरीर एक सौ चार डिग्री तक तप रहा है। डॉक्टर ने कहा है उनकी हालत निराशाजनक है। उन्हें लगता है कि कैंसर उनकी आँतों में पूरा फैल गया है। विचारे मि. वोस्कुइजिल! हम सब उनकी मदद करना चाहते हैं, लेकिन अब केवल भगवान् ही उनकी मदद कर सकते हैं।

मैंने 'ब्लरी द एक्सफ्लोरर' शीर्षक की एक मजेदार कहानी लिखी है। तीन लोगों ने उसे सुना और उन्हें वह बहुत अच्छी लगी।

मुझे अभी भी बड़ा तेज जुकाम है। डैड-मम्मा और मार्गो को भी मेरी वजह से जुकाम हुआ है। पीटर को न लगे, बस। वह मुझे चूमना चाहता था, मुझे उसने अपनी एल डोरेडो भी कहा। किसी व्यक्ति को तुम यह नहीं कह सकते, लेकिन उस पागल ने मुझे यही कहा। बड़ा प्यारा है वह।

तुम्हारी
ऐन.एम. फ्रैंक

गुरुवार, 27 अप्रैल, 1944

मेरी सबसे प्यारी किट्टी,

आज सुबह मिसेज वैनडी का मूड बेहद खराब था। वे बस शिकायतें ही करती जा रही थीं, पहले अपने जुकाम के बारे में, खाँसी की दवाई न मिल पाने के बारे में और बार-बार नाक सुड़कनी पड़ती है, इस बारे में। उसके बाद वे सूरज के न निकलने को लेकर शिकायतें करने लगीं। फिर अभी हमले नहीं होने को लेकर शिकायतें कीं, फिर हमें खिड़की से बाहर झाँकने की इजाजत न होने को लेकर शिकायतें कीं। हमें फिर उन पर हँसी आई। उन्हें भी शायद जिन बातों की वे शिकायतें कर रही थीं, वे उतनी ज्यादा नहीं खल रही होंगी, क्योंकि वे भी हममें शामिल हुईं।

आलू के व्यंजन बनाने की जो पद्धति पहले से थी, उसमें प्याज की कमी के कारण थोड़ा बदलाव करना पड़ा।

उबले हुए आलू, अनाज पीसने वाली मशीन में डालो, उसमें सरकार की तरफ से मिला सूखा आटा और नमक मिलाओ। ओवन के बरतन में पैराफिन या स्टियरिन लगाकर उसमें गूँधा हुआ आटा डाले। करीब ढाई घंटों तक बेक करो। स्ट्रॉबेरी के मुरब्बे के साथ परोसो। (प्याज मिलते नहीं थे। आटे में लगाने के लिए तेल भी नहीं था।)

अभी मैं महाराज पाँचवें चार्ल्स के बारे में एक किताब पढ़ रही हूँ, जिसके लेखक गॉटिंजन विश्वविद्यालय के एक प्रोफेसर हैं। उन्होंने 40 वर्षों तक इस पुस्तक पर काम किया। इस पुस्तक के पाँच पन्ने पढ़ने में मुझे 50 दिन लगे। इससे ज्यादा मैं पढ़ ही नहीं पाई। किताब के कुल 598 पन्ने हैं, सो आप कल्पना कर सकते हैं कि इसे पढ़कर पूरा करने में मुझे कितना समय लगेगा और यह सिर्फ इसी खंड की बात है। किताब का अगला खंड भी है, लेकिन किताब है बड़ी दिलचस्प।

एक दिन में स्कूली छात्रा को कितने काम करने पड़ते हैं। मेरा ही उदाहरण लीजिए। पहले मैंने 'नेल्संस लास्ट बैटल' पुस्तक के एक परिच्छेद का डच भाषा से अंग्रेजी में अनुवाद किया। फिर नॉर्दर्न वार (1700-21) के बारे में मैंने एक किताब पढ़ी, जिसमें पीटर द ग्रेट, चार्ल्स बारहवाँ, अगस्टस द स्ट्रांग, स्टेनिस्लॉस लेक्जिंस्की, मजेपा, वोन गोर्ज, ब्रैंडेनबर्ग, पश्चिमी पोमेरेनिया, पूर्वी पोमेरेनिया और डेनमार्क तथा इन सबसे जुड़ी प्रमुख घटनाएँ और तारीखें पढ़ीं। उसके बाद मैं ब्राझिल पहुँची। वहाँ मैंने बाहिया टोबेको, अबंडंस ऑफ कॉफी, रियो डी जानेरियो के डेढ़ करोड़ वासी, परनांबुको और साओ पावलो और महत्त्वपूर्ण एमेजॉन नदी के बारे में पढ़ा। फिर मैंने नीग्रो के बारे में पढ़ा, मुलाट्टोज, मेस्टिजोज, गोरे, अनपढ़ दर, जो 50 प्रतिशत से अधिक थी और मलेरिया के बारे में भी पढ़ा। मेरे पास फिर भी समय बचा था। इसलिए मैंने वंशावली

के चार्ट पढ़े। जॉन द ओल्ड, विलियम लुई, एर्नेस्ट कैसिमिट पहले, हेनरी कैसिमिर पहले से लेकर मार्गरिट फ्रांसिस्का (सन् 1943 में ओटावा में पैदा हुई) के बारे में पढ़ा।

बारह बज गए हैं—बालाखाने में पहुँचकर मैं पढ़ाई करने बैठी हूँ। डींस, प्रीस्ट्स, मिनिस्टर्स, पोप और…बाप रे, एक बज गया।

दो बजे बेचारी बच्ची (हाँ जी) फिर काम पर लग गई। ओल्ड वर्ल्ड और न्यू वर्ल्ड के लोगों के बारे में पढ़ना जो था। किट्टी, फट से बताओ, हिप्पोपोटोमस के पैर में कितनी उँगलियाँ होती हैं?

उसके बाद पढ़ना है बाइबिल, नोआज आर्क, शेम, हैम एंड जपेथ। उसके बाद चार्ल्स पंचम। फिर पीटर के साथ कर्नल के बारे में ठाकरे की अंग्रेजी में लिखी किताब पढ़नी है। फिर एक फ्रेंच टेस्ट और उसके बाद मिसिसिपी और मसूरी की तुलना।

आज के लिए बहुत हुआ। अलविदा!

तुम्हारी

ऐन.एम. फ्रैंक

शुक्रवार, 28 अप्रैल, 1944

मेरी सबसे प्यारी किट्टी,

पीटर शिफ (जनवरी के शुरुआती पृष्ठ पढ़ें) के बारे में मैं भूली नहीं हूँ। अभी भी मैं अपने गालों से चिपके गाल महसूस करती हूँ। उसके कारण बाकी सभी बातों पर छाया उजियारा भी मुझे याद है। उतनी तीव्रता से नहीं, पर कभी-कभार पीटर के बारे में भी मेरे मन में वही भाव आते हैं। कल रात तक बस ऐसा ही था। हम रोज की तरह दीवान पर बैठे थे। एक-दूसरे की बाँहों में। अचानक रोजमर्रा की ऐन कहीं गुम गई और उसकी जगह किसी दूसरी ऐन ने ली। दूसरी ऐन अति आत्मविश्वासी या मजाकिया नहीं थी, उसे सिर्फ कोमल बने रहना और प्रेम करना था।

मैं उससे चिपकी बैठी थी और लगा कि भावनाओं का ज्वार उमड़ रहा है। आँखों में आँसू आए। बाईं आँख के आँसू उसके ओवरआल पर गिरे। दाहिनी आँख के आँसू बहकर नाक की नोक तक बहने के बाद हवा में गिरे और टप-टप गिरते रहे। उसके ध्यान में यह बात आई होगी, उसने कुछ कहा नहीं। उसके पास दो ऐन बैठी हैं, क्या यह बात वह समझ पाया? मेरे प्रश्न अनुत्तरित रहे।

साढ़े आठ बजे मैं उठकर खड़ी हुई और खिड़की के पास पहुँची। वहीं खड़े रहकर हम एक-दूसरे से विदा लेते हैं। मैं अभी भी काँप रही थी। अभी तक मैं दूसरी ऐन ही थी। वह मेरे पास आया, मैंने अपनी बाँहें उसके गले में लपेटीं और उसका बायाँ

गाल चूमा। मैं उसका दायाँ गाल चूमने चली, लेकिन बीच में उसके होंठ मेरे होठों से मिले। हमने अपने होंठ एक-दूसरे के होंठों पर दबाए रखे। एक तरह के उन्माद में हमने बार-बार एक-दूसरे को बाँहों में जकड़ा, मानो रुकना ही नहीं चाहते हों। ओह!

पीटर को थोड़ा कोमल बनना होगा। जिंदगी में पहली बार उसने लड़की खोजी है। सबसे बड़े जीव के पास भी आत्मा होती है, मन होता है, हृदय होता है, यह उसने पहली ही बार देखा है। पहली बार वह जान पाया है कि अकेले में तुम्हारे साथ होने पर ऐसा जीव पूरी तरह बदल जाता है। जीवन में पहली बार उसने-अपने आपको, अपनी दोस्ती को दूसरे व्यक्ति को समर्पित किया है। इससे पहले उसका कोई दोस्त नहीं था—पुरुष या महिला। अब हमने एक-दूसरे को पाया है। मैं भी पहले उसे नहीं जानती थी, पहले मेरे पास भी अपने मन की बात बाँटने के लिए कोई नहीं था। इसी कमी के कारण आज हम साथ हैं।

मुझे एक ही सवाल कोंचता रहता है, 'क्या यह ठीक है?' मेरा इतनी जल्दी समर्पित होना, पीटर जितना भावुक होना, इच्छाओं के वशीभूत होना क्या ठीक है, मैं, यानी एक लड़की का अपने को इस तरह की छूट देना सही है?

इसका केवल एक ही जवाब संभव है, ''मुझमें उसकी इतनी अधिक चाहत पैदा हुई थी···और अभी इतने अरसे बाद तक है। मैं इतनी अकेली थी और अब मुझे इतना दिलासा मिल रहा है।''

दिन के समय हम बेहद सामान्य व्यवहार करते हैं। दोपहर में भी। बस कभी-कभार सामान्य नहीं रह पाते, लेकिन शाम के समय दिन भर की दबी हुई इच्छाएँ, खुशियाँ और सुख उछलकर सतह पर आ जाते हैं। तब हम केवल एक-दूसरे के बारे में ही सोच पाते हैं। हर रात हमारे आखिरी चुंबन के बाद मुझे उससे दूर भाग जाने की, फिर कभी उससे नजर न मिलाने की इच्छा बलवती होती है। मैं तब बहुत दूर अँधेरों में कहीं अकेले निकल जाना चाहती हूँ।

और वे चौदह सीढ़ियाँ उतरकर मैं जब नीचे आ जाती हूँ, तब मेरे लिए क्या स्थितियाँ होती हैं?

मेरा दिल अभी बहुत कोमल है, खासकर कल रात जिस तरह का धक्का मुझे लगा, उससे उबरने के लिए मुझे काफी समय लगेगा। कोमल ऐन कभी-कभी मुझमें प्रकट हो जाती है और इतनी जल्दी में नहीं होती कि कोई उसे तुरंत दरवाजा दिखा दे। पीटर मेरे ऐसे हिस्से तक पहुँचा है, जहाँ तक इससे पहले कोई नहीं पहुँच पाया था, मेरे सपनों के अलावा। उसने मुझे अंदर-बाहर झकझोर दिया है। सही स्थिति तक पहुँचने के लिए क्या हर किसी को थोड़े शांति भरे समय की जरूरत नहीं होती, मुझसे तुम क्या चाहते हो?

यह सब हमें कहाँ पहुँचाएगा? अब सब मेरी समझ में आ रहा है, बेप। अब जब मैं खुद इस सबसे गुजर रही हूँ तब। उसके शक अब मैं समझ पा रही हूँ। अगर मैं थोड़ी बड़ी होती और अगर वह मुझसे शादी करने की इच्छा प्रकट करता तो मैं क्या करती? ऐन, ईमानदारी से बताओ। तुम उससे शादी नहीं कर सकती, लेकिन जाने देना भी इतना आसान तो नहीं है। पीटर का चरित्र अभी बना नहीं है, उसके पास इच्छाशक्ति नहीं है, उसके पास साहस की कमी है, ताकत की कमी है। वह अभी बच्चा है। भावनात्मक स्तर पर वह मेरी ही उम्र का है। उसे केवल सुख चाहिए, मन की शांति चाहिए। क्या मैं केवल चौदह वर्ष की हूँ, क्या मैं केवल एक नादान स्कूली बच्ची हूँ, हर बात में क्या मैं इतनी अनुभवहीन हूँ? अन्य लोगों की अपेक्षा मेरे पास अधिक अनुभव है। मेरी उम्र के किसी को, कभी मिले नहीं हों, ऐसे अनुभव मैंने पाए हैं।

मैं अपने आपसे डरती हूँ। मुझे डर है कि मेरी चाहत मुझे जल्द ही समर्पण करने पर मजबूर करेगी। अन्य किसी भी लड़के के साथ बाद में यह सब कैसे उचित हो सकता है? ओह, कितना कठिन है यह सब। मन और हृदय के बीच का सनातन संघर्ष। इन दोनों के लिए समय और स्थान दोनों तय हैं, लेकिन उनमें से जो सही है, मैंने उसी का चुनाव किया है, इस बारे में मैं यकीनन कैसे कह सकती हूँ?

तुम्हारी
ऐन.एम. फ्रैंक

मंगलवार, 2 मई, 1944

मेरी सबसे प्यारी किट्टी,

शनिवार की रात मैंने पीटर से पूछा कि क्या मुझे हमारे बारे में डैड को बताना चाहिए? हमने इस पर चर्चा की। फिर उसने कहा कि उसे लगता है कि मुझे बताना चाहिए। मुझे खुशी हुई, इससे जाहिर होता है कि वह अक्लमंद है और संवेदनशील भी। मैं जैसे ही नीचे आई, मैं डैड के साथ पानी लेने गई। हम अभी सीढ़ियों पर थे, जब मैंने डैड से कहा, "डैड, आपने अब तक भाँप लिया होगा कि पीटर और मैं जब मिलते हैं, तब हम कमरे के दो सिरों पर बैठकर बातें नहीं करते। क्या आपको यह गलत लगता है?"

जवाब देने से पहले डैड रुके। फिर उन्होंने कहा, "नहीं, मुझे यह गलत नहीं लगता, लेकिन ऐन, जब हम इतना करीब होते हैं तब हमें एहतियात बरतने चाहिए, जैसे हम बरतते हैं।" उन्होंने कुछ और शब्द भी इसी अर्थ में कहे और फिर हम ऊपर चले गए।

रविवार की सुबह उन्होंने मुझे अपने पास बुलाया और कहा, "ऐन, तुमने मुझसे

जो कहा था, उसके बारे में मैं सोचता रहा।'' (हाँ, मुझे पता है, अब वे क्या कहने जा रहे हैं।) ''यहाँ गुप्त भवन में यह सबकुछ अच्छा नहीं लगता। मुझे लगा तुम सिर्फ दोस्त हो। क्या पीटर तुमसे प्यार करता है?''

''नहीं तो'', मैंने जवाब दिया।

''हँह, देखो, मैं तुम दोनों को जानता हूँ, लेकिन तुम्हें ही थोड़ा निग्रह दिखाना होगा। नियंत्रण रखना होगा। बार-बार ऊपर न जाया करो। उसे ज्यादा बढ़ावा न दिया करो। ऐसे मामलों में अकसर पुरुष आगे बढ़ता है और औरत को सीमा निर्धारित करनी होती है। बाहर जब तुम आजाद होते हो, तब बातें अलग होती हैं। तुम बाकी लड़के-लड़कियों को देखती हो, तुम बाहर जा सकती हो, खेल-कूद में हिस्सा ले सकती हो और भी बहुत कुछ कर सकती हो, लेकिन यहाँ तुम लोग अगर ज्यादा समय साथ रहे और फिर तुमने अलग होने की सोची, तो तुम हो नहीं पाओगी। पूरा समय तुम एक-दूसरे को देखते रहोगे, बार-बार सामना होता रहेगा। असल में ऐन, सावधानी बरतना और यह सब गंभीरता से नहीं लेना। ''

''मैं नहीं लेती, डैड, लेकिन पीटर अच्छा लड़का है, सभ्य है।''

''हाँ, लेकिन उसके पास चरित्र की शक्ति कम है। अच्छा काम करने के लिए उसे आसानी से मनाया जा सकता है, उसी तरह बुरे काम के लिए भी उसे आसानी से मनाया जा सकता है। उसके लिए मैं यही चाहूँगा कि वह अच्छा ही रहे, क्योंकि मूलत: वह एक अच्छा इनसान है।

हमने थोड़ी देर और बातें कीं और मैंने माना कि डैड भी उससे बात करेंगे।

रविवार की दोपहर जब हम अगले बालाखाने में थे, पीटर ने पूछा, ''तुमने अपने डैड से बात की क्या, ऐन?''

''हाँ'', मैंने कहा, ''मैं उसके बारे में तुम्हें सब बताती हूँ। उन्हें यह गलत नहीं लगता, लेकिन उन्होंने कहा कि यहाँ हम इतने नजदीक रहते हैं कि हमारा एक-दूसरे से इस तरह मिलना, हो सकता है, संघर्ष पैदा करे।''

''हमने झगड़ा नहीं करने की बात तय की है न? और मैं अपनी कसम पर कायम रहना चाहता हूँ।''

''मैं भी, पीटर, लेकिन डैड को नहीं लगता कि हम गंभीर हैं। उन्हें लगा था कि हम केवल मित्र हैं। तुम्हें क्या लगता है, हम अभी भी मित्र रह सकते हैं?''

''हाँ, मुझे लगता है। तुम्हें क्या लगता है?''

''मुझे भी लगता है। मैंने डैड से भी यही कहा कि मुझे तुम पर भरोसा है। मेरा तुम पर भरोसा है पीटर, उतना, जितना मुझे डैड पर भरोसा है और मुझे लगता है कि तुम मेरे भरोसे के काबिल हो। हो न?''

''मैं आशा करता हूँ।'' (कहते हुए वह बहुत शरमा रहा था। उसके गाल पूरे लाल हो गए थे।)

''मुझे तुम पर भरोसा है पीटर'', मैंने कहा, ''मुझे विश्वास है कि तुम्हारे पास मजबूत चरित्र शक्ति है, इस दुनिया में तुम निश्चित रूप से आगे बढ़ोगे।''

उसके बाद हमने बाकी चीजों के बारे में बातचीत की। फिर मैंने कहा, ''अगर हम कभी यहाँ से बाहर निकल पाए तो तुम मेरे बारे में दोबारा सोचोगे भी नहीं।''

उसे एकदम गुस्सा आया। वह बोला, ''यह सच नहीं है, ऐन। मेरे बारे में तुम ऐसा सोचो यह भी मुझे पसंद नहीं।''

तभी हमें किसी ने पुकारा।

डैड ने उससे बात की। सोमवार को उसने मुझे बताया। उसने कहा, ''तुम्हारे डैड को लगता है कि हमारी दोस्ती प्यार में बदल जाएगी, लेकिन मैंने उन्हें बताया कि हम अपने आप पर नियंत्रण रखेंगे।''

डैड चाहते हैं कि अब मैं बार-बार ऊपर न जाऊँ, लेकिन मैं ऐसा करना नहीं चाहती। केवल इसलिए नहीं कि मुझे पीटर के साथ रहना पसंद है, लेकिन इसलिए क्योंकि, मैंने उससे कहा है कि मैं उस पर भरोसा करती हूँ। मैं सचमुच उस पर भरोसा करती हूँ और यह बात मैं उसे साबित कर दिखाना चाहती हूँ, लेकिन उस पर भरोसा करना छोड़ अगर मैं नीचे ही रहूँ तो यह संभव नहीं होगा। नहीं, मैं ऊपर जाऊँगी।

दरमियान डुस्सेल की समस्या हमेशा सुलझा दी गई है। शनिवार की शाम को सुंदर डच भाषा में उसने माफी माँगी। मि. वैनडैन ने तुरंत हाथ मिलाया। डुस्सेल ने माफी वाले भाषण का शायद दिन भर अभ्यास किया था।

रविवार को उनका जन्मदिन था, जो बिना किसी अप्रिय घटना के गुजर गया। हमने उन्हें सन् 1919 की एक अच्छे वाइन की बोतल भेंटस्वरूप दी। उपहार में वैनडैन परिवार की ओर से (जो अब भेंट देने की स्थिति में हैं) एक जार भरकर पिकलिली और एक पैक रेजर ब्लेड्स दिए गए। मि. कुग्लर ने उन्हें लेमन सीरप की बोतल दी, जिससे वे नीबू का शरबत बना सकते हैं। मीप ने उन्हें एक किताब और लिटिल मार्टिन दिए, बेप ने एक पौधा दिया। उन्होंने हर एक को एक-एक अंडे की ट्रीट दिया।

तुम्हारी ऐन

बुधवार, 3 मई, 1944

मेरी सबसे प्यारी किट्टी,

पहले हफ्तें भर की खबरें। हमने राजनीति से छुट्टी कर रखी है। देने के लिए खबरें नहीं, बिल्कुल नहीं हैं। धीरे-धीरे मुझे भी विश्वास होता जा रहा है, हमला होगा। वे केवल रूसियों को सारा गंदा काम निपटाने नहीं दे सकते और वैसे भी रूसी फिलहाल कुछ कर नहीं रहे हैं।

अब मि. क्लीमन हर सुबह दफ्तर आते हैं। पीटर के दीवान के लिए वे नए स्प्रिंग्स लाए हैं। अब पीटर को स्प्रिंग्स दीवान में लगाने के काम में जुट जाना पड़ेगा, हालाँकि वह इस काम को करने के मूड में नहीं लग रहा। वैसे यह अचरजवाली बात भी नहीं है। मि. क्लीमन बिल्लियों पर छिड़कने के लिए मक्खियों वाला पाउडर भी ले आए हैं।

हमारी बोश गुम गई थी, यह मैंने पहले तुम्हें बताया था क्या? हमें पिछले गुरुवार से उसके बाल कहीं गिरे हुए दिखाई नहीं दिए। किसी प्राणी-प्रेमी ने उसे स्वादिष्ट व्यंजन में बदल दिया होगा और वह बिल्लियों के स्वर्ग में पहुँच चुकी होगी। हो सकता है, जिसमें खरीदने की हैसियत होगी, ऐसी किसी लड़की के सिर पर उसके फर से बनी टोपी होगी। पीटर का दिल टूट गया है।

पिछले दो हफ्तों से शनिवार के दिन हम साढ़े ग्यारह बजे लंच कर रहे हैं। सुबह के समय हमें एक कप गरम गाढ़े सूप से काम चलाना पड़ता है। कल से हर रोज इसी तरह की व्यवस्था होगी। इससे हमारा एक वक्त का खाना बच जाता है। सब्जियाँ तो बड़ी मुश्किल से मिल पाती हैं। आज दोपहर हमने गंदे, सड़े सलाद-पत्ते खाए। सादा सलाद-पत्ता, पालक और उबला सलाद-पत्ता यही बस उपलब्ध है। इसमें सड़े आलू मिला लो तो राजा का खाना बन गया।

दो महीनों तक मेरी माहवारी नहीं आई; हालाँकि पिछले रविवार को शुरू हुई। इसके कारण कितनी परेशानियाँ झेलनी पड़ती हैं, इसके बावजूद उसके आने से मुझे खुशी होती है।

तुम कल्पना कर सकती हो, जैसे हम थक-हारकर कहते हैं—'युद्ध में क्या धरा है, क्यों…क्यों लोग शांति के साथ जी नहीं सकते, यह विध्वंस क्यों?'

सवाल की भावना समझी जा सकती है, लेकिन अब तक किसी को इसका संतोषजनक हल नहीं मिल पाया है। इंग्लैंड दिनोदिन बड़े और बड़े हवाई जहाज और बम बनाने में क्यों लगा है और क्यों, नए-नए घरों की फिर-फिर मरम्मत करवा रहा है, हर रोज युद्ध पर लाखों का खर्चा किया जा रहा है, जबकि आयुर्विज्ञान, कलाकारों और गरीबों के लिए एक पेनी भी उपलब्ध नहीं कराई जा रही, लोगों को क्यों भूखा

रहना पड़ता है, जबकि अनाज के पहाड़ दुनिया के अलग हिस्सों में सड़ते हैं, लोग ऐसे पागल क्यों हैं ?

राजनीतिज्ञ और पूँजीपतियों के कारण ही युद्ध होते हैं, यह मैं नहीं मानती। सामान्य आदमी भी उतना ही जिम्मेदार है, वरना लोग और देशों ने बहुत पहले ही विद्रोह कर दिया होता। लोगों के अंदर ध्वंसात्मक गुस्सा, कत्ल और मारपीट की प्रवृत्तियाँ होती हैं। पूरी मानवता में बिना किसी अपवाद के संपूर्ण परिवर्तन जब तक नहीं आता, तब तक युद्ध होते रहेंगे, बड़े ध्यान से जिसका निर्माण किया, संवर्धन किया, उगाया, वह सब कटकर बिखर जाएगा, फिर से निर्माण के लिए।

कई बार मैं दुःख के गर्त में होती हूँ, लेकिन कभी हताश नहीं होती।

गुप्त रूप से बिताए जा रहे हमारे जीवन को मैं एक साहसिक कार्य मानती हूँ, जिसमें जोखिम है और रोमांच भी। यहाँ की हर कमी को एक मनोरंजक बात मानकर मैं तुम्हें बताती हूँ। अन्य लड़कियों से अलग जिंदगी बिताना मैंने तय कर लिया है। बाद में भी एक सामान्य गृहिणी नहीं बनने का निर्णय मैंने किया है। यहाँ मैं जो कुछ भी अनुभव कर रही हूँ, वह एक रोचक जिंदगी की शुरुआत है, ऐसा मैं मानती हूँ। बस यही एक कारण है कि भयंकर जोखिम भरे इन क्षणों में छिपे हास्य पर मुझे हँसना है।

मैं युवा हूँ और मुझमें कई छुपे गुण हैं। मैं युवा हूँ, मजबूत हूँ और एक बृहत् साहसिक घटना जी रही हूँ। मैं उसके ठीक बीच में हूँ। पूरा दिन मैं शिकायतें करते हुए नहीं बिता सकती, क्योंकि फिर जिंदगी के मजे लेना संभव नहीं हो पाएगा। मुझमें कई गुण हैं, मैं खुश रह सकती हूँ, मेरा व्यक्तित्व उत्साही है और मुझमें शक्ति है। हर रोज अपने में आ रही परिपक्वता मैं महसूस करती हूँ। मुक्ति का क्षण नजदीक आते हुए मैं महसूस करती हूँ। मुझे अपने आस-पास प्रकृति की सुंदरता और लोगों की अच्छाई महसूस होती है। हर रोज मुझे लगता है कि कितना दिलचस्प है यह सब। यह सब है तो मैं हताश कैसे हो सकती हूँ ?

तुम्हारी

ऐन.एम. फ्रैंक

शुक्रवार, 5 मई, 1944

प्यारी किट्टी,

डैड मुझसे नाखुश हैं। रविवार को हमारे बीच हुई बातचीत के बाद उन्हें लगा था कि मैं हर रोज शाम को ऊपर जाना बंद कर दूँगी। हर रोज का हमारा 'गले मिलना'

उन्हें सहना नहीं पड़ेगा। मैं ये शब्द सह नहीं सकती। उसके बारे में बात करना बुरा साबित हुआ—वे भी मुझे बुरा महसूस कराना क्यों चाहते हैं? आज मैं उनसे इस बारे में बोलूँगी। मार्गो ने मुझे अच्छी सलाह दी है।

मैं उनसे यह सब कहना चाहती हूँ—

डैड, मुझे लगता है, आप मुझसे कोई सफाई चाहते हैं। मैं दे रही हूँ। आपका दिल मुझसे नाउम्मीद है। आपको मुझसे अधिक नियंत्रण की उम्मीद थी। चौदह वर्ष की लड़की से जिस तरह के बरताव की उम्मीद होती है, आपको मुझसे वैसी ही उम्मीद थी, लेकिन वहीं आप गलत हैं।

हम यहाँ जुलाई, 1942 में हैं। कुछ हफ्तों पहले तक मेरा यहाँ का समय बेहद बुरी तरह बीता है। आपको पता नहीं है, मैं रात में कितना रोया करती थी। मैं कितनी दुःखी और उदास थी। कितना अकेलापन महसूस करती थी मैं, वरना ऊपर जाने की मेरी इच्छा आप समझ सकते थे। उम्र के ऐसे पड़ाव पर मैं पहुँची हूँ कि अब मुझे ममा की या किसी और की मदद की कोई जरूरत नहीं और यह सब रात भर में नहीं घटा है। लंबे समय तक मैंने बड़ी मजबूती से, कड़ाई से संघर्ष किया है। अनगिनत आँसू बहाए हैं, तब जाकर मैं आज जितनी हूँ, उतनी आजाद बन पाई हूँ। आप हँसकर बात टाल सकते हैं, मुझ पर अविश्वास कर सकते हैं, लेकिन अब मुझे इसकी परवाह नहीं। मैं एक स्वतंत्र व्यक्ति हूँ, यह मैं जानती हूँ और मैं जो कुछ करती हूँ, वह आपको बताना जरूरी नहीं है। मैंने ये बातें आपको केवल इसलिए बताईं, क्योंकि मैं इस भावना से बचना चाहती थी कि मैं आपकी पीठ पीछे यह सब कर रही हूँ। मैं केवल एक व्यक्ति के लिए जवाबदेह हूँ—मैं खुद।

मेरे सामने जब समस्याएँ थीं, सबने आपने भी आँखें और कान बंद कर लिये। किसी ने मेरी मदद नहीं की, बल्कि मेरे हिस्से मेरी वाचालता के बहाने हमेशा भर्त्सना ही मिली। अपने आपको दयनीय बनने से बचाने के लिए मेरी वह वाचालता थी। मेरे अंदर की आवाज सुननी न पड़े, इसलिए हमेशा मैं अति आत्मविश्वासी थी। पिछले साल-डेढ़ साल से मैं झूठी जिंदगी जी रही हूँ। मैंने कभी शिकायत नहीं की, ओढ़ा हुआ मुखौटा फेंका नहीं और अब···अब वह लड़ाई खत्म हुई है। मैं जीत गई हूँ। मैं अब आजाद हूँ—शरीर से और मन से। मुझे अब ममा की जरूरत नहीं। इस संघर्ष से गुजरकर मैं और मजबूत हुई हूँ।

अब जबकि यह सब खत्म हो चुका है, अब जबकि मैं जानती हूँ कि लड़ाई मैं जीत चुकी हूँ, मुझे खुद अपना रास्ता चुनना है। मैं वह रास्ता चुनना चाहती हूँ, जो मुझे ठीक लगे। अब आप मुझे केवल एक चौदह वर्ष की लड़की न समझें। इन सभी संकटों

ने मेरी उम्र बढ़ा दी है। मुझे अपने कृत्यों का कभी पछतावा नहीं होगा। मुझे जैसा बरताव करना चाहिए, वैसा मैं करूँगी।

नर्म तरीके से की गई मनौतियाँ मुझे ऊपर जाने से नहीं रोक सकतीं। या तो आप मुझे मना करें, या जो भी परिणाम निकले, मुझ पर भरोसा कर हमेशा मेरे साथ रहें। मेरा साथ दें। आप जो भी करें, मुझे अकेला छोड़ दें।

तुम्हारी

ऐन.एम. फ्रैंक

शनिवार, 6 मई, 1944

मेरी सबसे प्यारी किट्टी,

कल रात डिनर से पहले डैड को लिखा खत मैंने उनकी जेब में डाल दिया।

मार्गो ने बताया कि उन्होंने वह पढ़ा और पूरी शाम वे बेचैन थे। (इस समय मैं ऊपर बरतन साफ कर रही थी) बेचारे पिम, ऐसे धमाकेदार पत्र का उन पर क्या असर हो सकता है, यह मुझे सोचना चाहिए था। कितने संवेदनशील हैं वे! मैंने तुरंत पीटर से कहा कि वह कोई सवाल न पूछे या कुछ बोले नहीं। पिम ने अब तक इस सिलसिले में कोई बात नहीं की है। क्या मुझसे वह कुछ कहेंगे? यहाँ हर बात कमोबेश सामान्य रूप से चल रही है। जान, मि. कुग्लर और मि. क्लीमन बाहर की दुनिया में बेतहाशा बढ़ रही कीमतों के बारे में बताते हैं तो हम सहसा उनकी बात का विश्वास नहीं कर पाते। आधा पौंड चायपत्ती अब 350 गिल्डर्स में मिलती है। आधा पौंड कॉफी 80 गिल्डर्स में, एक पौंड मक्खन 35 गिल्डर्स में, एक अंडा 1.45 गिल्डर्स में मिलता है। एक औंस बल्गेरियन तंबाकू के लिए लोग 14 गिल्डर्स अदा कर रहे हैं। हर कोई कालाबाजारी कर रहा है। फुटकर काम करनेवाले हर लड़के के पास बेचने के लिए कुछ-न-कुछ है। बेकरी का सामान पहुँचानेवाले लड़के ने रफू के धागे की एक छोटी रील हमें 90 सेंट में बेची। दूधवाला राशन कार्ड ला सकता है, मृतक का संस्कार करनेवाले ने हमें चीज बेचा। घर में घुसना, चोरी, कत्ल हर रोज घटनेवाली घटनाएँ बन चुकी हैं। पुलिस और रात के पहरेदार भी अब ऐसे कामों में लगे हैं। हर किसी को अपना, अपनों का पेट भरना है। तनख्वाहें चूँकि रोक दी गई हैं, लोगों को चोरी-चकारी करनी पड़ रही है। हर रोज गायब होने की खबरें आती कि पंद्रह, सोलह, सत्रह वर्ष की लड़कियों को ढूँढ़ने के मामलों में पुलिस व्यस्त है।

मैं एलेन की कहानी पूरी बताने की कोशिश करती हूँ। एलेन नाम की परी। डैड

को उनके जन्मदिवस पर मैं उन्हें यह कहानी यों ही भेंट करना चाहती हूँ, कॉपी राइट्स आदि के साथ।

मिलते हैं फिर। (असल में, यह कहना सही नहीं है। इंग्लैंड से प्रसारित होने वाले जर्मन कार्यक्रम के अंत में जैसे वे कहते हैं—फिर से लिखे जाने पर, मुझे भी सही कहना चाहिए।)

तुम्हारी
ऐन.एम. फ्रैंक

रविवार सुबह, 7 मई, 1944

मेरी सबसे प्यारी किट्टी,

कल दोपहर मेरी और डैड की लंबी बातचीत हुई। मैं बहुत रोई। वे भी रोए। उन्होंने मुझसे क्या कहा, पता है, किट्टी?

"जिंदगी भर मुझे कई पत्र मिले हैं, लेकिन किसी पत्र से मैं उतना आहत नहीं हुआ, जितना कि इससे। तुम जिसे अपने मम्मा-डैड से इतना प्यार मिला, तुम जिसकी मदद करने के लिए मम्मा-डैड हमेशा तत्पर रहे, जिन्होंने हमेशा तुम्हारी तरफदारी की, भले मामला कोई भी क्यों न हो, वही तुम कह रही हो कि तुम जो कुछ कर रही हो, उसके लिए तुम हमें जवाबदेह नहीं हो। तुम्हारे साथ गलत हुआ, ऐसा तुम्हें लगता है, हमने तुम्हें खुद अपनी लड़ाइयाँ लड़ने के लिए छोड़ा, ऐसा तुम्हें लगता है। नहीं ऐन, तुम हमारे साथ नाइनसाफी कर रही हो।

"हो सकता है, तुम्हारे कहने का यह मतलब नहीं हो, लेकिन तुमने लिखा तो यही है। नहीं, ऐन हम इतने तिरस्कार के हकदार नहीं।"

अरे, मैं तो हार गई, बुरी तरह। अपने जीवन में मुझसे हुई यह सबसे बड़ी गलती और बुरी बात है। मैंने अपने आँसुओं का दिखावे के लिए इस्तेमाल किया। अपना महत्त्व बढ़ाने के लिए, ताकि वे मेरा सम्मान करें। निश्चय ही मैं काफी अप्रिय बातें झेल चुकी हूँ और ममा के बारे में मैंने जो भी कहा है, वह सच है, लेकिन पिम पर आरोप लगाना, जिन्होंने मेरे लिए इतना कुछ किया है, सच, यह बड़ा क्रूर कर्म है।

अच्छा ही हुआ कि किसी ने मुझे अपनी जगह दिखा दी, मेरा अभिमान चकनाचूर कर दिया, मैं बेहद आत्मतुष्ट, दंभी हो गई थी। ऐन द्वारा किया जाने वाला हर काम अच्छा नहीं होता। जो किसी और को, जिसे वह प्यार करता हो, जानबूझकर दुःख देता है, वह निंदनीय है, अधमाधम है।

डैड ने मुझे जैसे माफ कर दिया, उससे मुझे बहुत अधिक शर्म आई। उन्होंने कहा कि पत्र वह चूल्हे में फेंकने वाले हैं और अब भी वह मुझसे इतने अच्छे ढंग से पेश आ रहे हैं, मानो उनसे ही कोई गलती हुई हो। ऐन, तुम्हें अभी बहुत कुछ सीखना है। तुम्हें अभी से शुरुआत करनी होगी। हमेशा दूसरों में गलती निकालना, दूसरों पर दोषारोपण करना आदि, सब तुम्हें छोड़ना होगा।

मैंने बहुत दुःख देखा है, मेरी उम्र तक कौन दुखों से बचता है? मैंने एक खेल खेला था, अनजाने ही। मैंने अकेलापन महसूस किया है, लेकिन हताशा कभी नहीं। डैड की तरह तो बिल्कुल नहीं, जो एक बार हाथ में छुरा लिये सड़क पर दौड़े थे—सब कुछ खत्म करने के लिए। मैंने कभी ऐसा नहीं किया।

मुझे अपने आप पर शर्म आनी चाहिए, मैं शर्मिंदा हूँ भी, लेकिन जो हुआ, उसे बदला नहीं जा सकता। हाँ, उसे दोबारा नहीं होने देना हमारे हाथ में है। मुझे हर बात नए सिरे से शुरू करना है। यह मुश्किल भी नहीं होगा, क्योंकि, अब पीटर जो मेरे साथ है। वह अगर मेरा साथ दे, तो मैं यह जरूर कर सकूँगी। मैं अब अकेली नहीं हूँ। वह मुझसे प्रेम करता है। मैं उससे प्रेम करती हूँ। मेरे पास अपनी किताबें हैं, मैं लिखती भी हूँ और मेरी डायरी है। मैं ज्यादा कुरूप नहीं और न मूर्ख हूँ। मेरी स्थिति काफी अच्छी है। मुझे अपना अच्छा चरित्र निर्माण करना है।

हाँ ऐन, तुम्हें पता था कि तुम्हारा खत क्रूर और झूठा था, लेकिन तुम्हें उसके बारे में गर्व था। डैड का उदाहरण मैं एक बार और देना चाहूँगी, मैं अपने आपको सुधारूँगी।

तुम्हारी

ऐन.एम. फ्रैंक

सोमवार, 8 मई, 1944

मेरी सबसे प्यारी किट्टी,

क्या मैंने कभी तुम्हें अपने परिवार के बारे में बताया है? मुझे लगता नहीं कि मैंने बताया हो। अब बताती हूँ। डैड का जन्म फ्रैंकफर्ट के एक अमीर घर में हुआ। माइकेल फ्रैंक एक बैंक के मालिक थे। वे करोड़पति थे। एलिस स्टर्न के अभिभावक भी प्रतिष्ठित और संपन्न घराने से थे। माइकल फ्रैंक शुरू से अमीर नहीं थे। उन्होंने खुद अपना भविष्य गढ़ा। युवावस्था में डैड ने अमीर परिवार के युवक की जिंदगी को जिया। हर हफ्ते पार्टी, बॉल, बैंक्वेट, सुंदर लड़कियाँ, वॉल्टज, डिनर्स, आलीशान बँगला आदि। दादा गुजरे तो लगभग सारी संपत्ति खत्म हो गई। युद्ध और महँगाई के

बाद तो कुछ नहीं बचा। युद्ध के समय तक कुछ अमीर रिश्तेदार बचे थे, सो डैड बड़ी अच्छी स्थिति में बड़े हुए और कल वह इसलिए हँस रहे थे कि जिंदगी में पहली बार उन्हें कड़ाही कुरेदनी पड़ी थी।

डैड के परिवार की तरह मम्मा का परिवार अमीर नहीं था, लेकिन वह भी अच्छा, खाता-पीता घर था। उनके घर होने वाली 250 मेहमानों की निजी बॉल, डिनर्स, मँगनी आदि की पार्टीज की बातें सुनते वक्त हमारे मुँह खुले के खुले रह जाते।

अब हम अमीर नहीं हैं, हालाँकि मैंने अपनी सारी उम्मीदें युद्ध समाप्ति के बाद के समय पर लगा रखी हैं। मम्मा और मार्गो की तरह मैं कोई रूढ़िगत, बुर्जुआ जिंदगी नहीं जीनेवाली हूँ। मैं एक वर्ष पेरिस और लंदन में बिताना चाहती हूँ। भाषा और कला का इतिहास पढ़ना चाहती हूँ। तुलना कीजिए, मार्गो की इच्छा के साथ। वह पैलेस्टाइन में नवजातों की सेवा करना चाहती है। मुझे अभी भी खूबसूरत ड्रेसों और दिलचस्प लोगों की यादें आती हैं। मैं पहले भी कई बार तुमसे कह चुकी हूँ, मुझे दुनिया देखनी है, सब मजेदार बातें करनी हैं, ऐसे में थोड़ा पैसा कमाने में नुकसान नहीं है।

आज सुबह मीप ने हमें उसके कजिन की मँगनी की पार्टी के बारे में बताया। वह शनिवार को उस पार्टी में शरीक होने गई थी। उसके कजिन के पापा-मम्मा अमीर हैं। लड़केवाले उनसे ज्यादा अमीर हैं। वहाँ जिस तरह के पकवान बने थे, उनके बारे में मीप ने बताया तो हमारे मुँह में पानी भर आया। वेजिटेबल सूप विथ मीटबॉल्स, चीज, रोल्स विथ स्लाइस्ड मीट, हॉर्स डीवर्स, जो अंडे और भुने हुए मांस के साथ बने थे, चीज रोल्स, वाइन और सिगरेट्स और आप जितनी इच्छा हो, उतना खा सकते हैं।

मीप ने दस स्नैप्स पिए और तीन सिगरेट्स फूँकीं। एडवोकेट कथा यही हमारा आत्मसंयम है, अगर मीप दस स्नैप्स पी सकती है तो पता नहीं उसके पति ने कितनी पिए होंगे? शायद इसीलिए पार्टी में हर कोई मस्त था। अपराध अन्वेषण शाखा के दो अफसर भी वहाँ उपस्थित थे। उन्होंने नव परिणितों की तस्वीरें लीं। मीप हमें कभी नहीं भूलती, क्योंकि उसने तुरंत उन दोनों के नाम, पते लिये, ताकि अगर कुछ हो और हमें अच्छे डच लोगों की मदद की जरूरत पड़े तो उनसे संपर्क किया जा सकता है।

हमारे मुँह में पानी भर रहा था। हम रोज सुबह दो चम्मच गरम दलिया नाश्ते में खाते थे और हमेशा भूख से बेजार रहते थे। हम जिन्हें अधपके पालक (विटेमिंस के लिए) और सड़े आलू हर रोज खाने पड़ते थे। हम, जिन्हें अपना खाली पेट

उबले हुए सलाद-पत्ते खाकर भरना पड़ता था। हम, जिन्हें केवल कच्चा सलाद-पत्ता, पालक, पालक और पालक ही खाने मिलता था, सो हमारे मुँह में पानी की धार का बह निकलना स्वाभाविक था। हो सकता है, हम कभी पपाय के जैसे ताकतवर बनें, लेकिन अभी मुझे इसका कोई निशान तक दिखाई नहीं देता।

मीप अगर हमें पार्टी में ले जाती तो वहाँ अन्य मेहमानों के लिए कोई रोल्स नहीं बचते। अगर हम वहाँ होते तो नजर आने वाले हर व्यंजन पर हाथ साफ करते, यहाँ तक कि हम वहाँ का फर्नीचर भी ले आते। तुम्हें बताती हूँ किट्टी, मीप के मुँह से निकलनेवाला हर शब्द हम लपक ले रहे थे। जिंदगी में कभी सुस्वादु व्यंजनों के बारे में न सुना हो, अच्छे लोगों की बातें न सुनी हों, इस तरह हम मीप के इर्द-गिर्द इकट्ठा हो गए थे और हम प्रतिष्ठित करोड़पति की नातिनें हैं। यह दुनिया सचमुच गजब की है।

तुम्हारी

ऐन.एम. फ्रैंक

मंगलवार, 9 मई, 1944

मेरी सबसे प्यारी किट्टी,

एलन परी की कहानी मैंने लिखकर पूरी कर दी है। अच्छे कागज पर उसे मैंने दोबारा ठीक करके लिख दिया है। लाल स्याही का प्रयोग कर उसे सजाया है और सभी पन्ने एक साथ सिल दिए हैं। बहुत सुंदर लग रही है वह किताब, पर जन्मदिवस के तोहफे के रूप में इतना देना काफी होगा या नहीं, यह मैं नहीं जानती। मम्मा और मार्गो ने कविताएँ लिखी हैं।

आज दोपहर में मि. कुग्लर ऊपर आए थे। उन्होंने खबर की कि आने वाले सोमवार से हर रोज दोपहर में दो घंटे मिसेज ब्रोक्स दफ्तर में बैठेंगी। कल्पना कीजिए! उस दौरान दफ्तर का कोई सदस्य ऊपर नहीं आ सकेगा। आलू पहुँचाए नहीं जा सकेंगे, बेप को लंच नहीं मिलेगा, हम बाथरूम नहीं जा पाएँगे, हम ज्यादा हिलेंगे-चलेंगे नहीं और अन्य कई असुविधाएँ हमें झेलनी पड़ेंगी। मिसेज वैनडैन को लगता है कि अगर वे उनकी कॉफी में अच्छा जमालगोटा मिलाकर पिलाएँगी तो शायद समस्या सुलझ जाएगी। 'नहीं' मि. क्लीमन ने कहा, ऐस मत करो, वरना हम उन्हें 'कैन' से दूर रख नहीं पाएँगे।

सब ठठाकर हँस पड़े। 'दी कैन!' मिसेज वैनडी ने पूछा, "इसका क्या मतलब हुआ ?" उसका मतलब बताया गया। उन्होंने फिर मासूमियत से पूछा, "क्या यह शब्द

इस्तेमाल किया जा सकता है?'' जरा कल्पना कीजिए, बेप ने हँसते हुए कहा, ''आप बिजेनकोर्फ में शॉपिंग कर रहे हैं और आप पूछते हैं कैन जाने का रास्ता। उन्हें पता भी नहीं चलेगा, आप किस बारे में बात कर रहे हो।

इस नई खोज का इस्तेमाल करते हुए अब डुस्सेल हर रोज ठीक साढ़े बारह बजे 'कैन पर बैठते' हैं। आज दोपहर मैंने साहस बटोरकर एक गुलाबी रंग के कागज के पुर्जे पर लिखा—

मि. डुस्सेल का टॉयलेट की समय सारिणी—

सुबह : 7.15 से 7.30 के दरमियान

दोपहर में : 1 बजे के बाद

अन्य समय : जैसी जरूरत पड़े।

यह पुर्जा मैंने जब मि. डुस्सेल अंदर थे, तब गुसलखाने के हरे रंग के दरवाजे पर चिपका दिया। उसमें असल में यह भी जोड़ा जाना चाहिए था—'अपराधियों को कैद की सजा मिलेगी।' क्योंकि हमारे गुसलखाने में अंदर-बाहर दोनों ओर कुंडियाँ थीं और उसे दोनों तरफ से बंद किया जा सकता था।

मि. वैनडैन का नया जोक—

एडम और ईव के बारे में बाइबल पाठ के बाद एक तेरह वर्षीय बच्चे ने अपने पिता से पूछा, ''डैड, बताइए, मेरा जन्म कैसे हुआ?''

''हाँ'', पिता बोला, ''स्टोर्क पंछी तुम्हें समंदर से उठाकर ले आए, तुम्हारी मम्मा के बिस्तर में तुम्हें सजाया और तुम्हारी मम्मा के पैरों में जोर से काटा। उनके काटने से उतना खून बहा कि तुम्हारी मम्मा को हफ्ते भर बिस्तर में ही लेटे रहना पड़ा।''

डैड के जवाब से संतुष्ट नहीं हुई तो बेटा मम्मा के पास गया। उसने पूछा, ''मम्मा, बताओ कि तुम्हारा जन्म कैसे हुआ और मैं कैसे पैदा हुआ?''

पिता ने जो कहानी सुनाई थी, वही माँ ने भी उसे सुनाई। आखिर बारीकियाँ जानने के लिए वह अपने दादा के पास गया। पूछा, ''दादाजी बताइए।'' उसने पूछा, ''आप कैसे पैदा हुए और आपकी बेटी कैसे पैदा हुई?'' और तीसरी बार उसे बिल्कुल वही जवाब मिला।

उस रात उसने अपनी डायरी में लिखा, ''ध्यान से पूछताछ करने के बाद मैं इस निष्कर्ष पर पहुँचा हूँ कि हमारे परिवार में पिछली तीन पीढ़ियों से काम-संबंधों का अभाव रहा है।''

मुझे अभी बहुत काम करना है, तीन बज रहे हैं।

तुम्हारी

ऐन.एम. फ्रैंक

विशेष : नई सफाईवाली के बारे में मैं तुम्हें बता चुकी हूँ, उसके बारे में एक और बात बतानी है कि वह शादीशुदा है, उसकी उम्र 60 साल की है और ऊँचा सुनती है। हमारे लिए यह अच्छा ही है। छुपकर रह रहे आठ लोगों के कारण क्या और कैसी-कैसी आवाजें पैदा हो सकती हैं।

ओह, किट्टू, मौसम कितना सुहाना है! काश, मैं बाहर निकल सकती।

बुधवार, 10 मई, 1944

मेरी सबसे प्यारी किट्टी,

कल हम फ्रेंच भाषा की पढ़ाई करते हुए बालाखाने में बैठे थे, तब अचानक मैंने अपने पीछे पानी गिरने की आवाज सुनी। मैंने पीटर से पूछा कि यह कैसी आवाज है? जवाब देने के लिए रुके बिना वह टाँड़ की ओर दौड़ा-आवाज वहीं से आई थी। वहाँ खास उसके लिए टट्टी-पेशाब करने के लिए रखे गए बक्से के पड़ोस में बैठकर मोशी पेशाब कर रही थी। पीटर ने उसे बक्से में धकेला। उसके बाद तो वहाँ चीखों और चिल्लाहटों का शोर मच गया। फिर अपने कार्य से निबट चुकी मोशी नीचे चली गई। अपने बक्से जैसा कुछ ढूँढ़ते हुए शायद मोशी को लकड़ी की छीलन का ढेर मिला था। जमीन पर जहाँ यह ढेर था, ठीक उसके नीचे छेद था। इसलिए अरंडी से पेशाब ठीक नीचे बालाखाने में रखे आलुओं के बैरल के पड़ोस में गिरा। उसकी छत रिस रही थी और चूँकि बालाखाने की जमीन में भी यहाँ-वहाँ आर-पार जाने वाले गड्ढ़े थे, पेशाब वहाँ से नीचे ठीक डाइनिंग टेबल पर रिस रहा था, स्टॉकिंग्स के ढेर और किताबों के बीच में।

मैं हँस-हँसकर दोहरी हुई जा रही थी। इतना मजेदार दृश्य था वह। मोशी कुरसी के नीचे दुबककर बैठी थी। पीटर हाथ में पानी, ब्लीच पाउडर और पोंछा लेकर खड़ा था और मिस्टर वैनडैन सबको शांत करने की कोशिश में लगे थे। कुछ ही देर में कमरा फिर ठीक-ठाक कर दिया गया, लेकिन सब जानते हैं कि बिल्लियों के पेशाब से स्वर्ग तक पहुँच जाए, ऐसी गंध आती है। आलुओं ने इस बात को सच साबित किया और लकड़ी की छीलन ने भी। डैड उसे एक बकेट में इकट्ठा कर नीचे जलाने के लिए आए थे।

बेचारी मोशी! अपने बक्से के लिए पीट की घास मिलना अब बेहद मुश्किल हो गया है, यह उसे कैसे पता चले?

ऐन

गुरुवार, 11 मई, 1944

मेरी सबसे प्यारी किट्टी,

तुम्हें हँसाने के लिए यह एक और चित्र—

पीटर के बाल कटवाने थे और हमेशा की तरह नाई उसकी मम्मा बनी थीं। सात-पच्चीस को वह अपने कमरे में चला गया और साढ़े-सात बजे बाहर आया। उस वक्त उसके बदन पर केवल तैरने वाली पोशाक और टेनिस शूज थे।

''क्या तुम आ रही हो ?'' उसने अपनी मम्मा से पूछा।

''हाँ, मैं एक मिनट में आती हूँ, लेकिन मुझे कैंची मिल नहीं रही है।''

पीटर ने कैंची ढूँढ़ने में उनकी मदद की, शृंगार का सामान रखने वाली दराज में रखी उनकी चीजें उलट-पुलटकर वह देखने लगा।

''चीजें फैलाना नहीं, पीटर।'' मम्मा ने शिकायत की।

इस पर पीटर ने क्या कहा, मैंने सुना नहीं, लेकिन पीटर ने कोई गलत बात कही थी, क्योंकि तुरंत उसके कंधे पर चाँटा रसीद हुआ। पीटर ने पलटकर उन्हें पीटा, फिर मिसेज वैनडैन ने पूरी ताकत लगा कर एक घूँसा जड़ा। पीटर ने झूठ ही डरने का नाटक करते हुए अपना बाजू परे कर लिया और कहा, ''और मारो, बुढ़िया।''

मिसेज वैनडी को मानो करंट लग गया। वे जहाँ थीं, वहीं खड़ी रह गईं। पीटर ने उनकी दोनों हथेलियाँ कसकर पकड़ीं और उन्हें कमरे में घसीटता फिरा। वह हँसी, रोईं, उसे गुस्सा किया, लातें जमाईं, लेकिन इससे कोई फायदा नहीं हुआ। पीटर उन्हें घसीटकर बालाखाने की सीढ़ियों तक ले गया। वहाँ आखिर उसे उन्हें छोड़ देना पड़ा। मिसेज वैनडी कमरे में लौटीं और हाँफते हुए कुरसी पर निढ़ाल होकर बैठ गईं।

मैंने इसी अर्थ के मोजाई के ऑपेरा की 'माँ का सेराग्लिओ से अपहरण' पंक्ति मजाक के तौर पर कही।

'हाँ', मिसेज वैनडैन बोलीं, ''लेकिन इसने मुझे दुख पहुँचाया।''

मैंने जाकर देखा, उन्हें शांत किया, उनकी लाल हुई हथेलियों पर पानी लगाया। पीटर अभी भी सीढ़ियों के पास खड़ा था। वह बेचैन हुआ जा रहा था। फिर दौड़कर वह कमरे में आया। शेर को पालनेवाले के हाथ में होता है, वैसा उसके हाथ में बेलट था। मिसेज वैनडी हिली नहीं। लिखने की अपनी टेबल के पास डटी रहीं। रूमाल ढूँढ़ती रहीं। तुम्हें पहले माफी माँगनी होगी।

''ठीक है, मैं माफी माँगता हूँ, लेकिन केवल इसलिए, क्योंकि अगर मैंने माफी नहीं माँगी तो मध्य रात्रि तक हम यहीं रहेंगे।''

गुस्से में होने के बावजूद मिसेज वैनडी अपनी हँसी रोक नहीं पाईं। वे उठकर

दरवाजे की ओर चलीं। जहाँ पहुँचते-पहुँचते उन्हें लगा कि जो हुआ, उसके बारे में हमें बताना चाहिए। (हमें यानी डैड, ममा और मैं। हम तीनों बरतन साफ करने में लगे थे) घर पर थे, तब वह ऐसा नहीं करता था। उन्होंने कहा, "मैंने उसे इतना पीटा होता कि वह सीढ़ियों से लुढ़कते हुए नीचे गया होता। वह कभी इतना गुस्ताख नहीं था। यह कोई पहली बार नहीं है कि उसकी चमड़ी उधेड़ने जैसा काम उसने किया है। नए ढंग से बच्चों की परवरिश करो तो यही फल मिलता है। मैं कभी अपनी माँ के साथ ऐसा पेश नहीं आती। क्या आप अपनी माँ के साथ ऐसा पेश आए थे, मि. फ्रैंक?" वे बहुत दु:खी थीं। कमरे के इस छोर से उस छोर तक तेजी से चहलकदमी कर रही थीं। जो मन में आए, वही कह रही थीं, और वह अब तक ऊपर नहीं गई थीं। आखिर लंबे समय बाद वे ऊपर चली गईं।

पाँच मिनट के अंदर-अंदर वे फिर सीढ़ियाँ फलाँगती हुई नीचे आईं। उसके गाल फूले हुए थे और आते ही अपना एप्रेन खींचकर फेंककर वे कुरसी में धँस गईं। मैंने उनसे जब पूछा कि क्या वे हार गई हैं? तो वे बोलीं कि उन्हें नीचे जाना है। अंधड की तरह वे सीढ़ियाँ उतरकर गईं। शायद सीधे अपने पुट्टी की बाँहों में पहुँची थीं वे।

रात आठ बजे तक वे फिर ऊपर नहीं आईं। इस बार मिस्टर वैनडैन भी उनके साथ थे। पीटर को बालाखाने से खींचकर लाया गया, बेरहमी से उसे खूब डाँटा गया, गालियाँ सुनाई गईं, बुरी आदतोंवाला, बेकार, बुरी मिसाल, ऐन ऐसी है, मार्गो वैसी है...इससे आगे मैं सुन नहीं पाई।

आज लगता है, फिर सबकुछ शांत हो गया है।

तुम्हारी

ऐन.एम. फ्रैंक

फिर से मंगलवार और बुधवार की शाम हमारी प्रिय महारानी ने देश को संबोधित किया। वे छुट्टी पर बाहर जा रही थीं, ताकि नीदरलैंड लौटते हुए सेहत ठीक रखें। उन्होंने जल्द ही जब मैं हॉलैंड लौटूँगी, एक तेजी से आती आजादी, 'नायकत्व' और 'भारी बोझ' शब्दों का अपने भाषण में प्रयोग किया।

उनके बाद प्रधानमंत्री जेरब्रैंडी का भाषण हुआ। उनकी आवाज एकदम छोटे बच्चों सी है। उनकी आवाज सुनते ही मम्मा के मुँह से बेसाख्ता निकला, 'अलेले' एक धर्म गुरु ने, यकीनन जिन्होंने अपनी आवाज मि. इडेल से उधार ली होगी, भाषण की समाप्ति करते हुए कहा कि भगवान् यहूदियों की कारागारों और बंदी शिविरों में कैद सभी बंदियों की और जर्मनी में काम करनेवाले सभी की रक्षा करे।

गुरुवार, 11 मई, 1944

मेरी सबसे प्यारी किट्टी,

चूँकि मैं अपना समूचा 'जंक बॉक्स' जिसमें मेरा फाउंटेन पेन भी है, ऊपर ही छोड़ आई हूँ और अपराह्न (ढाई बजे तक) हमें बड़ों की नींद में खलल डालने की इजाजत नहीं होने के कारण आज तुम्हें पेंसिल से लिखे मेरे खत से काम चलाना होगा।

फिलहाल मैं बहुत व्यस्त हूँ। तुम्हें यह थोड़ा अजीब लगा सकता है, लेकिन मुझे अपना काम पूरा करने तक की फुरसत नहीं है। मुझे क्या-क्या काम करने हैं, यह क्या मैं तुम्हें बता सकती हूँ? संक्षेप में बताती हूँ। हाँ तो सबसे पहले मुझे आज गैलीलिओ गैलीली की जीवनी पढ़कर पूरी करनी है, क्योंकि कल यह पुस्तक लाइब्रेरी में लौटानी है। कल मैंने उसे पढ़ना शुरू किया है। अब तक 220 पन्ने पढ़ चुकी हूँ। कुल 320 पन्ने हैं। सो, मुझे लगता है, मैं इसे पूरी पढ़ लूँगी। अगले हफ्ते मुझे 'पैलेस्टाइन एट द क्रॉस रोड्स' किताब पढ़नी है और मैलीली का दूसरा हिस्सा इसके अलावा मैंने 'एंपरर चार्ल्स पंचम' कल पढ़ी और वंशावलियों के बारे में जो नक्शे मैंने इकट्ठे किए हैं और जो नोट्स निकाले हैं, उनकी पढ़ाई करनी है। इसके अलावा मेरी विभिन्न किताबों में आए विदेशी शब्दों से तीन पन्ने भरे हैं। उन सभी शब्दों को सिलसिलेवार लिखना होगा, याद करना होगा और बड़ी आवाज में बोलना होगा, यानी उनका उच्चारण ठीक से करना सीखना होगा। चौथी बात, मेरे जोड़े गए फिल्मी सितारों के पोस्टरों का बुरा हाल है। उन्हें ठीक तरह से फैलाकर समेटना होगा, लेकिन इस काम के लिए कई दिन लग सकते हैं, इसलिए और प्रो. ऐन, जैसा कि उन्होंने पहले ही बता दिया है, कानों-कानों तक काम में डूबी हुई हैं। उन्हें कुछ समय और इन्हीं अस्त-व्यस्त हालात में गुजारने होंगे। इसके अलावा थिसीयस, इडिपस, पेलीयस, ऑर्फियस, जेसन और हरक्युलस सब सुलझाए जाने के इंतजार में खड़े हैं। उनके विभिन्न कृत्य रंगीन वस्त्र के धागों की तरह मेरे मन में यहाँ-वहाँ दौड़ रहे हैं। माइरान और फिडियास पर भी तुरंत ध्यान देने की जरूरत है, वरना कहानी में वे कर क्या रहे हैं, यही मैं भूल जाऊँगी। यही बात 'सेवेन इयर्स वार' और 'नाइन ईयर्स वार' पर भी लागू होती है। मेरे दिमाग में इन सबकी खिचड़ी बन रही है। अच्छा, मेरे जैसी स्मरणशक्ति मिली हो, आप कर ही क्या सकते हैं? सोचिए, अस्सी वर्ष की मेरी उम्र होगी, तब मेरा क्या हाल होगा?

अरे हाँ! एक और बात बतानी रह गई। बाइबिल। पता नहीं, और कितना पढ़ना होगा, जब मैं नहाती सुजेन की कहानी तक पहुँचूँगी और सोडोम तथा गोमोरा से उनका क्या मतलब है?

हँ, अभी कितना कुछ ढूँढ़ निकालना है, कितना सीखना बाकी है और इन सबकी भीड़ में मैं चार्लोटे ऑफ द पैलेस्टीन को तो मैं भूला ही गई।

किट्टी, देख रही हो न तुम, मेरे पास कितने सारे काम पड़े हुए हैं?

खैर, अब कुछ और बताती हूँ। लंबे समय से तुम जानती हो कि मैं आगे चलकर पत्रकार बनना चाहती हूँ और उससे आगे लेखिका बनना चाहती हूँ। देखना यही है कि मेरी ये इच्छाएँ पूरी होंगी या नहीं, हालाँकि अब तक कभी मुझे विषयों की कमी नहीं रही है। जो भी हो, युद्ध के बाद 'द सीक्रेट एनेक्स' नाम की एक किताब मैं छपवाना चाहती हूँ। देखना होगा कि इसमें मुझे सफलता मिलती है या नहीं, लेकिन लिखने के लिए मेरी यह डायरी एक पृष्ठभूमि जरूर देगी।

मुझे 'कैडीज लाइफ' भी पूरी करनी है। बाकी कहानी का ढाँचा मैंने तय कर लिया है। सैनिटोरियम में इलाज करवाने के बाद कैडी घर लौटती है और फिर हेंस को खत लिखने लगती है। सन् 1941 का समय है और उसे जल्द ही पता चलता है कि हेंस का नाजियों के प्रति झुकाव है और चूँकि कैडी को यहूदियों पर गुजरते इस संकट का अहसास है, अपनी दोस्त मारियान पर क्या गुजरी, इसका भी उसे पता है। वे एक-दूसरे से छिटकने लगते हैं। धीरे-धीरे एक-दूसरे से अलग होने लगते हैं। फिर एक बार दोनों की मुलाकात होती है, वे साथ होते हैं, लेकिन हेंस का एक और लड़की से अफेयर होता है। कैडी का दिल टूट जाता है और अच्छी नौकरी चाहिए, इसलिए वह नर्सिंग की पढ़ाई करती है। उपाधि पाने के बाद वह एक जगह नौकरी लेती है। नौकरी वह अपने पिता के एक दोस्त के आग्रह पर लेती है। स्विट्जरलैंड के एक टी.बी. अस्पताल में वह नर्स बन जाती है। पहली छुट्टियों में वह लेक कोमो जाती है। वहाँ हेंस से उसकी फिर मुलाकात होती है। वह उसे बताती है कि दो वर्ष पूर्व उसने शादी की, लेकिन उसकी पत्नी ने चरम अवसाद में आत्महत्या की और अब कैडी को देखकर उसे फिर अहसास हो रहा है कि वह उससे कितना प्यार करता है। एक बार फिर वह उससे शादी करने की इच्छा व्यक्त करता है। कैडी मना कर देती है। खुद उसे पसंद नहीं है, लेकिन कैडी अभी हेंस से बेहद प्यार करती है, लेकिन स्वाभिमान उसे समर्पण करने से रोकता है। हेंस लौट जाता है। सालों बाद कैडी को पता चलता है कि अस्वास्थ्य के कारण इंग्लैंड में हेंस ने अंतिम साँस ली।

सत्ताईस वर्ष की उम्र में कैडी गाँव के एक खाते-पीते परिवार के व्यक्ति साइमन से शादी करती है। उसके दो लड़कियाँ और एक लड़का पैदा होते हैं, जिनके नाम—लिथान, ज्युडिथ और निको हैं। कैडी और साइमन साथ रहकर खुश

हैं, लेकिन कैडी के मन में हमेशा हेंस ही रहता है। आखिर एक रात वह हेंस को सपने में विदा कर देती है।

यह कोई भावुक बकवास नहीं है। यह डैड के जीवन पर आधारित है।

तुम्हारी

ऐन.एम. फ्रैंक

शनिवार, 13 मई, 1944

मेरी सबसे प्यारी किट्टी,

कल डैड का जन्मदिवस था और डैड-मम्मा की शादी की साल गिरह का दिन भी। उस दिन सफाई करनेवाली महिला भी नहीं आई थी। उस दिन सूरज भी ऐसे चमक रहा था, जैसे 1944 में पहले कभी नहीं चमका था। हमारा चेस्टनट का वृक्ष पूरे यौवन पर है। खूब पत्ते आए हैं, पिछले साल से उस साल बहुत सुंदर लग रहा है।

मि. क्लीमन ने डैड को लिनिअस का चरित्र लाकर दिया था। मि. कुग्लर ने प्रकृति के बारे में एक किताब दी थी। डुस्सेल ने उन्हें 'एमस्टरडम की नहर' (कैनल्स ऑफ एमस्टरडम) नाम की किताब दी थी। वैनडैन परिवार ने तीन अंडे, बीयर की एक बोतल, दही का एक जार और एक हरी टाई डाल कर बनाया बहुत बड़ा पैकेट दिया था। उस पैकेट की पैकिंग इतने अच्छे ढंग से की थी, मानो किसी व्यवसायी ने की हो। उनकी इस भेंट के सामने हमारी गुडरस की बोतल फीकी पड़ गई थी। मीप और बीप के रेड कार्नेशंस के आगे मेरे गुलाब महक रहे थे। डैड अपने लाड़ से बेहद खुश थे। सीमंस से फिफ्टी फेंट्टिट्स फोर मिठाई की ट्रे दी थी।

स्वादिष्ट बेकरी की मिठाई! डैड ने भी हम सबको मसाला केक खिलाया। पुरुषों को बियर पिलाई। औरतों को दही खिलाया। सबकुछ बेहद स्वादिष्ट था।

तुम्हारी

ऐन.एम. फ्रैंक

मंगलवार, 16 मई, 1944

मेरी सबसे प्यारी किट्टी,

बस बदलाव के लिए (लंबे समय से हमें यह नसीब नहीं हुआ है) मैं कल रात मिस्टर और मिसेज वैनडैन के बीच हुए संवाद को यहाँ दोहराती हूँ—

मिसेज वैनडी—"जर्मनों के पास अटलांटिक बॉल को सुरक्षित करने के लिए

पर्याप्त समय था। अंग्रेजों को रोकने के लिए वे हर संभव कोशिश भी करेंगे। जर्मन कितना ताकतवर है, यह सचमुच अचरज की बात है।''

मिस्टर वैनडी—''ओ हाँ, आश्चर्यजनक है।''

मिसेज वैनडी—''हाँ है।''

मिस्टर वैनडी—''वे इतने ताकतवर हैं कि आखिर जीत उन्हीं की होनी है, यही कहना चाहती हो न तुम?''

मिसेज वैनडी—''हो सकता है। वे जीत नहीं सकते, इस बारे में मुझे अभी यकीन नहीं है।''

मिस्टर वैनडी—''इसका मैं जवाब भी नहीं दूँगा।''

मिसेज वैनडी—''तुम हमेशा ऐसा कहते हो और आखिर जवाब भी देते हो। हर बार ऐसा करते हो तुम।''

मिस्टर वैनडी—''नहीं, मैं ऐसा नहीं करता। मैं हमेशा छोटे से छोटा जवाब देता हूँ।''

मिसेज वैनडी—''लेकिन हर बार तुम्हारे पास जवाब जरूर होता है और हमेशा वह सही भी होता है। तुम्हारा अंदाजा शायद ही कभी सही निकला हो।''

मिस्टर वैनडी—''अब तक तो कभी गलत नहीं निकला।''

मिसेज वैनडी—''नहीं, गलत नहीं निकले! पिछले वर्ष तुमने कहा था कि हमले शुरू होने वाले हैं, तुम्हारे हिसाब से फिनलैंड को अब तक युद्ध से बाहर हो जाना चाहिए था, पिछली ठंड खत्म होते-होते इतालवी मोर्चों को ठंडे पड़ जाना चाहिए था और लेंबर्ग को अब तक रूसियों को जीत लेना चाहिए था। अरे नहीं-नहीं, तुम्हारी भविष्यवाणियों पर मुझे भरोसा नहीं।''

मिस्टर वैनडी—''(तुरंत उठकर खड़े होते हुए) कुछ देर के लिए तुम अपना मुँह बंद क्यों नहीं रखती? मैं तुम्हें दिखा दूँगा कि कौन सही है। किसी दिन मुझे इस तरह कोंचते रहने का तुम्हें पछतावा होगा। तुम्हारी बकबक अब मैं एक मिनट और नहीं सहूँगा। नहीं, एक दिन मैं तुम्हें तुम्हारे ही शब्द वापस लेने पर मजबूर करूँगा।'' (पहले अंक की समाप्ति)

असल में मैं अपनी हँसी रोक नहीं पा रही थी। न मम्मा से अपनी हँसी रोकी जा रही थी। पीटर भी हँसी रोकने के लिए अपने होंठ चबा रहा था। ये बड़े लोग भी न! युवा पीढ़ी के बारे में टिप्पणियाँ करने से पहले उन्हें खुद कुछ बातें सीख लेनी चाहिए।

इस शुक्रवार से हम फिर से रात के समय खिड़कियाँ खुली रखने लगे हैं।

तुम्हारी,

ऐन एम. फ्रैंक

एनेक्सी में रहनेवाले हमारे परिवार की ख्वाहिशें क्या हैं?

(सभी उपलब्ध पाठ्यक्रम और पढ़ने की सामग्री का सर्वेक्षण)

मि. वैनडैन—''कोई पाठ्यक्रम नहीं, कई चीजें नौर के ऐन साइक्लोपीडिया एंड लेक्झिकॉन में ढूँढ़ते हैं। जासूसी कहानियाँ, चिकित्सा संबंधी किताबें, रोमांचक एवं हल्की-फुल्की प्रेम कहानियाँ पढ़ना पसंद है।''

मिसेज वैनडैन—''अंग्रेजी का पत्राचार पाठ्यक्रम पढ़ा है। आत्मचरित्रात्मक उपन्यास पढ़ना पसंद है, कभी-कभी अलग तरह के उपन्यास भी पढ़ती हैं।''

मि. फ्रैंक—''अंग्रेजी सीख रहे हैं (डिकेंस) थोड़ी लैटिन भी। उपन्यास कभी नहीं पढ़ते; हालाँकि गंभीर, नीरस तरीके से लिखे गए व्यक्तियों और स्थानों के वर्णन पढ़ना इन्हें पसंद है।

मिसेज फ्रैंक—''अंग्रेजी में पत्राचार पाठ्यक्रम पढ़ा है। जासूसी कहानियों का अपवाद छोड़ दें तो सब पढ़ती हैं।''

मि. डुस्सेल—''अंग्रेजी, डच और स्पेनिश भाषाएँ सीख तो रहे हैं, लेकिन परिणाम कुछ दिखाई नहीं देते हैं। सब पढ़ते हैं, बहुसंख्यकों के साथ होते हैं।''

पीटर वैनडैन—''अंग्रेजी सीख रहा है। फ्रेंच भाषा का पत्राचार पाठ्यक्रम कर रहा है। डच, अंग्रेजी और जर्मन भाषाओं की शार्टहैंड सीख रहा है। अंग्रेजी में पत्राचार पाठ्यक्रम कर रहा है। थोड़ा बहुत लकड़ी का काम भी आजमा रहा है। अर्थशास्त्र और गणित के साथ भूगोल का अध्ययन करता है। इनके अलावा अन्य विषयों की पढ़ाई कभी-कभार ही होती है।''

मार्गो फ्रैंक : अंग्रेजी, फ्रेंच और लैटिन भाषाओं में पत्राचार पाठ्यक्रम कर रही है। अंग्रेजी, जर्मन और भाषाओं में शॉर्टहैंड सीख रही है। त्रिकोणमिति, भूमिति, मेकेनिक्स, भौतिक विज्ञान, रसायन विज्ञान, अंक गणित सॉलिड ज्यामिति, अंग्रेजी साहित्य, फ्रेंच साहित्य, जर्मन साहित्य, डच साहित्य, बहीखाता लिखना, भूगोल, आधुनिक इतिहास, जीव विज्ञान, अर्थसाहित्य पढ़ती है, अन्य भी काफी पढ़ती रहती है, खासकर धर्म और दवा विज्ञान आदि।

ऐन फ्रैंक—फ्रेंच, अंग्रेजी, जर्मन और डच भाषाओं में शॉर्ट हैंड की पढ़ाई, ज्यामिति, अंकगणित, इतिहास, भूगोल, कला का इतिहास, मिथक विज्ञान, जीव विज्ञान, बाइबिल का इतिहास, डच इतिहास आदि। जीवनियाँ पढ़ना अच्छा लगता है, भले वे उबाऊ हों या उत्साहवर्धक और इतिहास की किताबें। कभी-कभी उपन्यास आदि की हल्की-फुल्की किताबें भी पढ़ लेती हैं।

शुक्रवार, 19 मई, 1944

मेरी सबसे प्यारी किट्टी,

कल मुझे बड़ी निराशा हुई। उल्टियाँ, वे भी ऐन को। सिरदर्द, पेटदर्द और बाकी, जिसकी भी आप कल्पना कर सको, वह सब आज तबीयत थोड़ी ठीक है। भूख से बेजार हूँ, फिर भी रात के खाने में बन रहा राजमा मैं नहीं खाऊँगी।

पीटर और मेरे बीच सबकुछ ठीक ही चल रहा है। मुझे जितनी ममत्व की जरूरत है, उससे कहीं ज्यादा उसे है। हर रोज जब उसे गुड नाइट किस मिलता है तो वह अभी भी शरमाता है। फिर दूसरा किस माँगता है। क्या मैं केवल बोश का बेहतर पर्याय हूँ? मुझे कोई आपत्ति नहीं। कोई अपने से प्रेम करता है, यह सोचकर ही वह कितना खुश है।

बड़ी कोशिशें कर आखिर मैंने हालात से थोड़ी दूरी कायम कर ली है, लेकिन मेरा प्रेम ठंडा पड़ गया है, ऐसा नहीं सोचना। पीटर अच्छा लड़का है, लेकिन मैंने अपने अंतर्मन के कपाट बंद कर दिए हैं। अगर वह कभी जबर्दस्ती यह ताला खोलना चाहे तो उसे बहुत ताकत का इस्तेमाल करना होगा।

तुम्हारी
ऐन.एम. फ्रैंक

शनिवार, 20 मई, 1944

मेरी प्रिय किट्टी,

कल रात मैं जब नीचे आई और जैसे ही मैंने कमरे में कदम रखा तो मेरे कारनेशन के सुंदर फूलों से सजा फूलदान गिरा हुआ पाया। मम्मा घुटनों के बल बैठकर हाथों से पानी पोंछ रही थी और मार्गो फैले हुए कागज समेट रही थी। अनिष्ट के पूर्वाभास से मैंने पूछा, "क्या हुआ?" वे कुछ जवाब देतीं, उससे पहले मैंने जो नुकसान हुआ था, उसका अंदाजा लगाया। वंशावलियों वाली मेरी समूची फाइल, मेरी नोट बुक्स, मेरी किताबें सब कुछ पानी में तैर रहे थे। मेरा बस रोना बाकी था। मैं इतनी दुःखी थी कि मैं जर्मन में बोलने लगी। अब मुझे याद तक नहीं है कि मैं क्या बोल रही थी, लेकिन मार्गो ने बताया कि मैं "गणनातीत क्षति, भयानक, भयंकर, अपरिमित, अपूरणीय और भी बहुत कुछ कह रही थी।" डैड और मम्मा की जोरों की हँसी निकली और मार्गो भी उनके साथ मिल कर हँसने लगी, लेकिन मुझे रोना आ रहा था, क्योंकि मेरा सारा काम, मेरी सारी मेहनत खो गई थी।

मैंने थोड़ा नजदीक जाकर देखा। सौभाग्य से, स्थितियाँ उतनी बुरी नहीं थीं,

जितनी मैंने सोची थीं। सब लेकर मैं बालाखाने में गई। बड़े ध्यान से हर पन्ने को दूसरे पन्ने से छील कर अलग किया और कपड़े सुखाने वाली डोरी पर सूखने के लिए टाँग दिया। इतना मजेदार दृश्य था। मुझे भी हँसी आ गई। मारिया डी मेडिसी के पड़ोस में पाँचवें चार्ल्स। उनके पड़ोस में विल्थम ऑफ ऑरेंज और मेरी अंतोयनेट।

मिस्टर वैनडैन ने मजाक में कहा, ''यह तो जातीय मर्यादा का अनादर है।''

अपने सारे कागज, पीटर पर अपने कागजों की जिम्मेदारी सौंपकर मैं फिर नीचे चली आई।

कौन सी किताबें गिरकर नष्ट हुई? मैंने मार्गो से पूछा। वह उन्हें समेट रही थी।

'अंकगणित!' मार्गो ने कहा।

लेकिन मेरा भाग्य मुझ पर मेहरबान था। मेरी अंकगणित की किताब पूरी तरह नष्ट नहीं हुई थी। काश! वह ठीक फूलदान में गिरती। उस किताब से मुझे जितनी नफरत थी, उतनी किसी और किताब से नहीं थी। कवर पेज के बाद वाले पृष्ठ पर कम से कम बीस लड़कियों के नाम थे, जिन्होंने मुझसे पहले वह किताब इस्तेमाल की थी। बहुत पुरानी किताब है, उसके पन्ने पीले पड़ चुके हैं, हर जगह कुछ-न-कुछ लिखा हुआ मिल जाता है। लिखकर काटे गए शब्द हैं और दोहराने की गिनती। किसी दिन जब मेरा मूड बुरा होगा, तब मैं इस किताब के टुकड़े-टुकड़े करने वाली हूँ।

तुम्हारी

ऐन.एम. फ्रैंक

सोमवार, 22 मई, 1944

मेरी सबसे प्यारी किट्टी,

20 मई को डैड शर्त हार गए और उन्होंने मिसेज वैनडैन को पाँच जार दही देने पड़े। हमले अभी शुरू नहीं हुए थे। मैं यह कह सकती हूँ कि समूचा एमस्टरडम, पूरा हॉलैंड असल में नीचे स्पेन तक का यूरोप का पूरा पश्चिमी किनारा दिन-रात हमले के बारे में चर्चा, शर्तें लगाना और उम्मीदें बाँधने में लगा हुआ है।

रहस्य गरमा रहा है, डच लोग अंग्रेजों का विश्वास नहीं तोड़ेंगे, ऐसा हम सबको लगा था और यहाँ हर किसी को ऐसा नहीं लगता कि अंग्रेजों का झूठ कोई श्रेष्ठ रणनीतिक कदम था। अरे नहीं, लोग तो महान् कृत्य चाहते हैं, नायकों जैसे कृत्य।

असल में कोई भी अपनी नाक की नोक से आगे देख-सोच नहीं सकता। कोई यह समझने के लिए तैयार नहीं है कि अंग्रेज अपने देश की खातिर, अपने

लोगों की खातिर लड़ रहा है। हर किसी को लगता है कि यह इंग्लैंड का कर्तव्य है कि वह जितनी जल्दी संभव हो, हॉलैंड की रक्षा करे। अंग्रेज हमारे बारे में क्यों सोचेंगे ? इतनी उम्मीदें बाँधने वाले डच लोगों ने अंग्रेजों के लिए ऐसा क्या किया है, जिसके बदले में वे ऐसी उदार मदद की उम्मीद बाँधे हुए हैं ? नहीं, डच लोगों को बहुत बड़ी गलतफहमी है। अंग्रेजों को, उनके झूठ के बावजूद, युद्ध के लिए अकेले जिम्मेदार नहीं ठहराया जा सकता। युद्ध में शामिल अन्य राष्ट्र भी युद्ध के लिए उतने ही जिम्मेदार हैं। फिर वे छोटे राष्ट्र हों या बड़े, जिन पर अब जर्मनी ने कब्जा कर लिया है। इसके लिए ब्रिटिश कोई कारण नहीं देने वाले हैं। यह बात सही है, जर्मनी जब फिर से तैयारी में जुटा था, उन सालों में वे सोए हुए थे, लेकिन अन्य सभी देश, खासकर जर्मनी के सीमावर्ती देश भी गहरी नींद में खोए हुए थे। इंग्लैंड और बाकी की दुनिया को पता चला कि शतुरमुर्गी चाल चलते हुए जमीन में सिर गाड़ लेने से, संकट की ओर नजरअंदाजी करने से संकट टलता नहीं है। अब उनमें से हर कोई, खासकर इंग्लैंड को इस शतुरमुर्गी नीति का भारी खामियाजा भुगतना पड़ रहा है।

कोई भी राष्ट्र बिना वजह अपने आदमी खोना नहीं चाहता, खासकर किसी दूसरे राष्ट्र की भलाई के लिए तो कभी नहीं। इंग्लैंड भी इसके लिए अपवाद नहीं। हमला, मुक्ति और आजादी किसी दिन आएगी, फिर भी वह कब आएगी, यह कब्जा किए गए राष्ट्र नहीं, इंग्लैंड तय करेगा।

हमें बेहद दुःख और आश्चर्य इस बात का है कि कई लोगों का इस दौरान यहूदी लोगों के बारे में नजरिया बदल गया है। कहा जा रहा है कि जहाँ इसकी कल्पना भी नहीं की जा सकती थी वहाँ भी अब यहूदी द्वेष उभर आया है। इस बात ने हम सब पर बहुत-बहुत गहरा असर डाला है। इस तिरस्कार की वजह समझी जा सकती है। हो सकता है, वह मानवीय भी हो, लेकिन उसे सही नहीं कहा जा सकता। ईसाई लोगों के मुताबिक यहूदी लोग उनके राज जर्मनों तक पहुँचा रहे हैं। उनके मददकर्ताओं की भर्त्सना कर रहे हैं, जिसके कारण उनमें से कइयों को भयानक दुर्भाग्य और सजाएँ भुगतनी पड़ रही हैं। यह सच है, लेकिन हर मामले की तरह इसके भी दो पहलू हैं और उन्हें दोनों पहलुओं पर गौर करना चाहिए, न कि केवल एक पहलू पर। अगर ईसाई हमारी जगह होते तो क्या वे अलग बरतते, जर्मनी के दबाव के आगे यहूदी हो या ईसाई, क्या कोई चुप्पी साध सकता है ? हर कोई जानता है कि यह वस्तुतः असंभव है। फिर ऐसी असंभव बात की उम्मीद केवल यहूदियों से ही क्यों रखी जा रही है ?

भूमिगत गुटों की बातचीत में कहा जा रहा है कि युद्ध से पहले जर्मनी से हॉलैंड में आनेवाले अप्रवासी यहूदी, जिन्हें अब पोलैंड भेजा गया है, उन्हें वापस लौटने की

इजाजत नहीं देनी चाहिए। उन्हें हॉलैंड में शरण लेने का हक दिया गया था, लेकिन हिटलर के जाने के बाद उन्हें वापस जर्मनी लौटना होगा।

यह सब सुनने के बाद, तुम सोचोगी कि आखिर हम यह लंबी और मुश्किल जंग क्यों लड़ रहे हैं? हमें हमेशा यही बताया गया है कि हम आजादी, सत्य और न्याय के लिए लड़ रहे हैं। युद्ध अभी खत्म भी नहीं हुआ है और अभी से कलह फूट पड़ा है। यहूदियों को हेय माना जाने लगा है। यह बड़ा दुःखद है। पुरानी मान्यताओं को फिर से सुनिश्चित किया जा रहा है। "एक ईसाई का कर्म केवल उस ईसाई का जिम्मा है, जबकि एक यहूदी के कर्म के लिए समूचा यहूदी समाज जिम्मेदार है।"

ईमानदारी से कहना हो तो अच्छे, ईमानदार, हकों के बारे में सजग लोगों का डच देश भी हमारे बारे में निर्णय लेने में उन्हें कैसे शामिल हो सकता है, इसका मुझे अचरज लगता है। हम जैसे पूरे विश्व में सबसे अधिक दमित, अभागे और दयनीय लोगों के बारे में निर्णय करेंगे।

मुझे एक उम्मीद है कि यहूदी विरोध बस कुछ समय तक का ही हो और डच लोग अपना असली रंग दिखाएँगे। उन्हें जो मन की गहराइयों में सही लगता है, उससे वे डिगेंगे नहीं, इस अन्याय के वे साझीदार नहीं बनेंगे।

और अगर वे कभी इस भयानक धमकी पर अमल करेंगे तो हॉलैंड में बचे गिने-चुने यहूदियों को जाना पड़ेगा। हमें भी अपना बोरिया-बिस्तर समेटरकर यहाँ से कूच करना होगा। इस सुंदर देश से दूर, जिसने कभी बड़ी उदारता से हमें अपनाया था। अब यह भी हमारी ओर से पीठ फेर लेगा।

मुझे हॉलैंड से प्रेम है। अपना देश खोने के बाद मुझे इस देश से अपनी मातृभूमि बनने की उम्मीद थी। अभी भी है।

तुम्हारी

ऐन.एम. फ्रैंक

गुरुवार, 25 मई, 1944

मेरी सबसे प्यारी किट्टी,

बेप की मँगनी हो गई, वैसे यह खबर ज्यादा आश्चर्यजनक नहीं है, हालाँकि हममें से किसी को कोई खास खुशी नहीं हुई। बर्टस अच्छा, स्थिर, सच्चा खिलाड़ी होगा, लेकिन बेप को उससे प्यार नहीं है। मेरी राय में यही सबसे बड़ी वजह है, उसे इस शादी से बचने की सलाह देने की।

बेप दुनिया में आगे बढ़ना चाहती है। बर्टस उसे पीछे खींच रहा है। वह मेहनतकश इनसान है, जिसके कोई शौक नहीं, कोई इच्छाएँ नहीं, वह कुछ बनना नहीं चाहता। मुझे लगता नहीं कि बेप इस बात से खुश हो सकती है। अपने अनिर्णय पर पूर्णविराम लगाने की बेप की इच्छा मैं समझ सकती हूँ। चार हफ्ते पहले उसने बर्टस को अपनी जिंदगी से अलग करने का निर्णय लिया था, लेकिन इस निर्णय के बाद उसकी हालत बदतर हुई। इसलिए उसने बर्टस को खत लिखा और अब दोनों की मँगनी हुई।

इस मँगनी से कई बातें जुड़ी हैं। पहली बात है बेप के बीमार पिता की। उन्हें बर्टस बहुत पसंद है। दूसरी बात है, वह वोस्कुइजिल परिवार की सबसे छोटी लड़की है। उसकी मम्मा उसे 'पुरानी नौकरानी' कहकर चिढ़ाती रही हैं। तीसरी बात, वह अभी चौबीस वर्ष की हुई है। इससे बेप को बहुत फर्क पड़ा है और उसने निर्णय लिया है। ममा का कहना है कि इससे तो बेहतर यही होता कि बेप बर्टस के साथ केवल अफेयर करे। पता नहीं, मुझे बेप के बारे में बुरा लगता है। उसका अकेलापन मैं समझ सकती हूँ। जो हो, वे युद्ध समाप्ति के बाद ही शादी कर पाएँगे, क्योंकि फिलहाल बर्टस छिपकर जी रहा है। वह भूमिगत है। इसके अलावा उनके नाम एकाध पेनी भी नहीं है। इतना ही नहीं, उम्मीद की जा सके, ऐसा कोई तिनका तक उसके पास नहीं है। बेप के लिए यह सब कितना दुखदायी होगा, जिसके लिए हम सबकी इच्छा है कि उसका भला हो। बर्टस उसके प्रभाव में आकर बदले, बस मैं यही उम्मीद करती हूँ, या फिर बेप को ही कोई ऐसा दूसरा आदमी मिले, जो उसके गुणों की कद्र करना जानता हो।

तुम्हारी
ऐन.एम. फ्रैंक

उसी दिन

हर दिन कुछ-न-कुछ होता रहता है। आज सुबह मिस्टर वैन हेविन को गिरफ्तार किया गया। उन्होंने दो यहूदियों को अपने घर में पनाह दे रखी है। हमारे लिए यह भारी सदमा है। केवल इसलिए नहीं कि दो यहूदी अब फिर नर्क की खाई में लटक गए हैं, बल्कि इसलिए भी यह मि. वान होवेन के लिए भी बुरा साबित होने वाला है।

दुनिया उलट गई है। सबसे सभ्य लोगों को यातना-शिविरों में भेजा जा रहा है, कारागारों में, अकेले कमरों में बंद किया जा रहा है, जबकि बुरे से बुरे लोग युवाओं, वयस्कों पर अमीर और गरीबों पर हुकूमत चला रहे हैं। कोई कालाबाजारी के लिए

पकड़ा जाता है तो कोई यहूदियों को या अन्य दुर्भाग्यियों को पनाह देने के लिए पकड़ा जाता है। आप अगर नाजी नहीं हैं तो आपके साथ कब क्या होगा, इस बारे में कुछ नहीं कहा जा सकता।

मि. वैनहोवेन के पकड़े जाने से हमारा भी बड़ा नुकसान हुआ है। शायद बेप इतनी बड़ी मात्रा में आलू यहाँ तक लेकर नहीं आ सकती है। उसे लाने भी नहीं चाहिए। ऐसी हालत में हमारे सामने एक उपाय ही बचता है—कम आलू खाना। हमने जो सोचा है, वह मैं आपको बताती हूँ, हालाँकि उससे यहाँ की स्थितियाँ कुछ और स्वीकार्य नहीं हो सकतीं। ममा कहती हैं, हम नाश्ता खाना छोड़ देंगे। गरम दलिया और ब्रेड हम लंच में खाएँगे, तले हुए आलू हफ्ते में दो बार खाएँगे। बस बताने लायक यही सब हो रहा है। अब हमें भूखा रहना होगा। पकड़े जाने से तो वह भला।

तुम्हारी

ऐन.एम. फ्रैंक

शुक्रवार, 26 मई, 1944

मेरी सबसे प्यारी किट्टी,

लंबे-लंबे समय बाद आखिर मैं खिड़की की झिर्री के सामने बिछी अपनी टेबल पर बैठकर तुम्हें सबकुछ लिखने जा रही हूँ।

पिछले कई महीनों से जितना नहीं लगा था, उतना अब मुझे दयनीय लगने लगा है। चोरियाँ हुईं, तब भी मुझे ऐसा नहीं लगा था। एक ओर मि. वैन होवेन के बारे में खबर मिली है, यहूदियों का प्रश्न (जिस पर गुप्त भवन का हर सदस्य विस्तार से चर्चा करता है) हमला (जो लंबे अरसे से बस होने में हैं, लेकिन होता नहीं है) बुरा खाना, तनाव भरा वातावरण, पीटर से मेरा मोहभंग है तो दूसरी ओर बेप की मंगनी, पेंट-कोट रिसेप्शन, कूल, मि. कुग्लर का जन्म दिवस, केक्स, कैबेरे के बारे में, फिल्में, सम्मेलनों आदि के बारे में चर्चाएँ हैं। इन दोनों के बीच की खाई, वह मुँह बाती खाई हमेशा रहती है। एक दिन गुप्त रूप से रहने की अपनी जिंदगी के मजाकिया पहलू पर हम हँसते हैं तो दूसरे दिन (और ऐसे दूसरे दिन ही बहुत अधिक होते हैं) हम डर जाते हैं, हमारा पूरा दिन डर, तनाव और बदहवासी में बीतता है। हम सबके चेहरों पर इसे पढ़ा जा सकता है।

मीप और कुग्लर इस बोझ को ढोते हैं, हमारे लिए और उन सबके लिए, जो गुप्त रूप से जीने को मजबूर हैं। मीप के हर कृत्य में और मि. कुग्लर के प्रचंड

जिम्मेदारी के अहसास में यह झलकता है। मि. कुग्लर पर हम आठ लोगों की बृहत् जिम्मेदारी है। इसका तनाव इतना ज्यादा होता है कि कई बार मि. कुग्लर मुश्किल से बोल पाते हैं। मि. क्लीमन और बेप भी हमारा बहुत अच्छा खयाल रखते हैं, लेकिन गुप्त भवन को अपने मन से बाहर रख पाना उनके लिए संभव है, फिर भले वह कुछेक घंटों के लिए या कुछ दिनों के लिए ही सही। उनके सिर पर कुछ और फिक्रें हैं। मि. क्लीमन का स्वास्थ्य और बेप की मँगनी लगता नहीं कि ज्यादा दिन चलेगी, हालाँकि वे घूमते-फिरते भी रहते हैं। दोस्तों से मिलते हैं। उनकी रोजमर्रा की जिंदगी सामान्य लोगों जैसी होती है। इसलिए उनका दबाव कुछ समय के लिए हटता है। भले थोड़े से समय के लिए ही सही, जबकि हमारा तनाव कभी खत्म नहीं होता। कभी खत्म नहीं हुआ। पिछले दो साल से, जबसे हम यहाँ रहने आए हैं, कभी एक बार भी हमें राहत नहीं मिली है। यह हर रोज बढ़ता जाता, असहनीय बोझ हमें और कब तक दबाता रहेगा?

नालियाँ फिर से बंद हो गई हैं। हम पानी गिरा नहीं सकते। अगर गिराना ही होता तो केवल पतली धार ही गिरा सकते हैं। हम टॉयलेट को फ्लश नहीं कर सकते, इसलिए हमें एक टॉयलेट ब्रश का इस्तेमाल करना पड़ता है। एक बड़े मिट्टी के बरतन में हम अपना गंदा पानी उँड़ेलते हैं। हम आज के लिए काम चला सकते हैं। लेकिन प्लंबर अगर अपने बलबूते काम को पूरा नहीं कर पाया तो? सफाई विभाग के कर्मचारी मंगलवार तक नहीं आ सकेंगे।

मीप ने हमें मुनक्का ब्रेड भेजा है। उस पर उसने 'हैपी पोंटेकोस्ट' लिखवा लिया है, मानो वह हमारा मजाक उड़ा रही है, क्योंकि हम सबके मूड्स 'हैपी' होने से कोसों दूर हैं।

वैन होवेन के बारे में पता चलने के बाद से हम सब डरे हुए हैं। एक बार फिर सब ओर से 'शूऽऽ' की आवाजें आने लगी हैं। हम सब अपना काम बेहद शांतिपूर्ण तरीके से कर रहे हैं। वहाँ पुलिस जर्बदस्ती अंदर घुसी थी, यहाँ भी बड़ी आसानी से घुस सकती है। हम क्या कर सकेंगे, अगर हम पर भी... नहीं, मुझे इस पर नहीं लिखना है, लेकिन हर सवाल को मैं आज अपने मन के किसी कोने में ज्यादा देर तक ढकेल नहीं सकती हूँ। बल्कि जो डर मैंने अब तक महसूस किया है, वह फिर मेरे मन पर मँडराने लगा है।

आज रात आठ बजे मुझे अकेले नीचे जाना पड़ा, क्योंकि मुझे गुसलखाने में जाना था। नीचे कोई नहीं था। सब रेडियो सुनने में व्यस्त थे। मैं साहसी बनना चाहती थी, पर बड़ा मुश्किल लग रहा था। नीचे के इस विशाल, स्तब्ध घर की तुलना में मुझे हमेशा

ऊपर ही सुरक्षित लगता है। सड़क पर बजने वाले हॉर्न और ऊपर से आती अजीब, दबी, रहस्यमयी आवाजें···मैं हमेशा हड़बड़ी में ऊपर आते हुए खुद को याद दिलाती रहती हूँ कि मैं कहा हूँ, ताकि बदन थरथर काँपे नहीं।

डैड से हुई बातचीत के बाद से मीप हम सब लोगों के साथ बेहद अच्छे ढंग से पेश आ रही है। इस बारे में मैंने तुम्हें अभी कुछ बताया नहीं है। एक दिन ऊपर आई। वह बेहद डरी हुई थी और बदहवास थी। आते ही उसने सीधे डैड से पूछा कि क्या हम सबको लगता है कि उन्हें भी 'यहूदियों से नफरत' वाले इस नए कीटाणु ने काट तो नहीं लिया है? क्या उन्हें भी इसका संसर्ग हुआ है, हम कहीं ऐसा तो नहीं सोचते हैं? डैड अचंभित हुए। उन्होंने तुरंत मीप को यकीन दिलाया कि हमें ऐसा नहीं लगता, हालाँकि मीप के शक का कुछ अंश वहाँ की हवा में तैरता रह ही गया था। अब उन्हें हमारे लिए और भी काम करने पड़ते हैं। हमारी मुसीबतों को लेकर अब वे और अधिक चिंता जताते हैं, जबकि हमें निश्चित तौर पर उन्हें इतनी मुश्किल में नहीं डालना चाहिए। वे कितने अच्छे, कुलीन लोग हैं।

मैंने अपने आपसे कई-कई बार यह बात पूछी है कि गुप्त रूप से रहने से हमारा पहले ही की तरह रहना बेहतर साबित नहीं होता? हो सकता है, अब तक हम मर जाते, लेकिन हमें इतनी बुरी हालत से तो गुजरना नहीं पड़ता और न हमारी वजह से इतने सारे लोगों को यह भारी वजन ढोना पड़ता, लेकिन इस पर सोचने से हम सब लोग बचते हैं। हमें अभी भी जिंदगी से प्रेम है। प्रकृति की आवाज हम अभी भूले नहीं है और हम बस हर चीज की उम्मीद कर रहे हैं, उम्मीद पर ही जिंदा हैं।

जल्द ही कुछ-न-कुछ हो। भले हवाई हमला हो। इस व्याकुलता से कठोर और कोई दमित करनेवाली बात नहीं होगी। अंत आने दो। भले जितना भी क्रूर हो। तब हमें कम-से-कम इस बात का पता चलेगा कि हम जीते हैं या विजित।

तुम्हारी

ऐन.एम. फ्रैंक

बुधवार, 31 मई, 1944

मेरी सबसे प्यारी किट्टी,

शनिवार, रविवार, सोमवार और मंगलवार। गरमी इतनी अधिक थी कि मैं अपना फाउंटेन पेन हाथ में लेने की हिम्मत नहीं जुटा सकी। इसीलिए मैं तुम्हें लिख नहीं पाई। शुक्रवार को नालियाँ अवरुद्ध हो गई थीं। शनिवार को उन्हें ठीक कर दिया गया। मिसेज

क्लीमन दोपहर में मिलने आई थीं। उन्होंने हमें जोपिएश और जैक वान मारसेन के बारे में बहुत कुछ बताया। वे दोनों एक हॉकी क्लब में हैं। रविवार को बेप आई, यह देखने कि कोई चोरी-चकारी तो नहीं हुई? वह नाश्ते के लिए रुकी। सोमवार (पेंटेकोस्ट के कारण छुट्टी वाला दिन था) मि. जीज गुप्त भवन के वाचमन बने और मंगलवार को आखिरकार हमें खिड़कियाँ खोलने की इजाजत मिली। कोई पेंटेकोस्ट सप्ताहांत इतना खूबसूरत और गरम गुजरे, ऐसा हमारे लिए पहली बार हो रहा था, या फिर 'गरम' शब्द ज्यादा सटीक हो। गुप्त भवन में गरम हवा भयानक होती है। तुम्हें गरमी में की जाने वाली शिकायतें सुनाकर मैं तुम्हें गरमी वाले दिनों के बारे में बताती हूँ।

शनिवार—बढ़िया, कितना सुहाना मौसम है, हम सबने सुबह कहा, 'काश कि यह इतना गरम नहीं होता।' हमने दोपहर में कहा जब खिड़कियाँ बंद रखनी पड़ती थीं।

रविवार—गरमी असहनीय है, मक्खन पिघल रहा है। पूरे घर में कोई ठंडा कोना नहीं है। ब्रेड सूख रही है। दूध फट रहा है। खिड़कियाँ खोल नहीं सकते। हम बेचारे बहिष्कृतों की यहाँ साँसें घुट रही हैं और बाकी सारी दुनिया पेंटेकोस्टे के मजे ले रही है। (इति मिसेज वैनडी)

सोमवार—"मेरे पैर दर्द कर रहे हैं। ठंडा कुछ नहीं है मेरे पास पहनने के लिए। गरमी में मैं बरतन साफ नहीं कर सकती।" सुबह-सवेरे से रात तक बस शिकायतें। बहुत बुरा हाल था।

मैं गरमी बरदाश्त नहीं कर सकती। आज हवा चल रही है तो कितना अच्छा लग रहा है, हालाँकि सूरज अभी भी तप रहा है।

तुम्हारी
ऐन.एम. फ्रैंक

शुक्रवार, 2 जून, 1944

मेरी सबसे प्यारी किट्टी,

तुम अगर बालाखाने जा रही हो तो अपने साथ छाता भी ले जाना। थोड़ा बड़ा छाता। यह तुम्हें 'घर की बौछारों' से बचाएगा। एक डच भाषा की कहावत है, "हाइ एंड ड्राई, सेफ एंड साउंड" (ऊँचे और सूखे रहो तो स्वस्थ और सुरक्षित रहोगे।) लेकिन यह युद्ध के समय जाहिर है कि लागू नहीं होता, खासकर गुप्त रूप से रहनेवालों पर। मोशी को इन दिनों अखबारों के कागजों पर जमीन की दरारों में पेशाब करने की आदत पड़ गई है। इसलिए हमें अकाल वर्षा का या बदबू का डर लगा रहता है। गोदाम में

लाई गई मूर्टजी की भी यही आदत है। जिनके घरों में बिल्लियाँ होती हैं, जो अपने को मुक्त करने के लिए घर से बाहर नहीं जातीं, उन सबको इस बात की जानकारी होती है और उस बदबू की वे कल्पना भी कर सकते हैं। काली मिर्च और अजवाइन की गंध के साथ-साथ घर भर में यह बास भी लहराती रहती है। जिन्हें पिस्तौलों या बंदूकों की गोलियों से डर लगता है, उनके लिए मेरे पास बिल्कुल नए उपाय हैं। जब गोलियाँ चलने की जोरदार आवाजें आने लगें, तब पास की लकड़ी की सीढ़ियों पर चले जाइए। ऊपर से नीचे और नीचे से ऊपर दो-चार बार दौड़ लगाइए। एकाध बार लड़खड़ाइए जरूर। थोड़ी-बहुत खुरचेगा, दौड़ने-गिरने की जोरदार आवाजें आएँगी, लेकिन आपको इस दौरान शूटिंग की आवाज तक सुनाई नहीं देगी और आपको डर भी नहीं लगेगा। जो सचमुच तुम्हारी है, उसने यह जादुई नुस्खा इस्तेमाल किया है और इसमें उसे भारी सफलता मिली है।

तुम्हारी
ऐन.एम. फ्रैंक

सोमवार, 5 जून, 1944

मेरी सबसे प्यारी किट्टी,

गुप्त भवन में नई समस्याएँ उभरी हैं। डुस्सेल और फ्रैंक के बीच मक्खन के बँटवारे को लेकर झगड़ा हुआ। इसमें डुस्सेल ने आत्मसमर्पण करते हुए माना कि उसने मिस्टर फ्रैंक और मिसेज वैनडान को फ्लर्ट करते हुए, चुंबन करते हुए और चुप-चुप के एक-दूसरे की ओर देख मुसकराते हुए देखा है। जाहिर है, डुस्सेल महिला के साथ संगत के लिए तरस रहा है।

मिस्टर कुग्लर के जन्मदिवस पर हम मसाला केक क्यों बनाएँ, यह वैनडैन पति-पत्नी समझ नहीं सकते, क्योंकि हम अपने लिए कभी ऐसा कर नहीं सकते। बहुत ही छोटापन। ऊपर वाला मूड बुरा है। मिसेज वैनडी को जुकाम हुआ है। डुस्सेल के पास यीस्ट टेबलेट्स मिलीं, जबकि हमारे पास थीं नहीं।

फिफ्थ आर्मी ने रोम पर कब्जा किया था। शहर पर न बम बरसाए गए और न ही उसे तहस-नहस किया गया। इससे हिटलर का बड़ा नाम हुआ।

बहुत कम आलू और सब्जियाँ बची हैं। ब्रेड के एक लोफ में फफूँदी लगी मिली।

स्कारमिन्केब्जे—गोदाम वाली नई बिल्ली का नाम। उसे काली मिर्च बिल्कुल पसंद नहीं। फारिग होने के लिए रखे बक्से में वह सोती है और लकड़ी की छीलन में

फारिग होती है। उसे पालना असंभव है।

मौसम खराब है। फ्रांस के पश्चिमी तट पर और पास-डे-कालाहस पर लगातार बमों की वर्षा।

अब डॉलर्स कोई खरीदता नहीं। सोना उससे कम दिलचस्प हुआ। हमारे काले धन-बक्से की तली दिखाई देने लगी है। अगले महीने हम कैसे जिएँगे?

तुम्हारी

ऐन.एम. फ्रैंक

मंगलवार, 6 जून, 1944

मेरी सबसे प्यारी किट्टी,

''यह विनाश दिवस है।'' बीबीसी ने बारह बजे उद्घोषणा की।

''यही दिन है।'' हमले की शुरुआत हुई है।

आज सुबह आठ बजे कालाई, बोलोन, के हावरे और चेटबोर्ग तथा पास-डे-कलाई (हमेशा की तरह) पर तेज बम वर्षा होने की खबर ब्रिटिशों ने दी। आगे इन इलाकों में रहनेवालों के लिए सुरक्षा के उपायों के तहत तटीय इलाके से 20 मील की परिधि में रहनेवालों को बमबारी के लिए तैयार रहने की चेतावनी दी गई। जहाँ-जहाँ संभव हो, ब्रिटिश घंटे भर पहले सूचनात्मक पर्चियाँ गिराएँगे।

जर्मन खबरों के मुताबिक, ''ब्रिटिश छतरीधारी सैनिक (पैराटूपर्स) फ्रांस के तटीय इलाके में उतर चुके हैं।'' तो अंग्रेजों के सैनिक गिरानेवाले विमानों का जर्मन नौसेना दलों से मुकाबला जारी है। यह खबर बीबीसी दे रहा था।

नौ बजे नाश्ते की टेबल पर गुप्त भवन के लोगों ने निष्कर्ष निकाला—''उन्हें आजमाइश के लिए उतारा गया है, जैसे दो वर्ष पूर्व डेघे में उतारा गया था।''

दस बजे जर्मन, डच, फ्रेंच और अन्य भाषाओं में बीबीसी के प्रसारण में घोषणा की गई—हमला शुरू हुआ! यानी यह 'असली' हमला था। ग्यारह बजे के बीबीसी के प्रसारण में : सुप्रीम कमांडर जनरल ड्वाइट आइजनहावर का भाषण।

बीबीसी का अंग्रेजी प्रसारण—'यह '0' दिवस है।' जनरल आइजहावर ने फ्रेंच लोगों से कहा है, ''अब घनघोर युद्ध होगा, लेकिन इसके बाद विजय होगी। सन् 1944 का वर्ष अंतिम जीत का वर्ष होगा। गुडलक!'' एक बजे के बीबीसी के प्रसारण में—11000 हवाई जहाज आ-जा रहे हैं या इंतजार में खड़े हैं। शत्रु सेना के पीछे पलटनें या बम पहुँचाने के काम में लगे हैं। 4000 छोटी नावें चेरबोर्ग और ली हावरे के बीच

लगातार आ रही हैं। अंग्रेज और अमेरिकी पलटनों में घोर युद्ध शुरू हो चुका है। इसके बाद बेल्जियम के प्रधानमंत्री जेरबैंडी, नॉर्वे के राजा हाकोन, फ्रांस के डी गॉल, इंग्लैंड के राजा का और आखिर में, लेकिन महत्त्वपूर्ण मि. चर्चिल के भाषाण हुए।

एनेक्सी में तो मानो भूचाल आ गया। लंबे समय से जिस मुक्ति का सपना देखा जा रहा था, क्या यह उसकी शुरुआत थी? मुक्ति, जिसके बारे में हम सबने इतनी सारी बातें की हैं। जो अभी भी बेहद अच्छी, परियों की कहानी जैसी लगती थीं, जो शायद कभी सच ही न हों। क्या सन् 1944 का साल हमारे लिए विजय ले आएगा? हमें अभी पता नहीं, लेकिन यहाँ आस है, वहाँ जीवन है। वह हममें नया साहस भर हमें फिर ताकतवर बनाता है। डर और कठिनाइयों से और आगे आनेवाले संकटों से उबरने के लिए हमारा साहसी होना जरूरी है। अब हमें शांत और अडिग रहने का दाँतों पर दाँत दबाकर, चुपचाप इंतजार का समय आ गया है। फ्रांस, रूस, इटली और जर्मनी वेदना से बिलबिला सकते हैं, हमें अभी यह हक मिलना बाकी है।

किट्टू, इस हमले की सबसे अच्छी बात पता है, क्या है? लगता है कि हमारी मदद के लिए दोस्त निकल चुके हैं। उन राक्षसी जर्मनों ने हमें इतने लंबे अरसे तक धमकाया और दमित किए रखा है कि अब दोस्त और मुक्ति ये शब्द हमारे लिए सर्वोपरि बन गए हैं। अब केवल यहूदी नहीं, वरन् हॉलैंड और यूरोप का कब्जाया गया सारा इलाका यही सोच रहा है। शायद जैसा मार्गो कह रही है, मैं शायद सितंबर-अक्तूबर में फिर स्कूल जाने लगूँ।

तुम्हारी
ऐन.एम. फ्रैंक

विशेष सूचना—नई और अद्यतन खबरें मैं तुम्हें बताती रहूँगी। कल रात और आज सुबह घास तथा रबड़ से बने सैनिक जर्मन सेना के पीछे बरसाए गए। जमीन पर गिरते ही उनमें विस्फोट हुआ करता था। कई सैनिकों के चेहरे काले कर दिए गए थे, ताकि वे अँधेरे में दिखाई न दें। वे भी जाली सैनिकों के पीछे-पीछे उतारे गए थे। रात में फ्रांस के तटीय इलाके में 5,500 टन बम गिराए गए। सुबह छह बजे पहला जहाज किनारे पहुँचा, जिससे सैनिक उतारे गए। आज 20,000 हवाई जहाज काम में लगे हुए थे। उनमें से सैनिकों के उतरने से पहले ही जमनों के तटीय इलाकों में लगे दीप नष्ट कर दिए गए थे। एक छोटा सा पुल बना लिया गया था। मौसम खराब था, फिर भी हर गतिविधि ठीक से चल रही थी। सेना तथा लोगों की इच्छाएँ और आशाएँ एकरूप हो गई थीं।

शुक्रवार, 9 जून, 1944

मेरी सबसे प्यारी किट्टी,

हमले की बड़ी खबर! मित्र राष्ट्रों ने बेयोक्स पर कब्जा किया। बेयोक्स फ्रांस के किनारे बसा एक गाँव है। सेना अब कायेन के लिए लड़ रही है। चेरबोर्ग जहाँ बसा है, उस उपद्वीप को वे घेरकर अलग करने की कोशिश में हैं, यह साफ पता चल रहा था। हर शाम समाचार प्रतिनिधि सैनिकों के सामने खड़ी कठिनाइयाँ, उनका साहस और उनकी लड़ने की शक्ति का वर्णन करते। उनसे उनकी कहानी पाने के लिए वे आश्चर्यकारक तरीके अपनाते। जख्मी होकर इंग्लैंड लौट चुके कुछ सैनिकों ने भी रेडियो द्वारा आपबीती सुनाई। खराब मौसम के बावजूद हवाई जहाज तेजी से आ-जा रहे हैं। हमने बीबीसी रेडियो पर सुना कि चर्चिल भी सैनिकों के साथ मोर्चे पर उतरना चाहते हैं, लेकिन आइजनहावर और अन्य सेनानायकों ने उन्हें ऐसा नहीं करने के लिए मना लिया। उनकी उम्र कम-से-कम सत्तर वर्ष की होगी। इस उम्र में इतना साहस! कल्पना तो कीजिए।

यहाँ गुप्त भवन में पहले वाला उत्साह अब थोड़ा ठंडा पड़ा है। फिर भी हमसब की इच्छा है कि साल के अंत तक युद्ध खत्म होगा। काफी समय बीता है। मिसेज वैनडैन की निरंतर शिकायतों से सब तंग आ चुके थे, सब असहनीय हुआ था। अब हमले के कारण वे हमें परेशान नहीं कर रही थीं। अब वे पूरे दिन बुरे मौसम के बारे में रोती-रोती रहती हैं। काश! हम उन्हें ठंडे पानी में डुबोकर टाँड़ पर रख पाते।

मिस्टर वैनडैन और पीटर के अलावा एनेक्सी में हर कोई हनाटियन रैपसोडी ट्रिलोजी पढ़ चुका है। यह एक संगीत रचनाकार की जीवनी है। पियानो के दक्ष संगीतज्ञ और विलक्षण प्रतिभावान हैं। बाल कलाकार फ्रांज लिज्ट् की बेहद दिलचस्प किताबें हैं। हालाँकि मुझे यह भी लगता है कि उसमें औरतों के बारे में जरूरत से ज्यादा लिखा गया है। लिज्ट न केवल अपने समय का महान संगीतज्ञ था, बल्कि वह सत्तर वर्ष की उम्र में भी सबसे बड़ा व्यभिचारी था। उसका काउंटेस मारी डी-अगोल्ट से, विट्गेंसिन की प्रिंसेस कैरोलीन सैन से, नर्तकी लोला मोंटेज से, पियानोवादक एग्नेस किंगवर्थ से, पियानो वादक सोफी मेंटर से, सरकासिया की राजकुमारी ओल्गा जेनैना से, बेरोनेस ओल्गा मेनडोर्फ से, अभिनेत्री लिला आदि-आदि-आदि से और नामों की एक अंतहीन फेहरिस्त—से प्रेम के संबंध थे। किताब के संगीत और अन्य कलाओं से संबंधित पृष्ठ दिलचस्प हैं। इन हिस्सों में शुमन, क्लारा वीक, हेक्टर बर्लियोज, जोहान्स ब्राह्मस, बीथोवन, जोकिम, रिचर्ड वैगनर, हेंस वोन बुलो, एंटोन रूबींस्टीन, फ्रेडरिक चोपिन, विक्टर ह्यूगो, होनोर डे बाल्जाक, हिलर, हम्मेल, जेर्नी, रॉसिनी, चेरूबिनी, पागानिनि, मेंडेल्सोन आदि का जिक्र है।

लिज्ट सभ्य व्यक्ति प्रतीत होते हैं। बेहद उदार और विनीत, लेकिन असाधारण रूप से अहंकारी लगते हैं। कला को अन्य सभी बातों से वरीयता देने में उन्होंने अन्यों की मदद की, उन्हें कोग्नेक का और औरतों का बड़ा शौक था, आँसू बिल्कुल सह नहीं सकते थे, सभ्य व्यक्ति थे, किसी ने कुछ माँगा तो इनकार नहीं कर सकते थे, संपत्ति में उन्हें दिलचस्पी नहीं थी और धार्मिक स्वतंत्रता तथा विश्व की बहुत फिक्र करते थे।

तुम्हारी

ऐन.एम. फ्रैंक

314 ऐन फ्रैंक

मंगलवार, 13 जून, 1944

मेरी सबसे प्यारी किट्टी,

एक और जन्मदिवस मनाया, सो अब मैं पंद्रह वर्ष की हुई। मुझे कई उपहार मिले, जैसे—स्प्रिंगर की कल के इतिहास पर लिखी पाँच खंडों की किताब, अंडर वियर सेट, दो बेल्ट्स, एक रूमाल, दो जार दही के, जाम का एक जार, शहद के दो छोटे बिस्कुट, डैड-मम्मा की तरफ से वनस्पति विज्ञान की एक किताब, मार्गो की तरफ से एक सोने का ब्रेसलेट, वैनडैन की ओर से एक स्टिकर एल्बम, डुस्सेल की ओर से बयोमाल्ट और मीठे मटर, मीप की तरफ से कैंडी, बेप की तरफ से नोटबुक और सबसे अच्छा उपहार मि. कुग्लर की ओर से 'मारिया थेरेसा' किताब, फुल क्रीम चीज की स्लाइस। पीटर ने पिउनी फूलों का एक सुंदर गुच्छा मुझे उपहार में दिया। बेचारे ने अच्छा उपहार ढूँढ़ने के लिए बहुत मेहनत की, लेकिन उसकी सारी कोशिशें बेकार गईं।

हमले अभी उफान पर हैं। बुरे मौसम के बावजूद झमाझम हो रही बरसात, तूफानी हवाएँ, समंदर में उफान, सब एक साथ।

कल चर्चिल, स्मट्स, आइजनहावर और अर्नोल्ड ने फ्रेंच उन गाँवों का दौरा किया, जिन्हें अंग्रेजों ने जीतकर मुक्त कर दिया था। चर्चिल एक टोपेडो बोट पर सवार थे, जिसने तटीय इलाके पर बमबारी की थी। कई अन्य पुरुषों की तरह डर क्या होता है, यह वह नहीं जानता। उनका यह गुण ईर्ष्या करने लायक है।

हमारे गुप्त भवन रूपी किले से डच लोगों की प्रतिक्रियाएँ भाँपना मुश्किल है। इसमें कोई शक नहीं कि कई लोगों को इस बात की खुशी है कि आलसी बैठे अंग्रेजों ने आखिर आस्तीनें पीछे खिसकाकर काम की शुरुआत की। जो लोग यह कहते हैं कि वे अंग्रेजों के बारे में सोचना नहीं चाहते, वे नहीं जानते कि वे अंग्रेजों के साथ कैसा

अन्याय कर रहे हैं। उनके द्वारा दी जा रही वजहें हैं—इंग्लैंड को लड़ना चाहिए, संघर्ष करना चाहिए, हॉलैंड और परतंत्रता में फँसे अन्य देशों को आजादी दिलाने के लिए अपने सैनिक भेजने चाहिए। आजाद करने के बाद ब्रिटिशों को हॉलैंड में ठहरना नहीं चाहिए। विदेशी कब्जे में फँसे सभी राष्ट्रों को अपनी ओर से माफी माँग लेनी चाहिए, डच ईस्टइंडीज को उसके सही मालिकों के हाथों सौंपना चाहिए और उसके बाद ही इंग्लैंड लौटना चाहिए, क्षीण और अकिंचन होकर। कैसे मूर्ख लोग हैं। फिर भी, जैसा कि मैं पहले ही बता चुकी हूँ, उनकी सेना में कई डच लोग पाए जा सकते हैं। अगर इंग्लैंड ने जर्मनी के साथ शांति करार पर हस्ताक्षर किए होते तो हॉलैंड और उसके पड़ोसी देशों का क्या होता? इंग्लैंड के सामने ऐसा करने के कई अवसर उपलब्ध थे। हॉलैंड तब जर्मनी का हिस्सा बनता और अगर ऐसा होता, तब तो किस्सा ही खत्म होता।

सभी डच लोग, जो ब्रिटिशों की ओर तुच्छता भाव से—देखते हैं, इंग्लैंड का उपहास उड़ाते हैं, उसकी सरकार को दकियानूस कहते हैं, अंग्रेजों को डरपोक कहते हैं और जर्मनों से नफरत करते हैं, उन्हें अच्छे फूले हुए तकिए की तरह हिलाकर होश में लाने की जरूरत है। हो सकता है, तब उनके उलझे दिमाग हरकत में आ जाएँ, तो वे ठीक से सोचने लगें।

इच्छाएँ, विचार, आरोप और तिरस्कार सब इकट्‌ठा मेरे दिमाग में घूम रहे हैं। कई लोग जैसा सोचते हैं, मैं वैसी अहंकारी नहीं हूँ। मुझे अपनी कमियाँ औरों से अच्छी तरह पता हैं। एक फर्क जरूर है, मैं यह भी जानती हूँ कि मुझे बदलना है। मैं बदलूँगी और अब भी मैं बहुत बदली हुई हूँ। मैं कई बार अपने आप से पूछती हूँ कि क्यों सब अभी भी यह समझते हैं कि मैं अति महत्त्वाकांक्षी, दूसरों के साथ दस्तंदाजी करनेवाली और खुद सबकुछ जानती हूँ, जैसा बरताव करनेवाली हूँ, क्या मैं सचमुच इतनी मगरूर हूँ, या कि वे खुद मगरूर हैं? यह थोड़ा चकरा देने वाला है, मैं जानती हूँ, लेकिन मैं यह आखिरी वाक्य काटनेवाली नहीं हूँ, क्योंकि वह जितना चकरा देने वाला लगता है, उतना नहीं है। मिसेज वैनडैन और मि. डुस्सेल, ये दो प्रमुख व्यक्ति हैं, जिन्होंने मुझ पर कई बार यह आरोप लगाया है कि मैं मगरूर हूँ और खुद को अति अक्लमंद समझती हूँ, लेकिन वे खुद कमअक्ल हैं और बहुत बारीकी से आरोप न ढूँढ़ा जाए तो वे 'मूर्ख' हैं। जो मूर्ख होते हैं, उन्हीं को कोई दूसरा उनसे अच्छा कुछ करे, यह बरदाश्त नहीं कर पाते। इसका सबसे अच्छा उदाहरण हैं वे दोनों। मिसेज वैनडैन और डुस्सेल। मिसेज वैनडी को लगता है, मैं मूर्ख हूँ, क्योंकि इस बीमारी से मैं उनके जितनी ज्यादा ग्रस्त नहीं हूँ। उन्हें लगता है, मैं दखल देनेवाली हूँ, क्योंकि वे खुद ज्यादा दखल देती फिरती हैं, उन्हें लगता है मेरे कपड़े छोटे होते हैं, लेकिन असल में उनके कपड़े मेरे कपड़ों से छोटे

होते हैं। उन्हें लगता है मैं अपने ज्ञान की शेखी बघारती हूँ, क्योंकि मैं जितना बोलती हूँ, उससे दोगुना जिन विषयों के बारे में उन्हें कुछ पता नहीं होता, वे खुद बोलती हैं। यही सब डुस्सेल के साथ भी है, लेकिन मेरी एक प्रिय कहावत है, "जहाँ धुआँ दिखाई देता है, वहाँ आग होती ही है।" और मैं मानती हूँ कि मैं सबकुछ जानती हूँ।

मेरे व्यक्तित्व के बारे में सबसे कठिन बात यह है कि मैं अपने आपको बहुत कोसती हूँ, अपने आपको बहुत बद्दुआएँ देती हूँ और अपने आपसे बेहद गुस्सा होती रहती हूँ, जितना कोई और नहीं होता। मम्मा अगर कोई उपदेश देती हैं तो उनका भाषण मेरे गिर्द इतना गाढ़ा हो जाता है कि मैं उसमें से निकलने के लिए छटपटाने लगती हूँ। फिर मैं पलटकर जवाब देती हूँ, हर किसी की बात से असहमति जताने लगती हूँ, जब तक कि पुरानी टेक—'कोई मुझे समझता नहीं' पर लौट नहीं आती।

कई बार मुझे लगता है कि यह उक्ति मेरा हिस्सा है और भले कितना यह असहज ही क्यों न लगे, इसमें दम तो है। कई बार मैं अपने प्रति तिरस्कार के नीचे इतना गहरे गड़ी रहती हूँ कि मुझे उम्मीद लगी रहती है कि कोई आए और दिलासा देने वाला एकाध शब्द कहकर मुझे उबार ले। काश! मेरे साथ कोई एकाध ही ऐसा व्यक्ति होता, जो मेरी भावनाओं को गंभीरता से लेता। दुःख की बात है कि अब तक मुझे ऐसा व्यक्ति नहीं मिला है, इसलिए यह तलाश जारी रहनी चाहिए।

मुझे पता है कि तुम पीटर के बारे में सोच रही हो। है न, किट? सच है, पीटर मुझसे प्रेम करता है, वह मुझे गर्लफ्रेंड नहीं समझता, एक दोस्त की तरह मुझसे वह प्यार करता है। उसका अपनापन दिन-ब-दिन बढ़ता जाता है; हालाँकि कोई रहस्यमयी शक्ति हमें आगे बढ़ने से रोकती है। वह कौन सी शक्ति है, मैं नहीं जानती।

कभी-कभी मुझे लगता है कि उससे मिलने की जो तीव्र इच्छा मुझमें जगी थी, वह बहुत अतिरंजित थी, हालाँकि यह सच नहीं है, क्योंकि अगर एक-दो दिनों के लिए मैं उसके कमरे में जा नहीं पाई तो मुझमें उससे मिलने की अधीरता जगती है। पीटर अच्छा है, क्षमाशील है, फिर भी इस बात से मैं इनकार नहीं कर सकती कि कई मामलों में उसने मुझे निराश किया है। धर्म के बारे में उसकी अप्रियता मुझे अखरती है। टेबल पर औरों के साथ इस विषय पर उसकी जो बातचीत होती है और इस विषय से जुड़ी कुछ अन्य बातों के सहारे मैं यह कह सकती हूँ। फिर भी मुझे यकीन है कि हम कभी न झगड़ने के हमारे बीच हुए करार पर कायम रहेंगे। पीटर शांतिप्रिय, सहनशील और बेहद आरामतलब इनसान है। अपनी मम्मा से कह न पाता, ऐसी कई बातें वह मुझे कहने देता है। वह अपनी कॉपी से स्याही के धब्बे मिटाने की कड़ी कोशिश कर रहा है, अपनी चीजें ठीक से रखने की भी कोशिश कर रहा है। फिर भी वह अपना अंतरंग

मुझसे क्यों छिपाता है, क्यों मुझे कभी वहाँ प्रवेश करने नहीं देता? सही है कि मेरी तुलना में वह बहुत अधिक संकोची है, लेकिन अनुभव से मैंने यह जाना है कि (हालाँकि मुझ पर हमेशा आरोप किया जाता रहा है कि सैद्धांतिक तौर पर हर बात का पता रहता है, लेकिन व्यावहारिक तौर पर नहीं पता होता।) इस उम्र में अत्यंत संकोचशील बच्चे भी बाकी बच्चों की तरह या उनसे अधिक बातूनी हो जाते हैं या किसी से अंतरंग बातें करने के लिए उत्सुक रहते हैं।

पीटर और मैंने अपनी उम्र के चिंतनशील वर्ष गुप्त भवन में बिताए। हम अकसर भविष्य, भूत और वर्तमान के बारे में चर्चा करते हैं, लेकिन जैसा कि मैंने पहले ही आपसे कहा था, मुझे कुछ-न-कुछ कभी महसूस होती है और मुझे पता है कि वह होती है।

कहीं इतने लंबे समय तक बाहर नहीं जाने की वजह से तो मैं प्रकृति की ओर इतना आकर्षित नहीं हुई हूँ न? मुझे वह समय याद है, जब आकाश का नीला रंग, चहचहाते पंछी, चंद्रप्रकाश और कलियों की बहार मुझे इस कदर आकर्षित नहीं करते थे। यहाँ आने के बाद सब बदल गया है। उदाहरण के लिए, पैंटेकोस्ट छुट्टियों के दौरान एक रात जब वातावरण बेहद गरम था, रात 11.30 बजे तक जागते रहने के लिए मुझे बड़ी कोशिश करनी पड़ी थी। मैं खुद जाकर चंद्रमा को देखना चाहती थी। खैर, मेरा यह त्याग व्यर्थ ही गया, क्योंकि चंद्रमा के कारण वहाँ बड़ी चमक हो रही थी और मैं खड़की खोलकर देखने का जोखिम उठा नहीं सकती थी। एक और बार, कई महीनों पहले मैं ऊपर ही थी, जब खिड़की भी खुली थी। मैं तब तक नीचे नहीं गई, जब तक कि फिर से खिड़कियाँ बंद करने का समय नहीं हुआ। काली, बरसात की रात, हवाएँ, आकाश में दौड़ते बादल... मैं मंत्रमुग्ध थी। डेढ़ साल में पहली बार मैंने रात को आमने-सामने देखा था। उसके बाद चाँद को फिर देखने की मेरी तड़प बढ़ती गई। चोरों का डर, अँधेरा-चूहों से भरा घर या चोरियों आदि से मुझे डर नहीं लगता था। मैं खुद नीचे गई और रसोई की खिड़की से बाहर देखा। निजी दफ्तर की खिड़की से बाहर देखा। कई लोगों का कहना है कि प्रकृति सुंदर है। कई लोग रात के चाँदनी-सितारों से भरे आकाश के नीचे कभी कभार सोते भी हैं। अस्पतालों और कारागारों में बंद कई लोग बाहर आकर प्रकृति की सुंदरता निहारने की बाट जोहते हैं, लेकिन जिस तरह हम अलग-अलग हुए पड़े हैं, दुनिया से कटे हुए हैं, प्रकृति सौंदर्य को अनुभव करने की खुशी से वंचित हैं, वैसे बहुत कम लोग होंगे। प्रकृति का आनंद तो अमीर-गरीब सब एक समान ले सकते हैं।

यह केवल मेरी कल्पना नहीं है। आकाश की ओर, बादलों की ओर, चंद्रमा की

ओर, सितारों की ओर देखकर मुझे अंदर से शांति महसूस होती है। मन में नई आशाएँ पैदा होती हैं। वैलेरियन या ब्रोमाइड से यह औषधि बेहतर है। प्रकृति मुझे विनीत बनाती है और साहस के साथ हर आघात सहना सिखाती है।

हालाँकि, भाग्य के कारण मैं केवल कुछ अपवाद छोड़ दें तो प्रकृति को धूल भरे परदों के पीछे से, धूल के थक्कों से भरी खिड़कियों से ही देख पाती और इस कारण देखने की खुशी ही खत्म हो जाती। प्रकृति ही एक ऐसी चीज है, जिसकी प्रतिकृति हम नहीं बना सकते।

कई सवाल मुझे परेशान करते रहते हैं, उनमें से एक यह कि महिलाओं को पुरुषों की तुलना में क्यों हेय माना जाता रहा है, आज भी क्यों उन्हें दोयम दर्जे की माना जाता है? यह अन्यायकारी है, कहना बड़ा आसान है, लेकिन मेरे लिए इतना काफी नहीं। इस अन्याय की वजह मुझे जाननी है।

शायद शुरुआत ही से पुरुषों ने महिलाओं का दमन किया, अपनी अधिक शारीरिक शक्ति के बल पर। पुरुष उपजीविका कमाते हैं, बच्चे पैदा करते हैं और अपनी मर्जी से जीते हैं···हाल-फिलहाल तक महिलाओं ने चुपचाप उनका साथ दिया, जो कि उनकी मूर्खता थी, क्योंकि आप जितने लंबे समय तक उसे सहते रहो, उतनी मजबूती से वह आप पर आरोपित होता रहता है। सौभाग्य से शिक्षा, काम और प्रगति ने महिलाओं की आँखें खोल दी हैं। कई देशों में महिलाओं को समान अधिकार बहाल किए गए हैं। कई लोगों को, मुख्यत: महिलाओं और पुरुषों को भी अहसास हुआ है कि गलत स्थितियों को बड़े लंबे अरसे तक सहते रहना कितना गलत था। आधुनिक महिलाएँ पूर्ण स्वतंत्रता का हक चाहती हैं।

इतना ही नहीं, महिलाओं का उचित सम्मान भी किया जाना जरूरी है। आम तौर पर दुनिया भर में पुरुषों की तरफ सम्मान की नजर से देखा जाता है, तो फिर महिलाओं को भी उनके हिस्से का सम्मान क्यों न मिले? सैनिकों का, युद्ध में वीरता का काम करनेवालों का सम्मान किया जाता है, उनके गुणों का बखान किया जाता है, अन्वेषकों को अमर कर उनका सम्मान किया जाता है, शहीदों को आदरांजलि अर्पित की जाती है, लेकिन कितने लोग महिलाओं को भी सैनिकों का सा सम्मान देते हैं?

मैंने एक किताब पढ़ी थी—'सोल्जर्स ऑन द होम फ्रंट'। उस किताब को पढ़ते हुए मुझे अहसास हुआ था कि केवल बच्चे को जन्म देने की स्त्री के जीवन की एक घटना, सैनिकों को जो वेदनाएँ, बीमारियाँ और कष्ट झेलने पड़ते हैं, उससे कई-कई गुना ज्यादा कष्टकारी होती है और इतने कष्ट, दु:ख झेलने का उसे क्या फल मिलता है? जन्म देने से विरूप, कुरूप हुए उसके शरीर को उसे किनारे कर दिया जाता है।

उसके बच्चे उसे छोड़कर चले जाते हैं। उसका सौंदर्य ढल जाता है। मानव जीवन की निरंतरता बनाए रखने के लिए महिलाएँ जो संघर्ष करती हैं, वेदनाएँ सहती हैं, उसके कारण आजादी की लड़ाई लड़नेवाले और इस कारण अपने आपको महान् समझनेवाले सैनिकों से कई गुना महान् होती हैं।

मेरा मतलब यह नहीं है कि औरतें बच्चों को जन्म देना बंद कर दें, बल्कि प्रकृति ने उन्हें इस काम के लिए योग्य समझा, सो उन्हें अपनी जिम्मेदारी पूरी करनी ही चाहिए। हमारी गुणग्राहकता के मूल्यों का मैं निषेध कर रही हूँ और उन पुरुषों का निषेध कर रही हूँ, जो इस बात को नहीं मानते कि महिलाओं की सामाजिक सहभागिता कितनी महान्, मुश्किल, लेकिन सौंदर्यपूर्ण है।

इस पुस्तक के लेखक पॉल डि क्रुइफ से मैं पूरी तरह सहमत हूँ, जहाँ वे कहते हैं कि सुसंस्कृत कहलाने वाली दुनिया में अब जन्म कोई अनिवार्य या अटल बात नहीं रही है। यह पुरुषों को समझना होगा। केवल बातें बनाना पुरुषों के लिए बड़ा आसान होता है। महिलाओं को जो कष्ट झेलने पड़ते हैं, वे उन्होंने कभी झेले नहीं और न उन्हें झेलने पड़ेंगे।

मुझे विश्वास है कि अगली शताब्दी में यह धारणा बदल जाएगी कि बच्चों को जन्म देना महिलाओं का कर्तव्य होता है, साथ ही उनका बोझ किसी प्रशंसा भरे शब्दों तक की उम्मीद रखे बगैर जो महिलाएँ उठाती हैं, उन सभी महिलाओं के प्रति सम्मान और सराहना की भावना भी पनपेगी।

तुम्हारी
ऐन.एम. फ्रैंक

शुक्रवार, 16 जून, 1944

मेरी सबसे प्यारी किट्टी,

नई समस्याएँ, मिसेज वैनडी का दिमाग पूरा खराब हो गया है। वे अपने आपको गोली मारने, कारागार में डाले जाने, फाँसी पर लटकाने और आत्महत्या की बातें कह रही हैं। पीटर मेरे साथ अंतरंग बातें करता है, उनसे नहीं, इससे उन्हें जलन होती है। डुस्सेल उनके इशारों पर जितना ध्यान देना चाहिए, उतना नहीं देता। इसका उन्हें गुस्सा है। उन्हें इस बात का भी डर है कि फर कोट बेचकर मिले सारे पैसे उनका पति सिगरेट फूँककर गँवा देगा। वह लड़ती हैं, बद्दुआएँ देती हैं, रोती हैं, अपने बारे में दया महसूस करती हैं, हँसकर फिर नए सिरे से सब शुरू कर देती हैं।

ऐसी फूहड़, रिरियाती नमूना औरत का क्या किया जा सकता है? कोई उनकी बातों को गंभीरता से नहीं लेता। उनके पास कोई चारित्रिक बल नहीं है। सबके सामने वे शिकायतें करती फिरती हैं और तुम्हें देखना चाहिए, वे कैसे घूमती रहती हैं। स्कूल की लड़की की तरह बरताव और दिखती हैं बुढ़िया जैसी। इससे बुरी बात यह कि पीटर भी उनके साथ बदतमीजी करने लगा है। मिस्टर वैनडैन उनसे तंग आ चुके हैं और मम्मा उनके साथ सनकियों सा व्यवहार करती हैं। हाँ, हर कोई अजीब मानसिक हालात से गुजर रहा है। ऐसे वातावरण में आपको केवल एक नियम ध्यान में रखना चाहिए—'सब पर हँसो और सबको भूल जाओ।' हँसकर हर बात टाल दो। यह थोड़ा अहंकारपूर्ण लग सकता है, लेकिन अपने आप पर दया भाव करने वालों के साथ सलूक करने का यही सही तरीका है।

काम के सिलसिले में मिस्टर कुग्लर को चार हफ्तों तक अल्कमार जाना पड़ रहा है। डॉक्टर का प्रशस्तिपत्र और ओपेक्टा से खत प्रस्तुत कर वे इससे छुटकारा पाने की कोशिश में लगे हुए हैं। उम्मीद लगाए बैठे हैं कि जल्द ही उनके पेट का ऑपरेशन किया जाएगा। कल रात ग्यारह बजे से सभी निजी फोन काट दिए गए हैं।

तुम्हारी
ऐन.एम. फ्रैंक

शुक्रवार, 23 जून, 1944

मेरी सबसे प्यारी किट्टी,

यहाँ कोई खास बात नहीं हो रही है। अंग्रेजों ने चेरबोर्ग पर 'सबको मार गिराओ' वाला हमला कर दिया है। पिम और मिस्टर वैनडैन के मुताबिक अक्तूबर 10 से पूर्व शर्तिया हम आजाद होने जा रहे हैं। रूसी भी अब इस मुहिम में हिस्सा ले रहे हैं। कल उन्होंने विटेब्स्क में अपने हमले की शुरुआत कर दी है। तीन वर्ष पूर्व ठीक इसी दिन जर्मनी ने रूस पर हमला बोल दिया था।

बेप बेहद हताश हो गई है। हमारे यहाँ के आलू लगभग खत्म ही हो गए हैं। अब आगे हर किसी को गिनकर आलू मिलेंगे। जिसको अपने आलुओं के साथ जो करना है, वह करे। इस सोमवार से मीप हफ्ते भर की छुट्टी पर जा रही है। मिस्टर क्लीमन के डॉक्टरों को एक्स-रेज में कुछ नहीं मिला है। ऑपरेशन कराएँ या जो होता है, होने दें, इस दुविधा में वे पड़े हैं।

तुम्हारी
ऐन.एम. फ्रैंक

मंगलवार, 27 जून, 1944

मेरी सबसे प्यारी किट्टी,

सबके मूड अब बदल गए हैं। हर बात अब बहुत अच्छे से चल रही है। चेरबोर्ग, बिटेस्क और इलोबिन आज हार गए। यकीनन उन्हें काफी पुरुष और गोलाबारूद मिला होगा। चेरबोर्ग के पास पाँच जर्मन जनरलों की मौत हुई और दो को गिरफ्तार कर लिया गया है। अब चूँकि उनके पास एक बंदरगाह है, अंग्रेज चाहें तो वे कोई भी चीज किनारे पर उतार सकते हैं। हमले के बाद केवल तीन हफ्ते में पूरे कंटेंटिन उपद्वीप पर कब्जा किया गया है। कमाल का करतब है!

हमले के बाद से ही शुरू हुआ खराब मौसम पिछले तीन हफ्तों से लगातार जारी है। एक दिन भी ऐसा नहीं गुजरा, जब बारिश न हुई हो, तूफानी हवाएँ न चली हों, न यहाँ और न फ्रांस में, लेकिन दुर्भाग्य के इस वार ने भी ब्रिटिशों और अमेरिकियों को अपनी शक्ति के सफल प्रदर्शन से रोका नहीं। कैसी देदीप्यमान फतह हासिल की है। जर्मनी ने भी अपना आश्चर्यकारी हथियार इस्तेमाल किया है, लेकिन उनके छोटे से पटाखे से खरोंच तक नहीं बनने वाली। हो सकता है, इंग्लैंड में कुछ मामूली नुकसान हो भी जाए और क्राउट अखबारों में बड़ी-बड़ी खबरें छपें। जो हो, 'क्राउट भूमि' में जब इस बात का लोगों को अहसास होगा कि बोल्शेविक नजदीक आ रहे हैं तो वे सिर से पैर तक हिल जाएँगे।

सेना के लिए काम नहीं कर रही जर्मन महिलाओं को बच्चों के साथ तटीय इलाके से हटाकर ग्रोनिंनजेन, फ्रीसलैंड और जेल्डरलैंड सूबों में भेजा जा रहा है। डच नेशनल सोशलिस्ट (नाज़ी) पार्टी के नेता मुझर्ट ने घोषणा की है कि हमला अगर हॉलैंड तक पहुँच जाए, तो वह सूची जारी करेगा। यह मोटा सूअर लड़ाई की योजना बना रहा है क्या? यह तो उसे बहुत पहले रूस में ही कर लेना चाहिए था। फिनलैंड ने कुछ समय पूर्व शांति प्रस्ताव ठुकरा दिया है और अब एक बार फिर समझौते की बातचीत असफल हुई है। उन बुड़बकों को अब होगा पछतावा।

जुलाई 27 तक हमारी जीत का रेला कहाँ तक पहुँचेगा, ऐसा तुम्हें लगता है?

तुम्हारी

ऐन.एम. फ्रैंक

शुक्रवार, 30 जून, 1944

मेरी सबसे प्यारी किट्टी,

जून की पहली तारीख से लगातार 30 तारीख तक मौसम खराब ही रहा। क्या मैं यह सही ढंग से नहीं कर रही? हाँ, मैं थोड़ी अंग्रेजी समझने लगी हूँ। इस बात को साबित करने के लिए शब्दकोश की मदद लेकर मैं 'ऐन आइडियल हसबैंड' पढ़ रही हूँ। युद्ध बेहतरीन ढंग से अग्रसर है। बॉब्रुहस्क, मोगिलेव और ओरशा की शिकस्त हो चुकी है। कई लोगों को बंदी बना लिया गया है।

यहाँ सबकुछ ठीक चल रहा है। उम्मीदें जग रही हैं। हमारे यहाँ के अत्यंत आशावादी लोग प्रफुल्लित हैं। वैनडैन परिवार चीनी के साथ गायब हो जाने का अभिनय कर रहे हैं, बेप ने अपना बाल बनाने का तरीका बदल दिया है। मीप एक हफ्ते की छुट्टी पर चली गई है। अद्यतन खबरें यही हैं।

मेरे सामने वाले एक दाँत पर भयंकर रूट कैनल इलाज चल रहा है। यह भयानक वेदनादायी है। इतनी वेदना होती है कि डुस्सेल को लगा कि मैं बेहोश हो रही हूँ। मैं करीब-करीब बेहोश ही हो रही थी। मेरी देखादेखी मिसेज वैनडैन को भी दाँतदर्द होने लगा है।

तुम्हारी
ऐन.एम. फ्रैंक

एक बार फिर : बेसेल से सुना कि बर्न्ड, यानी कजिन बनार्ड ने 'मिन्ना वोन बार्नेम' में होटल मालिक का अभिनय किया। मम्मा कहती हैं कि उसमें 'कलाकार के गुण' हैं।

गुरुवार, 6 जुलाई, 1944

मेरी सबसे प्यारी किट्टी,

पीटर जब अपराधी या सट्टेबाज बनने की बात करता है तो मुझे बहुत डर लगता है। वह बस मजाक करता है, लेकिन मुझे लगता है कि उसे अपनी कमजोरियों से डर लगता है।

मार्गो और पीटर हमेशा मुझसे कहते हैं, 'अगर मेरे पास तुम्हारे जैसी हिम्मत और साहस होता, अगर मेरे पास तुम्हारे जैसी इच्छाशक्ति और खत्म न होने वाली ऊर्जा होती, तो…'

दूसरों से प्रभावित न होने वाला गुण क्या इतना प्रशंसनीय होता है, अपनी सदसद् विवेक बुद्धि की सुनकर मैं कोई गलती तो नहीं कर रही?

ईमानदारी से मैं यह सोच भी नहीं सकती कि कोई कैसे यह कह सकता है कि "मैं कमजोर हूँ" और उस बारे में कुछ न करे। अगर तुम्हें अपनी कमजोरी के बारे में पता है तो उससे उबरने के लिए कुछ करते क्यों नहीं, अपने चरित्र का विकास क्यों नहीं करते? हमेशा वे यही जवाब देंगे कि "क्योंकि कोशिश न करना ज्यादा आसान है।" यह जवाब मुझे मायूस कर देता है। आसान, यानी आप क्या चाहते हैं, क्या आप जीवन के साथ धोखा करना चाहते हैं और आलसी बने रहना भी तो आसान है? नहीं, यह सच नहीं हो सकता। यह सही नहीं हो सकता कि आराम की तरफ लोग बड़ी आसानी से झुकते हैं और पैसे की ओर! इस पर मेरा जवाब क्या होना चाहिए, इस पर मैंने काफी सोचा है। पीटर को अपना भरोसा करना मैं कैसे सिखाऊँ, खासकर अच्छे के लिए वह अपने आपको बदले, यह मैं उसे कैसे बताऊँ? मैं नहीं जानती कि मेरा इस प्रकार सोचना सही है या गलत।

कई बार मुझे लगा था कि अगर कोई अपने मन की सारी बातें मेरे साथ बाँटता है तो वह कितनी अच्छी बात होगी, लेकिन अब जब ऐसा होने लगा है तो मुझे लगने लगा है कि किसी और की जगह अपने को रखकर सही जवाब ढूँढ़ना कितना कठिन होता है। खासकर मेरे लिए 'आसान' और 'पैसे' की संकल्पना एकदम नई हो।

अब पीटर मुझ पर निर्भर करने लगा है। मैं यह किसी हाल में नहीं चाहती। अपने दो पैरों पर खड़े होना ही कितना कठिन काम है। उसमें अगर आपको अपने चरित्र के अनुसार और अपने हृदय को ठगे बिना खड़े रहना है तो वह और भी कठिन है।

कल्पना में मैं समुद्र के चक्कर लगाती रही हूँ, 'आसान' शब्द का असरदार टोटका ढूँढ़ने में मैंने कई-कई दिन बिताए हैं। मैं उसे यह कैसे समझाऊँ कि 'आसानी' भले आसान और अच्छी लगे, वह अपने साथ तुम्हें खाइयों में ले जाएगी। ऐसी जगह, जहाँ उसके कोई मित्र नहीं होगा, उसका कोई सहारा नहीं होगा, उसके जीवन में कोई सुंदरता नहीं होगी, वह ऐसी गर्त में जा पहुँचेगा, जहाँ से उबरना उसके लिए हमेशा के लिए असंभव बन जाएगा।

हम सब जीवित हैं, लेकिन 'क्यों?' या 'किसलिए?' यह हम नहीं जानते। हम सभी को आनंद की तलाश है। हम सबकी जिंदगी अलग-अलग है। फिर भी एक सी है। हम तीनों की परवरिश अच्छे परिवारों में हुई है। शिक्षा पाने का मौका हमें मिला है, अपने आपको कुछ बनाने का मौका मिला है। बहुत सारी खुशियाँ

पाने की उम्मीद रखने की कई वजहें हमारे पास हैं। लेकिन खुशियाँ हमें कमानी पड़ेंगी और आसान रास्ते अपनाकर आप खुशियाँ बटोर नहीं सकते। खुशियाँ कमाने के लिए आपको अच्छे कर्म करने पड़ेंगे। काम करना होगा। अटकलबाजियाँ लगाने से या आलसी बने रहने से कुछ हासिल नहीं होगा। आलस आपको लुभा सकता है, लेकिन संतुष्टि आपको केवल काम करने से मिल सकती है।

जो लोग काम करना नहीं चाहते, मैं उन्हें समझ नहीं पाती, लेकिन यह पीटर की समस्या नहीं है। उसके जीवन का कोई लक्ष्य नहीं है, साथ में उसे लगता है कि वह मूर्ख है और कुछ भी हासिल करने के लिए अयोग्य है बेचारा! वह नहीं जानता कि किसी को खुशियाँ देने से कैसा अनुभव होता है और यह मैं उसे शायद समझा भी नहीं पाऊँगी। वह धार्मिक नहीं है, ईसामसीह की वह हँसी उड़ाता है, भगवान् का नाम लेना बेकार है, कहता है। मैं भी धर्मनिष्ठि या कट्टपंथी नहीं हूँ, फिर भी मुझे उसे इतना एकाकी देखकर बुरा लगता है। वह कितना तिरस्कार भाव से भरा और कितना दयनीय है।

जो लोग धार्मिक हैं, उन्हें खुश रहना चाहिए, क्योंकि हर किसी को अपने से श्रेष्ठ व्यवस्था में विश्वास करने का वरदान प्राप्त नहीं होता। सजा के खौफ में आपको जीना नहीं पड़ता, पापशोधन, स्वर्ग और नर्क की कल्पनाएँ स्वीकारना कई लोगों के लिए मुश्किल होता है। फिर भी धर्म, कोई भी धर्म इनसान को सही रास्ते से भटकने नहीं देता। भगवान् का डर नहीं, लेकिन सम्मान की अपनी कल्पना का आदर करते हुए और अपनी विवेकबुद्धि की मानकर चलना उसे सही रास्ते से डिगने नहीं देता। हर दिन के अंत में अपने दिन भर के बरताव की अगर हर कोई समीक्षा कर पाता, खुद ने क्या सही किया और क्या गलत किया, यह आँकता तो हर किसी का बरताव साधु और अच्छा ही होता। अपने आप वे दूसरे दिन की शुरुआत कुछ अच्छा करने की कोशिश में करते और इस प्रकार कुछ समय बाद उन्हें बहुत कुछ हासिल होता। यह नुस्खा हर कोई अपना सकता है। इस नुस्खे के लिए किसी को कोई कीमत नहीं चुकानी पड़ेगी और यह नुस्खा शर्तिया उपयोगी सिद्ध होगा। जिन्हें पता नहीं है, वे अनुभव के सहारे खोज सकते हैं कि ''शांति से अपनी विवेक-बुद्धि से किया गया मशविरा आपको शक्ति प्रदान करता है।''

तुम्हारी

ऐन.एम. फ्रैंक

शनिवार, 8 जुलाई, 1944

मेरी सबसे प्यारी किट्टी,

मिस्टर ब्रोक्स बेवरविज्क गए थे और उन्हें वहाँ फसल-नीलामी में कुछ स्ट्रॉबेरीज खरीदने का मौका मिला। बहुत बड़ी मात्रा में धूल और रेत भरी स्ट्रॉबेरीज यहाँ पहुँची। दफ्तर और हमारे लिए मिलाकर कुल 24 क्रेट्स स्ट्रॉबेरीज आईं। उसी शाम हमने पहले छह जार कैन किए। आठ जार भर जैम भी बनाया। दूसरे दिन सुबह मीप ने दफ्तर के लिए ज़ैम बनाना शुरू किया। साढ़े बारह बजे बाहर का दरवाजा बंद किया गया। पीटर, डैड और मिस्टर वैनडैन मिलकर क्रेट्स को किचन तक ले आए। सीढ़ियों पर वे लड़खड़ाए। वाटर हीटर से ऐन गरम पानी ले आई। मार्गो बकेट ले आई। सभी काम में लग गए। पेट में अजीब सी गुदगुदी लिये मैं दफ्तर के किचन में गई। पहले से वहाँ काफी भीड़ मची थी। मीप, बेप, मिस्टर क्लीमन, जान, डैड, पीटर सब वहाँ थे। एनेक्स की सेना और आपूर्ति विभाग के लोग सब मिल-जुलकर काम कर रहे थे। वह भी तब, जब सूरज माथे पर चढ़ आया था। परदे और खिड़कियाँ खुली थीं। बड़ी आवाजें, दरवाजों का खड़कना, मैं उत्तेजना के मारे थर-थर काँप रही थी। मैं सोच रही थी, "क्या हम सचमुच गुप्त रूप से जी रहे हैं ? जब आप बाहरी दुनिया में लौटेंगे, तब सब शायद इसी तरह होगा। कड़ाही पूरी भरी थी। मैं ऊपर भागी। वहाँ सब टेबल के गिर्द बैठकर स्ट्रॉबेरीज छील रहे थे, ऐसी उनसे उम्मीद थी, लेकिन बकेट्स से ज्यादा स्ट्रॉबेरीज उनके मुँह में जा रही थीं। जल्द ही उन्हें दूसरी बकेट की जरूरत पड़ने वाली थी। पीटर फिर नीचे गया, लेकिन तब दरवाजे की घंटी दो बार बजी। बकेट जहाँ थी, वहीं छोड़कर पीटर ऊपर की ओर लपका। बुककेस वाला दरवाजा उसने बंद कर दिया। हम उत्सुकता को वश में किए बैठे रहे। स्ट्रॉबेरीज अपने धोए जाने के इंतजार में थीं, लेकिन हम गुप्त भवन के नियम से बँधे थे, नीचे जब अपरिचित लोग आएँ तो पानी नहीं बहाना। उन्हें नालियों से पानी बहने की आवाज सुनाई दे सकती है।

वह डाक पहुँचानेवाला था, यह बताने के लिए जान ऊपर आई। पीटर फिर तेजी से नीचे चला गया। डिंग डांग··· फिर से दरवाजे की घंटी बजी। कौन आया है, यह जानने के लिए मैं सुनने लगी। पहले बुक केस के पास मैं खड़ी रही, फिर सीढ़ियों के ऊपरवाले सिरे तक जाकर देखने लगी। आखिर, मैं और पीटर रेलिंग से झुककर देखने लगे। चोरों की तरह हमारे कान खड़े हो गए थे और हम नीचे से आनेवाली आवाजें सुनने की कोशिश कर रहे थे। कोई अपरिचित आवाज नहीं। पीटर चुपके से आधी सीढ़ियाँ उतरकर नीचे गया। उसने पुकारा, 'बेप!'

एक बार फिर उसने पुकारा, 'बेप!' किचन की आवाजों में उसकी आवाज दब गई। इसलिए वह दौड़कर किचन तक गया और मैं बदहवास सी ऊपर से देखती रही। ''तुरंत ऊपर चले जाओ पीटर, अकाउंटेट आया है। तुम्हें यहाँ से चले जाना होगा।'' यह मि. कुग्लर की आवाज थी। उसाँस लेकर पीटर ऊपर पहुँचा। हमने बुककेस बंद किया।

आखिर डेढ़ बजे मिस्टर कुग्लर ऊपर आए। उन्होंने कहा, 'माय गॉड!' पूरी दुनिया स्ट्रॉबेरीमय हो गई है। मैंने नाश्ते में स्ट्रॉबेरीज खाईं। जान लंच में स्ट्रॉबेरीज खा रही है। क्लीमन स्नैक के तौर पर स्ट्रॉबेरीज खा रहे हैं। मीप स्ट्रॉबेरीज उबाल रही है। बेप स्ट्रॉबेरीज छील रही है और मैं जहाँ जाता हूँ, वहाँ उनकी गंध फैली हुई है। उस लालिमा से बचने के लिए मैं ऊपर आया। देखता क्या हूँ कि यहाँ भी लोग स्ट्रॉबेरीज धो रहे हैं।

बाकी सभी स्ट्रॉबेरीज को डिब्बाबंद किया गया। उस दिन दो जार सील हुए। डैड ने तुरंत उनका जैम बना दिया। दूसरे दिन और दो टिनों के ढक्कन खुले। उसी दिन दोपहर में और चार ढक्कन उड़े। जार्स को निर्जंतुक करते समय मिस्टर वैनडैन ने उन्हें अच्छी तरह गरम नहीं किया था। इसलिए फिर हर शाम डैड को जैम बनाने में बितानी पड़ी। हमने गरम दलिए के साथ स्ट्रॉबेरीज खाई। छाछ स्ट्रॉबेरीज के साथ पी। ब्रेड के साथ स्ट्रॉबेरीज खाईं। हर खाने के साथ मिठाई के तौर पर स्ट्रॉबेरीज खाईं। चीनी के साथ स्ट्रॉबेरीज खाईं। दो दिनों तक केवल स्ट्रॉबेरीज, स्ट्रॉबेरीज, स्ट्रॉबेरीज और स्ट्रॉबेरीज ही छाई रहीं। उसके बाद स्ट्रॉबेरीज या तो खत्म हुईं या जारों में बंद होकर ताले-चाभी लगाकर सुरक्षित रखी गईं।

''हे ऐन'', एक दिन मार्गो ने पुकारा, ''मिसेज वैनडैन ने हमें कुछ मटर भेजे हैं, बीस पौंड।''

''कितनी अच्छी हैं वे।'' मैं बोली। सच ही तो था, लेकिन काम इतना बढ़ा, ओह''बाप रे!

''शनिवार के दिन तुम सबको मटर छीलने होंगे।'' मम्मा ने टेबल पर घोषित किया।

और सचमुच आज सुबह के नाश्ते के बाद हमारी सबसे बड़ी इनैमलवाली कड़ाही टेबल पर आई। उसमें ऊपर तक मटर की फलियाँ भरी हुई थीं। आपको मटर छीलना उबाऊ लगता हो तो उनके छिलकों के अंदर की झिल्ली उतारने की कोशिश करके देंखे। कई लोगों को इस बात का पता नहीं होता। एक बार अंदर से छिलके का अस्तर उतार दिया जाए तो एकदम नरम, स्वादिष्ट और विटामिनों से भरपूर दाने निकलते हैं। इससे बड़ा फायदा यह है कि जब आप केवल मटर खाते हैं, तब आपको बस फलियाँ मिलती हैं, जबकि झिल्ली उतारा छिलका मिलाने से आपको तीन गुना फायदा होता है।

मटर की फलियाँ छीलना बड़ी बारीकी से और मेहनत से किया जानेवाला काम है। जरूरत से ज्यादा परिशुद्धि से काम करनेवाले दाँतों के डॉक्टर या नुक्ताचीं मसाला विशेषज्ञों के लिए सही है, लेकिन मेरे जैसे अति उत्साही किशोरवयों के लिए यह किसी संत्रास से कम नहीं। हमने सुबह साढ़े नौ बजे काम की शुरुआत की। मैं साढ़े दस बजे शामिल हुई और ग्यारह बजे उठी। दुबारा साढ़े ग्यारह बजे छीलने बैठी। मेरे कानों में इन कृतियों की आवाजों ने मानो लय सी बना दी थी, जिनसे मैं बचना चाहती थी—सिरा तोड़ो, फली खोलो, तड़ खींचो, कढ़ाई में दाने डालो। मेरी आँखें मानो तैरते हुए देख रही थीं—हरा-हरा कीड़ा, मटरों की तड़, सड़ी फली, हरा-हरा आदि। काम की एकरसता को भंग करने के लिए और एक के साथ कुछ और करने के लिए पूरी सुबह में गिट-पिट करती रही। जो भी मेरे मन में आता, मैं कहती गई और सबको हँसाती रही। काम की एकरसता से मैं ऊब गई थी। हर फली के दानों की लड़ खींचते हुए मुझे यकीन होता गया कि मैं जिंदगी में कभी भी, केवल घरेलू पत्नी बनकर नहीं जीऊँगी।

आखिर, बारह बजे हमने नाश्ता किया, लेकिन साढ़े बारह से सवा बजे तक हमें फिर मटर छीलने बैठना पड़ा। आखिर जब सारे मटर छिले गए तो मुझे लगा, मेरा जी घबरा रहा है। ऐसा ही कुछ बाकी लोगों को भी लग रहा था। चार बजे तक मैंने नींद ली। तब भी खुमारी उतरी नहीं थी। सब उन दुष्ट मटर की फलियों के कारण।

तुम्हारी

ऐन.एम. फ्रैंक

शनिवार, 15 जुलाई, 1944

मेरी सबसे प्यारी किट्टी,

लाइब्रेरी से इस बार एक चुनौती सी देनेवाले शीर्षक की एक किताब मिली है, "आजकल की आधुनिक युवा लड़की के बारे में आपकी क्या राय है?" आज मैं इसी विषय पर लिखना चाहती हूँ।

लेखिका ने इस किताब में आधुनिक युवा की चोटी से एड़ी तक समीक्षा की है, हालाँकि उसने युवाओं को नाउम्मीदी का टोकरा नहीं कहा है। उल्टे उसे विश्वास है कि आज के युवाओं में इतनी ताकत है कि वे एक बड़ी, बेहतर और इससे सुंदर दुनिया बना सकते हैं, लेकिन वे अपने को सतही चीजों में उलझाए रखते हैं, सच्चे सौंदर्य के बारे में सोचते नहीं हैं। किताब के कुछ परिच्छेद पढ़ते हुए मुझे लगा कि लेखिका मेरे प्रति ही अपनी नाराजगी प्रकट कर रही है। इसी वजह से मुझे जो लगा, वह लिखने की मैंने

सोची। लिखकर मैं उस लेखिका की राय की खबर लेना चाहती हूँ।

जो मुझे कुछ समय से जानते हैं, उनका ध्यान मेरे चरित्र के एक खास गुण की तरफ जरूर गया होगा। मेरा अपने बारे में ज्ञान पुख्ता है। मैं जो कुछ भी करती हूँ, उसमें अपनी तरफ मैं एक अपरिचित की निगाह से देख सकती हूँ। रोजमर्रा की ऐन के सामने मैं खड़ी रह सकती हूँ और बिना किसी पूर्वग्रह या बहानेबाजी के वह क्या कर रही है, अच्छा भी और बुरा भी देख सकती हूँ। मेरी अपने प्रति यह जागरूकता कभी मेरा साथ नहीं छोड़ती। जब भी मैं मुँह खोलती हूँ, तब कहने के बाद सोचती हूँ, "तुमने जो कहा, वह अलग ढंग से कहना चाहिए था या फिर जो कहा, एकदम ठीक कहा।" कई तरीकों से मैं अपना भाग्य खुद लिखती हूँ। इस मामले में मुझे अब डैड का कहना सही लगने लगा है कि "हर बच्चे को खुद को पालकर बड़ा करना होता है।" अभिभावक अपने बच्चों को केवल सलाह दे सकते हैं या उन्हें सही दिशानिर्देश दे सकते हैं, लेकिन आखिर लोग खुद अपना चरित्र बनाते हैं, साथ ही मैं जीवन का सामना अत्यधिक साहस के साथ करती हूँ। मैं अपने में बोझ उठाने की बेहद क्षमता महसूस करती हूँ, बेहद युवा और आजाद महसूस करती हूँ। जब पहली बार मुझे इन बातों का अहसास हुआ, मैं खुश हुई थी, क्योंकि इसका मतलब था कि जिंदगी ने मेरे लिए जो आघात तय कर रखे हैं, उन्हें मैं सहज ही झेल सकती हूँ। इन बातों के बारे में मैं कई बार बोलती हूँ। मैं अब 'डैड और मम्मा मुझे समझते ही नहीं' वाले अध्याय की ओर मुड़ती हूँ। मेरे अभिभावक हमेशा; बिगाड़ देने की हद तक दयालुता से पेश आए। वैनडैन के सामने उन्होंने हमेशा मेरी तरफदारी की। अभिभावक अपने पाल्य के लिए जो कर सकते हैं, वह सब उन्होंने मेरे लिए किया। इसके बावजूद लंबे समय तक मैंने खुद को अकेला महसूस किया। हमेशा मैंने अपने आपको उनके द्वारा किनारे किया गया, उपेक्षित और गलत समझा गया ही माना।

मेरे विद्रोही तेवरों को नरम करने के लिए जो भी किया जा सकता था, वह सब डैड ने किया, लेकिन उसका कोई फायदा नहीं हुआ। अपने व्यवहार की बार-बार समीक्षा कर मैंने अपने को ठीक किया। मैं क्या गलत कर रही हूँ, यह बार-बार जाँचा।

मेरे इस संघर्ष में डैड ने मेरा साथ क्यों नहीं दिया, उन्होंने जब मेरी मदद करनी चाही, तब वे कहाँ कम पड़े? इसका जवाब है, "उन्होंने हमेशा गलत तरीके अपनाए। उन्होंने हमेशा मुझसे इस तरह बात की, मानो मैं बच्ची हूँ और संकटकाल से गुजर रही हूँ।" वैसे डैड ही हैं, जिन्होंने मुझमें आत्मविश्वास निर्माण किया और मुझे महसूस कराया कि मैं एक विचारी लड़की हूँ, इसलिए मेरा ऐसा कहना थोड़ा अटपटा जरूर लगेगा। उन्होंने मेरी एक बात की तरफ नजरअंदाजी की कि अपने सामने खड़े संकटों पर मात

करना मेरे लिए सबसे महत्त्वपूर्ण बात थी। मैं कतई नहीं सुनना चाहती थी कि ये 'किशोर उम्र की सामान्य समस्याएँ' हैं अथवा 'अन्य लड़कियों को भी इनसे गुजरना पड़ता है' या फिर 'तुम इनसे पार पाओगी।' अन्य सभी लड़कियों के साथ होनेवाले व्यवहार की तरह ही मेरे साथ भी व्यवहार किया जाए, यह मुझे मंजूर नहीं था। मैं चाहती थी कि वे समझें कि ऐन की समझ में वह बात नहीं आई, लेकिन वे यहाँ चूक गए। इसके अलावा जब तक कोई मुझे अपने बारे में बहुत कुछ न बताए, मैं किसी का भरोसा नहीं कर सकती थी, मैं उन्हें अपने राज नहीं बता पाती थी और चूँकि डैड के बारे में मैं बहुत कम जानती थी, इसलिए उन्हें अपने बारे में बता पाऊँ, ऐसी पृष्ठभूमि मुझे कभी महसूस नहीं हुई। पिम हमेशा बड़े पिता की तरह बरताव करते रहे। मानो क्षणिक आवेगों में वे कभी बह चुके हों, लेकिन अब वे मेरे साथ एक दोस्त की हैसियत से पेश नहीं आ सकते, भले वे कितनी भी कोशिश क्यों न करें। परिणामत: मैंने कभी उनके साथ जीवन के प्रति अपना दृष्टिकोण बाँटा नहीं और न मेरे काफी सोच-विचार के बाद बनाए सिद्धांत उन्हें बताए। मैं यह सब अपनी डायरी के साथ ही बाँटती रही। कभी-कभार मार्गो के साथ भी। अपने से जुड़ी हर बात मैंने डैड से छुपाई। अपने आदर्शों की मैंने उनके साथ कभी चर्चा नहीं की। बड़ी कोशिश करके मैंने अपने आपको उनसे अपरिचित रखा।

और किसी तरीके से मैं यह नहीं कर पाती। अपनी भावनाओं को ही मैंने पूरी तरह अपना रहबर बना लिया। यह अहंकारी था, लेकिन अपने मन की शांति के लिए जो आवश्यक था, वही मैंने किया। अगर ऐसा न करती तो उसे खो देती। साथ में मेरा आत्मविश्वास भी खो बैठती, जिसे पाने के लिए मैंने कड़ी कोशिश की है। अपना काम आधे में हो, तब अगर उसकी समीक्षा करवाती तो सब खो जाता। यह तुम्हें थोड़ा क्रूर लगेगा, लेकिन मैं पिम द्वारा की गई समीक्षा भी सह नहीं पाती, क्योंकि न केवल मैं कभी अपनी अंतरंग बातें उन्हें नहीं बताती हूँ, बल्कि अपने बरताव से उन्हें मैंने अपने प्रति चिड़चिड़ा भी बना लिया है। इससे मेरे और उनके बीच का अंतर बढ़ गया है।

इस मुद्दे पर मैं कई बार सोचती हूँ कि पिम के बारे में मुझे कभी-कभी इतनी चिढ़ क्यों महसूस होती है? वे मुझे पढ़ाएँ, यह मैं बिल्कुल बरदाश्त नहीं कर सकती। उनका मेरे प्रति प्रेम मुझे ओढ़ा हुआ सा लगता है। मुझे अकेला छोड़ देना ही ठीक है। वे कुछ समय तक मेरी ओर बिल्कुल ध्यान न दें, यही मैं चाहती हूँ। मुझे क्या चाहिए, इस बारे में मैं पहले खुद पक्के तौर पर जान जाऊँ, ताकि उनके साथ बातें करते हुए मेरे दिमाग में सब साफ रहे। मैं जब बेहद दु:खी थी, तब मैंने जो क्रूर खत उन्हें लिखा था, उसे लेकर उपजा अपराध-बोध अभी भी मेरे मन में ताजा है। हर तरह से बलवान, मजबूत और साहसी होना कितना मुश्किल है।

हालाँकि यह कोई मेरा सबसे बड़ा क्षोभ नहीं है। नहीं, मैं डैड से ज्यादा पीटर के बारे में सोचती हूँ। मुझे अच्छी तरह पता है कि वह मेरी जीती हुई बाजी है, उसने मुझे नहीं जीता। मैंने अपने मन में उसकी एक प्रतिमा बनाई, उसे एक शांत, सहृदय, मीठा लड़का बनाया, जिसे दोस्ती और प्रेम की सख्त जरूरत थी। मुझे अपनी भावनाएँ किसी जिंदा इनसान के सामने उड़ेलने की जरूरत थी। मैं ऐसा कोई दोस्त चाहती थी, जो फिर अपना रास्ता ढूँढ़ने में मेरा सहायक सिद्ध हो। मुझे जो करना था, वह मैंने किया। उसे धीरे-धीरे, लेकिन निश्चित रूप से अपनी ओर खींचा। जब मैंने आखिर उसे अपने दोस्त के रूप में पाया, तब सब अपने आप इतना अंतरंग बना कि अब जब मैं उसके बारे में सोचती हूँ तो सबकुछ बड़ा ही बेरहम और चौंका देने वाला लगता है। हमने नितांत निजी विषयों पर बातचीत की, लेकिन जो विषय मेरे दिल के करीब हैं, उनके बारे में हममें कभी बातचीत नहीं हुई। मैं अभी भी पीटर के बारे में निश्चित तौर पर कुछ कह नहीं पाऊँगी। क्या वह एक सतही लड़का है या कि उसका संकोच उस पर हावी है? ये सभी बातें एक तरफ कर भी दी जाएँ, तब भी मैंने निश्चित तौर से एक गलती की है। उनके करीब पहुँचने के लिए मैंने अंतरंगता का इस्तेमाल किया है और ऐसा करते समय दोस्ती के अन्य सभी रूप मैंने टाल दिए हैं। उसे प्रेम की तलाश है, मुझे यह भी पता चल रहा है कि उसे मैं पसंद आने लगी हूँ। हम साथ में जो समय गुजारते हैं, उससे उसे संतुष्टि महसूस होती है, लेकिन मुझे सबकुछ फिर से शुरू करने की इच्छा होती है। जिन विषयों को मैं चर्चा में लाना चाहती हूँ, उन्हें मैं कभी उसके सामने छेड़ती नहीं। उसे पता भी नहीं है, इतना मैंने पीटर पर दबाव डाला है। उसे अपने पास लाने के लिए और अब वह मेरे साथ ही रहना चाहता है। मैं ही अब उसका जीवन बन गई हूँ। ईमानदारी से कहूँ, तो उसे झटक देने का कोई रास्ता मुझे सूझ नहीं रहा। मैं किसी तरह फिर उसे उसके दो पैरों पर खड़ा नहीं कर पा रही हूँ। जल्द ही मुझे पता चला कि वह मेरा आत्मीय नहीं बन सकता, फिर भी उसे मैंने उसके संकीर्ण संसार से बाहर लाने की कोशिश की, उसके युवा क्षितिज को विस्तार देने की कोशिश की।

किसी किताब में मैंने पढ़ा है कि "अंतस में बूढ़ों से अधिक युवा एकाकी होते हैं।" मेरे मन में यह वाक्य चिपक गया है। मुझे यह सही लगता है।

सो अगर आप सोच रहे हों कि यहाँ की जिंदगी बच्चों से अधिक वयस्कों पर भारी पड़ रही है, तो ऐसा नहीं है। वयस्कों की हर चीज के बारे में अपनी राय होती है। उन्हें अपने बारे में, अपनी कृतियों के बारे में यकीन होता है। हम जैसे युवाओं के लिए अपनी राय पर कायम रहना मुश्किल होता है, जब हमारे आदर्श गिरकर, टूटकर चकनाचूर हो जाते हैं, नष्ट हो जाते हैं, जब मानवी स्वभाव का बुरा पहलू हावी होता है, जब कोई सत्य, न्याय और भगवान् को शक की निगाह से देखता है।

जो यह कहते हैं कि गुप्त भवन में रहना बड़ों पर बड़ा भारी गुजरा, वे यह नहीं जानते कि समस्याओं का हम पर बहुत गहरा असर होता है। इन समस्याओं से दो-चार होने के लिए हम बहुत छोटे हैं, लेकिन समस्याएँ आ-आकर हमसे टकराती रहती हैं, तब तक, जब तक कि हम उनका हल नहीं ढूँढ़ लेते। हालाँकि हर बार हमारे निकाले हुए हल वास्तविकता से सामना होते ही निष्प्रभ हो जाते हैं। ऐसे मुश्किल समय में आदर्श, सपने और पाली हुई आशाएँ हमारे अंदर पल्लवित तो होती हैं, लेकिन कठोर वास्तविकता के प्रभाव तले मसली जाती हैं। मैंने अपने सारे आदर्श त्याग नहीं दिए हैं, यह एक आश्चर्य ही है। वे सारे बड़े ही अवास्तविक और विचित्र, अजीब लगते हैं। फिर भी मैं उनसे चिपके रहना चाहती हूँ, क्योंकि मुझे अभी भी यकीन है कि चाहे जो हो, लोग अंदर से अच्छे ही होते हैं।

दुर्व्यवस्था, दुःख और मृत्यु की बुनियाद पर अपनी जिंदगी की इमारत खड़ी करना मेरे लिए असंभव है। मुझे लगता है कि दुनिया धीरे-धीरे एक बड़े जंगल में तबदील हो रही है। अपनी ओर सरकते हुए आनेवाले बवंडर को मैं सुन सकती हूँ। एक दिन यह बवंडर हम सबको तहस-नहस कर देगा। मैं करोड़ों लोगों का दुःख महसूस करती हूँ। फिर भी, जब मैं आकाश की ओर देखती हूँ, पता नहीं क्यों, मुझे लगता है कि हर बात अच्छाई में बदलेगी। इस क्रूरता का भी अंत होगा। एक बार फिर शांति और संतोष लौटेगा। दरमियान के समय में मुझे अपने आदर्शों पर कायम रहना होगा। हो सकता है, किसी दिन मैं उन्हें वास्तविकता में ढाल सकूँ।

तुम्हारी

ऐन.एम. फ्रैंक

शुक्रवार, 21 जुलाई, 1944

मेरी सबसे प्रिय किट्टी,

आखिरकार मैं आशावादी बन रही हूँ। यहाँ बातें ठीक-ठाक चलने लगी हैं। सच में अच्छी खबर है। हिटलर पर जनलेवा हमला हुआ। वह भी किसी यहूदी कम्युनिस्ट या पूँजीपति अंग्रेज द्वारा नहीं वरन् एक जर्मन सेनानायक से, जो कि काउंट भी है, अभिजात वर्ग से है और युवा है। फरो का जीवन 'परमात्मा की भविष्यवाणी' को समर्पित है, दुर्भाग्य से वह केवल कुछेक मामूली जख्मों और खरोंचों के साथ बच निकला। आस-पास के कई अफसर और सेनानायक मारे गए या जख्मी हुए। षड्यंत्रकारियों के प्रमुख को मार गिराया गया।

अब तक का यह सबसे अच्छा सबूत है कि कई अफसर और सेनानायक भी युद्ध से तंग आ चुके हैं और वे हिटलर को ऐसे गड्ढे में गायब होते देखना चाहते हैं, जिसका कोई तल न हो, ताकि वे सेना की हुकूमत कायम कर सकें। मित्र राष्ट्रों के साथ संधि कर सकें, फिर से हथियारों से लैस हो सकें और कुछ दशकों के बाद एक नया युद्ध छेड़ सकें। शायद यह भी हो सकता है कि ऊपरवाला जान-बूझकर हिटलर से मुक्ति पाने में देर लगा रहा है, ताकि मित्रराष्ट्रों के लिए यह ज्यादा आसान, सस्ता रास्ता होगा, जिसमें जर्मन एक-दूसरे का कत्ल कर खुद ही विनष्ट हो जाएँ। इससे रूसी और अंग्रेजों के ऊपर का बोझ थोड़ा हल्का हो जाएगा। इससे वे नए शहरों को थोड़ा जल्दी बसा पाएँगे, लेकिन हम अभी इस स्थिति तक नहीं पहुँचे हैं और मैं इस घटना के बारे में पहले से सोचना बिल्कुल नहीं चाहूँगी। फिर भी तुम्हें पता चल गया होगा कि मैं सच बता रही हूँ, केवल सत्य, बाकी कुछ नहीं। ऊँचे आदर्शों पर भी इस बार मैं नहीं गई हूँ।

इसके अलावा हिटलर ने बड़ी दयालुता दिखाते हुए अपने ईमानदार, समर्पित लोगों को सूचित किया है कि अब पूरी सेना और उसका अधिकारी वर्ग गेस्टापो के आदेशों का पालन करेगा और अगर किसी (गेस्टापो) सैनिक को इस बात का पता चले कि फहरेर पर हुए कायराना जानलेवा हमले में कोई अधिकारी भी शामिल था तो वह सैनिक उस अधिकारी को देखते ही गोली से उड़ा देगा।

बड़ा अजीब घपला है यह। लंबे मार्च के बाद सैनिकों के पेट दु:ख रहे हैं। ऐसे में उसका अफसर उसे डाँट देता है। सैनिक अपनी राइफल उठाते हुए चिल्लाता है, "ओय! तुमने फेरो का कत्ल करने की कोशिश की? यह लो उसकी सजा।" वह एक ही गोली में उस इतरानेवाले घमंडी अफसर का काम तमाम कर देता है, जिसने उसे डाँटने की हिमाकत की थी। अफसर अमर जीवन को (या कि मगर मृत्यु को) प्राप्त होता है। धीरे-धीरे, जब भी कोई अफसर सैनिक को देखता है या उसे कोई हुकूम सुनाता है, तब पहले उस अफसर की पैंट गीली हो जाती है, क्योंकि अब सेना में अधिकारियों से ज्यादा सैनिक की तूती बोलती है।

मैंने जो कहा है, वह तुम्हारी समझ में आया, या फिर मैं एक विषय से दूसरे विषय पर चलती गई? अब इस पर मेरा कोई बस नहीं। अक्तूबर से फिर स्कूल जाने का मौका मिल सकने की बात से मैं इतनी खुश हूँ कि मेरे लिए तार्किक बने रहना संभव नहीं हो पा रहा। किट्टू, अभी तो मैंने तुमसे कहा न कि "मैं आनेवाले समय की घटनाओं के बारे में पहले से अंदाजा लगाना नहीं चाहती।" माफ करना, किट्टी, परस्पर विरोधी बातों की पुड़िया हूँ, ऐसा लोग यों ही नहीं कहते।

तुम्हारी

ऐन.एम. फ्रैंक

मंगलवार, 1 अगस्त, 1944

मेरी सबसे प्यारी किट्टी,

'विरोधाभास की पुड़िया' से पिछले पत्र का समापन हुआ था और इस खत की शुरुआत हो रही है। क्या तुम मुझे बता सकती हो कि 'विरोधाभास की पुड़िया' का सही-सही क्या मतलब होता है? 'विरोधाभास' यानी क्या? अन्य कई शब्दों की तरह इस शब्द को भी दो तरीकों से समझा जा सकता है—बाहरी विरोधाभास और आंतरिक विरोधाभास। बाहरी विरोधाभास के मायने हैं कि हम औरों की राय न मानें, हमेशा यह मानकर चलें कि अपनी राय ही सर्वश्रेष्ठ है, हमेशा अपना शब्द ही अंतिम मानें और मानने पर मजबूर करें, यानी संक्षेप में वे सारे अप्रिय गुण, जिनके कारण मेरी पहचान है। आंतरिक विरोधाभास को लोग मेरे साथ जोड़कर नहीं देखते, लेकिन वह मेरा अपना राज है।

मैंने जैसा कि तुम्हें कई बार बताया है, मैं दो हिस्सों में बँटी हूँ। मेरे एक हिस्से में मेरा भरपूर उल्लास है, मेरी बकबक है, मेरा जीवन के प्रति प्रेम है और सबसे महत्त्वपूर्ण है, चीजों से जुड़े हल्के पहलू का आनंद लेना। इससे मेरा मतलब है कि मैं प्रेम संबंधों को गलत नहीं मानती, चुंबनों को, गले लगने को, अश्लील बातों को गलत नहीं मानती। मेरा यह पहलू मेरे दूसरे पहलू पर एकाएक आक्रमण करने के लिए घात लगाए बैठा रहता है। मेरा दूसरा पहलू बेहद पवित्र, गहरा और उम्दा है। ऐन के अच्छे पहलू के बारे में कोई नहीं जानता। इसीलिए ज्यादातर लोग मुझे बरदाश्त नहीं कर सकते। मैं किसी दुपहरिया भर के लिए मजाकिया विदूषक बन सकती हूँ, लेकिन उतने समय में ही सबको महीने भर के लिए काफी हो, इतनी खुराक मिल जाती है। असल में एक रोमांस भरी फिल्म किसी गहन विचारक के लिए जो हो सकती है, वैसी मैं हूँ। केवल विषयांतर, मजेदार मध्यांतर, कुछ ऐसा, जो आसानी से भुलाया जा सके। बुरा नहीं, लेकिन कोई खास अच्छा भी नहीं। तुम्हें यह बताने में मुझे असल में बड़ी कोफ्त हो रही है, लेकिन मैं जानती हूँ तो क्यों न बताऊँ कि यही सच है। मेरा मजाकिया, सतही पहलू हमेशा मेरे गहरे, विचारक पहलू पर भारी पड़ता रहेगा और इसीलिए जीत हमेशा उसकी होती रहेगी। तुम सोच भी नहीं सकती कि इस मजाकिया ऐन को मैंने कितनी बार धकेलकर अपने से अलग करने की कोशिश की है, जो पूरी ऐन का केवल आधा हिस्सा है, उसे पटखनी देने की, छुपाने की कोशिश की है, लेकिन यह कोशिश कभी सफल नहीं हो सकती। क्यों नहीं हो सकती यह भी मैं जानती हूँ।

आम तौर पर मैं जैसी हूँ, वैसी ही लोग मुझे जानते हैं और मुझे डर लगता है

कि लोग मेरे दूसरे पहलू को बेहतर और सूक्ष्म पहलू को जान जाएँगे। वे जब मेरे इस दूसरे पहलू को जानेंगे तो मेरा मजाक उड़ाएँगे। लोग सोचेंगे कि मैं विचित्र और भावुक हूँ। वे मुझे कतई गंभीरता से नहीं लेंगे। वैसे मुझे गंभीरता से न लिये जाने की आदत हो गई है, लेकिन केवल मजाकिया ऐन को इसकी आदत है। वही इस बात को सह भी सकती है। गहराई से सोचनेवाली ऐन बेहद कमजोर है। उसे अगर पंद्रह मिनट के लिए भी मैं खुले में आने पर मजबूर करूँ तो वह सीप जैसी बंद हो जाती है। बिल्कुल नहीं बोलती और बातूनी पहली ऐन को आगे कर देती है। मुझे पता चले, इससे पहले वह वहाँ से गायब हो जाती है।

इस तरह अच्छी ऐन कभी किसी के साथ दिखाई नहीं देती। उसने कभी किसी के सामने एकाध बार भी अपने को व्यक्त नहीं किया, लेकिन मैं जब अकेली होती हूँ, तब वही मंच पर काबिज होती है। मैं जानती हूँ कि कैसे बनना मुझे पसंद है, मैं कैसी हूँ…अंदर से। दुर्भाग्य से मैं केवल अपने साथ होती हूँ, तभी ऐसी होती हूँ और शायद इसीलिए नहीं, बस यही वजह है। इसलिए मैं अपने आपको अंदर से खुश मानती हूँ और बाकी लोग मुझे बाहर से खुश मानते हैं। अंदर की पवित्र ऐन मेरा मार्गदर्शन करती रहती है, जबकि बाहर से मैं बस जिंदादिल, हँसमुख बकरी की तरह हूँ, जो अपनी रस्सी को झटके दे-देकर खींचती रहती है।

जैसाकि मैं तुम्हें बता चुकी हूँ, जो मैं कहती हूँ, वह मैं महसूस नहीं करती। इसीलिए मैं लड़कों में दिलचस्पी रखती हूँ, फ्लर्ट हूँ, अपने आपको ज्यादा समझदार मानती हूँ और रोमांस को जल्द पढ़नेवाली हूँ। यह खुशगवार ऐन हँसती है, तुरंत चटपटा जवाब देती है, कंधे उचकाती है और जताती है, जैसे उसे किसी भी चीज की रत्ती भर परवाह नहीं है। शांत ऐन इसके ठीक विपरीत व्यवहार करती है। अगर मैं पूरी ईमानदारी से बताऊँ तो मुझे कहना पड़ेगा कि जो भी हो, उससे मुझे कोई फर्क नहीं पड़ता। मैं बहुत कोशिश कर रही हूँ अपने आपको बदलने की, लेकिन हमेशा यही होता है कि मैं जिस पर विजय पाऊँ, उससे ताकतवर शत्रु मेरे सामने आकर खड़ा हो जाता है।

मेरे अंदर की आवाज सुबक रही है। कह रही है, "देखा, तुम ऐसी ही बनी हो। ऐसी हो गई हो तुम। नाकारी गई रायों से तुम घिरी हुई हो। आश्चर्य भरी नजरें और मजाक उड़ाते चेहरे लेकर तुम्हें नापसंद करनेवाले लोग तुम्हें घेरे हुए हैं और ऐसा केवल इसलिए हुआ है कि तुम अपने अंदर छिपे दूसरे, अच्छे, आधे व्यक्तित्व की बात नहीं मान रही हो।" यकीन करो, मैं सुनना चाहती हूँ उस ऐन की बात, लेकिन उसका कोई फायदा नहीं होगा, क्योंकि अगर मैं शांत और गंभीर होती हूँ तो लोगों को लगता है कि यह मेरा कोई नया नाटक है। तब मुझे किसी मजाक का सहारा लेकर अपने आपको

बचाना पड़ता है। फिर तब मैं अपने परिवार के बारे में नहीं बोलती, जो यह मान लेता है कि मैं बीमार हूँ, वे मुझे एस्पिरिन और नींद की गोलियाँ खिलाते हैं, गले और माथे को छूकर देखते हैं कि कहीं मेरा बदन तप तो नहीं रहा? मेरे पेट की हालत के बारे में पूछते रहते हैं, बुरे मूड में होने के लिए मुझे डाँटते फटकारते हैं। तब तक, जब तक कि मैं अपनी गंभीरता त्याग न दूँ, क्योंकि जब हर कोई मुझ पर हावी होने लगता है तो मैं गुस्सा हो जाती हूँ, फिर दु:खी होती हूँ और आखिर अपना दिल उलट देती हूँ। बुरा हिस्सा बाहर और अच्छा हिस्सा अंदर कर लेती हूँ। मुझे जो बनना है, उसका रास्ता ढूँढ़ती रहती हूँ। सोचती हूँ कि मैं क्या कुछ बन सकती हूँ, अगर···अगर इस दुनिया में और लोग न हों तो।

तुम्हारी

ऐन.एम. फ्रैंक

□

उपसंहार

4 अगस्त, 1944 की सुबह, दस और साढ़े दस बजे के बीचवाले समय में कभी '263 प्रिंसनग्राट' के सामने एक कार आकर रुकी। उसमें से कई सैनिक निकले। एस.एस. सार्जंट कार्ल जोजफ सिल्बरटर पूरी वर्दी में थे और डच सुरक्षा पुलिस के कम-से-कम तीन सदस्य, जो शस्त्रों से लैस थे, लेकिन सादी पोशाक में थे। शायद उन्हें किसी ने खबर दी थी।

एनेक्स में छिपे आठ लोगों को उन्होंने गिरफ्तार किया, उनके दो मददगारों के साथ। विक्टर कुग्लर और जोहांस क्लीमन इन दो मददगारों के साथ वहाँ उपलब्ध सभी कीमती सामान और नकदी को कब्जे में ले लिया गया। मीप जीज और एलिजाबेथ (बेप) वोस्कुइजिल को उन्होंने कब्जे में नहीं लिया।

गिरफ्तारी के बाद कुग्लर और क्लीमन को एमस्टरडम के कारागार में ले जाया गया। 11 सितंबर, 1944 को उन्हें सुनवाई के बगैर ही वहाँ से हॉलैंड के एमर्सफूर्ट में स्थानांतरित किया गया। खराब सेहत के कारण 18 सितंबर, 1944 को क्लीमन को छोड़ दिया गया। सन् 1959 में मृत्यु होने तक जोहांस क्लीमन एमस्टरडम में ही रहे।

28 मार्च, 1945 को अन्य कैदियों के साथ मजदूर के तौर पर जर्मनी भेजे जाते समय विक्टर कुग्लर भागने में कामयाब रहे। सन् 1955 में वह देशांतर कर कनाडा में जाकर बसे और 1989 में टोरंटों में उनकी मृत्यु हुई।

एलिजाबेथ (बेप) वोस्कुइजिल विज्क की सन् 1983 में एमस्टरडम में मौत हुई। उनके पति जान की सन् 1993 में मृत्यु हुई।

गिरफ्तारी के बाद एनेक्स के आठ निवासियों को एमस्टरडम ले जाया गया। वहाँ से उन्हें यहूदियों के लिए हॉलैंड के उत्तरी हिस्से में बने शरणार्थी शिविर वेस्टरबोर्क भेज दिया गया। वेस्टरबोर्ग से जानेवाले आखिरी वाहन में 3 सितंबर, 1944 को उन्हें पॉलैंड के ऑशविज में भेज दिया गया। तीन दिनों के बाद वे वहाँ पहुँचे।

ओट्टो फ्रैंक के अनुसार हर्मन वैन पेलेस (वैनडैन) को अक्तूबर या नवंबर

1944 को ऑशविज के गैस चैंबर में डालकर मारा गया। गैस चैंबर्स को नष्ट किए जाने से कुछ समय पहले की यह घटना है।

ऑगस्टे वैन पेलेस (पेट्रोनेला वैनडैन) को ऑशपिज से बर्जन बेल्सेन भेजा गया। वहाँ से उसे बुचेन वाल्ड भेजा गया। फिर वहाँ से थेरे सिएनस्टैडट 9 अप्रैल, 1955 को भेजा गया। वहाँ से आगे किसी और कैंप में भेजा गया। पक्के तौर पर कहा जा सकता है कि वे बच नहीं पाईं, हालाँकि उनकी मृत्यु की तारीख किसी को पता नहीं।

पीटर वैन पेल्स (वैनडैन) को जबर्दस्ती 16 जनवरी, 1945 के मौत के जुलूस में शामिल कराया गया। यह जुलूस ऑशविज से मौथॉसेन (आस्ट्रिया) तक चला था। वहाँ कैंप को मुक्त किए जाने से तीन दिन पूर्व 5 मई, 1945 को उसकी मौत हुई।

फ्रिट्स फेफ्फर (एल्बर्ट डुस्सेल) की मौत 20 दिसंबर, 1944 को हुई। बुचेनवाल्ड या आश्चेनहौसेन में से किसी छावनी से न्यूएनगैस नजरबंदी शिविर में उन्हें भेजा गया था, जहाँ उनकी मौत हुई।

6 जनवरी, 1945 के दिन भूख और थकान के कारण ऑशविज बिरकेनौ में एडिथ फ्रैंक की मृत्यु हुई।

अक्तूबर के अंत में मार्गो और ऐन को ऑशविज से बर्जेन बेल्सेन भेजा गया। जर्मनी के हैनोवर का यह नजरबंदी शिविर था। सन् 1944-45 के दौरान वहाँ टाइफस महामारी फैली, जिसका कारण वहाँ की भयानक गंदगी थी। इस बीमारी ने हजारों कैदियों को मौत के घाट उतार दिया। उन्हीं में पहले मार्गो और कुछ दिन बाद ऐन की भी मौत हो गई। फरवरी के अंत में या मार्च की शुरुआत में शायद ऐन की मौत हुई हो। बर्जन-बेल्सन की सामूहिक कब्रगाहों में दोनों लड़कियों की लाशें डाल दी गई थीं। 12 अप्रैल, 1945 को ब्रिटिश सेना ने इस कैंप को मुक्त किया था।

नजरबंदी शिविरों से केवल ओट्टो फ्रैंक ही बच पाए थे। रूसी सेना द्वारा ऑशविज शिविर से मुक्त किए जाने के बाद उन्हें ओडेसा और मार्सिल द्वारा एमस्टरडम वापस भेज दिया गया था। 3 जून, 1945 को वे एमस्टरडम पहुँचे। सन् 1953 तक वे वहीं रहे। उसके बाद वे अपनी बहन और उसके परिवार के यहाँ स्विट्जरलैंड के बेसेल पहुँचे। बाद में उनके भाई भी वहीं पहुँचे। एल्फ्रीडा मार्को विट्ज जिरींजर से उन्होंने दुबारा शादी की। वह मूलत: वियना की थीं। उन्हें भी ऑराविज भेजा गया था, जहाँ मौथौसन में उनके पति और बेटे की मौत हुई थी। 19 अगस्त, 1980 को ओट्टो फ्रैंक की मौत हुई। तब वह बेसेल के बाहरी तरफ बसे बिर्सफेल्डेन में रहकर अपनी बेटी की डायरी में लिखे संदेशों को दुनिया भर में लोगों को भेजा करते थे।

11 जनवरी, 2018

ऐन फ्रैंक की डायरी, जिस गुप्त भवन में उसने अपने आखिरी वर्ष बिताए थे,

वहाँ मिली थी। तब से यह डायरी दुनिया भर में एक सर्वोच्च कोटि की किताब मानी जाती है। इसे युद्ध की भयानक त्रासदी का मानवीय हृदय द्वारा प्रस्तुत किया गया भावपूर्ण वसीयतनामा कहा जा सकता है।

यह डायरी एक ही समय में कई तरह के चित्र प्रस्तुत करती है। यह एक मनोरंजक, बोधप्रद और हिला देने वाला किशोर उम्र का पोथा है। इस उम्र में होने वाली मानसिक प्रक्रियाओं का लेखा है। इसमें वह अपने आस-पास के लोगों के बारे में, समूचे विश्व के बारे में और जीवन के बारे में, ऐन अपने विचार और भावनाएँ प्रकट करती है। एक छोटी लड़की के विशिष्ट वातावरण में बड़े और प्रगल्भ बनने का सही-सही लेखा-जोखा है। गुप्त रूप से रहते हुए ऐन ने पूरे दो वर्ष एनेक्सी में बिताए थे। उसी दौरान ऐन ने यह डायरी लिखी। नाजी जब यूरोप के सभी यहूदियों का खात्मा कर रहे थे, तब छिपकर जीने को मजबूर आठ यहूदियों का दिल को कँपा देने वाला भयानक और विशद वर्णन हम इस डायरी में पाते हैं।

□□□